MÜNCHENER UNIVERSITÄTS-SCHRIFTEN

Katholisch-Theologische Fakultät

JOST ECKERT

DIE URCHRISTLICHE VERKÜNDIGUNG IM STREIT ZWISCHEN PAULUS UND SEINEN GEGNERN NACH DEM GALATERBRIEF

1971

VERLAG FRIEDRICH PUSTET REGENSBURG

MÜNCHENER UNIVERSITÄTS-SCHRIFTEN
Katholisch-Theologische Fakultät

1971

VERLAG FRIEDRICH PUSTET REGENSBURG

JOST ECKERT

DIE
URCHRISTLICHE VERKÜNDIGUNG
IM STREIT ZWISCHEN
PAULUS UND SEINEN GEGNERN
NACH DEM GALATERBRIEF

1971

VERLAG FRIEDRICH PUSTET REGENSBURG

BIBLISCHE UNTERSUCHUNGEN

HERAUSGEGEBEN VON OTTO KUSS

BAND 6

227·4
Ec 57

183248

ISBN 3 7917 0313 7

Gedruckt mit Unterstützung aus den Mitteln
der Münchener Universitäts-Schriften

©

Copyright 1971 by Friedrich Pustet Regensburg
Gesamtherstellung: Passavia Passau
Printed in Germany 1971

VORWORT

Die vorliegende Studie wurde im Wintersemester 1970/71 von der Katholisch-Theologischen Fakultät der Ludwig-Maximilians-Universität München als Dissertation angenommen. Für den Druck wurde lediglich die wichtigste neu erschienene Literatur eingearbeitet.

Zu danken habe ich allen denen, die mir mit ihrer wissenschaftlichen Arbeit jenes Bild von der Gründerzeit des Christentums vermittelten, das von einer überstürzten Glorifizierung, welche die notwendige realistische Nüchternheit vermissen läßt, ebenso weit entfernt ist wie von einer »säkularisierenden« Nivellierung, die dem von dem Neuen Testament beanspruchten Selbstverständnis nicht gerecht wird. Zu danken habe ich vor allem denen, die mir durch ihre Arbeiten über die weitgespannte Problematik des Galaterbriefs Belehrung, Wege zu einem besseren Verständnis und den Mut zu einer eigenen Stellungnahme vermittelten, nicht zuletzt denjenigen, denen ich nicht zustimmen zu können meinte, die mir aber häufig gerade dadurch zu neuen Einsichten verholfen haben. Insbesondere danke ich meinem Lehrer, Herrn Professor Dr. Otto Kuss, der mich in die Kunst des Fragens, welche den biblischen Text erst lebendig werden läßt, einführte. Er hat die Arbeit angeregt, in kritischem Gespräch gefördert und sie in die »Biblischen Untersuchungen« aufgenommen.

Die Drucklegung wurde ermöglicht durch eine finanzielle Unterstützung aus den Mitteln der »Münchener Universitäts-Schriften« sowie durch einen Kostenzuschuß der Erzdiözese Köln; dafür sei aufrichtig Dank gesagt.

Dem Verlag und der Druckerei bin ich für ihr Entgegenkommen und mancherlei Mühe zu Dank verpflichtet.

Jost *Eckert*

INHALTSVERZEICHNIS

EINLEITUNG

Was ist Christentum? – diese Frage steht im Mittelpunkt gegenwärtiger theologischer Bemühungen. Die Suche nach dem, was als christliche Botschaft gelten darf und zu verkünden ist, führt zwangsweise zur Urgeschichte des christlichen Glaubens. Die die Geschichte der christlichen Religion begleitende Diskussion über die legitime christliche Verkündigung wurde in der Urkirche eröffnet. Eine Reihe der erstrittenen exemplarischen Antworten hat der Kanon des Neuen Testaments aufbewahrt. Im Brief des Apostels Paulus an die Galater, einem der ältesten literarischen Zeugnisse des christlichen Glaubens, steht das Schlagwort vom »anderen Evangelium« (1,6) und kennzeichnet die Auseinandersetzung über das rechte Evangelium. Hier dokumentiert sich in unverhüllter Schärfe der Streit über die christliche Verkündigung, und die unterschiedlichen theologischen Positionen in der Urchristenheit werden sichtbar. So gibt es wohl kaum eine bessere Einstiegsmöglichkeit, um die bewegte Geschichte des christlichen Glaubens in seiner Entstehungszeit zu verfolgen und das Selbstverständnis der Urchristenheit zu erheben, als mit jener großen Kampfschrift des Apostels Paulus zu beginnen[1].

Unmittelbar rechtfertigt sich die vorliegende Untersuchung über die ur-

---

[1] Vgl. W. Wrede, Paulus (1904), in: WdF XXIV 1: »In der Zeit des werdenden Christentums ist Paulus die deutlichste, ja in gewissem Sinne die einzig deutliche Gestalt. Nach seinem Tode folgt eine lange Periode, aus der auch nicht ein Christ, geschweige ein bedeutender, greifbar vor uns steht. Wie schattenhaft bleiben uns die unmittelbaren Schüler Jesu, sogar ein Petrus! Allein auch Jesus selbst ist unserm Auge weit schwerer zugänglich als sein größter Apostel. Nur wie durch wallenden Nebel sehen wir sein Bild: vieles gänzlich bedeckt, anderes leichter umhüllt; anderes freilich auch offen – der Nebel zerreißt.« B. Rigaux, Paulus und seine Briefe, München 1964, 13: »Die neutestamentliche Forschung ist gegenwärtig daran, die literarischen, historischen und offenbarungsgeschichtlichen Zusammenhänge des Urchristentums zu entdecken. Welche Persönlichkeit und welche Gedankenwelt könnten die Kontinuität und Diskontinuität zwischen Christentum und Judentum, die Erarbeitung des Kerygmas und der Paränese, den Zusammenprall von Judenchristentum und hellenistischem Christentum, die ersten Umrisse des Kultes, der Lehrstreitigkeiten, der kirchlichen Organisation besser erhellen? Wer vermöchte angesichts eines in Blüte stehenden, zugleich verschlossenen und offenen Weltreichs, das auf der Suche war nach einem geistlichen Heil, die echte Originalität der neuen Religion und des neuen Menschen besser zu offenbaren als Paulus?«

christliche Verkündigung im Streit zwischen Paulus und seinen Gegnern
nach dem Galaterbrief durch die in der neutestamentlichen Forschung
neu aufgebrochene Debatte über die Gegner des Apostels Paulus in Galatien.
Wie die Problemgeschichte zeigen wird, ist die Frage nach Inhalt und
Herkunft des »anderen Evangeliums«, das von offensichtlich christlichen
Missionaren in den paulinischen Gemeinden Galatiens verkündet wurde,
bei Paulus aber auf erbittertste Ablehnung stieß, in der gegenwärtigen Exegese völlig offen bzw. äußerst umstritten. Ein neuer Versuch zur Klärung
des Problems ist angebracht.

I. Kapitel

DIE PROBLEMGESCHICHTE UND VORBEMERKUNGEN ZUR QUELLEN- UND METHODENFRAGE

1. Die Problemgeschichte mit besonderer Berücksichtigung der neueren Forschung über die Gegner des Apostels Paulus in Galatien

Der Streit zwischen Paulus und seinen Gegnern über die legitime christliche Verkündigung, wie er sich im Galaterbrief niederschlägt, fand in der Geschichte der Kirche und der Auslegung des Neuen Testaments eine recht unterschiedliche Beurteilung. Das Vorhaben, eine detaillierte Darstellung der Deutung des Galaterbriefs in der Historie zu geben, dürfte jedoch den Rahmen dieser Arbeit sprengen. Das umfassende Thema »Das Paulusverständnis in der Geschichte des Christentums«, das kontroverstheologische Problem »Gesetz und Evangelium« und nicht zuletzt die Frage nach dem Gesamtbild des Urchristentums lassen sich nämlich nicht ausklammern. Der Zusammenhang der in diesen Themen angesprochenen Problematik mit der jeweiligen Interpretation der theologischen Position des Paulus und der seiner galatischen Kontrahenten ist kaum zu lösen. Deshalb seien im folgenden aus dem Galaterbriefverständnis des Altertums und Mittelalters nur einige wesentliche Momente bewußt gemacht, bevor ein Überblick über die neuere Forschungsgeschichte seit F. Chr. Baur gegeben wird.

Beginnt schon in der in neutestamentlicher Zeit entstandenen Apostelgeschichte sich die Tendenz deutlich abzuzeichnen, Paulus und seine Theologie nahe an den theologischen Standort der Urapostel und der Jerusalemer Gemeinde heranzurücken und die Gegner des Apostels, welche für die Einhaltung des Gesetzes des Alten Bundes streiten, als relativ unbedeutende Erscheinung der frühesten Kirchengeschichte in den Hintergrund treten zu lassen – ob dies bewußt oder unbewußt geschah, braucht hier nicht diskutiert zu werden –[1], so setzt sich diese Sicht immer mehr durch: Paulus mit den Uraposteln auf der Seite der Orthodoxie, seine Gegner als die Stören-

---

[1] Man vergleiche etwa Apg 15 mit Gal 2,1–10, ferner Apg 13,31f. sowie den Gesamtaufriß der Apg (Paulus steht auf dem durch die zwölf Apostel gelegten Fundament und wiederholt ihre Predigt; er ist genauso gesetzestreu wie alle führenden Männer der Kirche und unterscheidet sich in seiner Verkündigung von der der Zeugen erster Ordnung nicht) und beachte, daß der Verfasser der Apg die innerkirchlichen Auseinandersetzungen, insbesondere die Unruhe in den paulinischen Gemeinden, nicht registriert. Siehe dazu meinen Aufsatz: »Paulus und die Jerusalemer Autoritäten nach dem Galaterbrief und der Apostelgeschichte. Diver-

friede und Häretiker auf der anderen Seite. Ein gewisser Höhepunkt dieser Entwicklung ist dort erreicht, wo das Urteil des Paulus, der das Verhalten des Kephas und der übrigen Judenchristen in Antiochien (Gal 2, 11 ff.) in derselben Theologie, wie sie von seinen galatischen Gegnern vertreten wird, begründet sein läßt, nicht mehr verstanden wird und man von einem Scheinstreit der beiden Apostel redet[1]. Die nach Paulus bei den Galatern aufgetretenen christlichen Missionare gelten als die Irrlehrer, die das rechte Evangelium, das gemeinsam von Paulus und den Uraposteln verkündet wurde, in Frage stellen. Diese traditionelle Deutung, die für das Anliegen der Konkurrenten des Paulus in den galatischen Gemeinden den Sinn verloren hat, weil die Mannigfaltigkeit der Verkündigungsformen des Urchristentums in Vergessenheit geraten ist, bestimmt bis in unsere Gegenwart hinein die Auslegung des Galaterbriefs.

Während die Ablehnung der apostolischen Autorität des Paulus und seines gesetzesfreien Evangeliums durch seine judaistischen Gegner in dem sich einer Weiterentwicklung und Neuauslegung der christlichen Botschaft sperrenden *Judenchristentum* lebendig blieb[2], fanden bei MARCION die scharfen antijudaistischen Aussagen des Paulus ihre Verabsolutierung[3]. Sowohl im späteren Judenchristentum als auch bei Marcion wurde die großkirchliche Überzeugung von der prinzipiellen theologischen Übereinstimmung zwischen Paulus und den Jerusalemer Aposteln nicht geteilt. Für die Einordnung des Paulus und seiner galatischen Gegner in das Koordinatensystem

---

gierende Geschichtsdarstellung im Neuen Testament als hermeneutisches Problem«, in: J. Ernst (Hrsg.), Schriftauslegung, Paderborn 1972, (dort weitere Literatur).

[1] Dazu die informative Studie von F. Overbeck, Über die Auffassung des Streits des Paulus mit Petrus in Antiochien (Gal 2, 11 ff.) bei den Kirchenvätern (1877), Darmstadt 1968.

[2] Vgl. A. Hilgenfeld, Die Ketzergeschichte des Urchristentums / urkundlich dargestellt, Leipzig 1884, Nachdruck Darmstadt 1963, 421 ff.; O. Cullmann, Le problème littéraire et historique du roman Pseudo-Clémentin, Paris 1930; G. Strecker, Das Judenchristentum in den Pseudoklementinen, Berlin 1958; W. Bauer u. G. Strecker, in: E. Hennecke, Neutestamentliche Apokryphen, 3. Aufl. hrsg. v. W. Schneemelcher, II. Bd, Tübingen 1964, 39 u. 76 ff.; J. Wagenmann, Die Stellung des Apostels Paulus neben den Zwölf in den ersten zwei Jahrhunderten, Gießen 1926, 141–146; H. J. Schoeps, Theologie und Geschichte des Judenchristentums, Tübingen 1949; ders., Paulus. Die Theologie des Apostels im Lichte der jüdischen Religionsgeschichte, Tübingen 1959, 77–84.

[3] Dazu A. v. Harnack, Marcion. Das Evangelium vom fremden Gott, Leipzig ²1924; Hilgenfeld, Ketzergeschichte 522 ff.; Wagenmann, Paulus 122–134; E. Aleith, Paulusverständnis in der alten Kirche, Berlin 1937, 26 ff.; H. Lietzmann, Marcion, in: Geschichte der Alten Kirche I, Berlin 1961, 265–281, bes. 270 f.; J. Knox, Marcion and the New Testament, Chicago 1942; E. C. Blackman, Marcion and his influence, London 1948; H. v. Campenhausen, Die Entstehung der christlichen Bibel, Tübingen 1968, bes. 180 ff.

der Urkirche ist die Beantwortung dieser Frage von entscheidender Bedeutung.

Aus der Geschichte des Mittelalters sei auf die Exegese der Reformatoren kurz hingewiesen. Die Galaterbriefkommentare M. LUTHERS[1] und J. CALVINS[2] bleiben insofern der traditionellen Deutung verbunden, als beide aufgrund von Gal 2, 1-10 die gegenseitige Anerkennung zwischen Paulus und den Uraposteln behaupten, jedoch wird die Gleichstellung des Paulus mit Petrus und die Vorrangstellung des Jakobus vor Petrus in Jerusalem z. Z. des Apostelkonzils bemerkt und die prinzipielle Gleichrangigkeit der Apostel bei verschiedenen Verantwortungsbereichen betont[3]. Im Gegensatz zu J. Calvin, der den Konflikt zwischen Paulus und Kephas in Antiochien vor das Apostelkonzil datiert und die in Gal 2, 1-10 berichtete Jerusalemreise des Apostels mit der in Apg 12, 25 erwähnten identifiziert[4], hält sich M. Luther an die Darstellung des Paulus, versteht Gal 2, 1-10 als Bericht über den Apostelkonvent (Apg 15) und bezieht besonders aus dem auf diese Jerusalemer Zusammenkunft folgenden Apostelkonflikt in Antiochia (Gal 2, 11 ff.) seine Waffen gegen Rom und die Unfehlbarkeit des Papstes[5]. Das Verhalten des Kephas war eine grobe Verfehlung und ein schwerwiegender Glaubensirrtum, entsprach jedoch nicht seinen prinzipiellen Ansichten über das Zusammenleben von Juden- und Heidenchristen. In der scharfen Verurteilung der galatischen Gegner des Paulus sind sich die Reformatoren einig[6]: Das Evangelium wurde von den Falschaposteln und Irrlehrern durch Zusätze

---

[1] Luthers 1. Vorlesung über den Galaterbrief (1516/17) ist erhalten in einer mangelhaften Nachschrift eines unbekannten Studenten, die 1877 in einem Kölner Antiquariat entdeckt wurde, hrsg. von Hans von Schubert, SAH 1918. 1519 erschien der von Luther selbst bearbeitete, auf seinen Vorlesungen beruhende Kommentar »In epistolam Pauli ad Galatas«, = Weimarer Ausgabe II 1884, 436–618, jetzt in deutscher Übersetzung von I. Mann, in: Calwer Luther-Ausgabe 10, München–Hamburg 1968 (teilweise gekürzt). 1523 erschien der oben genannte Kommentar in von Luther selbst gekürzter und überarbeiteter Ausgabe. 1531 hielt Luther seine 2. Galaterbriefvorlesung. Diese 2. Vorlesung gab 1535 Rörer nach seinem Kollegheft heraus »In epistolam S. Pauli ad Galastas. Commentarius ex praelectione D. Martini Lutheri collectus« (Vorwort von Luther), = Weimarer Ausgabe Bd 40, 1. Abt. 1911, 2. Abt. 1914, 1–184. S. auch K. Bornkamm, Luthers Auslegung des Galaterbriefs von 1519 u. 1531 / ein Vergleich, Berlin 1963.

[2] J. Calvin, Opp. exeget. et homil. vol. XXVIII (Corp. Reform. LXXVII) oder: In omnes NT Ep. comment. ed. Tholuck, ²1834 I; deutsche Übers. in: J. Calvins Auslegung der Hl. Schrift, Neukirchen o. J. (Bd 13).

[3] Siehe die Kommentare zu Gal 2, 1 ff.

[4] Siehe J. Calvin zu Gal 2, 1 und 2, 11.

[5] Siehe M. Luther zu Gal 2, 11 ff.; vgl. K. Holl, Der Streit zwischen Petrus und Paulus zu Antiochien in seiner Bedeutung für Luthers innere Entwicklung (1919), in: Ges. Aufs. zur Kirchengeschichte, Bd III: Der Westen, Tübingen 1928, Nachdruck Darmstadt 1965, 134–146.

[6] Siehe die Kommentare zu Gal 1, 6 f. und 6, 12 f.

verunreinigt und entstellt[1]. Diese handelten aus unlauteren Motiven (Gal 6, 12 f.) und beriefen sich zu Unrecht auf die Autorität der Urapostel. Vornehmlich Luther aktualisiert in seinen Galaterbriefkommentaren die paulinischen Aussagen gegen den Judaismus für seinen Kampf gegen die römisch-katholische Kirche.

Die Geschichtlichkeit der Theologie bzw. die Einordnung der jeweiligen neutestamentlichen Schrift in den Gesamtzusammenhang und den spannungsgeladenen Entwicklungsgang der Theologie in der Urkirche in den Blickpunkt neutestamentlicher Forschung gerückt zu haben, ist das Verdienst von FERDINAND CHRISTIAN BAUR (gest. 1860)[2]. Die Auseinandersetzung des Apostels Paulus mit seinen judaistischen Gegnern war für Baur keine periphere Erscheinung mehr, sondern führte ins Zentrum der Geschichte des Urchristentums. Der Galaterbrief erhielt höchste Aktualität, und die Gegner des Paulus bekamen eine Schlüsselfunktion zur Beurteilung der Urapostel und der Jerusalemer Kirche und bestimmten damit maßgeblich das Gesamtbild von der Kirchengeschichte des ersten und zweiten Jahrhunderts. Wenn auch Baur seine ersten Untersuchungen nicht primär dem Galaterbrief widmete[3], so kommt jedoch die zentrale Bedeutung dieses Briefes in dem ersten großen Hauptwerk des Forschers[4] klar zu Wort: »Welche wichtige historische Urkunde der Brief ist, um die ursprüngliche und wahre Stellung des Apostels zu den älteren Aposteln und eben damit den Entwicklungsprocess des erst im Kampfe mit dem Judenthum zum bestimmtern Bewußtsein seines wesentlichen Princips sich hindurcharbeitenden Christenthums genauer kennen zu lernen, hat sich schon in den frühern Untersuchungen gezeigt, deren Hauptgrundlage der Galaterbrief sein mußte«[5]. Für Baur ist es unübersehbar, daß der Galaterbrief vor den Briefen an die Korinther und Römer zu datieren ist und wir hier den »noch ganz fri-

---

[1] So J. Calvin zu Gal 1,6; 2,5 und 6,12 f.

[2] Zur Würdigung der Exegese des NT vor seiner konsequent geschichtlichen Betrachtung durch D.F. Strauß und F.Chr. Baur siehe W.G. Kümmel, Das Neue Testament. Geschichte der Erforschung seiner Probleme, München ²1970, 3–143 (bes. 62 f., 80), zu Baur 156 ff.

[3] Seine neue Konzeption von der Geschichte des Urchristentums veröffentlichte Baur erstmals in seinem Aufsatz »Die Christuspartei in der korinthischen Gemeinde, der Gegensatz des petrinischen und paulinischen Christenthums in der ältesten Kirche, der Apostel Petrus in Rom«, in: Tübinger Zeitschrift für Theologie, Jahrgang 1831, Heft 4.

[4] F. Chr. Baur, Paulus, der Apostel Jesu Christi. Sein Leben und Wirken, seine Briefe und seine Lehre. Ein Beitrag zu einer kritischen Geschichte des Urchristenthums, 1. Aufl. Stuttgart 1845, 2. Aufl. nach dem Tode des Verfassers besorgt von Dr. E. Zeller, 1. Teil Leipzig 1866, 2. Teil Leipzig 1867. Die angeführten Zitate entstammen der 2. Auflage.

[5] Ders., Paulus I 287.

schen Parteikampf« des Paulus gegen seine judaistischen Gegner – gegen diese
Front wenden sich die vier großen, einzig echten Briefe des Paulus – zu
sehen bekommen und daß andererseits die antipaulinische Opposition »hier
noch ganz das schroffe judaistische Gepräge« an sich trägt[1]. »Die beiden
ersten Kapitel des Briefs an die Galater«, so führt Baur weiter aus, »sind für
unsere Kenntniss des wahren Standpunktes des Apostels und seines Verhältnisses zu den ältern Aposteln eine Urkunde von der größten Wichtigkeit«[2]. Von dem Galaterbrief insgesamt gilt: »Er stellt uns mitten hinein in
die große Bewegung des jetzt gerade in seinem Hauptmoment begonnenen
Kampfs zwischen dem Judenthum und Christenthum, in die Entscheidung
der so wichtigen Frage, ob es ein vom Judenthum freies und von ihm wesentlich verschiedenes Christenthum geben soll, oder ob das Christenthum
nur in der Form des Judenthums existiren kann, somit selbst nichts anderes
ist, als ein modificirtes und erweitertes Judenthum«[3]. Zu den Grundvoraus-
setzungen des Verständnisses des Urchristentums bei Baur gehört die These,
daß »alles, was das Christenthum in seinem wesentlichen Unterschied vom
Judenthum war und sein sollte, erst durch den Apostel Paulus zu seiner
geschichtlichen Realität gekommen war«[4]. Die Urapostel stehen für Baur
noch ganz im Judentum, die Anerkennung des Paulus und seines Evangeliums auf dem Apostelkonzil war »eine Concession, zu welcher sie sich
verstehen mußten. Sie können nicht anders, weil sie der Macht der Umstände und der überwiegenden Persönlichkeit des Apostels nicht zu wider-
stehen im Stande sind. Sie verstehen sich aber im Grunde nur dazu, das
paulinische Christenthum nicht, wie sie ihren Grundsätzen zufolge eigentlich
hätten thun sollen, zu bestreiten, sondern sich passiv gegen dasselbe zu
verhalten«[5]. Baur übersieht jedoch nicht, daß auch im Judenchristentum
zwischen einer strengeren und milderen Richtung zu unterscheiden ist[6].
Seinen Geschichtsentwurf gliedert Baur in Anwendung der Geschichtsauf-
fassung Hegels nach dem Schema: Thesis, Antithesis und Synthesis. Dem
judenchristlichen paulinischen Christentum habe das heidenchristliche paulinische Christentum gegenübergestanden; der allmähliche Ausgleich zwischen diesen beiden Grundanschauungen habe dann zum Katholizismus
geführt.

---

[1] Ders., Paulus I 286 u. 281.
[2] Ders., Paulus I 120.
[3] Ders., Paulus I 283; vgl. auch Baurs Ausführungen in seinem Werk »Das
Christenthum und die christliche Kirche der drei ersten Jahrhunderte«, 2., neu durch-
gearbeitete Ausgabe, Tübingen 1860, Nachdruck in: F. Chr. Baur, Ausgewählte
Werke in Einzelausgaben, hrsg. von K. Scholder, III. Bd., Stuttgart-Bad Cannstadt
1966, bes. 53–57.
[4] Ders., Paulus I 283.
[5] Ders., Paulus I 144.
[6] Ders., Paulus I 145.

Die Schüler F. Chr. Baurs folgten den Spuren ihres Meisters. Auch sie richteten ihren Blick auf den spezifischen Ort einer jeden neutestamentlichen Schrift in der Geschichte des Urchristentums und fragten nach der dogmatischen Tendenz des jeweiligen Verfassers, jedoch konnten zahlreiche Modifikationen des von Baur entworfenen Geschichtsbildes nicht ausbleiben. Was den Galaterbrief angeht, so bemerkt A. Hilgenfeld dazu, daß in dieser paulinischen Kampfschrift die Tübinger Schule »den Archimedischen Punkt ihrer Aufgabe« sah[1]. Von den Schülern Baurs seien zunächst E. ZELLER[2] und A. SCHWEGLER[3] genannt. Beide teilten die radikale Skepsis ihres Lehrers gegenüber dem Geschichtswert der Apostelgeschichte, die die wirklichen Verhältnisse der Urkirche, den Kampf zwischen Judenchristentum und Heidenchristentum, nicht mehr angemessen wiedergäbe. Die Judaisten werden in engstem Zusammenhang mit den Jerusalemer Aposteln gesehen[4]. Während die Kritik Baurs von seinem Schüler G. VOLKMAR überboten wurde[5], beschritten den Weg der Milderung A. HILGENFELD und C. HOLSTEN, die beide mit einem Galaterbriefkommentar hervortraten[6]. Hilgenfeld rechnet im Gegensatz zu Baur 1 Thess, Phil und Philemon wieder zu den echten Paulusbriefen, hält aber an der Grundthese der Tübinger über die antipaulinische Agitation in den galatischen Gemeinden fest, wenn er schreibt: »Das andre, judaistische Evangelium, zu welchem die Galater abfallen wollten, erscheint von vornherein als dasselbe urapostolische Evangelium, welches wir in Jerusalem als ein Evangelium der Beschneidung, in Antiochien als ein Evangelium des Judaismus kennen gelernt haben«[7]. Wie alle Vertreter der Tübinger Tendenzkritik betont Hilgenfeld, daß der Konflikt zwischen Paulus und Kephas in Antiochien den Gegensatz zwischen dem Judenchristentum und Paulus verschärft habe: »Es läßt sich nicht anders

---

[1] A. Hilgenfeld, in: Zeitschr. f. hist. Theologie 1855, 484.

[2] E. Zeller gab von 1842 bis 1857 – seit 1848 in Verbindung mit Baur – die »theologischen Jahrbücher« heraus. Sie waren ein besonderes Sprachrohr der Baur'schen Thesen. 1854 veröffentlichte Zeller sein Werk »Die Apostelgeschichte nach ihrem Inhalt und Ursprung kritisch untersucht«.

[3] A. Schwegler, Das nachapostolische Zeitalter in den Hauptmomenten seiner Entwicklung, 2 Bände, Tübingen 1846. Zu den judaistischen Gegnern des Paulus siehe bes. I 160, II 247 ff.

[4] Vgl. Schwegler, Das nachapostolische Zeitalter I 114–147, 158 ff.; Zeller, Apg 232 ff.

[5] Dazu G. Volkmar, Paulus. Von Damaskus bis zum Galaterbrief, Zürich 1887.

[6] A. Hilgenfeld, Der Galaterbrief / übersetzt, in seinen geschichtlichen Beziehungen untersucht und erklärt, Leipzig 1852; C. Holsten, Das Evangelium des Paulus, Teil I: Die äußere entwicklungsgeschichte des paulinischen evangeliums. Abt. 1: Der Brief an die gemeinden Galatiens und der erste brief an die gemeinde in Korinth, Berlin 1880.

[7] A. Hilgenfeld, Zur Vorgeschichte des Galaterbriefes, in: Zeitschr. f. wiss. Theologie 27 (1884) 333 f.

denken, als daß Paulus sich nun die reactionäre Partei im Christenthum für immer verfeindete, deren Pläne er in dem Mittelpunkt der heidenchristlichen Mission, in Antiochien vereitelt hatte. Um so weniger dürfen wir uns wundern, wenn wir nun in die paulinischen Gemeindeschöpfungen Emissäre eindringen sehen«[1]. Auch für C. Holsten erhielt der Antiochia-Konflikt eine zentrale Bedeutung in seinem Rekonstruktionsversuch der Geschichte des Urchristentums. So konstatiert er, daß bei dem Apostelkonzil eine »Einigung der Prinzipien« nicht stattgefunden habe[2] und daß die schon vor dem zweiten Jerusalembesuch des Paulus begonnene Reaktion judenchristlicher Kreise gegen die Botschaft des Heidenapostels in Antiochia voll ausgebrochen sei zu einem »Zusammenstoß des judaistisch gewordenen Judenchristentums und des paulinischen Evangeliums«. »Und dieser Zusammenstoß der Prinzipien war in Wirklichkeit viel entscheidungsvoller, als die principlose Einigung in Jerusalem, und seine Bedeutung ist bisher nur durch die ungeschichtliche Darstellung der Apostelgeschichte in Schweigen gehüllt«[3]. Die unterschiedlichen theologischen Standpunkte seien durch diesen Konflikt beiden Seiten voll bewußt geworden, und dies habe bei den Judenchristen, aber auch bei Paulus zu einer Radikalisierung geführt[4].

Der Protest gegen den Rekonstruktionsversuch hinsichtlich der Geschichte des Urchristentums, wie ihn die Tübinger Tendenzkritik bot[5], und gegen eine solche »Aufwertung« des Judaismus als theologischer Faktor für die Entwicklung des christlichen Glaubens konnte nicht ausbleiben. Motive und Argumente der Kritik sind jedoch recht verschieden. Unter der wissenschaftlich ernstzunehmenden Kritik ragt neben E. REUSS[6] A. RITSCHL mit

---

[1] Hilgenfeld, Gal 65.

[2] Holsten, Evangelium I 24.

[3] Ders., Evangelium I 30 (im Original ist alles mit Ausnahme der Eigennamen kleingeschrieben).

[4] Ders., Evangelium I 31 f.

[5] Auf folgende Arbeiten, die sich bei aller Kritik der Geschichtskonzeption Baurs verpflichtet fühlen, sei noch hingewiesen: O. Pfleiderer, Der Paulinismus, Leipzig 1873, [2]1890 (zum Gal 294 ff.); ders., Das Urchristentum, seine Schriften und Lehren, Berlin 1887, 2 Bde, Berlin [2]1902 (zum Gal I 135-149); F. Overbeck, Kurze Erklärung der Apg, in: Kurzgefaßtes exegetisches Handbuch zum NT, von W. M. L. de Wette, I 4, Leipzig [4]1870; C. Weizsäcker, Das apostolische Zeitalter der christlichen Kirche (1886), Tübingen u. Leipzig [3]1902 (dazu Kümmel, Das Neue Testament 208 ff.); A. Jülicher, Einleitung in das NT (1894), Tübingen [5] u. [6]1906 (dazu Kümmel, Das Neue Testament 217).

[6] E. Reuß, Die Geschichte der heiligen Schriften Neuen Testaments, Halle 1842, Braunschweig [3]1860; ders., Histoire de la théologie chrétienne au siècle apostolique I II, Strasbourg et Paris 1852 (dazu Kümmel, Das Neue Testament 191 f.: Reuß »erkennt an, daß es richtig sei, den Gegensatz von Judenchristentum und Paulinismus hervorzuheben, stellt aber fest, daß es im Judenchristentum auch eine vermittelnde Gruppe gegeben habe, zu der die Urapostel gehörten. Er zieht aus dieser

seinem Werk »Die Entstehung der altkatholischen Kirche« hervor[1]. Als ehemaliger Baur-Schüler löste er sich immer mehr vom Geschichtsbild der Tübinger, ohne jedoch die Grundüberzeugung von der Notwendigkeit der Erforschung der geschichtlichen Entwicklung des Urchristentums preiszugeben. Im Gegenteil, er warf den Tübingern vor, zu wenig das Urchristentum in seiner Mannigfaltigkeit erfaßt zu haben. Das Schema »Paulinismus-Judaismus« sei eine Vereinfachung. Die Urapostel seien keine Judaisten, und das ganze Heidenchristentum sei nicht paulinisch gewesen. Der Judaismus habe sein Ende in den judenchristlichen Sekten gefunden. Die altkatholische Kirche basiere auf einem von Paulus nur wenig beeinflußten vulgären Heidenchristentum, das nicht durch eine allmähliche Versöhnung des Paulinismus mit dem Judenchristentum entstanden sei. Eine unüberbrückbare dogmatische Differenz zwischen Paulus und den Uraposteln habe es nicht gegeben.

Wie die folgende, mehr systematisch gehaltene Skizze der weiteren Forschungsgeschichte zeigt, ist ein Einschwenken auf die traditionelle Sicht der galatischen Gegner des Paulus und seiner Stellung zu den Uraposteln zu beobachten. Paulus und die Urapostel rücken wieder näher zusammen, und die galatischen Irrlehrer treten als die reaktionäre Gruppe des Judenchristentums in den Hintergrund.

Zunächst sei die bis in die früheste Zeit der Kirche zurückverfolgbare Charakterisierung der galatischen Gegner des Paulus als *Judaisten judenchristlicher Herkunft* in ihren wesentlichen Elementen aufgezeigt. Sie wird von der überwältigenden Mehrheit der exegetischen Kommentare zum Galaterbrief bis in unsere Gegenwart hinein vertreten[2]. Die Gal 6, 12 f. und 5, 2 f. bezeugte Forderung der fremden Missionare gegenüber den jedenfalls überwiegend heidenchristlichen Galatern, sich beschneiden zu lassen, weise jene als ex-

---

Erkenntnis die richtige Folgerung, daß die verschiedenen Gruppen und Anschauungen nicht in einem geschichtlichen Ablauf hintereinander eingesetzt zu werden brauchen, sondern offensichtlich fast von Anfang an nebeneinander bestanden haben«).

[1] A. Ritschl, Die Entstehung der altkatholischen Kirche, Bonn 1850, [2]1857. Siehe auch J. B. Lightfoot, St. Paul and the Three, in: The Epistle of St. Paul to the Galatians, London, 1865 Reprint Grand Rapids (Michigan) [7]1969, 292-374.

[2] Von den Galaterbriefkommentatoren des vergangenen und dieses Jahrhunderts seien genannt: Winer 1821; Olshausen 1840; H. A. W. Meyer 1841[5], 1870; Windischmann 1843; Hilgenfeld 1852; Bisping 1857, [3]1883; Wieseler 1859; Reithmayr 1865; v. Hofmann 1863, [2]1872; Sieffert 1880, [8]1899; Wörner 1882; Holsten, Evangelium I 1880; Philippi 1884; Zöckler 1887, [2] 1892; Schlatter 1890, [5]1928; A. Schaefer 1890; Lipsius 1891, [2]1892; Cornely 1892; M. Kähler 1893; Dalmer 1897; Gutjahr 1900; Th. Zahn 1905, [3]1922; Bousset 1907, [3]1917; Loisy 1916; Steinmann 1918, [4]1935; Burton 1921; Lagrange [3]1926; O. Holtzmann 1926; Oepke 1937, [2]1957; Kuss 1940; Chr. Maurer 1943; Schlier 1949, [3]1962 (doch s. u.); Kürzinger 1954, [2]1968; Althaus 1962.

treme Judenchristen aus, die vom theologischen Standpunkt der Urapostel und der Jerusalemer Gemeinde, über die ja Paulus keine Anathema ausspricht, zu unterscheiden seien. Wie schon die Beschneidungspropaganda, so weise auch die Thematik von Gal 3 und 4 auf den Nomismus der neuen christlichen Lehrer in Galatien hin. Mag aus Gal 6, 13 und 5, 3 eine gewisse Laxheit in der Gesetzesobservanz bei den Irrlehrern zu erschließen sein, an ihrer grundsätzlichen Bejahung des Gottesgesetzes des Alten Bundes sei nicht zu zweifeln. Diesen Eiferern für das Gesetz sei es bei ihrer Proselytenmacherei zunächst nur auf die Hauptgebote angekommen. Mancher Vertreter der hier skizzierten Judaistenhypothese[1] glauben den Ausführungen des Apostels in Gal 3 und 4 das heilsgeschichtliche Denken seiner galatischen Gegner entnehmen zu können. So führt J. CHR. K. v. HOFMANN über die Verkündigung dieser jüdischen Christen in den galatischen Gemeinden aus: »Man sagte ihnen (den heidenchristlichen Galatern), die dem Abraham für sein Geschlecht gegebene Verheißung gehöre nur dem Volke zu, welches von ihm stamme, dem Volke der Beschneidung und des geoffenbarten Gesetzes, und der Glaube an Jesum ohne Zugehörigkeit zu diesem Volke und seiner von einem so hochwichtigen heilsgeschichtlichen Vorgange herrührenden Lebensordnung könne nicht dazu helfen, an der Erfüllung jener Verheißungen Theil zu haben«[2]. In diesem Jahrhundert hat sich W. FOERSTER zum Sprecher für diesen Aspekt des »anderen Evangeliums« in Galatien gemacht: »Das Thema des Galaterbriefes ist: wer ist Abrahams Sohn und hat dadurch an den Abraham gegebenen Verheißungen Anteil?«[3] Aus Gal 4,

---

[1] Keinen Anklang fand in der Forschung der Erklärungsversuch von B. WEISS, Lehrbuch der Einleitung in das Neue Testament, Berlin ⁹1897, 170f.: »Daß die judaistische Agitation von Judäa oder Jerusalem her in die Gemeinde hineingetragen war, wie man gewöhnlich annimmt, darauf führt auch nicht die leiseste Andeutung; innerhalb der paulinischen Gemeinden aber war das jüdische Element jedenfalls zu unbedeutend, um sich mit solchen Ansprüchen der ungeheuren Majorität der Gemeinden aufdringen zu können, wie noch Hausrath annahm. Nur daraus, daß von Alters her in Galatien neben den paulinischen auch judenchristliche Gemeindebildungen bestanden, erklärt sich, weshalb gerade hier aufs Neue die Frage auftauchte, wie der Zwiespalt zwischen den beiden so ganz verschiedenen Formen des gesetzesfreien und des gesetzestreuen Christenthums gelöst werden sollte. Es ist schwerlich anzunehmen, daß man hier in der Diaspora von den Beschlüssen in Jerusalem wußte, oder sich durch sie gebunden glaubte. Jedenfalls waren die, welche die Übernahme des Gesetzes von den jungen Heidenchristen forderten, von außen her in die paulinischen Gemeinden hineingekommen, da Paulus sie stets bestimmt von den angeredeten Gliedern derselben unterscheidet (1,7; 4,17; 5,10. 12).«

[2] J. Chr. K. v. Hofmann, Gal 225.

[3] So W. Foerster, in: ZNW 1937, 292 Anm. 1; ders. ThWNT III 783 f.; ders., Abfassungszeit und Ziel des Galaterbriefes, in: Apophoreta, Festschr. f. Ernst Haenchen, BZNW 30, 1964, 135-141.

10 wird in der Regel gefolgert, daß die Gesetzeseiferer in Galatien im Begriff waren, auch den jüdischen Kalender, die Einhaltung der Feste, einzuführen. Nicht selten sieht man in Gal 3, 3 einen Hinweis darauf, daß die Judaisten ihre Verkündigung als das vollkommenere Evangelium im Gegensatz zum gesetzesfreien Evangelium des Paulus ausgegeben hätten. Für ihre Grundthese, die Befolgung des Gesetzes sei heilsnotwendig, hätten sie sich auf die Heilige Schrift berufen (vgl. Gal 4, 21). Ferner hätten sie mit dem Vorbild der Urgemeinde und der Urapostel argumentiert, da diese ja treu am Gesetz festhielten. Vielleicht seien sie auch – freilich ohne Legitimation – als deren Gesandte aufgetreten. So erkläre sich ihr schneller Erfolg. Die Diskussion über die richtige Auslegung von Gal 1 und 2 ist sehr lebendig[1]. Allen Exegeten der hier beschriebenen Deutung des »anderen Evangeliums« ist aber die Erkenntnis gemeinsam, daß die galatischen Gegner des Paulus seine apostolische Autorität in Frage gestellt und möglicherweise das Ansehen der »Geltenden« der Jerusalemer Gemeinde gegen ihn auszuspielen versucht hätten. Einige Forscher schließen aufgrund von Gal 5, 10 nicht aus, daß die Judaisten in Galatien mit einer in der Urkirche angesehenen Persönlichkeit in Verbindung standen oder daß sich eine solche Autorität unter ihnen befand[2]. Auf die Frage nach der Herkunft der judaistischen Agitation in Galatien[3] darf die Antwort von FR. SIEFFERT als stellvertretend für die Ansicht der meisten Kommentatoren dieser Richtung gelten: »Es waren also Judenchristen von einer mindestens ähnlich judaistischen Richtung, wie jene christlichen Pharisäer aus der Urgemeinde, welche in Antiochien und Jerusalem (Apg 15, 1.5; Gal 2, 4) der Missionspraxis des Paulus entgegen den Heidenchristen Beschneidung und Gesetzesbeobachtung auferlegen wollten. Schon die Analogie dieser letzten Erscheinung läßt erwarten, daß auch die galatischen Judaisten nicht in Galatien ansässig waren, d.h. zu den judenchristlichen Mitgliedern der von Paulus gegründeten galatischen Gemeinden gehörten, sondern aus den judaistischen Kreisen der Urgemeinde stammten«[4].

Nicht alle Forscher, welche die galatischen Gegner des Paulus dem Judaismus zuordneten, sahen in ihnen gebürtige Juden. Die Rede von den οἱ περιτεμνόμενοι (Gal 6, 13) ließ eine Reihe von Exegeten an *Heidenchristen*

---

[1] Siehe Kap. V.

[2] Siehe die Kommentare von Lipsius, Lietzmann, Bousset, O. Holtzmann zu Gal 5, 10; ferner E. Meyer, Ursprung und Anfänge des Christentums III (1923), Nachdruck Darmstadt 1962, 434; P. Feine, Einleitung in das NT, Leipzig⁷1935, 119.

[3] Der Ansicht der meisten neueren Exegeten dürfte beizupflichten sein, daß der Gal zu den christlichen Gemeinden in der eigentlichen Landschaft Galatien gesandt wurde. Vgl. Gal 3, 1 und die einschlägigen Kommentare und Einleitungen.

[4] Sieffert, Gal 18.

denken. So schrieb schon W. M. L. DE WETTE: »Es bleibt nichts übrig als nach dem Wortsinne hier die Bezeichnung der Irrlehrer als solcher zu finden, die selbst als ehemalige Heiden die Beschneidung theils angenommen hatten, theils anzunehmen im Begriffe waren, wohin auch 5, 12 führt«[1]. Trotz Widerspruchs[2] ist diese Exegese immer wieder vertreten worden[3], und selbst H. LIETZMANN entscheidet sich für diese Deutung: »Faßt man das Präsens genau, so sind οἱ περιτεμνόμενοι wirklich ›Leute, die sich beschneiden lassen‹, also nicht Juden, die als Kinder schon beschnitten sind und später Christen wurden, sondern bekehrte Heiden, die beim Eintritt ins Christentum oder noch später unter dem Eindruck der judaistischen Forderungen die Beschneidung auf sich genommen haben. Und diese sind zugleich die von Paulus bekämpften Agitatoren«[4]. Lietzmann findet darüber hinaus die Vermutung von E. HIRSCH »recht einleuchtend«, daß in Galatien »alte heidenchristliche Freunde des Paulus« aus seiner antiochenischen Zeit gegen den Apostel als Judaisten tätig gewesen seien[5]. Auch W. MICHAELIS[6], H. W. BEYER[7] und J. MUNCK[8] sehen in den galatischen Kontrahenten des Paulus judaistische Heidenchristen[9], ohne jedoch von der übrigen Forschung Zustimmung zu erhalten.

Neben der judaistischen Front glaubte man eine *zweite Front* zu entdecken: der Apostel bekämpfe im Galaterbrief zugleich *libertinistische Tendenzen in den galatischen Gemeinden bzw. libertinistische Pneumatiker.* So bemerkt W.M.L.

---

[1] de Wette, Gal 87.
[2] Siehe Hilgenfeld, Gal 46f.; Meyer, Gal 4; Sieffert, Gal 18 und 354. – Die Darstellung von W. Schmithals (Häretiker II 18) erweckt den Eindruck, als ob Sieffert ein Vertreter der These, die galatischen Gegner des Paulus seien beschnittene Heidenchristen, wäre. Doch spricht sich Sieffert gerade gegen diese Ansicht aus. Das gleiche ist zu dem Hinweis auf G. Hoennicke, Das Judenchristentum im ersten und zweiten Jahrhundert, Berlin 1908, 118 Anm. 2, zu sagen. Dort heißt es: »Auf Grund von Gal 5, 12 und 6, 13 hat man in früherer Zeit gemeint, daß die Judaisten von Geburt nicht Juden, sondern Heiden waren, die sich der Beschneidung unterzogen hatten und die jüdischen Gesetze beobachteten. Zu dieser Annahme liegt kein triftiger Grund vor.«
[3] So von C. Weizsäcker, in: Jahrb. f. deutsche Theologie 1876, 608; ders., Das apostolische Zeitalter der christlichen Kirche ³1902, 219; Fr. Bleek, Einleitung in das NT (1862), 3. Aufl. 1875, besorgt von W. Mangold, S. 489.
[4] Lietzmann zu Gal 6, 13.
[5] Ders. a. a. O. – Siehe ferner E. Hirsch, Zwei Fragen zu Gal 6, in: ZNW 29 (1930) 192 ff.
[6] W. Michaelis, Judaistische Heidenchristen, in: ZNW 30 (1931) 83 ff.
[7] H. W. Beyer zu Gal 6, 13.
[8] J. Munck, Paulus und die Heilsgeschichte, Acta Jutlandica XXVI, 1, Kopenhagen 1954, 82.
[9] Die Vertreter dieser Richtung lassen es meist offen, ob neben diesen heidenchristlichen Judaisten auch solche judenchristlicher Provenienz in Galatien wirkten (so Weizsäcker, Beyer).

DE WETTE zu Beginn der Exegese von Gal 5, 13 – 6, 10: »Es scheint, daß bei den Galatern die freiern paulinischen Christen und die zum Judenthume sich hinneigenden mit einander in Streit lagen, und daß die erstern dabei die hoffärtigen spielten«[1]. A. BISPING spricht von den »falschen Paulinern«, gegen die sich der Apostel von 5, 13 ab als »zu dem andern Extreme« wende[2], und J. B. LIGHTFOOT gibt zu Gal 5, 13 zu bedenken: »It may be that here, as in the Corinthian Church, a party opposed to the Judaizers had shown a tendency to Antinomian excess.« Während A. H. FRANKE zwischen einer zweifach gearteten antipaulinischen Strömung unterscheiden zu müssen glaubte – neben den aus Jerusalem gekommenen Judaisten habe es in Galatien ein hellenistischen Einflüssen offenes spekulatives Judenchristentum gegeben –[3], haben W. LÜTGERT[4] und J. H. ROPES[5] die Zweifrontentheorie publik gemacht. Die für die Forschungsgeschichte nicht unbedeutende Arbeit von Lütgert sei kurz referiert. Ähnlich wie später W. Schmithals begann Lütgert seine Galaterbrieforschung von einem ganz bestimmten Gesichtspunkt aus. Im Vorwort seiner Abhandlung heißt es: »Mit dieser Untersuchung über die Vorgeschichte des Galaterbriefes setze ich meine Studien über die Kämpfe mit der beginnenden Gnosis im apostolischen Zeitalter fort«[6]. Auch Lütgert befaßte sich zuerst mit den Korintherbriefen und stellte ihren gnostischen Hintergrund fest. Dann suchte er im Galaterbrief für seine Thesen weitere Bestätigung. Was den Galaterbrief betrifft, so ist für Lütgert klar, daß »der Brief selbst deutliche Spuren davon zeigt, daß die Gemeinde in ihrer Stellung zu Paulus und den Irrlehrern keineswegs einheitlich war«[7]. Als Belege werden Gal 5, 15; 5, 20; 4, 21; 5, 4; 6, 1 angeführt. Gerade die zuletzt genannte Stelle sei ein eindeutiger Beweis für die zweite Front, die der Pneumatiker. Nicht bloß in der Paränese, sondern auch im gesamten Brief entdeckt Lütgert diese Front. So wende sich Paulus Gal 5, 11 gegen den Vorwurf der Ultrapauliner, er sei rückständig, da er die Beschneidung hier und da zuließe und nicht – auch für die Judenchristen – radikal verwerfe[8].

---

[1] de Wette, Gal 74f.

[2] Bisping, Gal 310.

[3] A. H. Franke, Die galatischen Gegner des Paulus, in: Theologische Studien und Kritiken 1883, 133-153. Siehe dazu Hilgenfeld, Zur Vorgeschichte des Gal 333-343; Sieffert, Gal 20.

[4] W. Lütgert, Gesetz und Geist. Eine Untersuchung zur Vorgeschichte des Galaterbriefes, BFChTh XXII 6, Gütersloh 1919. Dazu K. Deißner, in: Die Theologie der Gegenwart 14 (1920) 205-211; ferner die Galaterbriefkommentare von Lietzmann, Oepke u. Schlier.

[5] J. H. Ropes, The Singular Problem of the Epistle to the Galatians, Harvard Theological Studies XIV, Cambridge 1929.

[6] Lütgert, Gesetz und Geist 5.

[7] Ders., Gesetz und Geist 9.

[8] Ders., Gesetz und Geist 26f.

Gal 5, 12 mache deutlich, daß die Pneumatiker vom mystischen Rausch des Kybele-Kultes beeinflußt seien[1]. Gal 1 und 2 richte sich gegen die Behauptung der Pneumatiker, Paulus habe sein Evangelium nicht durch göttliche Offenbarung, sondern von Menschen erhalten, ferner dagegen, er habe in Jerusalem das Evangelium der Freiheit verleugnet[2]. Rückfall in das von den Jerusalemer Aposteln vertretene Evangelium ist der Vorwurf der Pneumatiker gegenüber Paulus, Abfall von dem Jerusalemer Evangelium ist die Anklage der Judaisten. Letztere hätten u. a. den Galatern gepredigt, man könne durch Übernahme der Beschneidung der drohenden Verfolgung durch die Juden entgehen, welche die durch die libertinistischen Pneumatiker beeinflußten galatischen Gemeinden nicht mehr dulden würden[3].

Die These von der doppelten Frontstellung gab W. SCHMITHALS in seinem Aufsatz »Die Häretiker in Galatien«[4] auf und erklärte die libertinistischen Pneumatiker für die einzigen Widersacher des Paulus in Galatien. Allerdings sei Paulus mangelhaft über seine Gegner unterrichtet[5]. Daraus erkläre sich die nicht eindeutige Bekämpfung der Irrlehre im Brief des Apostels. Bei dem Unternehmen, ein Bild von der antipaulinischen Agitation zu gewinnen, stößt Schmithals gleich zu Beginn seiner Untersuchung aufgrund von Gal 1, 1 und 1, 11 auf den gnostischen Apostolatsbegriff der Verkünder des »anderen Evangeliums«[6]. Auch Gal 6, 6 weise sie als Gnostiker aus[7]. Die Beschneidungsforderung, die in der bisherigen Exegese als *das* Zeugnis für den Judaismus der Gegner des Paulus galt, sei nicht vom Gesetz des Alten Bundes her zu verstehen – dieses habe für die galatischen Irrlehrer keine Bedeutung gehabt[8] –, sondern diese hätten in der Beschneidung ein Symbol der »Befreiung des Pneuma-Selbst vom Kerker dieses Leibes«

---

[1] Ders., Gesetz und Geist 31 f.

[2] Ders., Gesetz und Geist 35 ff.

[3] Ders., Gesetz und Geist 94 ff.

[4] W. Schmithals, Die Häretiker in Galatien, in: ZNW 47 (1956) 25-67 (= Häretiker I); überarbeitete Fassung in: Paulus und die Gnostiker, Untersuchungen zu den kleinen Paulusbriefen, Theologische Forschung 35, Hamburg-Bergstedt 1965, 9-46 (= Häretiker II); ders., Paulus und Jakobus, FRLANT 85, Göttingen 1963.

[5] Ders., Häretiker I 30, II 12. Weitere Voraussetzungen, die Schmithals macht, sind folgende: Die Frontstellung des Galaterbriefes sei »eindeutig«, d. h. Paulus rechne nur mit einer Front, was der Wirklichkeit entspräche (Häretiker I 29, II 12); »eine über Jakobus hinausgehende radikale Gruppe unter den Judenchristen« habe es nicht gegeben, und in Gal 2, 4 sei von Juden als den »Falschbrüdern« die Rede (Häretiker I 26 f., II 10), ferner müsse es sich in Galatien um »eine weltweite judaistische Heidenmission« handeln, wenn dort Judaisten am Werk seien (Häretiker I 28, II 10).

[6] Schmithals, Häretiker I 31 ff., II 13 ff.

[7] Ders., Häretiker I 41 f., II 21 f.

[8] Ders., Häretiker I 42 ff., II 22 ff.

gesehen[1]. Die Beobachtung bestimmter Zeiten (Gal 4, 10) sei ebenfalls auf gnostische Spekulationen zurückzuführen[2]. Weiteres Material für seine Gnostikerhypothese gewinnt Schmithals dann aus der Paränese des Galaterbriefs, ferner seien Gal 4, 12 ff. und 1, 10 in diesem Sinne zu interpretieren[3]. Schmithals versteht seinen Rekonstruktionsversuch als Antithese zum Geschichtsbild F. Chr. Baurs und der Tübinger Schule. Das Dogma der Tübinger von der Macht des Judaismus und der judaistischen Agitation im heidnischen Missionsgebiet des Paulus sei zu ersetzen durch das neue Forschungsergebnis, das besagt: In Galatien, Korinth und Philippi hätten judenchristliche Gnostiker gegen Paulus agiert. Mit der Urgemeinde hätten sie »wenig oder gar nichts« zu tun gehabt[4].

Von denen, die der Beschreibung der galatischen Häresie durch W. Schmithals weitgehend gefolgt sind, seien D. GEORGI[5], K. WEGENAST[6] und W. MARXSEN[7] genannt. Jedoch kritisieren Georgi und Wegenast mit vielen anderen Forschern, daß Schmithals die Bedeutung des Gesetzes für die Verkünder des »anderen Evangeliums« nicht erkannt habe[8], und auch Marxsen meint: »Unbefriedigend ist jedoch die Bewertung der Kap. 3 und 4, die Schmithals für einen midraschartigen Exkurs ohne tiefere Beziehung zur konkreten Situation hält«[9]. Bei seinem bewußt an den Lösungsversuch von Schmithals anknüpfenden Entwurf macht Marxsen den Einstieg zur Bestimmung der galatischen Irrlehrer bei der Beschneidungspraxis, die diese Leute nach Galatien brachten. Wenn Paulus als Motiv ihrer Beschneidungspredigt nenne, daß sie durch eine solche judaistische Verkündigung der Verfolgung durch die Juden entgehen wollten (Gal 6, 12 f.), so passe dies nicht auf die galatischen Verhältnisse im Innern Kleinasiens, vielmehr interpretiere Paulus von den Erfahrungen in Jerusalem und in Palästina

---

[1] Ders., Häretiker I 46 f., II 27 f. – Die Diskussion über die Thesen von Schmithals erfolgt in den folgenden Kapiteln dieser Arbeit.

[2] Ders., Häretiker I 48 ff., II 30 ff.

[3] Ders., Häretiker I 50 ff., II 32 ff.

[4] Ders., Häretiker I 60 ff., II 41 ff.

[5] D. Georgi, in: Theologische Existenz heute 70 (1959) 111 f.; ders., Die Geschichte der Kollekte des Paulus für Jerusalem, Theologische Forschung 38, Hamburg-Bergstedt 1965, 35 ff.

[6] K. Wegenast, Das Verständnis der Tradition bei Paulus und in den Deuteropaulinen, Neukirchen 1962, 36-40.

[7] W. Marxsen, Einleitung in das NT, Gütersloh ³1964, 49-56. Vgl. auch H. Ulonska, Paulus und das AT, Diss. Münster 1964, 41-46.

[8] Georgi, Kollekte 35; Wegenast, Tradition 38; siehe ferner D. Lührmann, Das Offenbarungsverständnis bei Paulus und in den paulinischen Gemeinden, WMANT 16, Neukirchen 1965, 67 Anm. 1; U. Luz, Das Geschichtsverständnis des Paulus, BEvTh 49, München 1968, 219 Anm. 341.

[9] Marxsen, Einleitung 52.

aus[1]. Paulus habe »die Position der Gegner nicht völlig durchschaut«, er würde sie wie Nomisten behandeln, in Wirklichkeit aber seien es keine Gesetzeseiferer (vgl. 5, 3; 6, 13), sondern Vertreter eines »christlich-jüdisch-gnostischen Synkretismus«[2]. Die gnostischen Motive nimmt Marxsen wie Schmithals in Gal 6, 12 f.; 4, 17; 5, 13 ff. und 1, 1 wahr. Das Ergebnis für die Auslegung des Galaterbriefs heißt demnach: »Es handelt sich also für die Exegese um zwei Gegner, wiewohl es historisch nur einer war. Wenn das stimmt, dann ist die Verlegenheit der verschiedenen Lösungsversuche zugleich verständlich und behoben«[3].

Die Behauptung, die antipaulinischen Missionare in Galatien seien *Synkretisten*, ist nicht völlig neu, gingen doch die Arbeiten von A. H. FRANKE, W. LÜTGERT, J. H. ROPES, F. R. CROWNFIELD[4], G. BORNKAMM[5], L. BATELAAN[6] und nicht zuletzt einige Ausführungen im Galaterbriefkommentar von H. SCHLIER[7] in diese Richtung, doch zeigen gerade diese Untersuchungen neben den jüngsten Erklärungsversuchen von W. SCHMITHALS, D. GEORGI, H. KÖSTER[8], K. WEGENAST und D. LÜHRMANN[9] wie schwer es ist, die angeblich synkretistische Lehre der galatischen Gegner des Paulus im einzelnen näher darzustellen und dabei allen Aussagen des Galaterbriefs voll gerecht zu werden. Die Ergebnisse der exegetischen Bemühungen der genannten Forscher weisen nämlich erhebliche Differenzen auf[10], und unter dem Etikett »Synkretismus« kann sich sehr viel verbergen, vor allem auch eine recht anfechtbare Exegese einiger schwieriger Stellen des Galaterbriefs, die dann durch einfallsreiche Hinzuziehung religionsgeschichtlicher Parallelen allzu schnell als gelöst angesehen werden. Bemer-

---

[1] Ders., Einleitung 54.

[2] Ders., Einleitung 54. In die gleiche Richtung gehen die Bemerkungen seines Schülers J. Lähnemann, Der Kolosserbrief. Komposition, Situation und Argumentation, Gütersloh 1971, 30 Anm. 3; 69 f.; 81 Anm. 113; 158 ff.

[3] Marxsen, Einleitung 56.

[4] F. R. Crownfield, The Singular Problem of the Dual Galatians, in: JBL 64 (1945) 491-500.

[5] G. Bornkamm, Die Häresie des Kolosserbriefes, in: ThLZ 73 (1948) 11-20, ferner in: Das Ende des Gesetzes. Paulusstudien. Ges. Aufsätze I, München ⁵1966, 139-156.

[6] L. Batelaan, De strijd van Paulus tegen het Syncretisme, in: Arcana revelata, Festschr. f. F. W. Grosheide, Kampen 1951, 9-21.

[7] Schlier zu Gal 4, 3. 8 ff. und Gal 19 ff.

[8] H. Köster, Häretiker im Urchristentum, in: RGG⁹ III (1959) 18; ders., GNOMAI DIAPHOROI. Ursprung und Wesen der Mannigfaltigkeit in der Geschichte des frühen Christentums, in: ZThK 65 (1968) 160-203, bes. 190 ff., jetzt in: H. Köster und J. M. Robinson, Entwicklungslinien durch die Welt des frühen Christentums, Tübingen 1971, 107-146, bes. 135 ff.

[9] Lührmann, Offenbarungsverständnis 67 ff.

[10] Man vergleiche etwa die genannten Arbeiten von Schmithals, Georgi, Wegenast, Lührmann und Köster miteinander.

kenswert ist, daß D. Georgi, K. Wegenast, D. Lührmann und H. Köster nicht bereit sind, das judaistische bzw. nomistische Moment aus der Verkündigung der galatischen Gegner des Paulus zu streichen. Ebenso hält H. Schlier in der letzten Auflage seines Galaterbriefkommentars am Nomismus der galatischen Irrlehrer fest und spricht in der Einleitung zurückhaltend von Vertretern eines »gnostischen Vorstadiums«[1]. Interessanterweise charakterisiert G. Bornkamm in seinem 1969 erschienenen Paulusbuch die Prediger des »anderen Evangeliums« in Galatien trotz einer gewissen Übereinstimmung mit den Verfechtern der Gnostikerhypothese in der Auslegung von Gal 4,3 und 4,9f.[2] recht konservativ als »judaistische Irrlehrer«, »die in die Gemeinden der kleinasiatischen Landschaft Galatia eingedrungen waren und sie an den Rand des Abfalls getrieben hatten. Ihr Angriff richtete sich gegen das gesetzesfreie Evangelium, das Paulus unter den Heiden verkündete – in ihren Augen eine grobe, opportunistische Verkürzung der Christusbotschaft, weil damit die angeblich heilsnotwendige Beschneidungsforderung und die Verbindlichkeit des Gesetzes auch für die Heiden unterschlagen sei. Dieser Vorwurf entspricht den Grundgedanken der Judaisten, in welcher Spielart sie auch immer die Heidenmission des Apostels zu unterminieren versuchten; auch sie verstanden sich ja als Christen, nicht einfach als Juden: Christwerden gibt es, wie sie meinten, nur durch Eingliederung in das auserwählte jüdische Volk! In Frage gestellt war mit diesem Angriff auf die Botschaft des Paulus zugleich sein apostolischer Auftrag, zu dem ihn niemand autorisiert habe«[3].

Der Protest gegen die Ansicht, die galatischen Gegner des Paulus seien judenchristliche Gnostiker, wurde vor allem von W.G. Kümmel formuliert: »Nun ist gegen Schmithals zunächst festzuhalten, daß die Forderung auf Übernahme des Gesetzes von seiten der galatischen Eindringlinge nicht bestritten werden kann 2,16; 3,21b; 4,21; 5,4 und daß Paulus 5,3 die Galater nicht mit einer ihnen neuen Tatsache bekannt machen, sondern sie nur an eine von ihnen nicht genügend beachtete, ihnen aber bekannte Tatsache *erneut* erinnern will. Die galatischen Irrlehrer waren also auf alle

---

[1] Schlier, Gal 21. Die Rede von »gnostischen Tendenzen« bei den galatischen Gegnern des Paulus erklingt in vielen neueren Arbeiten, vgl. G. Stählin, Galaterbrief, in: RGG³ II (1958) 1188; K.H. Schelkle, ⁴Das Neue Testament. Seine literarische und theologische Geschichte, Kevelaer ⁴1970, 133; E. Güttgemanns, Der leidende Apostel und sein Herr. Studien zur paulinischen Christologie, FRLANT 90, Göttingen 1966, 91 u. 170ff.; K. Kertelge, »Rechtfertigung« bei Paulus. Studien zur Struktur und zum Bedeutungswandel des paulinischen Rechtfertigungsbegriffs, NTA. NF. 3, Münster 1967, 198ff.; A. Grabner-Haider, Paraklese und Eschatologie bei Paulus. Mensch und Welt im Anspruch der Zukunft Gottes, NTA. NF. 4, Münster 1968, 89 Anm. 252.

[2] G. Bornkamm, Paulus, Stuttgart 1969, 98.

[3] Ders., Paulus 41.

Fälle Vertreter einer jüdischen Gesetzlichkeit, und die Deutung ihrer Forderung der Beschneidung auf ein Mittel, sich von der Herrschaft des Fleisches symbolisch zu lösen, hat im Galaterbrief keinerlei Anhalt. Und da
Paulus die Unterwerfung unter das jüdische Gesetz in 4, 3 ff. 8 ff. ebenso als
Dienst gegenüber den Elementargeistern deutet wie die Verehrung der
φύσει μὴ ὄντες θεοί, ist die *Begründung* der Beobachtung bestimmter Zeiten
in 4, 10 nicht sicher erkennbar, aber im Zusammenhang doch eher aus der
erneuten Gesetzeshörigkeit verständlich«[1]. Einen gnostischen Apostolatsbegriff vermag Kümmel bei den Boten des »anderen Evangeliums« nicht
zu entdecken, und er hält es für wahrscheinlich, »daß die galatischen Gegner
mit der Urgemeinde in Jerusalem in Zusammenhang standen, freilich nicht
mit den ›Säulen‹, wie 2, 6 ff. beweist, sondern mit den 2, 4 genannten
›Falschbrüdern‹, die keinesfalls noch Juden waren (so Schmithals)«[2].
Kümmel findet Mitstreiter für die durch eine lange exegetische Tradition
sich auszeichnende Judaistentheorie u. a. in P. ALTHAUS[3], L. GOPPELT[4], R.
SCHNACKENBURG[5], L. CERFAUX[6], K. H. SCHELKLE[7], U. LUZ[8], W. FOERSTER[9]
und U. WILCKENS[10].

---

[1] In: Einleitung in das Neue Testament, begründet von P. Feine und J. Behm,
völlig neu bearbeitet von W. G. Kümmel, Heidelberg [15]1967, 194 f. Vgl. H. Balz,
Methodische Probleme der neutestamentlichen Christologie, WMANT 25, Neu-
kirchen-Vluyn 1967, 161 f. u. 194 f. Scharfe Ablehnung haben die Hypothesen von
W. Schmithals, vor allem seine Konstruktion einer neuen Einheitsfront gnostischer
Prägung, der Paulus gegenüberstünde, gefunden bei: L. Goppelt, Die apostolische
und nachapostolische Zeit der Kirche, in: Die Kirche in ihrer Geschichte, hrsg.
von K. D. Schmidt und E. Wolf, Bd 1 – Lief. A, Göttingen [2]1966, 55 Anm. 12:
»W. Schmithals ersetzt den Panjudaismus der Tübinger durch einen phantastischen
Pangnostizismus.« Lührmann, Offenbarungsverständnis 67 Anm. 1: Die Behauptung, Paulus stehe in allen Kampfbriefen ein und derselben gnostischen Front
gegenüber, ist »eine These, die die Unterschiede der einzelnen Frontstellungen
nivellieren muß, was sich für die Interpretation des Galaterbriefs als verhängnis-
voll erweist.« J. Blank, Paulus und Jesus. Eine theologische Grundlegung,
StANT 18, München 1968, 25-29. J. Gnilka, Der Philipperbrief, Herders Theol.
Kommentar zum NT X 3, Freiburg 1968, 212.
[2] Kümmel, Einleitung 195.
[3] Althaus, Gal 2.
[4] Goppelt, Die apostolische u. nachapostolische Zeit 54 f.
[5] R. Schnackenburg, Gnostizismus und Neues Testament, in: LThK[2] IV (1960)
1026 f.; ders., in: Christliche Existenz nach dem Neuen Testament. Abhandlungen
und Vorträge II, München 1968, 36 Anm. 3, jedoch mit der Einschränkung:
»Daß jüdisch-gnostische Gedanken daneben noch eine Rolle gespielt haben, ist
nicht ausgeschlossen, aber auch nicht beweisbar. Schwerlich handelt es sich um
wirkliche Gnostiker.«
[6] L. Cerfaux, Der Galaterbrief, in: Einleitung in die Hl. Schrift II, hrsg., von
A. Robert u. A. Feuillet, Wien 1964, 372 ff.
[7] Schelkle, Das Neue Testament 133, jedoch mit dem Zusatz: »Vielleicht misch-

Man wird also zum gegenwärtigen Stand der Forschung mit Recht feststellen dürfen, daß die Diskussion über die Charakterisierung und religionsgeschichtliche Einordnung der galatischen Gegner des Apostels
Paulus noch keineswegs beendet ist. Fast alle denkbaren Lösungsvor-
schläge sind gemacht worden: Man sprach von Judaisten judenchristlicher
oder heidenchristlicher Herkunft, in Verbindung mit Jerusalem und den
Uraposteln oder ohne Legitimation und Billigung durch die offizielle Kirche; man glaubte die antipaulinische Agitation in zwei Fronten aufspalten
zu müssen; man brachte sie mit dem Kybele-Kult Kleinasiens in Verbindung oder sah in dem »anderen Evangelium« einen christlich-jüdisch-
gnostischen Synkretismus. Nach der Entdeckung des Qumranschrifttums
konnte es nicht ausbleiben, die fremden Missionare in den paulinischen
Gemeinden Galatiens für von Qumran beeinflußt zu erklären[1], und neuerdings glaubt H. Köster nach der Entdeckung des Bundesformulars der
hethitischen Verträge des 14./13. Jahrhunderts v. Chr. sowie ähnlicher
Bundesformulare im Alten Testament und im spätjüdischen Schrifttum
»eine Mythologisierung alttestamentlicher Bundestheologie« bei den Konkurrenten des Apostels Paulus in Galatien ausfindig machen zu können[2].
Weder durch Hinzuziehung fragwürdiger Sekundärquellen noch durch
eine letztlich unverbindliche Kombination einiger Stellen des Galaterbriefs
kann ein zuverlässiges Bild von den Gegnern des Apostels Paulus und
ihrer Verkündigung gewonnen werden, sondern es gilt zunächst, den
einzigen Zeugen in sorgfältiger Exegese zu vernehmen. Dazu seien noch
einige Vorbemerkungen erlaubt.

---

ten sich auch gnostische Tendenzen ein, wenn anders 5,26; 6,1 f. als Dämpfung
gnostischen Selbstbewußtseins zu verstehen ist.«

[8] Luz, Geschichtsverständnis 219 Anm. 341.

[9] Foerster, Abfassungszeit 137 ff.

[10] U. Wilckens, in: Evangelisch-Katholischer Kommentar zum Neuen Testa-
ment. Vorarbeiten Heft 1, Einsiedeln 1969, 58 f.; ders., Der Galaterbrief, in: Das
Neue Testament, übersetzt und erklärt von U. Wilckens, beraten von W. Jetter,
E. Lange u. R. Pesch, Hamburg 1970, 657-680.

[1] W. Davies, Paul and the Dead Ses Scrolls, in: K. Stendahl, The Scrolls and
the New Testament, London 1958, 167 f. H. Kosmala, Hebräer – Essener – Christen, Leiden 1959, 11. J. Daniélou, in: Geschichte der Kirche I, hrsg. von L. J.
Rogier, R. Aubert, M. D. Knowles, Einsiedeln 1963, 63 f., will die galatische
Häresie in Zusammenhang mit der zeitgenössischen Apokalyptik und dem jüdischen Zelotismus bringen.

[2] H. Köster, in: ZThK 65 (1968) 192 f.

2. *Vorbemerkungen*

a) Zur Frage nach den Quellen

Der skizzenhafte Überblick über die verschiedenen Profilbestimmungen der galatischen Gegner des Apostels Paulus durch die neutestamentliche Forschung dürfte deutlich gezeigt haben, wie sehr das Bild der Gegner von der Heranziehung entsprechender Sekundärquellen abhängig ist. Je nachdem welche weiteren angeblichen Quellen erschlossen werden und dem fragmentarischen Charakter unseres Wissens über die antipaulinische Mission in Galatien abhelfen sollen, ändert sich das Bild von der sogenannten galatischen Irrlehre und ihren Verkündern. So ausgeliefert zu sein wenigen unvollkommenen Zeugnissen trifft freilich für die gesamte Geschichte des Urchristentums zu[1], doch scheint sich dieses Problem bei unserer Aufgabe, die Gesprächspartner des Paulus möglichst genau zu erkennen, um das Gespräch wirklich verstehen zu können, noch zu verstärken, da keine Sekundärquelle zur Verfügung steht, die nicht in ihrem Aussagewert für unsere Thematik anfechtbar ist.

Wie immer man den Geschichtswert der Apostelgeschichte beurteilen mag, zur Erhellung der Probleme, die der Galaterbrief stellt, trägt sie wenig bei, im Gegenteil, sie wirft eine Vielzahl neuer Fragen besonders durch den Vergleich mit den Aussagen des Apostels in Gal 1 und 2 auf und berichtet weder über den antiochenischen Konflikt zwischen Paulus und Kephas noch über die Verwirrung der galatischen Gemeinden durch eine antipaulinische Agitation. So dürfte das Urteil von H. Vogels noch immer zutreffen: »Bietet uns die Apostelgeschichte für unsere andern Briefe wertvolle Hilfe, die Einleitungsfragen zu beantworten, so versagt sie beim Galaterbrief fast vollständig. Auch andere alte Nachrichten stehen uns nicht zu Gebote. Wir sind vielmehr für Abfassungsort und Zeit, sowie für das Problem, welche Gegner hier bekämpft werden, ausschließlich auf den

---

[1] Vgl. die Ausführungen von O. Kuss, Die Rolle des Apostels Paulus in der theologischen Entwicklung der Urkirche, in: MThZ 14 (1963) 1-59. 109-187, S. 110: »Die früheste Geschichte des neuen Glaubens ist, was das historische Nacheinander angeht, nicht mehr mit vollkommener, eigentlich nicht einmal mit ausreichender Klarheit zu durchschauen; das zeigen die unverhältnismäßig zahlreichen ›vielleicht‹- und ›dürfte wohl‹-Sätze, sobald man eine um Genauigkeit bemühte Rekonstruktion zu lesen bekommt. Dies betrifft die gesamte Urzeit; gerade so schwierig wie eine zuverlässige Bestandsaufnahme für das hellenistische Christentum vor Paulus ist eine im einzelnen exakte, mit den strengen Mitteln historischer Kritik gesicherte Wiedergabe der Verhältnisse in dem palästinensischen jüdischen Christentum vor Paulus und neben Paulus; da die Quellen in mancher Beziehung Communiqués – z. T. aus späterer Sicht – darstellen, sind wir auch hier häufig auf Mutmaßungen angewiesen.«

Brief angewiesen«[1]. In der Tat ist es fragwürdig, etwa Aussagen des späteren Kolosserbriefs zum Interpretationsschlüssel für die Beschreibung der von Paulus angeblich nicht verstandenen Häresie des Galaterbriefs zu machen[2], und die genaue zeitliche Fixierung des Galaterbriefs im Verhältnis zum 1. Korintherbrief ist nach wie vor umstritten[3]. Daß der 1. Thessalonicherbrief vor der Abfassung unseres Briefes[4], der 2. Korintherbrief und die Briefe an die Philipper und Römer nach dieser[5] anzusetzen sind, kann kaum widerlegt werden. Für die Darstellung des vor- und nebenpaulinischen Christentums haben wir keine direkten Zeugnisse. Wie schwierig eine überzeugende Rekonstruktion der ersten Geschichte der Kirche aus dem Quellenmaterial der Apostelgeschichte und der Synoptiker ist, weiß jeder, der sich mit den Einleitungsfragen und Problemen dieser nachpaulinischen Schriften beschäftigt. So ist es ferner kaum möglich, etwa aus dem Matthäusevangelium ein zuverlässiges Bild des Judenchristentums zu ge-

---

[1] H. J. Vogels, Grundriß der Einleitung in das Neue Testament, Münster 1925, 145.

[2] So Schmithals, Häretiker I 46 f., II 27 f.

[3] Den 1 Kor datieren nach dem Gal: markionitischer Prolog; Baur, Paulus I 286; H. Appel, Einleitung in das NT, Leipzig 1922, 24; P. Feine, Einleitung in das NT, Leipzig [7]1935; Wilckens, Das Neue Testament 658. Anders u. a. Jülicher, Einleitung 63 f.; Oepke, Gal 169; Kümmel, Einleitung 197. Von den meisten Kommentatoren wird diese Frage offen gelassen. – Nach Fertigstellung des Manuskriptes war mir die noch unveröffentlichte Habilitationsschrift von U. Borse, Der Standort des Galaterbriefes, Bonn 1970, zugänglich. Eine eingehende Würdigung kann hier nicht erfolgen. Nur soviel sei bemerkt: Der geistreichen Einordnung des Gal nach 1 Kor und vor allem in eine Diktierpause zwischen 2 Kor A (= Kap. 1-9) und 2 Kor B (= Kap. 10-13) kommt allenfalls aufgrund der zahlreichen Hypothesen ein Wahrscheinlichkeitsgrad zu, wobei die Argumente mit sprachlichen Spezifika, welche die vermutete Reihenfolge der Briefe untermauern sollen, den Faktor des Zufälligen nicht für zu gering veranschlagen sollten. »Für die Beurteilung der Widersacher Pauli in Galatien« stellt Borse u. a. folgende Regel auf: »Die Situation in Galatien wird man so beurteilen müssen, wie sie aus Gal zu rekonstruieren ist. Auf die Hinzuziehung von 2 Kor B sollte verzichtet werden, da die Ähnlichkeiten vielleicht nur einen Nachklang des soeben diktierten Gal darstellen. Allerdings muß bei der außergewöhnlichen Schärfe des Gal berücksichtigt werden, daß die Erregung Pauli nicht nur durch die Zustände in Galatien, sondern auch durch die neuen Nachrichten aus Korinth ausgelöst wurde« (110).

[4] Die überwältigende Mehrheit der Forscher läßt den 1 Thess vor Gal entstanden sein, anders: C. Clemen, in: ThLZ 1901 Sp. 292, und Th. Zahn, Grundriß der Einleitung in das NT, Leipzig 1928, 16 ff.

[5] Die Datierung des 2 Kor hängt weitgehend von der des 1 Kor ab und ist aufgrund des Problems der Integrität jenes Briefes äußerst schwierig. Zu Phil siehe die Einleitungen und Kommentare. Über das Verhältnis von Gal und Röm ist viel gestritten worden. Die meisten lassen Gal vor Röm entstanden sein; wegen der thematischen Verwandtschaft beider Briefe treten jüngst für die Abfassung des Gal kurz vor Röm ein: C. H. Buck, The Date of Galatians, in: JBL 70 (1951) 113 ff.; Bonnard, Gal 14 u. 79 ff.; C. E. Faw, The Anomaly of Galatians, in: Bibl. Research 1960, 35 ff.; U. Wilckens, in: EKK 1 S. 57.

winnen[1], obwohl das für das Verständnis der judenchristlichen Gegner des Paulus in Kleinasien nicht uninteressant wäre. Wie problematisch die Auswertung der Pseudoklementinen für die Geschichte des Judenchristentums z. Z. des Paulus ist, haben die Arbeiten von O. Cullmann, H. J. Schoeps und G. Strecker gezeigt[2].

Kurz: Bei der Befragung von Sekundärquellen zur Klärung des Problems der antipaulinischen Mission in Galatien ist, wie auch die Ergebnisse bisheriger Forschung lehren, Vorsicht geboten und jeweils eine eingehende Diskussion über die Legitimität des Verfahrens notwendig. In dieser Hinsicht ist W. Marxsen voll und ganz recht zu geben, wenn er zu Beginn seiner Untersuchung über die galatischen Gegner des Paulus schreibt: »Nur durch die Exegese des Briefes selbst läßt sich etwas über die Irrlehrer ermitteln«[3].

Ist also Paulus mit seinem Brief an die Galater der einzige Zeuge für die Verkündigung der mit ihm in den christlichen Gemeinden Galatiens konkurrierenden Missionare, so entsteht die Frage, inwieweit der Apostel über die dortige Situation und die Theologie seiner Gegner informiert war, als er seine Kampfschrift wider das »andere Evangelium« verfaßte. Der Ansicht, Paulus sei genau oder zumindest hinreichend orientiert gewesen – vielleicht durch Boten der Gemeinden, wie die keineswegs unsichere Antwort und zahlreiche Anspielungen auf die Gemeindesituation vermuten ließen[4] –, steht die Meinung gegenüber, der Apostel sei nur schlecht und unvollkommen unterrichtet gewesen und habe deshalb die Lehre seiner Kontrahenten nicht durchschaut[5]. Daß diese letzte Behauptung mit einer schweren Hypothek belastet ist, die nur durch eine überzeugende Argumentation und Exegese abgetragen werden kann, ist evident, denn Paulus steht den Ereignissen zweifellos näher als wir. Er war zweimal in Galatien[6], ist auch sonst in der damaligen Welt weitgereist und bewandert; er selbst hält seine Nachrichten offensichtlich für zuverlässig[7], auch versteht er in

---

[1] Siehe dazu H. v. Campenhausen, Die Entstehung der christlichen Bibel, Tübingen 1968, 16ff. und die dort angegebene Literatur.

[2] Vgl. S. 2 Anm. 2.

[3] Marxsen, Einleitung 49.

[4] So die meisten Kommentare. Nach Hofmann, Gal 227, ist der Gal ein Antwortschreiben. Zahn, Gal ²1907, 8f., meint, daß Paulus durch »Vertreter der galatischen Gemeinden« unterrichtet und gefragt worden sei; diese Abgesandten im Brief zu erwähnen, sei überflüssig gewesen, aber Paulus schließe sich mit ihnen in 1, 2 zusammen. Vgl. auch Dalmer, Gal XIII; Ch. H. Watkins, Der Kampf des Paulus um Galatien, Leipzig 1913, 14; eine gewisse Skepsis bei Schlier, Gal 19.

[5] So Schmithals, Häretiker I 30; II 12; Marxsen, Einleitung 52ff.

[6] Der zweimalige Aufenthalt des Apostels bei den Galatern wird aufgrund von Gal 4, 13; 1, 9; 5, 3 und Apg 11, 6 u. 18, 23 angenommen.

[7] Gegen das sichere Auftreten des Paulus, der überzeugt ist, mit seinen Darlegungen die Verkündigung seiner Gegner zu treffen, können die Stellen Gal 3, 1 und 4, 20 keinen Gegenbeweis abgeben.

seinen Briefen durchaus zwischen verschiedenen Gegnern zu differenzieren
und dürfte, wie der erste Korintherbrief deutlich macht, über dessen Datierung allerdings die Meinungen auseinandergehen, seine Fähigkeit bewiesen haben, sich mit »gnostischen« Ansichten auseinandersetzen zu können[1]. Die Tatsache, daß der Galaterbrief erhalten ist, spricht ebenfalls nicht
dafür, daß der Apostel mit seinem Kampfbrief ins Leere gelaufen sei, weil
er sich in der religionsgeschichtlichen Einordnung seiner Gegner geirrt
habe. Doch auch für dieses hier aufgeworfene Problem der Vorgeschichte
des Galaterbriefs gilt, daß nur die Exegese des Briefs die Entscheidung
bzw. Lösung bringen kann.

b) Zur Eigenart der paulinischen Denk- und Argumentationsweise

Mag Paulus auch genügend über die Verkündigung seiner galatischen
Gegner orientiert gewesen sein, die Frage bleibt bestehen, ob sich überhaupt ein zuverlässiges Bild vom »anderen Evangelium« in Galatien gewinnen läßt. Der Apostel liefert ja in keiner Weise einen unparteiischen
Bericht über seine Widersacher, vielmehr führt er mit ihnen eine leidenschaftliche Auseinandersetzung. Noch genauer gesagt: Er führt das Gespräch mit seinen Gegnern nicht direkt, sondern indirekt über seine Gemeinden, in deren kritische Glaubenssituation er durch sein Schreiben eingreifen will. Er kämpft gegen den drohenden Abfall der von ihm gegründeten Kirchen vom Evangelium, so wie er es sieht, und in diesem Kampf
versucht er mit allen ihm zur Verfügung stehenden Mitteln in der Debatte
seine Konkurrenten zu erledigen. Nicht »Beschreibung« des gegnerischen
Standpunktes, sondern seine Gegner als Boten eines Pseudoevangeliums
zu entlarven und die Galater gegen diese Verkündigung immun zu machen,
dies ist das Anliegen des Apostels. Wie Paulus seinen Gegnern gegenüber-
tritt, hat W. Wrede mit scharfen Worten charakterisiert: »Mit der ganzen
Macht und Leidenschaft seiner Persönlichkeit aber trifft er seine eigentlichen Gegner, die judenchristlichen Lehrer, die ihm in seinen eigenen Gemeinden, besonders in Galatien und Korinth, entgegentraten. Er verflucht
sie ohne Umstände, heißt sie Lügenapostel, trügerische Arbeiter, Diener
Satans, die die Maske von Dienern der Gerechtigkeit annehmen, ja er
schilt sie Hunde (Gal 1, 8 f.; 2 Kor 11, 13 ff.; Phil 3, 2). Kein Zweifel, auch
der bekehrte Paulus hätte solche Gegner oder auch Abtrünnige als Feinde
Gottes gewalttätig zu verfolgen vermocht, wenn er nur die Macht gehabt
hätte. Sein Grimm gegen diese Leute ist übrigens wohl zu verstehen. Denn

---

[1] Vgl. Blank, Paulus 20: »Nun wird man im Hinblick auf 1 Kor die Möglichkeit nicht bestreiten können, daß Paulus in der Lage war, sich mit ›gnostischem‹
Denken oder Einfluß auseinanderzusetzen, falls die Notwendigkeit dazu sich ergab‹;
ferner G. Eichholz, in: Tradition und Interpretation, ThBü 29, München 1965,
120 Anm. 8; W. Schmithals, Die Gnosis in Korinth, Göttingen ²1965, 65 f.

sie bedrohten das Werk, für das er lebte, hatten in seine Gemeinden Verwirrung hineingetragen und auch mit Anklagen und Verdächtigungen gegen ihn selbst nicht gespart. Solchen Leuten konnte er natürlich nicht objektiv und unparteiisch gegenübertreten. Allein er malt sie allzu schwarz. Daß diese Gesetzeseiferer doch auch einer Sache dienen wollten, daß sie von ihrem Standpunkt aus das echte Christentum durch die Lehre des Neuerers Paulus gefährdet wähnten, kann ernstlichem Zweifel nicht unterliegen. Beim Apostel erfährt man nichts davon. Er unterstellt nur rein persönliche, selbstsüchtige, niedrige und häßliche Motive: sie wollen sich nur bei den Juden durch ihren Gesetzeseifer lieb Kind machen und sich der Verfolgung entziehen, die das Kreuz Christi mit sich bringt (Gal 6, 12 f.; vgl. 2 Kor 10–13)«[1]. Das Problem, aus den oft einseitigen und polemischen Worten des Paulus zuverlässige Mitteilungen über die andere Seite, über die Motive und das Denken seiner Gegner, zu erfahren, ist immer wieder gesehen worden[2]. So bemerkte F. Chr. Baur, daß Paulus »in der Beurteilung seiner Gegner« nicht immer das rechte Maß zu halten« scheint und – unter Hinweis auf Gal 1, 7; 2, 4 und 6, 12 – daß er »ihren Handlungen Gründe unterzulegen pflege, die nicht nothwendig die ihrigen sein mußten«. Baur sieht den Grund für dieses Verhalten des Paulus »in der Unfähigkeit (des Apostels), von seiner Subjectivität so zu abstrahieren, daß man sich in die Subjectivität anderer hineinversetzen kann«, und es heißt dann weiter: »Indem aber freilich in solche Urtheile über seine Gegner auch das Eigenthümliche seines Charakters sich einmischt, kommen wir hiermit schon in die Sphäre herab, in welcher die Individualität des Apostels durch alles dasjenige begrenzt und bestimmt war, was dem Charakter und dem Temperament angehört«[3]. Obwohl das Problem der paulinischen »Berichterstattung« in der Exegese durchaus erkannt wurde, sind die Konsequenzen dieser Erkenntnis für die Auslegung und gerechte Beurteilung der Verkündigung der Konkurrenten des Apostels meist nicht genügend gezogen worden. Nun ist allerdings zuzugestehen, daß es für eine um sachgerechte Aussagen bemühte Exegese nicht leicht ist, die mit dem »Charakter« und der »Indivi-

---

[1] W. Wrede, Paulus 1904, in: WdF XXIV 20

[2] Vgl. C. Weizsäcker, Das apostolische Zeitalter 116; A. v. Harnack, Mission u. Ausbreitung des Christentums, Leipzig [4]1924, I 84; R. Bultmann, Der Stil der Paulinischen Predigt, Göttingen 1910, 102 f.; A. Deißmann, Paulus. Eine kultur- und religionsgeschichtliche Skizze, Tübingen [2]1925, 55; J. Klausner, Von Jesus zu Paulus, o. J. 398; Oepke zu Gal 4, 17; Schoeps, Paulus 26; O. Michel, Polemik und Scheidung, in: Judaica 15 (1959) 204 f.; E. Käsemann, in: Exegetische Versuche und Besinnungen I 117 f.; Kuss, Die Rolle des Apostels Paulus 46 f.; Dibelius-Kümmel, Paulus [3]1964, 37 f.; Blank, Paulus 123 f.

[3] Baur, Paulus II 314 f. (aus dem Abschnitt »Einige die Individualität des Apostels betreffende Züge« – die Einordnung dieses Abschnittes in den Teil seines Werkes, der sich mit dem »Lehrbegriff des Apostels« befaßt, ist zu beachten!).

dualität« des Paulus zusammenhängenden Momente seiner Verkündigung immer angemessen in Rechnung zu stellen, denn die Gefahr, auf das Feld unkontrollierbarer psychologisierender Interpretation zu geraten, ist groß. Einige Grundzüge der paulinischen Denkweise und Argumentationsart lassen sich jedoch herausstellen.

Als erste Beobachtung über die spezifische Denkweise des Apostels könnte die grundlegende Feststellung gemacht werden: Paulus ist ein prinzipieller Denker. Er bleibt nirgends auf halbem Wege stehen, wie auch sein äußeres Leben bezeugt[1]. Seine eigenen theologischen Entwürfe zeigen, daß es für ihn eine Mitte, einen Angelpunkt, gibt, auf den er alles bezieht und von dem aus er die sich ihm stellenden Probleme zu lösen versucht. Dieses Zentrum seines Denkens und Handelns ist sein Christusglaube: »Anfang, Ende und Mitte des paulinischen Denkens ist Jesus Christus: durch Jesus Christus ist das Heil gekommen, und erst durch Jesus Christus und nur durch Jesus Christus und durch Jesus Christus ganz und gar. Von hier aus sucht Paulus die Gegebenheiten von Vergangenheit und Gegenwart zu ordnen und auf diesem Wege auch die Zukunft theologisch zu erfassen«[2]. Wie der Apostel nun einerseits immer auf seine eigene theologische Grundposition bedacht ist, so führt er andererseits die aktuellen Fragen die ihm seine Gegner und die konkreten Gemeindeverhältnisse aufgeben, meist in die Sphäre des Prinzipiellen. Es muß damit gerechnet werden, daß Paulus die gegnerische Meinung viel grundsätzlicher sieht und darstellt, als diese von ihren Urhebern verstanden und vertreten wurde. Es kann auch sein, daß Paulus die Ansicht seines theologischen Kontrahenten, um das sie tragende Prinzip deutlich zu machen, in ihrer Weiterentwicklung, in ihrer extremsten Gestalt und letzten Konsequenz darstellt, während sich seine Diskussionspartner einer solchen Konsequenz gar nicht bewußt waren[3]. Von hier aus wird man dann davor warnen müssen, die polemischen Thesen des Apostels einfach umzukehren, um die Meinung seines Gegenübers zu erhalten[4]. Damit ist natürlich keineswegs behauptet,

---

[1] Vgl. Baur, Paulus II 294f.; Weizsäcker, Apostolisches Zeitalter 114ff.; Jülicher, Einleitung in das NT § 3, 3; R. Bultmann, Theologie des NT, Tübingen [4]1961, 191.

[2] O. Kuss, Nomos bei Paulus, in: MThZ 17 (1966) 212; siehe ferner Schoeps, Paulus 183; Eichholz, Tradition und Interpretation 30; Blank, Paulus 328.

[3] Vgl. Schlier, Gal 24; Blank, Paulus 28: »Er (Paulus) faßt die Gegner bei einzelnen Äußerungen und Verhaltensweisen, die im Gegensatz zu dem von ihm gepredigten Evangelium stehen, und deckt von daher die dahinterliegende falsche Geisteshaltung auf, aber auch hier wiederum unter dem für ihn das entscheidende Kriterium bildenden Gesichtspunkt des Widerspruchs zum Evangelium. Als selbständige Gruppen, um ihrer selbst willen oder gar als Vertreter eines gnostischen Systems, interessieren sie ihn überhaupt nicht.«

[4] Vgl. Blank, Paulus 201 Anm. 28.

Paulus könne mit seiner Polemik den Kern der Ansicht seines Gegners nicht treffen und letztlich für seine Hörer klar erkennbar machen.

Mit diesen letzten Sätzen ist schon das zweite charakteristische Moment der paulinischen Denk- und Argumentationsweise angesprochen: die verallgemeinernde und vereinfachende Art der Darstellung und seine radikalen und überspitzten Aussagen. Auf zwei Beispiele sei hingewiesen: Das Verhalten des Kephas in Antiochien, der sich nach den eigenen Worten des Paulus von der Tischgemeinschaft mit den Heidenchristen zurückzog, nennt Paulus kurz ein »Zwingen« der Heiden, jüdisch zu leben (Gal 2, 14). Ferner: die Charakteristik der Heiden und Juden zu Beginn des Römerbriefs (1, 18 ff.) dürfte alles andere als sachliche Beschreibung sein und ist nur zu entschuldigen, wenn der Apostel durch radikale und den Sachverhalt simplifizierende Darstellung das den nicht in Gemeinschaft mit Christus stehenden Menschen beherrschende Lebensprinzip sichtbar machen will[1]. Solche überspitzte Rhetorik ist zu berücksichtigen, wenn wir aus den Äußerungen des Paulus ein Bild seiner Gegner und der jeweiligen Gemeindesituation[2] eruieren wollen. Der Apostel neigt zu »Übertreibungen«, und der Übergang von der sachlichen Diskussion zum unsachlichen Gespräch der Ketzerpolemik ist manchmal fließend[3].

Als weiteres Element der eigentümlichen Denk- und Argumentationsweise des Paulus kann sein Kontrastdenken genannt werden[4]. Auch dieses Element ergibt sich aus seiner Art, den Dingen auf den Grund zu gehen. Eine mittlere Linie oder Position gibt es für ihn selten; er stellt häufig das

---

[1] Zur überspitzten Rhetorik bei Paulus siehe ferner folgende Stellen, wobei freilich jede Stelle einzeln zu diskutieren wäre: 1 Thess 2, 14 f.; Gal 2, 4; 5, 12; 6, 12; 1 Kor 1, 17.22.27 ff.; 2, 2; 6, 9 ff.; 2 Kor 5, 16; 11, 4; 11, 20; Phil 2, 21; 3, 2.8. 18 f.; Röm 1, 18 ff.; 2, 17 ff. W. Bauer (Mündige u. Unmündige bei dem Apostel Paulus, in: Aufsätze u. kleine Schriften, hrsg. von G. Strecker, Tübingen 1967, 130) stellt den »pädagogischen« Charakter der scharfen Sprache des Apostels heraus, wenn er zu 1 Kor 3, 1 meint: »Daraus ergibt sich, daß der Apostel die Korinther nicht im Ernst für Fleischliche gehalten haben kann. Nur die zornige Aufwallung über die peinlichen Zustände u. häßlichen Streitereien in der Gemeinde entringt hier ein solch scharfes Wort. Ich denke, daß Paulus, wenn einer seiner Gegner ihm auf Grund unserer Stelle unterlegt hätte, er habe geäußert: ›Auch in der christlichen Gemeinde gibt es Leute, die nicht besser sind als die Heiden, und bei vielen hat das Taufwasser höchstens äußerlich gewirkt‹, dies mit einem μὴ γένοιτο der höchsten Entrüstung als Verleumdung schlimmster Art gebrandmarkt hätte«. Vgl. L. Cerfaux, Der Polemiker, in: Christus in der paulinischen Theologie, Düsseldorf 1964, 115-117.

[2] Vgl. Luz, Geschichtsverständnis 285 f.

[3] Vgl. etwa Gal 6, 12 f.; Röm 2, 17 ff.; Phil 3, 2; 2 Kor 11, 13 ff.

[4] Siehe dazu Baur, Paulus ²1867, II 303; Bultmann, Stil der paulinischen Predigt 79 u. 82; H. Leisegang, Paulus als Denker, Leipzig 1923, 37; Dibelius-Kümmel, Paulus 57; Oepke, Gal 115; Schoeps, Paulus 57; Rigaux, Paulus und seine Briefe 179 f.

scharfe Entweder-Oder. Sein Gedankengang bewegt sich in Antithesen, wie in Gal 3 und 4 gut zu sehen ist. R. Bultmann macht auf die Nähe dieses Denk- und Redestils zu der kynisch-stoischen Diatribe aufmerksam, schließt aber mit Recht die Beziehung zum »persönlichen Erleben« des Paulus, ohne näher darauf einzugehen, nicht aus[1]. Bekannt sind die paulinischen Antithesen: Fleisch und Geist, Sklaverei und Freiheit, Glauben und Werke, Buchstabe und Geist, Torheit und Weisheit, Schwachheit und Kraft, – und nicht zuletzt – Tod und Auferstehung[2]. An dieser Stelle ist auch zu fragen, inwieweit Paulus – »die echt dialektische Natur« (F. Ch. Baur) – mit seinen Alternativfragen die Wirklichkeit immer trifft oder ob nicht zuweilen die Weichen durch eine tückische Alternativfrage falsch gestellt sind. Die judenchristlichen Gegner des Apostels und offensichtlich auch die Jerusalemer Apostel haben die Fragen: Christus oder das Gesetz und: Glauben oder Werke nicht als berechtigt anerkannt[3].

In diesem prinzipiellen Denken, welches zu Antithesen drängt und Gegensätze aufreißt – und dadurch freilich zur Klärung und Entscheidung führt und die Wahrheitsfindung fördern kann –, liegt wohl einer der Gründe, weshalb Paulus so wenig eine ökumenische Natur war und ihm, wie M. Dibelius scharf formuliert, jeglicher Humanismus abging[4].

c) Zur Fragwürdigkeit der Verwendung der Kategorien »Orthodoxie« und »Häresie« in der historischen Forschung

Paulus führt einen erbitterten Kampf gegen seine Rivalen bei den Galatern, da es ihm um den Erfolg seiner Arbeit und damit nach seinem Verständnis zugleich um das Heil derer geht, denen er das Evangelium gebracht hatte. Keine um Sachlichkeit bemühte akademische Diskussion bezeugt der Galaterbrief, sondern er zeigt den Apostel, der mit allen verfügbaren Mitteln seine Gegner zu schlagen sucht. Seine Sprache ist seinem Wesen und Denken entsprechend scharf und leidenschaftlich; es mangelt nicht an radikalen, d. h. den gegnerischen Standpunkt simplifizierenden und karikierenden Äußerungen. Und da Paulus in seinen Gegnern Vertreter des von ihm aufgegebenen Glaubens sieht – allerdings wirft er ihnen

---

[1] Bultmann, Stil der paulinischen Predigt 79; hingewiesen sei auch auf die Untersuchung von N. Schneider, Die rhetorische Eigenart der paulinischen Antithese, Hermeneut. Untersuchungen zur Theologie 11, Tübingen 1970, bes 14 f. 125.

[2] Hier wäre darauf hinzuweisen, daß Paulus mit Vorliebe Grundbegriffe jüdischer Theologie umwertet und ihnen einen neuen Inhalt gibt, s. etwa Röm 2, 28 f.; Phil 3, 3; Gal 6, 2; 4, 21 ff. u.a.

[3] Vgl. Gal 2, 11 ff. Siehe zu der hier angesprochenen Problematik auch G. Eichholz, Glaube und Werk bei Paulus und Jakobus, ThExh 88, München 1961, 16.

[4] Dibelius-Kümmel, Paulus 41; doch siehe auch G. Eichholz, in: Tradition und Interpretation 13.

nirgends vor, daß sie von Christus nichts wissen wollten –, spricht er die Sprache des Konvertiten, der die Mängel des Glaubens, von dem er sich abwandte, übertreibt. Ironie und Sarkasmus (vgl. Gal 5, 12) sind ihm ebensowenig fremd wie die Behauptung, unlautere Beweggründe würden die missionarische Tätigkeit seiner Gegner bestimmen (Gal 4, 17; 6, 12f.). In der Tat muß gefragt werden, ob Gal 6, 12f. nicht in der Nähe der typisch antiken Polemik steht, die als fast stereotypes Element den Hinweis auf selbstsüchtige Motive des meist unvollkommenen und in Lehre und Leben sich widersprechenden Gegners kennt[1]. Nach dem echten Anliegen seiner theologischen Kontrahenten fragt Paulus nicht, vielmehr heißt es Gal 1, 7: »Da sind nur gewisse Leute, die euch verwirren und das Evangelium des Christus in das Gegenteil verkehren wollen«[2]. Für Paulus sind es Irrlehrer, die die Wahrheit des Evangeliums verfälschen. Hier stellt sich die Frage: Darf der Historiker diese Wertung übernehmen? Darf er die von Paulus der Sache nach verwendeten Kategorien »häretisch« und »orthodox« akzeptieren, wenn er in möglichst unparteiischer Geschichtsbetrachtung den Streit zwischen Paulus und seinen Gegnern in seinen Grundzügen rekonstruieren will? Es ist das Verdienst von W. Bauer mit seinem Buch »Rechtgläubigkeit und Ketzerei im ältesten Christentum« die Geschichtstheorie, daß Häresie immer die den rechten Glauben verfälschende sekundäre Erscheinung sei, zerstört zu haben[3]. Die Orthodoxen von heute können die Häretiker von morgen sein. Hier wird die Fragwürdigkeit der Verwendung der Kategorien »Orthodoxie« und »Häresie« in der historischen Forschung

---

[1] Vgl. O. Gigon, Die antike Kultur und das Christentum, Gütersloh 1966, 104f., 111f., 119; F.C. Grant, Antikes Judentum und das NT, Frankfurt 1962, 21; W. Bauer, Rechtgläubigkeit und Ketzerei im ältesten Christentum, Tübingen ²1964, 3f., 44; H.-D. Altendorf, Zum Stichwort: Rechtgläubigkeit und Ketzerei im ältesten Christentum, in: ZKG 80 (1969) 61-74; bes. S. 68. Siehe auch die Polemik der Pastoralbriefe: M. Dibelius-H. Conzelmann, Die Pastoralbriefe, HNT 13, Tübingen ⁴1966, 52-54; N. Brox, Die Pastoralbriefe, RNT 7, 2, Regensburg 1969, 31-42. Brox hat gut den Unterschied herausgearbeitet zwischen der Art und Weise, in der der Paulus der Hauptbriefe seinen Gegnern begegnet, und der von den Pastoralen geführten Ketzerpolemik (s. S. 40f.). Das schließt aber keineswegs aus, daß Elemente unsachlicher Diskussion auch schon bei Paulus anzutreffen sind.

[2] Vgl. Holsten, Evangelium I 50: Paulus hat »das gebundene und irrende bewußtsein seiner gegner zu bösem wollen gewandt«. Anders Bultmann, Theologie 224: »Die Verkehrung des Evangeliums in sein Gegenteil ist natürlich nicht die Absicht dieser Leute, sondern der ihnen selbst verborgene Sinn ihres Wollens.«

[3] W. Bauer, Rechtgläubigkeit und Ketzerei im ältesten Christentum, BHTh X, 1934 – 2. durchgesehene Aufl. mit einem Nachtrag hrsg. von G. Strecker, Tübingen 1964 (Nachtrag II 288-306: Die Aufnahme des Buches). Dazu H.D. Betz, Orthodoxy and Heresy in Primitive Christianity, Interpretation 19 (1965) 299-311. Siehe ferner Bultmann, Theologie 489f.; H. Conzelmann, Grundriß der Theologie des Neuen Testaments, München ²1968, 329f; Köster und Robinson, Entwicklungslinien 64f., 107, 109 u. 252.

offenkundig. Was ist jeweils Rechtgläubigkeit, und was ist Ketzerei? Entscheidet der geschichtliche Sieg der einen Partei darüber, daß die andere die häretische ist und war? Konkret gesprochen: Auf wen trifft das Prädikat »häretisch« zu, auf die nach der Darstellung des Paulus an der Beschneidung, die wohl auch für Jesus und die Urapostel heiliges Bundeszeichen war, festhaltenden Judenchristen oder auf den Neuerer Paulus? Denn daß Paulus »progressiv« und in der Urkirche umstritten war, ist nicht zu bezweifeln. Er mußte, wie O. Kuss mit Recht hervorhebt, einen »Kampf« »um einen zentralen Platz in der fundamentalen Geschichte der Kirche führen ... Dieser Platz ist ihm zuletzt eingeräumt worden, aber das ist nicht ohne heftigen Widerstand geschehen; und dieser Widerstand ist äußerst verständlich, denn Paulus war wirklich ein ausgesprochener *Revolutionär*. Er ist alles andere als orthodox im Sinne des zu seiner Zeit Geltenden, er dringt überall – theologisch, missionarisch, organisatorisch – auf neuen Boden vor, und wenn er Überlieferungen aufnimmt – und das tut er gewiß auch –, dann immer so, daß er sie neu durchdenkt und wenigstens insoweit verändert, als er sie einem als Ganzes völlig selbständigen, wenn auch wiederum keineswegs einheitlichen und schon bis in alle Konsequenzen durchdachten ›System‹ einfügt«[1]. Man wird also folgern müssen, daß die Verwendung der Maßstäbe »orthodox« und »häretisch« in der historischen Forschung zumindest fragwürdig, wenn auch nicht ganz verzichtbar ist[2] und die mahnenden Worte W. Bauers weiter Gültigkeit haben, sich »nicht allzu schnell von dem Votum der *einen* Partei abhängig« zu machen, »jener Partei, die durch die Gunst der Umstände vielleicht ebensosehr, wie

---

[1] Kuss, Die Rolle des Apostels Paulus 35 f.; vgl. auch Bornkamm, Paulus 24 u. 324 ff.

[2] H.-D. Altendorf, zum Stichwort: Rechtgläubigkeit u. Ketzerei im ältesten Christentum, in: ZKG 80 (1969) 61-74, 72 f.: »Kurz, das Schema ›Rechtgläubigkeit und Ketzerei‹ ist als zeitlose historiographische Kategorie unbrauchbar.« »Was αἵρεσις, was ›Kirche‹, was ›Rechtgläubigkeit‹ jeweils ist, kann weder für das zweite noch für die folgenden Jahrhunderte der christlichen Antike deduktiv erschlossen werden. Es entstehen dann jene quälenden, weil falsch gestellten und deshalb unfruchtbaren ›historischen‹ Probleme, ob dieser Autor ›schon‹ orthodox oder jener es ›noch‹ sei, und man kann dann vielleicht den einen oder anderen als einen Brand aus dem Verderben retten und andere den Ketzern zugesellen«. Dagegen meint H. Köster (Häretiker im Urchristentum als theologisches Problem, in: Zeit u. Geschichte / Dankesgabe an R. Bultmann, Tübingen 1964, 61-76) S. 63 Anm. 6: »Ganz verzichten kann man auf sie (die Maßstäbe ›häretisch‹ u. ›rechtgläubig‹) freilich nicht, auch wenn die technische Terminologie im NT noch fehlt. Der Historiker begäbe sich damit seiner Verpflichtung, das Urchristentum als das in den Blick zu bekommen, was es tatsächlich ist, nämlich eine um die theologische Frage des rechten oder falschen Verständnisses der Offenbarung ringende Bewegung.« Vgl. v. Harnack, Mission I 70; O. Kuss, in: Auslegung und Verkündigung I, Aufsätze zur Exegese des Neuen Testaments, Regensburg 1963, 29 Anm. 4.

durch eigenes Verdienst in den Vordergrund geschoben wurde und die möglicherweise nur deshalb heute über die größeren und daher durchdringenderen Stimmittel verfügt, weil man den Chor der andern gedämpft hat«. »Muß der Geschichtsforscher nicht ebenso wie der Richter über den Parteien stehen und das Audiatur et altera pars als höchsten Grundsatz handhaben?«[1]

d) Zum Ausgangspunkt und Aufbau der Untersuchung

Die bisherigen Erörterungen dürften gezeigt haben, daß aufgrund der schwierigen Quellenlage nur von einem Rekonstruktionsversuch gesprochen werden kann[2], der das Ziel hat, den Gesprächspartner des Paulus mit der von ihm vertretenen theologischen Lehre so deutlich wie möglich erscheinen zu lassen, um dadurch einen Beitrag zum Verständnis des Streites zwischen Paulus und seinen Gegnern über die christliche Verkündigung zu leisten. Von entscheidender Bedeutung ist der Einstiegspunkt zur Bestimmung der Gegner. Da Paulus der einzige Zeuge dieses Konfliktes ist, kann es zunächst nur darum gehen, das Bild von der andern Mission in Galatien so nachzuzeichnen, wie Paulus es sieht. Erst dann kann die Frage diskutiert werden, ob der Apostel mangelhaft informiert war und sich in der religionsgeschichtlichen Einordnung der von ihm bekämpften Lehre fundamental geirrt hat. Es ist also immer wieder von der Darstellung des Paulus auszugehen und zu beherzigen, was E. Güttgemanns mit Recht in der Kritik gegenüber D. Georgi[3] zu bedenken gibt: »Die Interpretation muß also immer im Auge behalten, daß die Meinung des Paulus nicht durch zunächst abgesehen von ihr erörterte religionsgeschichtliche Bereiche überfremdet wird«[4]. Der Gedankengang des Apostels soll stark berücksichtigt werden. Eine Kombination zahlreicher Stellen mit einer entsprechenden Auslegung mag zwar ein interessantes Mosaik ergeben und leicht auch das gewünschte Bild erstellen, aber überzeugender ist es m. E., die vom Brief an die Galater selbst angebotenen Themen aufzugreifen und die entsprechen-

---

[1] Bauer, Rechtgläubigkeit 1.
[2] Vgl. E. Käsemann, Die Anfänge christlicher Theologie, in: Exegetische Versuche u. Besinnungen II 83: »Nachdrücklich sei betont, daß im folgenden eine Rekonstruktion versucht wird. Wer sich auf riskante Experimente nicht einzulassen gedenkt, verdient um seiner soliden Grundsätze willen unsern Respekt. Doch möge er uns umgekehrt einräumen, daß historische Arbeit ohne Rekonstruktion nicht leben kann und selbst systematisches Denken, wenn ich es recht sehe, keineswegs auf Konstruktionen verzichtet.«
[3] D. Georgi, Die Gegner des Paulus im 2. Korintherbrief ,WMANT 11, Neukirchen-Vluyn 1964.
[4] E. Güttgemanns, in: Verkündigung u. Forschung, Beihefte zu »Evangelische Theologie« NT 12 (1967) 77.

den Abschnitte insgesamt zu exegesieren[1]. Der Ausgangspunkt für eine
möglichst zutreffende Charakteristik des »anderen Evangeliums« in Galatien
ist nicht bei den in der Exegese umstrittensten Aussagen des Briefes zu
nehmen, sondern der erste Schritt soll nach Möglichkeit noch nicht in das
Feld der Vermutungen führen, vielmehr den deutlichsten und markantesten
Punkt der Verkündigung der Rivalen des Apostels herausstellen. Dieser
ist ohne Zweifel ihre Forderung gegenüber den Heidenchristen der paulinischen Gemeinden Galatiens, sich beschneiden zu lassen (vgl. Gal 6, 12 f.;
5, 2). Damit befinden wir uns zugleich im Zentrum der jüngst entflammten
Diskussion über die galatische Häresie, glaubt doch W. Schmithals die
Beschneidungsforderung gnostisch verstehen zu müssen und W. Marxsen
hier den grundlegenden Irrtum des Paulus feststellen zu können[2]. Der jeweils neue Ansatz der Untersuchung: bei dem lehrhaften Teil des Briefes,
seiner Paränese und den ersten beiden Kapiteln, soll immer wieder das bis
dahin gewonnene Bild vom »anderen Evangelium« kritisch überprüfen
und die Profilbestimmung der Gegner des Apostels weiter fördern, um
diesen interessanten und aufschlußreichen Streit über die christliche Verkündigung soweit wie möglich aufzuhellen.

---

[1] Aus diesem Grund ist dem Beispiel von Ch. Watkins (Der Kampf des Paulus
um Galatien, Leipzig 1913) nicht Folge geleistet, der zuerst den gesamten Brief
abschreitet, nach Anspielungen des Paulus auf die Vorwürfe seiner Gegner und
ihre Verkündigung sucht und natürlich auch eine Vielzahl solcher Äußerungen
findet, die aber z. T. mit großen Unsicherheiten belastet sind und kaum zu einem
gesicherten Gesamtbild führen. S. die berechtigte Kritik von Oepke, Gal 170,
gegenüber Watkins.
[2] Siehe S. 13 ff.

II. Kapitel

DIE BESCHNEIDUNGSPREDIGT IN GALATIEN

1. Die Beschneidungspropaganda in den christlichen Gemeinden Galatiens und die erbitterte Reaktion des Apostels Paulus

Der Zorn des Apostels flammt in besonderem Maße auf, wenn er auf einen ganz bestimmten Punkt der Verkündigung seiner Gegner zu sprechen kommt, auf ihr Werben für die Beschneidung (Gal 5,12 und 6,12f.). An der Absicht der fremden Missionare, die jedenfalls überwiegend heidenchristlichen Galater zur Annahme der Beschneidung zu bringen, kann nach den Aussagen des Paulus kein Zweifel sein. Im Schlußabschnitt des Briefes (6,11–18), der als Zusammenfassung der Grundgedanken des Schreibens und als letzter Appell an die Galater zu verstehen ist, spricht der Apostel expressis verbis von der Beschneidungsforderung seiner galatischen Rivalen; Gal 5,1–12 bestätigt das Thema »Beschneidung« als das Streitobjekt, und die Gal 2,3 unvermittelt auftretende Bemerkung: »Doch nicht einmal mein Begleiter Titus, der Grieche ist, wurde gezwungen, sich beschneiden zu lassen«, ist nur verständlich, wenn durch diese Mitteilung und den Bericht über das sogenannte Apostelkonzil, auf dem die Autoritäten der Urgemeinde »das Evangelium der Vorhaut« neben »dem Evangelium der Beschneidung« anerkannten, das Ansinnen der neuen Lehrer, die Galater zur Beschneidung zu bringen, zurückgewiesen werden soll. Die Aussagen des Apostels sind zunächst genau zur Kenntnis zu nehmen. Der Einstieg bei Gal 6,11–18 dürfte recht angebracht sein, bietet doch dieses Resümee eine gute Einführung in die im Galaterbrief diskutierten Themen, in deren Mittelpunkt das Beschneidungsgebot steht.

a) Gal 6,11–18

Der die Hauptgedanken der paulinischen Argumentation zusammenfassende und zum letzten Mal in die Debatte werfende Schlußabschnitt beginnt mit der für den Hörer und Leser deutlichen Markierung: »*Seht, mit wie großen Buchstaben ich euch geschrieben habe mit meiner Hand*!« (V. 11). Es soll wohl nicht die Aufmerksamkeit auf den ganzen etwa eigenhändig von Paulus geschriebenen Brief gelenkt werden[1], vielmehr könnte ἔγραψα

---

[1] So z.B. Luther, Erasmus, Calvin, Olshausen, de Wette, Hilgenfeld, v. Hofmann, Zöckler; J. Belser, Einleitung in das NT, Freiburg ²1905, 421; Zahn; Foerster, Abfassungszeit 136.

Aorist des Briefstils sein, so daß vom Standpunkt des Empfängers des
Briefs aus gedacht ist und hier ein Hinweis auf die folgenden, um ihrer Be-
deutung als letzter Warnung und Belehrung willen »mit großen Buch-
staben«[1] geschriebenen Sätze zu sehen ist[2]. Der eigenhändige Schlußgruß –
Paulus hat seine Briefe wohl diktiert (vgl. Röm 16,22) – ist zugleich ein
Zeichen der Echtheit des Schreibens (vgl. 1 Kor 16,21; 2 Thess 3,17).

Mitte des folgenden Verses ist die einzig ganz präzise Angabe des Vor-
habens der mit Paulus konkurrierenden Prediger in Galatien: *»diese zwingen
euch, euch beschneiden zu lassen«* (V. 12 b). Der Begriff ἀναγκάζειν findet sich
im Galaterbrief noch 2,3 u. 2,14 und beschreibt überall die Aufforderung,
Jude zu werden, was Paulus von seinem Verständnis der christlichen Freiheit aus als »Zwang« und »Nötigung« bezeichnet. Für die Beschneidungspropaganda führt der Apostel zwei Motive an und ordnet sie ähnlich wie
in V. 13 der Aussage über das Ziel der neuen Lehre vor und nach. Zunächst
die Wendung: *»so viele eine Rolle spielen wollen im Fleisch«* (V. 12 a). Diese
Charakteristik der Beschneidungsprediger ist allgemein gehalten. Sie werden in die Gattung und den Kreis all derer (ὅσοι[3]) eingeordnet, die »eine
Rolle spielen wollen«[4] »im Fleisch« (ἐν σαρκί). So wird man »im Fleisch«
nicht allzu konkret verstehen dürfen, daß etwa das beschnittene Fleisch der
Galater gemeint sei, obwohl V. 13 c eine solche Deutung nicht unmöglich
macht[5], auch wird weniger der Sinn »unter (bei, vor) Menschen«[6] oder
»bei den Juden«[7] intendiert sein, sondern gut paulinisch der Gegensatz zu
»im Geist« (vgl. 3,3 und die Bedeutung des geistgemäßen Lebens in der
vorhergehenden Paränese) ausgesagt sein[8], womit demnach keine objektive
Beschreibung der Motive der Predigt der Rivalen des Apostels, sondern

---

[1] Πηλίκα γράμματα meint nicht einen »wie großen Brief« (de Wette, v. Hofmann),
noch ein »wie langes Schreiben« (Zöckler), noch sind tiefsinnige Deutungen über
die »großen« Buchstaben angebracht (O. Holtzmann).

[2] So Bisping, Lightfoot, Holsten, Lipsius, Sieffert, Burton, Lietzmann, Oepke,
Kuss, Schlier, Kürzinger; vgl. Blaß-Debrunner § 334; Kümmel, Einleitung 176.
Etliche Vertreter dieser Auslegung schließen aber die entgegengesetzte Meinung,
daß der ganze Brief von Paulus eigenhändig geschrieben wurde, nicht völlig aus
(vgl. Lietzmann, Oepke, Schlier).

[3] Siehe Bauer Wb 1162; vgl. de Wette, Meyer, Zahn; anders, aber wenig überzeugend, Bisping.

[4] Εὐπροσωπέω: ein gutes Aussehen haben, eine Rolle spielen: Bauer Wb 642.

[5] Vgl. Schlier; Beyer-Althaus; A. Sand, Der Begriff »Fleisch« in den paulinischen
Hauptbriefen, BU 2, Regensburg 1967, 133 f.; Gnilka, Phil 187.

[6] So Bisping, M. Kähler, Steinmann; Bousset: »im äußeren Leben«; Oepke:
»im Fleisch, unter Menschen, auf dem ganzen Gebiet jämmerlicher Äußerlichkei-
ten, nach denen der natürliche Mensch schielt«; vgl. Bauer Wb 642.

[7] So Cornelius a Lapide, Estius u. a.

[8] Vgl. Lietzmann; O. Kuss, Der Römerbrief, Regensburg 1957 ff., 506; Schmithals, Häretiker II 38; R. McL. Wilson, Gnostics – in Galatia?, in: Studia Evangelica IV = TU 102, Berlin 1968, (358-367) 363.

ein negatives Werturteil gegeben ist. Als zweites Motiv nennt Paulus: »*nur damit sie durch das Kreuz des Christus nicht verfolgt werden*« (V. 12c). Wie kann das Kreuz Christi Ursache einer Verfolgung sein?[1] Die meist gegebene Antwort: Verfolgung sei seitens der Juden zu erwarten, wenn judenchristliche Missionare im Kreuz Christi den einzigen Heilsgrund sähen und dann bei der Heidenmission vom Gesetz Abstriche machten. Auf solche Gesetzesverächter reagiere das Judentum, wie das Schicksal des Paulus zeigt, allergisch. Um vor den Nachstellungen der Juden sicher zu sein, predigten also die antipaulinischen Missionare in Galatien die Beschneidung. W. Marxsen[2] dürfte richtig gesehen haben, daß eine solche Deutung die Beschneidungspredigt im Innern Kleinasiens nicht erklärt, nur ist Marxsen gegenüber zu fragen, ob hieraus die mangelhafte Kenntnis des Paulus hinsichtlich der galatischen Agitation abgeleitet werden kann und muß. Bedenkt man, daß die Charakteristik der Anwälte der Beschneidung in Gal 6, 12 f. wie im ganzen Brief nur negativ ist, Paulus »nur rein persönliche, selbstsüchtige, niedrige und häßliche Motive« seiner Gegner »kennt«[3] und hier ein genuin paulinisches Theologumenon zu Wort kommt: Wer an der Beschneidung festhält, hat das Kreuz Christi nicht verstanden, steht zur Kreuzesbotschaft im Widerspruch (vgl. Gal 5, 11; 2, 21)[4] – das ist eben gerade nicht ein Grundgedanke des »anderen Evangeliums« –, so wird man geneigt sein, hier eine typisch paulinische theologische Interpretation zu finden (vgl. 5, 11). Seine persönlichen Erfahrungen kann Paulus durchaus in diese übelwollende Deutung[5] (vgl. auch das μόνον) der missionarischen Tätigkeit seiner Kontrahenten hineingenommen haben. Als einzige sachliche Mitteilung über die Beschneidungsprediger ließe sich neben ihrem Hauptanliegen aus unserem Vers entnehmen, daß Paulus offensichtlich voraussetzt, seine Gegner seien keine reinen Juden, sondern Judenchristen[6], denen er aber das wirkliche Christusverständnis abspricht und deren Eintreten für die Beschneidung er diskreditierend, obwohl von seinem Standpunkt durchaus konsequent, als Flucht vor den Konsequenzen der Kreuzespredigt bezeichnet.

---

[1] Τῷ σταυρῷ ist Dativus causae: Bl-Debr § 196.

[2] Marxsen, Einleitung 52f.

[3] Wrede, Paulus, in: WdF XXIV 20. Vgl. K. L. Schmidt, Gal 98: »Noch einmal wird den Judaisten schlankweg der gute Wille, d. h. die nötige Selbstlosigkeit abgesprochen.«

[4] Vgl. Kuss, in: Auslegung u. Verkündigung I 289: »Er (Paulus) verwendet an wichtigen Stellen absichtlich die anstößigen Worte ›Kreuz‹ und ›kreuzigen‹, ›gekreuzigt werden‹, um gerade auf den innersten Kern des Evangeliums hinzuweisen.«

[5] In dieser Hinsicht ist Schmithals, Häretiker I 47, II 28, durchaus zuzustimmen: »Das ist zunächst nicht mehr als ein bissiger Vorwurf des Paulus.«

[6] So schon Luther, vgl. auch Zahn z. St.

Das Zerrbild, das Paulus von seinen Gegnern entwirft, um die Galater vor diesen zu warnen, erhält einen weiteren Charakterzug: »*Denn nicht einmal diejenigen, die beschnitten werden, halten selber das Gesetz*« (V. 13 a). Für einen Subjektswechsel in bezug auf die in V. 12 genannten Beschneidungsprediger gibt es keinen Anhaltspunkt[1]. Schon deshalb ist es recht unwahrscheinlich, in den οἱ περιτεμνόμενοι beschneidungswillige oder beschnittene Heidenchristen zu sehen, die entweder neben judenchristlichen Judaisten[2] oder als die alleinigen Vertreter der judaistischen Agitation[3] den Glauben der Galater in Gefahr gebracht hätten. Das Präsens οἱ περιτεμνόμενοι so zu pressen, daß Beschnittene (περιτετμημένοι, so die andere Lesart) – also als Kinder beschnittene Juden – auszuschließen sind und nicht ganz allgemein von allen, die die Beschneidung bejahen und auf sich nehmen, gesprochen sein kann, ist nicht vertretbar, zumal sonst nirgendwo im Brief eine weitere Stütze dieser Deutung gegeben ist[4].

Daher ist auch die Bemerkung, daß sie das Gesetz nicht halten, kaum als »Stümperei im Judentum« ehemaliger Heiden, die nicht von Jugend an im Gesetz unterrichtet sind[5], zu erklären, noch wird man hier in den markanten Schlußsätzen des Apostels eine ihm letztlich unverständliche Feststellung finden, daß zwar seine Gegner die Beschneidung predigen, aber das Gesetz nicht halten, weil diese Gnostiker, was Paulus freilich nicht durchschaut, »grundsätzlich« auf das Gesetz verzichten würden[6], vielmehr ist zu vermuten, daß Paulus hier wie so oft, statt objektiv zu beschreiben[7],

---

[1] Gegen v. Hofmann und Wörner, die als neues Subjekt Juden ins Auge fassen.

[2] So Bisping; Fr. Bleek, Einleitung ³1875, 489; Weizsäcker, Apostolisches Zeitalter 219; Beyer z. St.; Schoeps, Paulus 59.

[3] So de Wette; E. Hirsch, Zwei Fragen zu Gal 6, in: ZNW 29 (1930) 192-197 (doch läßt Hirsch die antipaulinische Bewegung von Antiochien ausgehen); W. Michaelis, Judaistische Heidenchristen, in: ZNW 30 (1931) 83-89; Lietzmann z. St.; J. Munck, Paulus 82.

[4] So richtig Lightfoot, Zöckler, Sieffert, Zahn, O. Holtzmann; ders. auch in: ZNW 30 (1931) 76-83; Lagrange, Oepke, Schlier, Bonnard u. a. – Sieffert wird bei Schmithals (Häretiker II 18) und van Dülmen (Die Theologie des Gesetzes bei Paulus, Stuttgart 1969, 70 Anm. 162) falsch unter die Vertreter, die in den οἱ περιτεμνόμενοι Heidenchristen sehen, gerechnet.

[5] So Hirsch, Zwei Fragen 194; Lietzmann z. St.

[6] So Schmithals, Häretiker I 43, II 23; seine Hinweise auf Sieffert u. Schlier sind undifferenziert und geben deren Meinung nicht korrekt wieder; von einem »grundsätzlichen Verzicht auf das Gesetz« sprechen Sieffert u. Schlier gerade nicht.

[7] Vgl. Sieffert: »Vielmehr werden die Judaisten in ihrer Nichtbeachtung des Mos. Gesetzes in die allgemeine Kategorie der Juden eingereiht. Danach darf man als Grund dieser Nichtbeobachtung nicht eine besondere ›heuchlerische Schlechtigkeit der Leute‹ (Meyer), oder ihr Auswählen unter den Geboten (Eadie) denken, natürlich auch nicht ihre Entfernung von Jerusalem (Theodoret u. A. auch Schott), sondern nur die allen Juden gemeinsame Unmöglichkeit völliger Gesetzeserfüllung überhaupt (Hieronymus, Estius, Usteri, Holsten, Philippi).«

den Gegner in seinem typisch jüdischen Unvermögen, das Gesetz zu erfüllen, karikieren will[1]. Genauso wirft er dem judaisierenden Kephas Gal 2,14 Inkonsequenz gegenüber der Gesetzesobservanz vor[2], und die Polemik Röm 2,17ff. ist als Parallele nicht zu übersehen. Die Spannung dieser Exegese zu Phil 3,6 ist nicht zu leugnen, doch ist ebenso unleugbar, daß Paulus mehrfach das Versagen des Juden vor dem Gesetz konstatiert (s. ferner 3,10) und ihm an der Bloßstellung seiner Gegner liegt[3]. Die Charakteristik der Beschneidungsprediger beschließt Paulus damit, daß er als drittes Motiv ihrer Predigt nennt: »*damit sie in eurem Fleisch sich rühmen*« (V.13c). Auch hier stehen wir vor der Alternative, in der Aussage des Apostels zuverlässige Kunde über die neuen »Evangelisten« in Galatien zu erkennen und vielleicht ein gnostisches Motiv zu entdecken[4] oder in ihr nur ein negatives Werturteil des Paulus zu sehen. Das Sichrühmen ist ja keineswegs nur ein Charakteristikum der Gnostiker[5], denn Paulus beurteilt überhaupt den Menschen nach dem, wessen er sich rühmt[6]. Die nähere Bestimmung »in eurem Fleisch[7]« macht deutlich, daß der Apostel hier das Grundmotiv jüdischer Religiosität[8], das Sichrühmen auf Grund »fleischlicher« Gegebenheiten und Vorzüge (vgl. Phil 3,3f.), als das Zentralmotiv der missionarischen Tätigkeit seiner Gegner zum Ausdruck bringen will. Daß diese Aussage seine Rivalen bei den Galatern disqualifizieren soll, ist nach den bisherigen Erörterungen des Briefes unbestreitbar.

Wie sehr Paulus die Beschneidungspredigt seiner Kontrahenten theologisch deutet, bestätigt die folgende Aussage, in der er den ganz anderen

---

[1] Vgl. Lagrange; Oepke: »Daß es in ihm (im Judentum) zu einer wirklichen Erfüllung des Gesetzes nicht kommt, ist ein Grundsatz paulinischer Theologie (Röm 2,17ff.; 7,7ff.; 8,3ff.; Gal 2,16; 3,10ff.).«

[2] Als Parallele richtig erkannt von Hilgenfeld z.St.

[3] Zur Frage, ob Paulus ein zutreffendes Bild von seinen Gegnern entwirft, siehe auch Kap. I, 2.

[4] So Schmithals, Häretiker I 53, II 34; Marxsen, Einleitung 53.

[5] Vgl. Foerster, Abfassungszeit 140: »Sie wollen an den Galatern ihren Ruhm haben. Rühmen ist allerdings ein Stichwort der korinthischen Gegner des Paulus, die, wie ich meine, eine Vorstufe der Gnosis darstellen. Aber ist damit gesagt, daß jedes Sich-Rühmen gnostisch ist? Ist es nicht auch ein Stichwort der Pharisäer, so, wie Paulus sie beurteilt? Sollte man aus diesen Worten gnostischen Libertinismus ableiten? Paulus hätte dann wahrscheinlich anders geantwortet.«

[6] Siehe dazu den Exkurs von O. Kuss: Das Sichrühmen des Juden und des Heiden und das Sichrühmen der Glaubenden, des Apostels und seiner Gegner, in: Der Römerbrief 219–224.

[7] An dem Ruhm der Proselytenmacher denken: Olshausen, Meyer, Bisping, Lightfoot, Lipsius, B. Weiß; nicht weit entfernt ist die konkrete Deutung auf das Fleisch der Beschneidung: Schlier z.St., E. Schweizer: ThWNT VII 129; doch kann die Wendung auch weiter gefaßt werden: Lietzmann z.St.; Sand, Der Begriff »Fleisch« 133f.

[8] Vgl. Oepke, Schlier; R. Bultmann: ThWNT III 649.

Grund seiner Existenz namhaft macht und sein Selbstverständnis[1] den Verkündern des anderen Evangeliums entgegenhält: »*Mir aber geschehe es nicht, mich zu rühmen, wenn nicht in dem Kreuz unseres Herrn Jesus Christus, durch das* (δι' οὖ[2]) *mir die Welt gekreuzigt ist und ich der Welt*« (V. 14). Im Stil des persönlichen Bekenntnisses, das freilich nach Paulus das Bekenntnis eines jeden Christusgläubigen zu sein hat, betont er das Kreuzesgeschehen als alleinigen Heilsgrund[3], dessen man sich als ein aus dieser Weltzeit durch Christi Hingabe Erretteter (vgl. 1,4) rühmen darf. Jeder Selbstruhm oder ein Sichrühmen, das sich auf andere vermeintliche Heilsfaktoren, etwa die Gesetzesobservanz, stützt, ist für Paulus verwerflich, weil es die Gnade Christi verkennt (vgl. 2,21; 5,2).

Kreuz und Welt[4] stehen für Paulus in unversöhnlichem Gegensatz, denn die Welt, die zwar von Gott geschaffen ist (vgl. Röm 1,20; 1 Kor 8,6), unterliegt der Macht des Bösen, des »Gottes dieser Welt« (2 Kor 4,4), wird von Sünde und Tod beherrscht (vgl. Röm 5,12; 8,20; 3,9) und enthüllt sich als »die Sphäre des Gottwidrigen und Gottfremden[5]« vollends dadurch, daß »die Herrscher dieser Welt« den Herrn der Herrlichkeit gekreuzigt haben (1 Kor 2,8). Der Christuszugehörige ist dieser Welt und all ihren Ansprüchen (vgl. Gal 4,3.8 ff.) gestorben (vgl. Gal 2,19) und ist der bösen gegenwärtigen Weltzeit[6] entrissen (vgl. Gal 1,4). Da κόσμος ein Synonym für ἡ σάρξ sein kann (vgl. 1 Kor 1,20; 3,19 mit 1,26), ist die Antithese nicht zu verkennen, wenn Paulus gegenüber denen, die ihren Ruhm »im Fleisch« haben (s.V. 12a u. 13c), herausstellt, daß ihm die Welt gekreuzigt ist und er der Welt.

Seine »Gegendarstellung« begründet der Apostel weiter durch den folgenden Vers, den man nicht zu Unrecht eine paulinische Kampfthese nennt: »*Denn weder Beschneidung ist etwas noch Vorhaut, sondern neue Schöpfung*« (V. 15). Ob Paulus hier auf eine Formel jüdischer[7] oder vorpaulinisch christlicher Herkunft rekurriert (vgl. 5,6 u. 1 Kor 7,19), bleibt unsicher, jedenfalls greift

---

[1] Siehe Zahn z.St.: »Daß Paulus mit dieser Beschreibung und Beurteilung der Judaisten ein Gegenbild seiner selbst zeichnen wollte, zeigt auch die Art, wie er sie einleitet. Nicht von jenen sagt er, daß sie sich ein schönes Aussehn zu geben beflissen sind, sondern umgekehrt, daß alle, denen es hierum zu tun ist, daß diese und nur solche Leute es sind, welche die Galater zur Beschneidung drängen.«

[2] Ob δι' οὖ auf σταυρῷ oder Ἰησοῦ Χριστοῦ bezogen wird, ändert den Sinn der Aussage nicht. Der Ton mag im Zusammenhang auf Kreuz liegen.

[3] Dazu Schlier: »Σταυρός ist hier Ideogramm für das Erlösergeschehen.«

[4] Zum Begriff ὁ κόσμος H. Sasse: ThWNT III 867–896; H. Zimmermann, in: Haag BL 1884f.; Richter Wb 1004–1011.

[5] So Richter Wb 1006.

[6] Vgl. H. Sasse: ThWNT III 884f.

[7] Vgl. J. Weiß, Der erste Korintherbrief, Meyers-Kommentar V, Göttingen 1910, zu 1 Kor 7,19.

er das im AT und besonders im apokalyptischen Judentum verbreitete Thema der neuen Schöpfung auf[1] und bekennt: »Wenn einer also in Christus ist, ist neue Schöpfung. Das Alte ist vergangen, siehe, geworden ist Neues« (2 Kor 5, 17). Beschneidung[2] und Unbeschnittenheit[3] haben in der neuen Schöpfung ihre theologische Relevanz verloren, hier gilt allein »der Glaube, der durch Liebe wirksam ist« (5, 6; vgl. 1 Kor 7, 19). Mit einem Segenswunsch läßt Paulus seine letzten Ermahnungen an die Galater ausklingen: »*Und soviele diesem Kanon folgen werden, Friede über sie und Erbarmen und über das Israel Gottes*« (V. 16). Die christliche Botschaft, wie sie kurz und knapp in V. 15 situationsbezogen formuliert wurde, muß Maßstab[4] für das Urteilen und Handeln der Galater[5] sein. Von diesem Kanon aus dürften sie eigentlich das andere Evangelium nicht akzeptieren und ihm nicht Folge leisten. Nur wer diesen Kanon, daß in Christus die neue Schöpfung angebrochen und hier allein das Heil zu finden ist, bejaht[6], auf den werden Gottes Friede, das endgültige, eschatologische Heil für den Menschen, und sein Erbarmen herabkommen. Da Paulus in diesem Segenswunsch das Heil von der Befolgung eines spezifisch christlichen Kanons abhängig macht, kann hier nicht vom Erbarmen über das Israel κατὰ σάρκα (1 Kor 10, 18) die Rede sein[7]. Vielmehr liegt es nahe, in diesen Worten eine letzte polemische Spitze gegenüber den Verfechtern der bleibenden Heils-

---

[1] Vgl. W. Foerster: ThWNT III 999f.; Billerbeck II 421, III 519; Schlier, Gal 282 Anm. 1; G. Schneider, Neuschöpfung oder Wiederkehr?, Düsseldorf 1961, bes. 74ff.; ders., Neuschöpfung des Menschen und der Welt. Zur Auslegung einer grundlegenden biblischen Aussage, in: Lebendiges Zeugnis, Paderborn 1971, 47–61, bes. 50f.: »Am Schluß des Galaterbriefes hingegen wird man nicht umhinkönnen, in der ›neuen Schöpfung‹ eine kosmologische Kategorie zu sehen… Aber es ist doch sicher auch zu beachten, daß die neue Schöpfung hier den beiden Menschheitssektoren der Juden (Beschneidung) und der Heiden (Unbeschnittenheit) gegenübergestellt und insofern *menschheitlich* bezogen ist.« Zur Problematik der kosmologischen Relevanz von Gal 6, 15 siehe die Diskussion bei A. Vögtle, Das Neue Testament und die Zukunft des Kosmos, Düsseldorf 1970, 174–183. Zur religionsgeschichtlichen Erklärung des Begriffes καινὴ κτίσις siehe auch P. Stuhlmacher, Erwägungen zum ontologischen Charakter der καινὴ κτίσις bei Paulus, in: EvTh 27 (1967) 1–35.

[2] Abstractum pro concreto.

[3] Kein Hinweis auf eine zweite Front, die die Notwendigkeit der Vorhaut behauptet: gegen Lütgert, Gesetz u. Geist 35.

[4] Κανών: 1. Maßstab, Richtschnur, Regel, 2. abgemessenes Gebiet, zugemessener Bezirk: Bauer Wb 796; siehe ferner H. W. Beyer: ThWNT III 600–606, bes. 602, 20ff.; anders P. Stuhlmacher, in: EvTh 27 (1967) 7.

[5] Der Segenswunsch ist zwar allgemein formuliert (siehe ὅσοι), doch deutet das futurische στοιχήσουσιν auf die galatische Situation: so Sieffert u.a.

[6] Vgl. Gal 5, 1 ff.; 2, 19 ff.

[7] Gegen Duncan z. St. – Siehe die formale Ähnlichkeit der hier vorliegenden Wendung mit dem Achtzehnbittengebet, Bitte 19: Billerbeck III 578f.

bedeutung des Volkes Israel zu sehen, indem Paulus das neue Gottesvolk[1], nicht bloß die Judenchristen[2], als »das Israel Gottes« bezeichnet. Dieser Ausdruck ist im Neuen Testament und bei Paulus singulär, liegt jedoch auf der Linie des paulinischen Denkens (vgl. Röm 9,6; 1 Kor 10,18; Phil 3,3 u. Gal 4,23.29).

Die Galater, die dem Apostel so viel zu schaffen machen, und vielleicht auch seine Gegner beschwört Paulus ein letztes Mal: »*In Zukunft[3] Beschwer-den bereite mir keiner. Denn ich trage die Male Jesu an meinem Leib*« (V. 17). Mit dem Hinweis auf seine στίγματα[4], seine Wunden und Narben, will der Apostel seine Christusverbundenheit zum Ausdruck bringen und sich zugleich als legitimierter Repräsentant seines Herrn ausweisen[5]. Daß er bewußt seine Stigmata dem Beschneidungsmal entgegenstellt, das seine Rivalen in Gala-tien als Bundessiegel[6] oder in synkretistischer Theologie als Eigentums- und Schutzzeichen[7] verstanden hätten, kann nicht bewiesen werden. Ebenso bleibt Vermutung, daß in der hier vorliegenden Selbstdarstellung des Apo-

---

[1] So Chrysostomus, Bengel, Sieffert, Lagrange, Oepke, Kuss, K.L. Schmid, Schlier, Beyer-Althaus, Kürzinger; N.A. Dahl, Zur Auslegung von Gal 6,16, in: Judaica 6 (1950) 161–177; ders., in: Das Volk Gottes (1941), Nachdruck Darm-stadt 1963, 1 u. 210; Bultmann, GuV II 183; Conzelmann, Theologie 280; U. Luz, Geschichtsverständnis 270; A. Vögtle, in: LThK[2] X (1965) 553.

[2] So Estius, de Wette, Wörner, Schlatter, Schäfer, Zahn, O. Holtzmann, Bur-ton, Bousset; G. Schrenk, »Israel Gottes« in Gal 6,16, in: Judaica 5 (1949) 81–94; ders., Der Segenswunsch nach der Kampfepistel, in: Judaica 6 (1950) 170–190; G. Richter, in: HThG I 735.

[3] Τοῦ λοιποῦ ist nicht mit Ἰσραήλ zu verbinden: »Von dem übrigen (Israel) soll mir niemand Mühe und Belästigung bereiten ...« (Zahn); am besten ergänzt man und übersetzt: in Zukunft, fortan; so auch Bauer Wb 949; Bl-Debr § 186; Bisping, Lipsius, Sieffert, Lietzmann, Oepke, Kuss, Schlier.

[4] Einen Überblick über die recht unterschiedliche Interpretation der στίγματα τοῦ Ἰησοῦ bietet Güttgemanns, Der leidende Apostel und sein Herr, 126–135, S. 134: »Es ist also zu vermuten, daß Paulus mit dem Hinweis auf die Zeichen des Herrn an seinem Leibe seine apostolische Autorität betonen will.« S. 134: »Weil Paulus als Apostel nicht nur Repräsentant seines Herrn ist, sondern weil man geradezu von einer ›Realpräsenz‹ des Gekreuzigten als Herrn an der apostolischen Existenz reden muß, darum kann Paulus im Bewußtsein dieser seiner ›Würde‹ darum bitten, ihm nicht mehr den Apostolat zu bestreiten, denn damit vergreift man sich an dem in der apostolischen Existenz präsenten gekreuzigten Herrn selbst.«

[5] Vgl. O. Betz: ThWNT VII 662f.

[6] Betz a.o.a.O. 663: »Die στίγματα τοῦ Ἰησοῦ, die Paulus ›an seinem Leibe‹ trägt, bilden den Gegensatz zur Beschneidung, deren sich die judaistischen Gegner ›an eurem Fleische‹ rühmen möchten (6,13). Pflegte man im Judentum dem heidni-schen Brandmal die Beschneidung als das Bundessiegel entgegenzustellen (Ex r 19,6 z 12,43; Lev r 19,6 z 15,25), so beruft sich der Apostel den Judaisten gegen-über auf die στίγματα τοῦ Ἰησοῦ als neues, eschatologisches Mal.« Ähnlich schon Luther, Erasmus, Bengel u.a.

[7] So neuerdings Lührmann, Offenbarungsverständnis 69 ff.

stels Paulus eine bewußte Antithese zur Charakteristik der Gegner des Apostels gegeben ist, denen er 6, 12 Flucht vor der mit der Kreuzespredigt verbundenen Verfolgung (durch die Juden) vorwirft[1].

Das letzte Wort des Apostels ist nicht Warnung oder Drohung, sondern sein Segen für die Brüder: »*Die Gnade unseres Herrn Jesus Christus mit eurem Geist, Brüder! Amen*« (V. 18).

b) Gal 5, 1-12

Wie 6, 11-18 als Rekapitulation der Hauptgedanken des ganzen Briefes und als letzte Warnung vor den Beschneidungspredigern angesehen werden kann, so ist 5, 1-12 ebenfalls ein Abschnitt besonderer Art, der bisherige Erörterungen (Kap. 3 u. 4) zusammenfaßt, in konkrete Ermahnung übergeht[2] und weniger einen Gedankenfortschritt als ein immer neues Kontra gegen die Beschneidungsforderung und ihre Prediger bietet. In diesem Übergangsstück (vgl. 2, 15-21) kommt Paulus von dem umfassenderen und grundsätzlichen Problem der Gesetzesfrage auf das konkrete Zentralthema »Beschneidung oder Christus«, wie er es sieht und formuliert, zu sprechen[3].

Gegen die Sklaverei des Gesetzes und für die Freiheit, die der Glaube an Christus gewährt: so ließe sich ein Zentralgedanke der Ausführungen in den Kapiteln 3 und 4 umschreiben (vgl. auch die typologisch-allegorische Deutung alttestamentlicher Geschichte in 4, 21-31). Das Stichwort »Freiheit« aufgreifend, appelliert Paulus an die Galater: »*Der Freiheit*[4] *befreite uns Chri-*

---

[1] So Meyer, Wieseler, Philippi, Kähler, B. Weiß. U. Borse (Die Wundmale u. der Todesbescheid, in: BZ NF 14 [1970] 88–111) verknüpft Gal 6, 17 mit den Leidensaussagen in 2 Kor 4, 10; 1, 9.

[2] Hier liegt der Grund, weshalb 5, 1-12 immer wieder zum paränetischen Teil des Briefs gerechnet wird. So u.a. Burton, Bonnard, Lyonnet; G. Schneider; W. Nauck, Das οὖν-paraeneticum, in: ZNW 49 (1958) 134f.; Kümmel, Einleitung 190. Eine eingehende Diskussion dieser Frage bietet O. Merk, Zum Beginn der Paränese im Galaterbrief, in: ZNW 60 (1969) 83–104; siehe auch zu Gal 5, 13.

[3] Vgl. Schlier, Gal 229: »Mit einem kräftigen neuen Ansatz, der nicht mehr den Charakter einer Argumentation trägt, sondern einen zusammenfassenden Anruf darstellt, beginnt Paulus diesen letzten Abschnitt im mittleren Teil des Briefes. In ihm münden alle Ausführungen und erweisen so den aktuellen Charakter auch der theologischen Argumentationen dieses Schreibens. Inhaltlich erweist er die entscheidende Bedeutung der Beschneidungsfrage. Die Beschneidung und Christus schließen einander aus.«

[4] Τῇ ἐλευθερίᾳ ist Dativ der Bestimmung, vgl. Röm 8, 24 zu 8, 20; unsere Stelle zu 5, 13: so die meisten Kommentare; K. L. Schmidt, Gal 75: »Der grammatisch etwas harte Dativ τῇ ἐλευθερίᾳ ist vom Apostel gewollt; es gibt nur ein Befreien für die Freiheit. Die stilistisch etwas harte Verwendung desselben Wortstammes beim Substantivum und Verbum ist ebenfalls gewollt; der Briefschreiber muß eine bedrohte Sache einhämmern, wobei die Monotonie nicht allenfalls erlaubt, sondern geradezu nötig ist.«

stus. Steht nun und nicht wieder in einem Joch der Sklaverei laßt euch halten!« (V. 1).
Freiheit, »im Neuen Testament ein polemischer Begriff«[1], meint hier nicht
bloß die Freiheit vom Gesetz der Juden, sondern die Freiheit im umfassend-
sten Sinn, das Freisein von den Mächten des alten Äons. Der Apostel ermahnt ja die ehemals heidnischen Galater, nicht »wieder« ein Joch der
Sklaverei auf sich zu nehmen. So setzt Paulus wie 4,9 den früheren Götzendienst der Galater mit dem Gesetzesdienst der Juden gleich. Aus diesem
Zustand der Sklaverei hat Christus die an ihn Glaubenden herausgeführt.
Nun kommt es darauf an, daß die Galater selber die ihnen geschenkte Freiheit in der gegenwärtigen Krise bewahren[2] und sich so bewähren.

Seine ureigene und tiefste Überzeugung spricht Paulus aus – hier liegen
die Kluft zu der Verkündigung seiner Rivalen in Galatien und vielleicht die
Differenz zu anderen Autoritäten[3] –, wenn er die Galater vor die Alternative
stellt: »*Siehe, ich, Paulus, sage euch: Wenn ihr euch beschneiden laßt, Christus wird
euch nichts nützen«* (V. 2). Die unmittelbare Gefahr[4], der entscheidende Schritt
zum Judentum durch Übernahme der Beschneidung, wird deutlich, und
ebenso unmißverständlich sagt der Apostel: Es gibt keinen Kompromiß,
kein Sowohl – Alsauch, sondern entweder Glaube an Christus und auf
Grund dessen das Heil[5] oder die Beschneidung[6]. Paulus, »der ehemals leidenschaftlich an die Theologie der Beschneidung geglaubt hat« (O. Kuss),

---

[1] K. Niederwimmer, Der Begriff der Freiheit im NT, Berlin 1966, 84: »Freiheit
ist im NT ein *polemischer* Begriff. Er hat seinen ›Ort‹ innerhalb der Polemik gegen
das Mißverständis des Evangeliums, er hat seinen ›Sitz im Leben‹ in der Auseinandersetzung mit dem Legalismus und Libertinismus. Der Freiheitsbegriff des NT
ist geprägt von dem Zweifrontenkrieg gegen (gesetzliches) Judentum und libertinistische Gnosis.«

[2] Die Ausdrücke στήκετε und μὴ πάλιν ζυγῷ δουλείας ἐνέχεσθε sind in absolutem Sinn
gebraucht. Die ganze Aussage ist viel zu grundsätzlich, als daß sie als Rekurs auf
Aussagen der galatischen Gnostiker verstanden werden kann (gegen Schmithals,
Häretiker I 55, II 36).

[3] Beachte das betont vorangestellte ἐγώ! Vgl. B. Weiß, Lietzmann, Kuss,
Schlier.

[4] Paulus setzt hier wie im ganzen Brief voraus, daß den galatischen Christen
nach wie vor viel an Christus liegt. Die Würfel waren also noch nicht gefallen.

[5] Das Futur. ὠφελήσει bezieht sich sicherlich nicht bloß auf das Gericht (so
Schlier), sondern auf die Zeit nach der etwaigen Annahme der Beschneidung (so
Sieffert), d.h. auf das gesamte Leben der Galater.

[6] Mauer, Gal 151: »In Galatien dreht sich alles um einen einzigen Punkt, um die
Frage der Beschneidung. Ihre Annahme oder Ablehnung ist das Bekenntnis, durch
das man sich für das Gesetz oder für die Gnade, für die Sklaverei oder für die Freiheit entscheidet.« – Von der Sicht des Paulus her ist diesem Kommentar zuzustimmen. Die Beschneidungsfrage ist für Paulus nicht ein Punkt unter anderen im
anderen Evangelium, sondern der konkrete Zentralpunkt, an dem sich die Geister
scheiden und die Entscheidung fällt.

kennt keine mittlere Position zwischen Judentum und Christentum; der
neue Glaube bedeutet Heil, den Irrweg des alten Glaubens hat er selbst
zutiefst erfahren.

In seinem lebhaften und vielfältigen Kampf um die galatischen Gemeinden wendet Paulus jetzt, nachdem er noch einmal seine Autorität in die
Waagschale geworfen und die Galater vor die Alternative »Christus oder die
Beschneidung« gestellt hatte, ein weiteres Kampfmittel an: Er versucht ihnen
ins Bewußtsein zu bringen, wohin es führt, wenn sie auf die Forderung
seiner Gegner eingehen: »*Ich bezeuge aber wieder jedem Menschen, der sich beschneiden läßt, daß er Schuldner ist, das ganze Gesetz zu tun*« (V. 3). Nach der
Meinung vieler Exegeten haben die neuen Missionare die Galater auf diese
Konsequenz nicht aufmerksam gemacht, weil sie in ihrer Verkündigung die
»soteriologische, fast sakramentale Auffassung der Beschneidung« als Bundeszeichen der Abrahamssöhne ohne Betonung der ethischen Gebote des
Alten Testaments hervorgehoben hätten[1] oder weil sie als liberale Juden an
einer strengen Gesetzesobservanz nicht interessiert gewesen wären[2] oder
weil sie aus taktischen Gründen in der Diasporasituation bei den Galatern
mit der Last des ganzen Gesetzes vorerst zurückgehalten[3] und überhaupt
für Proselyten Konzessionen gemacht hätten[4]. Zunächst ist festzuhalten,
daß Paulus hier keine ausdrückliche Aussage über seine Gegner macht. Alle
derartigen Erklärungen tragen reinen Vermutungscharakter. Weil der Apostel seinen Zuhörern einen theologischen Tatbestand klarmachen will, zeigt
er ihnen die letzten Konsequenzen, zu welchen die Beschneidung führt.
Wie es gegenüber Christus keinen Kompromiß geben kann, so kann es auch
gegenüber dem Gesetz keine Halbheit geben. Es ist typisch für Paulus, daß
er radikalisiert und verabsolutiert und auf diese Weise den gegnerischen
Standpunkt oder die Fehlhaltung ad absurdum führt. Der paulinische Gedanke, daß das ganze Gesetz zu tun ist und doch nicht erfüllt werden kann
(vgl. Röm 2, 17 ff.; 2, 25 ff.) und daß derjenige, der sich auf den Gesetzesweg

---

[1] So Oepke; ähnlich schon de Wette, Bisping, Holsten; vgl. Schlier; v. Campenhausen, Bibel 38.
[2] Dazu Bisping, Holsten, Lietzmann; Oepke zu 2, 18; Schmithals, Häretiker
I 42 f., II 23, bes. Anm. 49. Daß Paulus die Galater erst habe aufklären müssen darüber, daß sie das ganze Gesetz befolgen müssen, wenn sie sich auf die Beschneidung einließen, bestreitet W. G. Kümmel (Einleitung 194) gegen Schmithals mit
Recht. Die Frage von Schmithals: »wieso Paulus die Galater über einen Tatbestand aufklärt, der das Programm der angeblichen Judaisten ist«, übersieht den
Skopus der paulinischen Aussage, der auf die Unerfüllbarkeit des Gesetzes aufmerksam machen will. Ebenso sind gegen eine allzu schnelle Kombination von 5, 3
mit 6, 13 Bedenken anzumelden. 6, 13 ist eher im Zusammenhang mit 2, 14; 5, 3
mit 3, 10 zu sehen.
[3] Siehe B. Weiß, Einleitung 170; Schlier z. St.
[4] Vgl. B. Weiß, Zahn u. a.

einläßt, zum Scheitern verurteilt und dem Fluch verfallen ist (s. 3,10), wird hier gegen die Beschneidungsforderung ins Feld geführt[1].

Wer glaubt, über den Weg der Gesetzeserfüllung das Heil oder auch nur »mehr Heil« oder Heilssicherheit zu erlangen, erreicht genau das Gegenteil: er geht seines Heils verlustig, weil er die Gnade Christi (1,6) verkannte: »*Zugrunde gerichtet seid ihr, weg von Christus, die ihr im Gesetz gerechtgesprochen werden wollt, aus der Gnade seid ihr herausgefallen*« (V. 4). Es ist Selbstzerstörung[2], sagt Paulus hier scharf als Warnung an alle, nicht bloß zu einem Teil der Gemeinden[3], wenn sie den bisherigen Glaubensweg für ungenügend ansehen und zu einem Gesetzesweg werden lassen.

Der folgende wegen seiner knappen Ausdrucksweise nicht leicht deutbare Satz wird am besten vom Kontext her zu interpretieren sein: »*Wir aber*« – im Gegensatz zu denen, die auf Beschneidung und Gesetz bauen[4] – »*erwarten*[5] *im Geist aus Glauben*« – also nicht auf Grund der Gesetzeswerke im Bereich der σάρξ – »*die Hoffnung der Gerechtigkeit*« (V. 5). Gottes Gerechtigkeit wird hier als Hoffnungsgut in ihrem eschatologischen Aspekt gesehen[6].

---

[1] Siehe Lipsius z. St.: »Das Gesetz ist ein untrennbares Ganzes: die Beschneidung schließt daher die Verpflichtung ein (macht jeden Beschnittenen zu einem Schuldner), das ganze Gesetz in allen seinen Bestimmungen zu halten. Dies ist schwerlich gegenüber gewissen Einschränkungen gesagt, welche die Judenchristen in der Gesetzespflicht machten, sondern soll den Galatern einfach die Unmöglichkeit klar machen, der durch die Beschneidung zu übernehmenden Verpflichtungen zu genügen vgl. 3,10.« Siehe ferner Oepke, Schlier; Dibelius-Kümmel, Paulus 22; H. Braun: ThWNT VI 479; O. Merk, Der Beginn der Paränese im Galaterbrief, in: ZNW 60 (1969) 101.

[2] Καταργέω: 1. außer Wirksamkeit, Geltung setzen, entkräften, 2. vernichten, vertilgen, beseitigen, 3. καταργοῦμαι ἀπό τινος aus der Verbindung mit jem. od. etwas gelöst werden, nichts mehr zu schaffen haben mit: Bauer Wb 825; vgl. G. Delling: ThWNT I 453 zu Röm 7,2: »aus dem Wirkungsbereich entnehmen«; ferner Schlier z. St.

[3] Gegen Zahn z. St. und Lütgert, Gesetz u. Geist 11f.

[4] Vgl. Sieffert, Oepke, Schlier u. a.

[5] Ob ἀπεκδεχόμεθα antithetisch zum vermeintlichen Heils-»Besitz« der Gesetzesleute zu verstehen ist, muß bezweifelt werden. Richtig Schlier z. St.

[6] Dazu Kuss, Römerbrief 574: »Das Pneuma ist so die ›Sphäre‹, in welcher sich das Leben derer vollzieht, die auf Grund von Glauben ihre ganze Hoffnung auf das Heilsgut setzen; denn mag auch das Heil da sein – und es ist eben so da, daß das Pneuma da ist –, so bleibt es doch in seiner Vollendung wieder erst zu erwarten.« »Der Besitz des Geistes ist das Heil, und er ist die Garantie des kommenden Vollendungsheiles, der eschatologischen Erfüllung.« Vgl. E. Käsemann, Gottesgerechtigkeit bei Paulus, in: Exeget. Versuche II 183: »Um so mehr fällt auf, daß Gal 5,5 sie (die Gottesgerechtigkeit) als Hoffnungsgut betrachtet und ihre endgültige Verwirklichung noch ausstehen läßt. Wir stoßen damit von unserem Thema her auf jenes Phänomen, das man nicht ganz glücklich als die doppelte Eschatologie bei Paulus bezeichnet. Auch die Gottesgerechtigkeit unterliegt dem Doppelaspekt, daß das Heil und die Heilsgüter bald als mit Glauben und Taufe gegen-

Paulus, der um den möglichen Verlust des Heils weiß (vgl. V. 4 und 1, 6), will den Galatern einschärfen: Nur wer auf dem Heilsweg πνεύματι ἐκ πίστεως bleibt, wird das endgültige Heil erlangen.

Der Christ steht aber nicht bloß vor der Zukunft, die das Heil bringt, für ihn hat diese Zukunft schon in Christus begonnen. Was im alten Äon galt, gilt in Christus und somit auch für den Glaubenden nicht mehr: »*Denn in Christus Jesus weder Beschneidung gilt etwas noch Vorhaut, sondern Glaube, der durch Liebe wirksam ist*« (V. 6). Für die Beschneidungsprediger ist wichtig, ob einer die Beschneidung oder die Vorhaut aufweist. Für den Apostel ist in Christus die neue Schöpfung (6, 15) angebrochen, und der alte Äon mit seinen Kategorien: Jude und Grieche, Sklave und Freier, Mann und Frau (3, 28) irrelevant[1]. So ist für den Gläubigen die alte Welt nicht mehr bestimmend; entscheidend ist für ihn der Glaube an Jesus Christus und die neue Heilswirklichkeit. Dieser Glaube führt aber nicht zur Passivität des Menschen, sondern ist als echter Glaube »durch Liebe wirksam«[2]. Diese letzte Aussage bestätigt, daß 5, 1-12 zur Paränese überleitet. Der Glaubensbegriff des Paulus, der in 2, 15 bis 4, 31 einseitig in Antithese zu den Werken des Gesetzes artikuliert wurde, scheint hier vom Apostel selbst eine gewisse Ergänzung zu erfahren, d. h. das Mißverständnis radikaler Zuspitzung wird beseitigt[3].

Das Gespräch des Apostels mit den Galatern geht weiter[4]: »*Ihr liefet recht. Wer hinderte euch, der Wahrheit zu folgen*[5]?« (V. 7) Sie sind vom rechten Weg abgekommen, weil sie ihren Lauf – ein Bild für das Glaubensleben der Christen (vgl. 1 Kor 9, 24; Phil 3, 14) – geändert haben. Nach einem guten Anfang jetzt ein schlechtes Ende (vgl. 3, 3)! Paulus versteht immer wieder neu und anders seine Meinung zu äußern und – fast möchte man sagen –

---

wärtig, bald als erst durch die Parusie endgültig realisiert erscheinen. Mehr noch, die Dialektik von Haben und nicht völlig Haben wird hier in die Gegenwart des Christenstandes hineinprojiziert.« Siehe auch die Diskussion bei Kertelge, »Rechtfertigung« 147–150.

[1] Was ließe sich alles aus 3, 28 ableiten, wenn Lütgert (Gesetz u. Geist 34 f.) und Ropes (The singular Problem 6) recht mit ihrer Ansicht hätten, daß sich Paulus in 5, 6 nicht bloß gegen Beschneidungsprediger wendet, sondern auch »gegen solche, welche die Notwendigkeit der Vorhaut, und das heißt also der Verderblichkeit der Beschneidung behaupten« (so Lütgert a. a. O. 35)?

[2] Zur Auslegungsgeschichte der Wendung: πίστις δι' ἀγάπης ἐνεργουμένη s. Oepke z. St.; vgl. Bornkamm, Paulus 162 f.

[3] Nach Schlier wendet sich Paulus mit dieser Erläuterung »gegen die Verfälschung, die sein Glaubensbegriff in Galatien erfährt«.

[4] Lütgert, Gesetz u. Geist 27, vermißt den weiterführenden Gedanken, weil er den Charakter unseres Abschnittes (aktualisierende Zusammenfassung) nicht erkennt.

[5] Die Textüberlieferung ist an dieser Stelle nicht einheitlich. Für die andere Lesart nach G it vg entscheiden sich: Zahn, Bousset; G. Stählin: ThWNT III 855; Bl-Debr § 488 1 b. Dagegen spricht sich besonders Oepke aus.

seinen Hörern einzuhämmern. Oft bedient er sich rhetorischer Fragen (vgl. 3, 1 ff.). Deshalb kann aus der vorliegenden Frage nicht gefolgert werden, der Apostel sei über die galatischen Zustände nicht unterrichtet oder er spiele aufgrund des Interrogativpronomens τις auf eine Einzelperson als den Hauptakteur der antipaulinischen Verkündigung in Galatien an[1].

Der erste Vorwurf, den die galatischen Christen von ihrem Gründerapostel zu hören bekamen, lautete: »Ich wundere mich, daß so schnell ihr euch abwendig machen laßt von dem, der berief euch in Gnade des Christus, zu einem andern Evangelium« (1,6). Jetzt heißt es: »*Die Überredung ist nicht von dem, der euch berief*« (V. 8). Gott hat ihnen den neuen Weg, den sie einschlagen (s. V. 7), nicht eingegeben. Deshalb sind auch – immer nach dem Urteil des Paulus! – die neuen christlichen Missionare in Galatien alles andere als Boten Gottes. Πεισμονή ist am besten aktivisch[2], nicht passivisch im Sinn von »Folgsamkeit«, »Gehorsam«[3], zu verstehen und bezeichnet die »Überredung« durch die Irrlehrer.

Das folgende Sprichwort: »*Ein wenig Sauerteig säuert den ganzen Teig*« (V. 9, vgl. 1 Kor 5,6) will Paulus sicher auf die Propaganda seiner Gegner bezogen wissen. Geben ihr die Galater auch nur ein wenig Raum[4], so ist es um den ganzen Glauben der galatischen Christen nach der Meinung des Apostels geschehen[5]. Es liegt nahe, daß hier an den Anfang des Gesetzesweges, die Übernahme der Beschneidung, gedacht ist[6].

Der Seelsorger Paulus wirbt für seine Sache rhetorisch geschickt auf eine neue Art und Weise: »*Ich habe Vertrauen zu euch im Herrn, daß nichts anderes ihr denken werdet*« (V. 10a). Obwohl der Apostel in größter Not um seine Gemeinden ist, nimmt er die Entscheidung der Galater für die Verkündigung des Paulus gleichsam schon vorweg, wenn er sagt: »ich habe Ver-

---

[1] Vgl. J. Blinzler, in: Gesammelte Aufsätze 1, Stuttgart 1969, 151: »Man hat eher den Eindruck, als ob Paulus seine galatischen Gegner gar nicht persönlich kenne (3,1; 5,7).« Das mag durchaus zutreffen, nur kann daraus nicht die Unkenntnis des Apostels hinsichtlich der galatischen Häresie abgeleitet werden.

[2] So Vulg. (persuasio), Erasmus, Calvin, Corn. a Lap., Bisping, Wörner, Lipsius, Zöckler, B. Weiß, O. Holtzmann, Lietzmann, Oepke, Kuss, Schlier u. a.

[3] So Chrysostomus, Rückert, Olshausen, v. Hofmann, Rheitmeyer, Lightfoot, Bousset, Zahn, Bultmann: ThWNT VI 9; Bl-Debr § 488 1 b. Oepke weist darauf hin, daß bei dieser Übersetzung »ein ganz anderer Gehorsam gemeint wäre, als in V. 7 (bei der kürzeren Lesart), nämlich der Gehorsam gegen die Irrlehrer«.

[4] Vgl. Chrysostomus, Calvin, Meyer, Wörner; Lipsius: »Nicht auf die geringe Zahl der Gegner kommt es an, sondern darauf, daß schon die Annahme eines geringen Theils ihrer Lehre genüge, um den ganzen Glauben der Galater hinfällig zu machen.« Sieffert (von der 9. Aufl. seines Kommentars an); Bousset, Burton, Lietzmann, Oepke, Kuss, Schlier u. a. – An »wenige« Irrlehrer ist wohl kaum zu denken: gegen de Wette, Bisping, Zahn, Lagrange u. a.

[5] So auch H. Windisch: ThWNT II 905 ff.

[6] Vgl. Gal 5, 3.

trauen zu euch« und erwartet, daß sie »nichts anderes sinnen«, d.h. in der Glaubensgemeinschaft mit ihm bleiben (vgl. Röm 12,16; 15,5; 2 Kor 13,11; Phil 2,2; 4,2). Das Vertrauen gründet aber letztlich »im Herrn«, d.h. »Christus wird mit seiner Gnade und Wahrheit in ihnen mächtiger sein, als die Verführung« (Bisping)[1]. Dem Wort der Ermunterung folgt ein heftiges Drohwort gegen seine Widersacher: »*Der aber euch verwirrt, wird tragen das Gericht, wer immer er sei*« (V. 10b). Das Verdammungsurteil Gottes[2] kündet der Apostel denen an, die die Galater verwirren (vgl. 1,7). Sind schon 1,7 mehrere Personen als Quelle des Unheils in den galatischen Gemeinden vorausgesetzt, so wird man den Singular ὁ δὲ ταράσσων nicht auf eine Einzelperson deuten können, sondern als generischen Singular auffassen[3]; das schließt jedoch nicht aus, den Zusatz ὅστις ἐὰν ᾖ als Hinweis darauf verstehen zu können, daß unter den eingedrungenen Beschneidungspredigern eine oder mehrere Personen mit hohen Ansehen sind oder die neuen Missionare sich legitim oder unberechtigt auf eine anerkannte Autorität beriefen[4].

Etwas überraschend, aber letztlich doch das Zentralthema »Beschneidung« wieder ausdrücklich debattierend, tritt der folgende Gedanke auf: »*Ich aber, Brüder, wenn ich die Beschneidung noch verkünde, was werde ich noch verfolgt? Also*

---

[1] Durch das betont vorangestellte ἐγώ stellt Paulus die unterschiedliche Erwartung, die er und andererseits seine Gegner gegenüber der Entscheidung der Galater hegen, heraus. Siehe Bisping, Lipsius, Sieffert, B. Weiß u.a.

[2] Τὸ κρίμα: 1. der Streitfall, die Streitfrage; 2. die Entscheidung, der Beschluß; 3. das Handeln des Richters, das Richten, das Gericht; 4. das richterliche Urteil (Strafe, Verdammungsurteil): Bauer Wb 891; Meyer: τὸ κρῖμα »Das Richturtheil κατ' ἐξοχήν, d.i. das Verdammungsurtheil des (nahen) jüngsten Gerichts. Vgl. Röm 2,3; 3,8; 1 Kor 11,29.«

[3] de Wette, Meyer, Bisping, Wörner, v. Hofmann, Zöckler, Sieffert, B. Weiß, Burton, Oepke, Schlier u.a.

[4] Siehe Schlier z. St.: »Nur daß unter ihnen solche sind, die ein hohes Ansehen genießen, geht aus dem Zusatz ὅστις ἐὰν ᾖ hervor. Ob er sie nicht kannte oder ob er sie nicht mit Namen nennen wollte, läßt sich nicht sagen.« An mindestens eine Person von hervorragender Autorität im Hintergrund der galatischen Agitation denken: Holsten, Evangelium I 176f. (Jakobus); Lipsius (Jakobus als indirekten Urheber); Jülicher, Einleitung 58; O. Holtzmann; E. Meyer, Ursprung III 434 (Petrus), ähnlich auch Lietzmann (vielleicht auch Barnabas); dagegen Kümmel, Einleitung 193: »Undeutlich ist, ob eine bestimmte führende Person hinter diesen Eindringlingen steckt 5,7.10 (auf keinen Fall kann damit auf Petrus angespielt sein, so Lietzmann, Kleine Schriften II, TU 68, 288; dagegen spricht der Ton der Erwähnung des Petrus in 1,18; 2,8ff. und das Fehlen jeder Nachricht, daß Petrus in Kleinasien war).«; Bousset u. Holl (WdF XXIV 164) meinen, daß die Bemerkung gegen Jerusalem gerichtet sei. Van Dülmen, Theologie des Gesetzes 14 Anm. 8: »Es ist möglich, daß Paulus ὅστις ἐὰν ᾖ stereotyp nach der Erwähnung des Endgerichtes gebraucht wie Röm 2,11« (zu Röm 2,11 besteht jedoch nur eine inhaltliche Ähnlichkeit!).

ist beseitigt das Ärgernis des Kreuzes.« (V. 11). Die entscheidende Frage in der Auslegung dieser Stelle ist, ob der Apostel sich hier gegen einen Vorwurf seiner Gegner wende, er predige selbst gelegentlich noch die Beschneidung. Diese Exegese ist aufgrund von Apg 16, 1 ff. und 1 Kor 9, 20 oft vertreten worden[1]. Doch auch wenn man an der Historizität der Beschneidung des Timotheus festhält[2] oder diesen Bericht für ein von den judaistischen Gegnern des Paulus ausgestreutes Gerücht erklärt[3], bleiben erhebliche Bedenken gegen eine solche Auslegung bestehen: Sollten in der Tat die galatischen Gegner des Apostels den einmaligen Fall des Halbjuden Timotheus so verallgemeinert haben, daß sie Paulus eine Beschneidungs*predigt* bescheinigten, und, setzt man eine böswillige Entstellung dieses Falles voraus, so ist die äußerst knappe, fast versteckte Erwiderung nach dem völligen Schweigen der Kapitel 1 und 2 zu diesem Punkt schwer verständlich. Erst recht fragt man sich, ob die Beschneidungsprediger, welche nach den Mitteilungen des Apostels gegen sein gesetzesfreies Evangelium Front machten, nicht eher geneigt waren, seine Untreue gegenüber dem Gesetz herauszustellen als einzuschränken[4]. Auch ohne Voraussetzung dieser Verleumdungshypothese ist die Aussage des Paulus voll verständlich. Zunächst fällt auf, daß die Wendung »die Beschneidung predigen« in ihrer zugespitzten Formulierung typisch paulinisch ist[5] und die Verkündigung des Judentums meint[6]. Ferner

---

[1] Siehe Chrysostomus, Estius, Bengel, de Wette, Meyer, Hilgenfeld, Bisping, Lightfoot, B. Weiß, Gutjahr, Zahn, Lagrange, Burton, Oepke, Kuss, Schlier u.a.

[2] So Dibelius-Kümmel, Paulus 34 f.; A. Wikenhauser, Die Apostelgeschichte, RNT 5, Regensburg [4]1961, 184; G. Stählin, Die Apostelgeschichte, NTD 5, Göttingen 1966, 213; anders E. Haenchen, Die Apostelgeschichte, Meyers-Kommentar III, Göttingen [6]1968, 420ff.; H. Conzelmann, Die Apostelgeschichte, HNT 7, Tübingen 1963, 88 f.; Ph. Vielhauer, Zum ›Paulinismus‹ der Apg, in: Aufsätze zum Neuen Testament, München 1965, 17.

[3] Vgl. Haenchen, Apg 422; ders., in: Die Bibel und wir. Ges. Aufsätze, Tübingen 1968, 328; Conzelmann, Apg 89.

[4] In diesem Sinn interpretieren und führen noch andere Gründe gegen die Verleumdungshypothese an: Luther, v. Hofmann, Wörner, Zöckler, Lipsius, Dalmer, M. Kähler, Sieffert (trägt gut das Material zusammen), Oepke, Zerwick.

[5] Dazu Zahn, Lietzmann, Burton, Oepke, Schlier: »Wie weit im übrigen die Behauptung seiner Gegner ging, ob sie z.B. die Formulierung περιτομὴν κηρύσσει selbst anwandten, oder ob Paulus ihre Behauptung in übertriebener Weise so zusammenfaßt, wissen wir nicht. Doch ist das letztere wahrscheinlicher, sofern das περιτομὴν κηρύσσει etwa an die Formulierung κηρύσσειν Χριστὸν 1 K 1, 23; 2 K 4, 5 (11, 4); Phil 1, 15 erinnert.«

[6] Siehe Wörner z. St. ferner A. Oepke, in: WdF XXIV 426 f.: »Paulus will hier ein Eintreten für die Heilsnotwendigkeit der Beschneidung, wie die Gegner es von ihm gewissermaßen verlangen, ablehnen mit der Begründung, daß er im anderen Falle kein rechter Apostel Jesu Christi mehr sein würde. Denn zu einem solchen gehört notwendig das Ärgernis des Kreuzes und die Verfolgung! Beide würden aber durch ›Beschneidungspredigt‹ zunichte werden. Das Realis steht also für den

ist der paulinische Grundgedanke »wo Beschneidungspredigt, da keine Verfolgung, da aber auch kein Kreuzesverständnis« gleichfalls Gal 6, 12 f. festzustellen. Gerade diese Parallele, an der Paulus der Darstellung seiner Gegner
seine Selbstdarstellung folgen läßt (6, 14), macht es wahrscheinlich, daß auch
an unserer Stelle der Apostel sich bewußt seinen Gegnern, die mit ihrer
Beschneidungspredigt die Galater verwirren (5, 10b), gegenüberstellt (beachte das vorangestellte »ich aber«!) und noch einmal den »Brüdern« versichert, daß für ihn – ihren Apostel – die Beschneidungspredigt unmöglich
ist. Seine Leiden und sein Verfolgtwerden, die aus seiner Kreuzespredigt
resultieren, sind der sprechende Beweis für die Unmöglichkeit, mit der
»Beschneidung« zu paktieren.

Den Abschnitt 5, 1-12, in dem Paulus mit immer neuen Waffen gegen die
Beschneidungsforderung seiner galatischen Gegner ankämpfte, beschließt
als explosiver Höhepunkt der lebhaften Rede des Apostels ein sarkastischer
Wunsch: »*Sollen sich doch auch kastrieren lassen, die euch aufhetzen*« (V. 12). Die
Härte dieser Worte darf nicht gemildert werden dadurch, daß ἀποκόψονται[1]
etwa auf die Exkommunikation gedeutet wird[2]. Ob Paulus die Beschneidung
bewußt mit der Selbstentmannung des kleinasiatischen Attis- und Kybele-
kultes in Zusammenhang bringt[3], ist nicht zu beweisen. Das Anstößige der
Rede besteht wohl vor allem darin, daß das heiligste Sakrament der jüdischen Religion, wodurch einer Glied des Volkes Gottes wurde, hier in einem
Atemzug mit der Kastration genannt wird, die nach Deut 23,2 aus der
Gemeinde Gottes ausschloß. Zwischen Gesetz und Widergesetzlichkeit
unterscheidet Paulus in diesem Fall nicht[4].

Irrealis. Selbst wenn das erste ἔτι echt ist, ist also durchaus nicht sicher, daß Paulus
auf ein ›Beschneidung predigen‹ im Sinne der Proselytenmacherei *zurückblickt*.«
Die jüngst wieder aufgrund von Gal 5, 11 geäußerte Vermutung – siehe Bornkamm, Paulus 35 u. 42 –, Paulus sei in seiner vorchristlichen Zeit Diasporamissio-
nar gewesen, findet in dieser Stelle kaum eine ausreichende Stütze.

[1] Ἀποκόπτω 1. abhauen; 2. entmannen: Bauer Wb 184; vgl. G. Stählin: ThWNT
III 853–855.

[2] So in neuerer Zeit Cornelius a Lapide u. Schäfer.

[3] Nach Lütgert, Gesetz u. Geist 33, 81 f., wünscht Paulus hier den galatischen
Pneumatikern, die vom Kybele-Kult beeinflußt seien, »sie möchten bis zur Selbstentmannung gehen, um als das offenbar zu werden, was sie sind: als Anhänger des
heidnischen Kultus« (34). Eine Anspielung auf diese sakrale Selbstentmannung
heidnischer Kulte schließen nicht aus: Watkins, Der Kampf des Paulus um Galatien 13; Oepke, Kuss, Schlier, Kürzinger, u.a.

[4] Dazu G. Stählin: ThWNT III 854, 16 ff.: »Ein ἀποκόπτειν wäre radikale Überbietung des περιτέμνειν, wobei eine solche Übersteigerung der gesetzlichen Haltung
in Widergesetzlichkeit umschlüge; denn damit fiele man unter das Verdikt von
Dt 23,2. Eben das aber will Paulus zum Ausdruck bringen: seine Gegner befinden
sich im Konflikt mit Gottes Willen.« Siehe auch H. v. Campenhausen, Ein Witz
des Apostels Paulus, in: Aus der Frühzeit des Christentums, Studien zur Kirchengeschichte des ersten u. zweiten Jahrhunderts, Tübingen 1963, 104.

2. *Zusammenfassung: Das Problem der religionsgeschichtlichen Standortbestimmung der Beschneidungsprediger*

Die Exegese der Abschnitte Gal 6, 11-18 und 5, 1-12, denen aufgrund ihres resümeehaften Charakters innerhalb des Briefes eine besondere Stellung zukommt, hat bestätigt, daß Paulus ganz konkret und mit größter Leidenschaft das Vorhaben der neuen Missionare in den christlichen Gemeinden Galatiens bekämpft, nämlich die Heidenchristen dieser Gemeinde zur Annahme der Beschneidung zu bewegen. Für Paulus ist hier eine eminent theologische Frage gestellt, und er setzt voraus, daß auch für seine Gegner die Beschneidung ein theologisches Problem erster Ordnung ist. Nach der tiefsten Überzeugung des Apostels stehen mit dieser Frage der Glaube der Galater an Christus und ihr Heil auf dem Spiel. Eine unüberbrückbare Kluft tut sich hier zwischen dem Evangelium, so wie er es versteht, und der Theologie seiner Rivalen auf. Ein Kompromiß scheint unmöglich zu sein, weil beide Standpunkte auf verschiedenen theologischen Grundkonzepten basieren.

Die Motive für die Beschneidungspredigt in Galatien sind nicht leicht aus den Worten des Apostels, der vor Polemik nicht zurückscheut (6, 12 f. u. 5, 12) und mehr ein Zerrbild von seinen Gegnern entwirft, zu entnehmen. Für Paulus gibt es aber keinen Zweifel daran, daß seine Konkurrenten mit der Beschneidung letztlich auch das Gesetz als Heilsgröße proklamieren. Der Bericht über seinen Kampf gegen den Judaismus im ersten Teil des Galaterbriefs ist unverkennbar, wie noch zu zeigen ist, in die galatische Situation hineingesprochen, und die Beschneidungsprediger auf dem Apostelkonzil (2, 3 ff.) sowie die Gesetzesverfechter in Antiochia (2, 12) erscheinen als die geistigen Vorfahren und Gesinnungsgenossen der von Paulus als Irrlehrer gebrandmarkten Missionare in Galatien. Der lehrhafte Teil des Kampfbriefes an die Galater zeigt ebenso deutlich, gegen welche theologische Front Paulus zu kämpfen hat, bzw. welche theologischen Grundansichten der Beschneidungsprediger er treffen möchte. Daß Paulus an der religionsgeschichtlichen Einordnung seiner Gegner zweifelt, ist überzeugend exegetisch nicht zu beweisen. Jedenfalls kann Gal 6, 12 f. in diesem Sinne nicht ausgelegt werden, da die spezifisch paulinische Karikierung seiner Gegner voll und ganz berücksichtigt werden muß (vgl. auch 2, 14).

Dennoch ist die religionsgeschichtliche Einordnung der galatischen Beschneidungsprediger ein Problem. Konnte es nach dem Aposteltkonzil durch offensichtlich christliche Missionare im Innern Kleinasiens ein Eintreten für die Beschneidung der dortigen Heidenchristen geben? Ist es nicht völlig unverständlich, daß diese so seltsame Sitte in der urchristlichen Verkündigung ein solches theologisches Problem war? Lassen sich die Motive der Beschneidungspredigt in Galatien weiter – vielleicht gegen die Aussagen des Apostels – erhellen?

Exkurs: Das Beschneidungsgebot im Urchristentum –
seine Herkunft, Problematik und Überwindung

A. Die Beschneidung im Alten Testament

Die urchristliche Verkündigung erging, wie Paulus im Bericht über das sogenannte Apostelkonzil mitteilt, in zwei Richtungen: »zu den Heiden« und »zu der Beschneidung« (Gal 2,9). Das Volk, das schlechthin als das »beschnittene« galt, war das jüdische. Jedoch war die Beschneidung, die operative Beseitigung der Vorhaut des männlichen Gliedes, keineswegs eine spezifisch jüdische Sitte. Israel teilte diesen Brauch mit zahlreichen Völkern zu allen Zeiten. »Wie weit die Praxis der Beschneidung im Alten Orient verbreitet war, läßt sich schwer genauer sagen, denn die Zeugnisse sind unsicher und widersprüchlich«[1]. Feststeht, daß die Ägypter die Beschneidung kannten, allerdings war die Ausübung dieser Sitte in Ägypten, wie R. Schwarzenberger zusammenfassend urteilt, »wenn man so sagen darf, der Mode unterworfen, bald war sie allgemein gültig, bald aber nur gelegentlicher Brauch. Zu gewissen Zeiten, und dies gilt besonders für die römische Epoche, wurde sie überhaupt auf die Priester eingeschränkt«[2]. Philister und Babylonier galten als die »Unbeschnittenen«. Den meisten Nachbarn des Alten Israel war aber die Beschneidung nicht unbekannt.[3]

Die Frage nach Herkunft und ursprünglichem Sinn der Beschneidung ist nicht eindeutig zu beantworten. Der Krebsforscher Karl-Heinrich Bauer hat in seinem Werk »Das Krebsproblem« die hygienische und hohe medizinische Bedeutung der Beschneidung recht überzeugend dargestellt[4]. Doch

---

[1] R. de Vaux, Das Alte Testament und seine Lebensordnungen I [2]1964, 86 (Die Beschneidung SS. 86–89); zum Thema »Beschneidung« seien ferner folgende Arbeiten genannt: R. Schwarzenberger, Bedeutung und Geschichte der Beschneidung im AT mit besonderer Berücksichtigung der Forschungsergebnisse aus Ethnologie und alter Geschichte, Diss. Wien 1962; R. Meyer: ThWNT VI 72–83; O. Kuss, Die Beschneidung, in: Der Römerbrief 92–98; F. Stummer: Art. Beschneidung, in: Reallexikon f. Antike u. Christentum II (1954) 159–169; Billerbeck IV 23–40; weitere Literatur s. u. und in den angegebenen Abhandlungen.

[2] Schwarzenberger a.a.O. 17; vgl. de Vaux a.a.O. 86f.

[3] Über die weite Verbreitung der Beschneidung bis in unsere Gegenwart, z.B. im Islam und bei den Naturvölkern, informiert gut Schwarzenberger a.a.O. 12ff.

[4] K.H. Bauer, Das Krebsproblem, Berlin [2]1963, 889: »Es läßt sich mit vielen Zahlen belegen; das Peniscarcinom ist bei Juden vollkommen unbekannt. Umgekehrt kommt es bei allen Völkern ohne Circumcision in wechselnder Häufigkeit – im Orient bis zu 20 % der obduzierten Krebsfälle – vor.« S. 891: »Beim Menschen erstreckt sich das Experiment über Tausende von Jahren und ist hinsichtlich der Krebsprophylaxe völlig eindeutig in den Schlußfolgerungen… Die mosaische Gesetzgebung ist die erste gesetzliche Maßnahme der Geschichte zur weitgehenden Verhütung zweier ganz bestimmter Krebse gewesen.«

lassen sich auch andere Motivierungen bis in die älteste Zeit hinein verfolgen, die wohl neben dem hygienischen Zweck der Beschneidung einhergingen und immer mehr in den Vordergrund traten[1]. So wurde die Beschneidung als Weihe zur Mannbarkeit und als Initiationsritus zur Ehe verstanden. Auch für Israel gilt: der Ursprung des Beschneidungsritus liegt im Dunkeln. Der klassische Text für den Sinn der Beschneidung im Alten Testament ist Gen 17: die Beschneidung als Bundeszeichen, von Jahwe Abraham befohlen. Da dieser Text der priesterschriftlichen Überlieferung angehört, muß damit gerechnet werden, daß der spezifisch theologische Sinn der Beschneidung aus jüngerer Zeit in Gen 17 eingetragen sein kann, um die Beschneidung als Bundeszeichen gleichsam vom Stammvater Israels legitimieren zu lassen. Das hohe Alter dieses Ritus in Israel ist jedoch nicht zu leugnen. Die Verwendung eines scharfen Steins als Beschneidungsmesser (Ex 4,25; Jos 5,2) weist darauf hin. Da die Beschneidung in Israel nicht im Heiligtum noch von einem Priester oder Leviten, sondern in der Regel vom Paterfamilias vorgenommen wurde, erscheint ihr Ursprung in vormosaischer Zeit als nicht unwahrscheinlich[2].

Innerhalb Israels – die Zeit ist schwerlich genau zu bestimmen – erfährt die Beschneidungssitte beachtliche Veränderungen. Sie wird schon bald nach der Geburt vorgenommen und verliert damit die Bedeutung als Weihe zur Mannbarkeit[3]. Vor allem aber gewinnt sie immer mehr an religiöser Bedeutung. Die Frage, wann dieser Brauch in seine besondere Beziehung zum Jahweglauben getreten ist, ist allerdings umstritten. Während M. Noth, G. v. Rad und R. de Vaux betonen, daß erst während des Exils unter den unbeschnittenen Babyloniern die Beschneidung zum Bekenntniszeichen für die Zugehörigkeit zu Israel und Jahwe wurde[4], meint W. Eichrodt: »Die

---

[1] Vgl. de Vaux a.a.O. 88; Meyer: ThWNT VI 74f.; Schwarzenberger a.a.O. 55ff.

[2] Nach Schwarzenberger könnte der aus Babylon kommende unbeschnittene Abraham in Ägypten die Beschneidung kennengelernt haben. »Als er von Jahve das Gebot zu deren Ausführung für sein Volk erhielt, war sie für ihn kein unbekanntes Brauchtum« (91f.). Dem stünden nicht Ex 4,24ff. und Jos 5,4–9 entgegen, denn da gerade für Ägypten die Beschneidung als ein nicht zu allen Zeiten allgemein verbreiteter Brauch bezeugt ist, könnte in diesen »Einsetzungsberichten« die »Wiederaufnahme« der Beschneidung durch die Israeliten zum Ausdruck kommen (89). Vgl. de Vaux a.a.O. 86.

[3] W. Eichrodt (Theologie des AT I, [7]1962, 81f.) äußert die Vermutung, daß die Verlegung des Beschneidungsritus in das Kindesalter »vielleicht in Zusammenhang mit der Abschaffung des Kindesopfers« gestanden habe.

[4] M. Noth, Geschichte Israels, Göttingen [6]1966, 268f.: »In der syrisch-palästinischen Welt, in der Israel bisher gelebt hatte, war er (der Brauch der Beschneidung) ebenso wie in Ägypten allgemein üblich gewesen. Nur die Philister waren als ›Unbeschnittene‹ in der Umgebung des alten Israel als Fremdlinge erschienen.

besondere Hervorhebung« der Beschneidung »ist nicht erst im Exil, sondern schon im 7. Jahrhundert gegenüber der Überflutung Judas mit assyrisch-babylonischen Religionsbräuchen wohl verständlich, zumal in Mesopotamien die Beschneidung nicht üblich war«[1]. Allerdings muß auch Eichrodt feststellen: »Der priesterschriftlichen Gesetzesordnung blieb es vorbehalten, den mehr privaten Weiheakt zum offiziellen Bundeszeichen zu erklären«[2]. Die Priesterschrift ist, was ihre Niederschrift angeht, in die Zeit des Exils zu datieren. Doch ist damit unser Problem nicht gelöst, denn P enthält sehr altes Traditionsgut[3]. So bleibt die Frage offen, ob man mit Eichrodt das Theologumenon »die Beschneidung als offizielles Bundeszeichen« einer älteren Vorlage von Gen 17 zuordnet oder es mit der Mehrzahl der Forscher jüngeren Datums sein läßt[4].

Wie immer diese Frage gelöst werden mag, deutlich ist: die priesterschriftliche Überlieferung in Gen 17 schreibt die Einsetzung der Beschneidung Abraham, dem Stammvater des auserwählten Volkes, zu und bringt den neuen Wert der Beschneidung als Bundeszeichen klar zum Ausdruck. Von der Übernahme dieses Zeichens hängt die Möglichkeit ab, in das Volk Gottes eingegliedert zu werden und am religiösen Leben teilzunehmen. »Ein Eintreten der Heiden in nähere Beziehung zu Gott« ist, wie W. Eichrodt hervorhebt, »nur in der Form möglich gedacht, daß sie in Israel aufgehen, gerade so wie die Sklaven und Andersstämmigen in Abrahams Gesinde durch die Beschneidung in die Gemeinde El Schaddais aufgenommen werden«[5]. Ex 12,43-49 macht die Teilnahme von Nichtisraeliten am Passahmahl von der Beschneidung abhängig. Seit dem Exil ist die Beschneidung ein Zeichen der Unterscheidung Israels von den Heiden mit bekenntnishaftem Charakter. Dieses Bundeszeichen »erscheint ... als wesensmäßiger Ausdruck der angestammten Religion, wert, daß man hierfür das blutige

---

Ein besonderes Unterscheidungsmerkmal konnte er in diesem Bereiche also nicht sein. Das Zweistromland hingegen hatte anscheinend seit alters diesen Brauch nicht gekannt; und in diesem Milieu konnte und mußte er allerdings zu einem ›Zeichen‹ werden, zu einem ›Zeichen des Bundes zwischen mir (Gott) und euch‹ (Gen 17,11). So ist es, wenn auch kein sicherer Beweis dafür zu erbringen ist, wahrscheinlich, daß im Kreise der Deportierten in Babylonien der ebenfalls nicht im engeren Sinne kultische und jedenfalls nicht an einen kultischen Ort gebundene Brauch der Beschneidung die Bedeutung gewonnen hat, die er in der Folgezeit auch über den Bereich dieser Deportierten hinaus beanspruchte.« Siehe ferner G. v. Rad, Theologie des AT I, München [3]1961, 87; de Vaux, Das Alte Testament I 88 f.

[1] Eichrodt, Theologie I 81 f.
[2] Ders., Theologie I 81 f.
[3] Dazu J. Scharbert, Art. »Priesterschrift«, in: LThK[2] VIII (1963) 752 f.
[4] Siehe Anm. 4 S. 50.
[5] Eichrodt, Theologie I 24 f.

Martyrium erleidet«[1]. Die Religionskämpfe unter Antiochus IV Epiphanes (176-163 v. Chr.) legen Zeugnis davon ab, wie die überlieferungstreuen Kreise des Judentums in der Beschneidung den »articulus stantis et cadentis ecclesiae« gegeben sahen (vgl. 1 Makk 1, 11-15.48.60f.; 2 Makk 6, 10) und diejenigen, die sich der hellenistischen Welt erschlossen und die dort als unanständig und anstößig empfundene Beschneidung durch den ἐπισπασμός rückgängig machen ließen[2], für Bundesbrüchige und Apostaten hielten.[3]

Im Alten Testament begegnen wir aber auch der übertragenen Bedeutung des Begriffes »Beschneidung«. Jeremias verkündet als Wort Jahwes: »Beschneidet euch für Jahwe und entfernt die Vorhaut eures Herzens, Leute von Juda und Bewohner von Jerusalem« (4, 4). Jahwe beklagt sich: »Zu wem soll ich reden und wen verwarnen, der auf mich hörte? Fürwahr, ihr Ohr ist unbeschnitten, sie vermögen nichts zu vernehmen« (Jer 6, 10; vgl. 9, 25)[4]. R. Meyer meint dazu: »In der Prophetie Jeremias, der wie seine Vorgänger im scharfen Kampfe gegen die volkstümliche Kultreligion in Israel steht, bricht, soweit quellenmäßig erkennbar, zum ersten Male die theologische Problematik eines Ritus auf, der letztlich dem magisch-sakramentalen Bereich zugehört und nur dadurch im Jahwe-Glauben eine gewisse Berechtigung hat, daß er seiner grobsinnlichen Natur entkleidet und auf den inneren Menschen und sein Verhältnis zu Gott bezogen wird. Damit hat Jeremia eine theologische Linie eingeleitet, die in den folgenden Jahrhunderten immer wieder hervortritt und die schließlich in der paulinischen Beurteilung der Beschneidung ihren Abschluß gefunden hat«[5]. Demgegenüber ist zu sagen, daß es Jeremias und den Propheten nicht um Verwerfung der Beschneidung als kultischer Zeremonie geht, sondern um Verinnerlichung und

---

[1] So R. Meyer: ThWNT VI 77, 19ff. Meyer fährt fort: »Andererseits wird das gleiche Zeichen zum Symbol des Sieges über die unterworfene Umgebung in den Zeiten, wo man sich selbst der politischen Vorherrschaft erfreut.« Vgl. die Zwangsbeschneidungen der Idumäer unter Johannes Hyrkan I um 128 v. Chr. (Jos. Ant. 13, 257), der Ituräer unter Aristobul I (104–103) und der Bewohner syrischer und griechischer Städte unter Alexander Jannai (103–76), siehe Schürer I 286. Dazu Meyer a. a. O.: »Wenngleich bei diesen Zwangsmaßnahmen über die inneren Beweggründe nichts Näheres berichtet wird, so scheinen dahinter doch Gedanken von der Wiederherstellung des ›Heiligen Landes‹ zu stehen, in dem keine ›Heiden‹ leben dürfen.« Dazu Schwarzenberger, Beschneidung 124: »In einem falschen Eifer haben die Makkabäerfürsten ihren Besiegten die Beschneidung aufgezwungen und somit das, wogegen die Propheten angekämpft haben, wieder eingeführt, da sie nämlich ein äußeres Mal zum Wesen der Religion machten und die innere Gesinnung hintansetzten.« Zur Zwangsbeschneidung durch die Zeloten siehe M. Hengel, Die Zeloten, Leiden 1961, 201ff.

[2] Siehe 1 Makk 1, 14f.; vgl. 1 Kor 7, 18.

[3] Vgl. E. Bickermann, Der Gott der Makkabäer. Untersuchungen über Sinn und Ursprung der makkabäischen Erhebung, Berlin 1937.

[4] Übersetzung nach F. Nötscher, Echter-Bibel, AT III.

[5] R. Meyer: ThWNT VI 77, 3ff.

bundesgemäßes Verhalten der Beschnittenen[1], und es ist zu fragen, ob Paulus wirklich am Ende eines Traditionsstromes steht, der mit der Beschneidung bricht, weil sie in den »magisch-sakramentalen Bereich« gehört[2].

B. Das Beschneidungsgebot in der »Heidenmission« des Judentums

Im Judentum der hellenistisch-römischen Zeit behielt die Beschneidung grundsätzlich ihre hohe religiöse, aber auch völkische Bedeutung. Wer zum Volk Israel gehören, als Sohn Abrahams gelten und an dem dem Stammvater verheißenen Segen teilnehmen wollte, mußte beschnitten sein[3]. In der zunehmenden Begegnung Israels mit den meist unbeschnittenen Heiden, vornehmlich in der Diaspora, mußte diese im Hellenismus verpönte Sitte zum Problem werden. Will man die Bewertung der Beschneidung im Judentum der neutestamentlichen Zeit näher erfassen, so begegnet man der großen Schwierigkeit, daß das Judentum in dieser Zeit weniger als je zuvor eine einheitliche Größe war. Die Unterscheidung zwischen palästinensischem Judentum und Diasporajudentum erfaßt das Phänomen nur unzureichend: einerseits war Palästina keine Oase, sondern für hellenistische Einflüsse offen, andererseits muß im Judentum hier wie dort differenziert werden[4]. Trotz

---

[1] Vgl. Nötscher a.a.O. zu Jer 4,4: »Über den Wert der rituellen Zeremonie enthält die Stelle kein Urteil.« Von Rad, Theologie I 394: »Auch die Spiritualisierungen lassen erkennen, wie sich das spätere Israel mit Hilfe seiner deutenden Geistigkeit der Riten bemächtigt hat, um sich die kultische Welt noch einmal lebendig anzueignen. Also hier erst wird die Frage nach dem ›Sinn‹ der kultischen Bräuche akut. Im Unterschied zu der deuteronomischen Theologisierung geht aber bei diesen Spiritualisierungen der Prozeß der Deutung und der Aneignung ausgesprochenermaßen vom Einzelnen aus. Er ist es, der in den Riten und sakralen Ordnungen den Hinweischarakter auf das Innerliche und Persönliche erkennt und der sich mit diesem neuen Verständnis vor Jahwe legitimiert. Diese Spiritualisierungen hat man viel zu schnell als Symptome einer Lösung oder ›Überwindung‹ des Kultus verstanden, wo sie doch zunächst dazu dienten, die Verbindung des Einzelnen mit der dinglichen Welt der Riten zu erhalten. Hat denn einer, der von der Herzensbeschneidung sprach, sich damit von dem äußeren Vollzug der Beschneidung abgewandt (Dt. 10,16; 30,6; Jer 4,4)?«

[2] Siehe zu dieser Frage die Ausführungen in Abschnitt C dieses Exkurses und in Kap. III.

[3] Billerbeck IV 24 berichtet von einer erlaubten Ausnahme: »Endlich durfte die Beschneidung ganz unterlassen werden, wenn in der betreffenden Familie bereits mehrere Kinder an den Folgen der Beschneidung gestorben waren. Daher kommt es, daß in den älteren rabbinischen Schriften öfters von unbeschnittenen Israeliten und unbeschnittenen Priestern geredet wird.«

[4] Zur Vielgestaltigkeit des Judentums in der ntl. Zeit siehe: W. Bousset – H. Gressmann, Die Religion des Judentums im späthellenistischen Zeitalter, HNT 21, (1926), Nachdruck ⁴1966, 432ff.; G. Kittel, Die Religionsgeschichte und das

aller theologischen Gegensätze zerbrach die Einheit des Judentums nicht,
die Basis des mosaischen Gesetzes und nicht zuletzt das jüdische Grundsakrament, die Beschneidung, waren die einende Kraft. Ferner war allen
Gruppen des Judentums ein hohes Erwählungsbewußtsein gemeinsam.
Das gilt auch für die Juden der Diaspora, wie P. Dalbert ausdrücklich feststellt: »Trotz der mannigfaltigen Versuche der hellenistischen Juden,
Brücken zur geistigen Umwelt zu schlagen, und trotz ihrer zum Teil recht
universalistischen Haltung muß das Bewußtsein der Erwählung des Volkes
doch sehr stark und unerschüttert gewesen sein. In allen Schriften (der
jüdischen Missionsliteratur) finden wir den Gedanken, daß Gott Israel aus
den anderen Völkern herausgerufen habe, ihm besonderen Schutz und besonderes Erbarmen zuwende und besondere Aufgaben übertrage. Der Bund
Gottes mit den Vätern, die Führung in der Gegenwart und seine Verheißung
für die Zukunft, das sind die drei Hauptpunkte des Erwählungsbewußt-
seins«[1]. Die grundlegende Erwählungstat Gottes war sein Bund mit Abraham, Siegel und Zeichen dieses Bundes ist die Beschneidung[2]. Inmitten der
meist unbeschnittenen Heiden wußte sich Israel als Gottes Eigentumsvolk
den Völkern gegenübergestellt und durch Beschneidung und Gesetzesobservanz bewahrte es im Strom des religiösen Synkretismus damaliger Zeit
seine Exklusivität[3]. Bei aller Differenziertheit im Denken war für die Einheit

---

Urchristentum (1931), Darmstadt 1959, 105 ff.; J. Bonsirven, Le Judaisme palestinien aux temps de Jésus-Christ, Paris 1934, I 91; L. Goppelt, Christentum und
Judentum im ersten und zweiten Jahrhundert, Gütersloh 1954, 23–29; M. Simon,
Die jüdischen Sekten zur Zeit Christi, Einsiedeln–Zürich–Köln 1964, 14 u. 127;
W. Foerster, Ntl. Zeitgeschichte, Hamburg 1968, 117ff.; D. Georgi, Der Kampf
um die reine Lehre usw., in: Antijudaismus im NT? / Exegetische und systematische Beiträge, hrsg. von W. Eckert, N.P. Levinson u. M. Stöhr, München 1967,
89ff.

[1] P. Dalbert, Die Theologie der hellenistisch-jüdischen Missions-Literatur unter
Ausschluß von Philo und Josephus, Theolog. Forschung 4, Hamburg 1954, 137.

[2] Dazu Billerbeck II 627: »בְּנֵי בְרִית ›Söhne des Bundes‹ (= υἱοὶ τῆς διαθήκης) bedeutet, absolut gebraucht, ›Söhne des Beschneidungsbundes‹ u. bezeichnet die
Israeliten im Gegensatz zu den Nichtisraeliten«. Siehe auch Jub 15,26: »Wer von
den Geborenen bis zum achten Tag nicht am Fleisch seiner Vorhaut beschnitten
ist, gehört nicht zu den Kindern des Bundes, den Gott mit Abraham schloß, sondern zu den Kindern des Verderbens; denn an ihm ist kein Zeichen, daß er dem
Herrn gehört, und so fällt er dem Verderben, der Vernichtung und Ausrottung
auf Erden anheim, weil er den Bund des Herrn, unseres Gottes, brach« (Übers.
nach P. Rießler). Vgl. ferner Apg 7,8: »und er gab ihm den Bund der Beschneidung.«

[3] Vgl. F.C. Grant, Antikes Judentum und das NT, Frankfurt a.M. 1962, 28:
»In der Welt, in der das frühe Judentum zu sich selbst fand, war Exklusivität, wie
sie die Frommen in den Tagen des Antiochus zu pflegen begannen, die einzige
Möglichkeit, weiter zu existieren. Unsere modernen weltlichen Theorien von
Toleranz wären in der alten Welt des Nahen Ostens einfach undurchführbar ge-
wesen.«

und den Bestand des auserwählten Volkes die Beobachtung dieser »Grundgesetze« von entscheidender Bedeutung.

Obwohl das Judentum, gerade oft auch wegen der für Griechen und Römer höchst anstößigen Beschneidungssitte, Zielscheibe des Spottes war[1], blieb es für viele in der damaligen Welt doch eine recht attraktive Größe. Es konnte beachtliche Missionserfolge verzeichnen. Dabei war eine organisierte Mission dem Judentum unbekannt. Es gab in der Regel nicht den wandernden Missionar[2]; Missionar war jeder Jude, der mit Überzeugung zur Religion seiner Väter stand und mit Stolz über seinen Glauben vor den Heiden Rechenschaft ablegte[3]. Der Monotheismus der jüdischen Religion kam einer Geistesströmung jener Zeit entgegen und von der hohen Ethik des Judentums ging ebenfalls auf viele Heiden eine große Anziehungskraft aus[4]. Da die aktive Missionierung der Völker nicht auf dem Programm Israels stand, vielmehr die Heidenbekehrung allein das Werk Gottes sein sollte, der in messianischer Zeit die Heiden zum Sion herbeiführen werde, war es zunächst selbstverständlich, daß jeder Heide, der sich dem auserwählten Volk anschließen wollte, die Bedingungen des Abrahambundes und damit auch das Beschneidungsgebot erfüllen mußte.

Im palästinensischen Judentum war diese konservative starre Haltung gegenüber denen, die mit der jüdischen Religion sympathisierten, recht ausgeprägt, teils verzichtete man auf jegliche Propaganda[5], teils war man konsequent auf Proselytenwerbung aus, d.h. tolerierte den Kreis der »Gottesfürchtigen«[6] nur ungern oder gar nicht[7]. Allerdings ist es sehr

---

[1] Dazu E. Lerle, Proselytenwerbung und Urchristentum, Berlin 1960, 47; Foerster, Ntl. Zeitgeschichte 307ff.; H. Hegermann, Das hellenistische Judentum, in: Umwelt des Urchristentums I, hrsg. von J. Leipoldt u. W. Grundmann, Berlin ²1967, 312ff.

[2] Vgl. Hegermann, a.a.O. 311f. (dort weitere Literatur); H. Kasting, Die Anfänge der urchristl. Mission, BEvTh 55, München 1969, 17 Anm. 46; Goppelt, Die apostol. u. nachapostol. Zeit 56; E. Neuhäusler, in: LThK² VIII (1963) 811.

[3] Dazu K. Axenfeld, Die jüdische Propaganda, MWSt 1904, 1–18; Bousset-Gressmann, Die Religion des Judentums 77–79; J. Jeremias, Jesu Verheißung für die Völker, Stuttgart 1956, 9–16; K. H. Rengstorf: ThWNT I 664ff.; Hegermann a.a.O. 312.

[4] Siehe E. Schürer, Geschichte des jüdischen Volkes im Zeitalter Jesu Christi III, Leipzig ⁴1909, 173; Kittel, Religionsgeschichte 43.47; Dalbert, Missionsliteratur 23, 106ff.; Lerle, Proselytenwerbung 9ff.; Kuhn: ThWNT VI 731,5ff.; Foerster, Ntl. Zeitgeschichte 310ff.; Hegermann a.a.O. 309; Billerbeck I 237, II 357.

[5] So etwa Qumran, die Apokalyptik und vielleicht die Schule Schammais, doch dazu s. Lerle, Proselytenwerbung 15.

[6] Zur Diskussion über den Terminus »Gottesfürchtige« siehe Dalbert, Missionsliteratur 22 Anm. 5; K.G. Kuhn: ThWNT VI 730ff.; Kasting, Mission 27.

[7] Dazu die Belege bei Kuhn: ThWNT VI 734f. u. 742,31ff.; Lerle, Proselytenwerbung 26: »Ein Nichtjude, der an den Gott Israels glaubt, aber den Übertritt

schwer, aus den Äußerungen der Rabbinen, die nach der Zerstörung Jerusalems sich wieder mehr und mehr gegenüber der Heidenwelt abschlossen, ein zuverlässiges Bild der Beurteilung der Gottesfürchtigen zur Zeit Jesu zu gewinnen. Von einem Verzicht auf die Beschneidung für solche, die sich zum Gott Israels wandten, kann überhaupt keine Rede sein. Die Hochschätzung der Beschneidung als Bedingung und zugleich äußeres Zeichen des von Gott mit Abraham geschlossenen Bundes war ungebrochen. »Der Beschneidung verdankt es Israel, daß es das Land Israel zum Besitz erhalten hat und daß Gott sein Schutzherr geworden ist. Auch sonst wird die Größe und Kraft der Beschneidung oftmals verherrlicht... Den größten Segen aber wird die Beschneidung in der Zukunft bringen: nur in ihrem Verdienst wird Israel in der messianischen Zeit erlöst und in der zukünftigen Welt aus dem Gehinnom errettet werden«[1].

Zum eigentlichen Problem wurde die Beschneidung in der Diaspora. Auf das hohe Erwählungsbewußtsein aller Juden wie auf die Beschneidung als Erwählungszeichen und als signum distinctivum unter den Heiden wurde schon aufmerksam gemacht. Der Jude selbst hielt in der Regel an diesem jüdischen Grundgesetz fest, und selbst Philo spendet solchen, die es aufgeben, keinen Beifall[2]. Ihre Zahl wird nicht groß gewesen sein[3]. Diese »liberalen Juden« beugten sich wie einst die Abtrünnigen z. Z. Antiochus'IV (174-164) dem Urteil der hellenistischen Welt, daß die Beschneidung eine Verunstaltung des menschlichen Körpers sei[4]. Kaiser Hadrian (117-138) setzte sie der Kastration gleich und verbot sie bei Todesstrafe[5]. Zweifellos waren für diese Maßnahmen nicht ästhetische Motive ausschlaggebend. Angesichts dieser ablehnenden Bewertung der Beschneidung in der Diaspora war das Judentum gezwungen, die Beschneidung zu verteidigen. Einen Einblick in solche Apologetik vermittelt uns Philo. Er stellt die hygienische und symbolische Bedeutung der Beschneidung heraus[6] und

---

nicht vollzogen hat, wird durch seine Geisteshaltung weder Halbjude noch Vierteljude, sondern bleibt Vollheide, der keinen Anteil an den Gütern des auserwählten Volkes hat.« »K. Lake (Beginnings V 1935, 76) macht Billerbeck zum Vorwurf, daß in dem Kommentarwerk die Bezeichnung Halbproselyten vorkommt. In der Tat wollten die Rabbinen die Existenz dieser Zwischenstufe nicht anerkennen. Aber es gab diese Gruppe, und das Leben widerstrebte der rabbinischen Schwarzweißmalerei.« Siehe ferner Schoeps, Paulus 240; Foerster, Ntl. Zeitgeschichte 306f.; Kasting, Mission 23.

[1] So Billerbeck IV 37; vgl. auch Schoeps, Paulus 208, Kuss, Römerbrief 94f., Rengstorf: ThWNT I 664ff.

[2] Siehe Migr Abr 92 (ed. L. Cohn u. P. Wendland [1896ff.]).

[3] Vgl. Foerster, Ntl. Zeitgeschichte 1968, 322.

[4] Siehe Philo, de specialibus legibus I 4ff.; Lerle, Proselytenwerbung 47.

[5] Dieses Verbot wurde von Antoninus Pius 138 n.Chr. wieder aufgehoben.

[6] Zu Philos Beurteilung der Beschneidung siehe Kuss, Römerbrief 95; Schoeps, Paulus 208; Foerster, Ntl. Zeitgeschichte 322 u. 325.

nennt nicht ihren Charakter als Bundeszeichen. Auch sonst sind die Erklärungsversuche der Apologeten zahlreich. Grundgedanken dieser Bemühungen waren etwa, daß das Natürliche stets vom Menschen verändert werden müsse und daß der Mensch durch die Beschneidung vollkommen werde[1]. Dennoch muß gerade die Treue gegenüber der Beschneidung gewürdigt werden. Nicht Aufgabe, sondern Erklärung der jüdischen Tradition war das Anliegen der hellenistisch-jüdischen Apokalyptik[2]. Aber man behauptet nicht zu viel, daß all diese Argumente bei allen Missionserfolgen nicht halfen, die »Unbeschnittenen« in großer Zahl zu »Beschnittenen« und damit zu Juden zu machen; der Widerstand gegenüber dieser schmerzhaften Operation, die kaum rückgängig zu machen war und den Spott der hellenistischen Umwelt nach sich zog, war einfach zu groß. Die jüdische Mission fand hier ihre Barriere[3]. Die große Zahl der »Gottesfürchtigen«, die diesen entscheidenden letzten Schritt nicht taten, darf als Beweis für dieses Haupthindernis der jüdischen Mission angesehen werden. So ist es denn auch verständlich, daß das Urteil des Diasporajudentums über die »Gottesfürchtigen«, die nicht Proselyten wurden, milder ausfiel als das des palästinensischen und vor allem rabbinischen Judentums[4]. Dies darf aber nicht darüber hinwegtäuschen, daß die Zugehörigkeit zum Gottesvolk letztlich nur mit der Beschneidung, die in den Abrahambund eingliederte, erlangt werden konnte. Zu einer prinzipiellen Aufgabe der Beschneidung ist es auch in der Diaspora nicht gekommen[5]. Insofern wird man H. Kasting zustimmen, wenn er als Ergebnis

---

[1] Vgl. Billerbeck IV 35; I 386 (wohl nicht auf das palästinische Judentum einzugrenzen); Lerle, Proselytenwerbung 46f.

[2] Georgi, Gegner 53: »Es kam den Apologeten darauf an, das Besondere des Jüdischen als das allen Menschen Geltende, als das Eigentliche herauszuarbeiten, als das Allerursprünglichste, als die Quelle und das Ziel menschlichen Lebens.«

[3] Lerle, Proselytenwerbung 42: »Beim Übertritt zum Judentum war der letzte Schritt, die Beschneidung, der schwerste. Der Eingriff war auch für antike Begriffe sehr schmerzhaft und bei der damaligen Technik der Ausführung lebensgefährlich. Die Beschneidung hat manchmal zum Tode geführt. Die Blutung ist bei Erwachsenen schwerer als bei Säuglingen, und wir dürfen annehmen, daß bei der Beschneidung ein halbmondförmiges Glüheisen im Feuer bereit war, um als blutstillendes Radikalmittel an die frische Wunde gelegt zu werden. Dabei gab es in der Antike keinerlei Narkose oder Schmerzlinderung. Die Operation wirkt an sich schon abschreckend, dazu führte sie zu einer dauernden Veränderung am menschlichen Körper, die als häßlich empfunden wurde.« Vgl. v. Harnack, Mission I 14f.; Lietzmann, Geschichte I 77; R. Meyer: ThWNT VI 78; Foerster, Ntl. Zeitgeschichte 308.

[4] Kuhn: ThWNT VI 731 u. 735. Doch gegen eine entsprechende Auswertung der Bekehrungsgeschichte des Königs Izates von Adiabene siehe Kasting, Mission 16, 24f.; Schoeps, Paulus 238 (wohl übertrieben); siehe ferner Hegermann, Judentum 310; E. Neuhäusler, in: LThK² IV (1960), 1110; Bornkamm, Paulus 33f.

[5] Dies dürfte das Verbot der Mischehe deutlich genug bestätigen; dazu Bousset-Greßmann, Die Religion des Judentums 93 u. 124.

festhält, »daß die Freunde der Synagoge von dieser letztlich nur ertragen wurden und daß die religiösen Forderungen nicht auf ein halbes Maß zurückgeschraubt worden sind. Es gab nicht zwei von der Synagoge anerkannte Klassen von Proselyten. Zwischen denen, die mit dem Judentum sympathisierten, und den Proselyten stand die Beschneidung, und die Beschneidung trennte Juden und Nichtjuden voneinander. ›Halbjuden‹ konnte es bei der Eigenart der jüdischen Religion nicht geben. Es gab in dieser Frage keinen grundsätzlichen Unterschied zwischen Palästina und der Diaspora«[1].

C. Das Beschneidungsgebot in der Heidenmission des Urchristentums

Der Ursprungsort des Christentums ist die Heilsgeschichte, wie sie im Volk Israel erfahrbar wurde. Der Gott Abrahams, Isaaks und Jakobs ist zugleich der Vater Jesu Christi. So stellt sich die Frage, wie Jesus das göttliche Gebot der Beschneidung, dessen Befolgung in den Abrahambund der Verheißung eingliederte, beurteilte. Eine unmittelbare Stellungnahme Jesu, der ohne Zweifel selbst beschnitten war[2], zum jüdischen Grundsakrament, der Beschneidung, besitzen wir nicht. Die synoptische Tradition dürfte mit ihrem Schweigen den historischen Tatbestand durchaus richtig wiedergeben, daß es für Jesus kein Beschneidungsproblem gab. Während Jesu Kritik gegenüber der jüdischen Sabbatobservanz überliefert ist (vgl. Mk 2,27; 3,1ff.; Lk 13,10ff.), findet sich keine Polemik Jesu gegenüber der Beschneidung. Dennoch ist Jesu Verkündigung für die Beschneidungsfrage belangvoll und wird in der Debatte der jungen Kirche über die Heidenmission, die Beschneidung und Gesetzesfrage eine größere Rolle gespielt haben, als uns die Quellen zunächst erkennen lassen. Zwei Momente der

---

[1] Kasting, Mission 26f. Vgl. Bousset-Greßmann, Die Religion des Judentums 128: »Zwischen der Diaspora und dem palästinischen Judentum besteht hier nur ein Unterschied des Grades. Das Zeremonialgesetz begründet hier wie dort die Eigentümlichkeit des Judentums.« Siehe ferner Lerle, Proselytenwerbung 39, 53; Foerster, Ntl. Zeitgeschichte 306.

[2] Der Heidenchrist Lukas berichtet unbefangen von der Beschneidung Johannes des Täufers und Jesu (1,59; 2,21). »In beiden Fällen ist die Beschneidung mit der Namengebung, auf der der Nachdruck liegt, verbunden, ein Brauch, der aus dem zeitgenössischen Judentum nicht zu belegen ist« (R. Meyer: ThWNT VI 81, 16ff.); ähnlich J. Schmid, Das Evangelium nach Lukas, RNT 3, Regensburg ⁴1960, zu Luk 1,59 u. 2,21, anders K.H. Rengstorf, Das Evangelium nach Lukas, NTD 3, Göttingen 1968, zu den o.a. Stellen; über die dogmatische Bedeutung der Beschneidung Jesu reflektiert R. Schulte, in: Mysterium Salutis. Grundriß heilsgeschichtlicher Dogmatik III/2, Einsiedeln 1969, 38–44.

Verkündigung Jesu verdienen hinsichtlich der Beschneidungsfrage hervorgehoben zu werden: 1. Der historische Jesus kannte keine Heidenmission. Die These A. v. Harnacks, daß im Blickfeld Jesu von Nazareth die Heidenmission nicht gelegen habe, ist grundsätzlich zu bejahen[1]. Jesus kannte in seinem irdischen Wirken keine Sendung zu den Heiden und blieb innerhalb der Grenzen des Judentums[2]. Der Widerstand, den Jesus bei seinem Volk erfuhr, führte ihn nicht zu den Nichtjuden. Davon weiß auch noch die Kirche der Heidenchristen in ihren Dokumenten zu berichten[3]. Das gelegentliche Überschreiten der Grenzen Israels nach Samaria und ins Heidenland und die Begegnung mit manchem Heiden ändert an der grundsätzlichen Haltung Jesu nichts. Da die Urgemeinde zunächst ausschließlich das Evangelium Israel verkündete, wird ein Auftrag des historischen Jesus zur Heidenmission nicht vorgelegen haben[4]. Allerdings ist mit diesen Feststellun-

---

[1] v. Harnack, Mission I 39–48. Dagegen: M. Meinertz, Jesus und die Heidenmission, Ntl. Abh. 1, Münster 1908; F. Spitta, Jesus und die Heidenmission, Gießen 1909; B. Sundkler, Jésus et les païens, in: RHPhR 16 (1936) 462 ff.; vgl. R. Liechtenhan, Die urchristliche Mission. Voraussetzungen, Motive und Methoden, Zürich 1946, 31; positiver zur Grundthese Harnacks stehen u. a. H. Schlier, Die Entscheidung für die Heidenmission in der Urchristenheit (1942) in: Die Zeit der Kirche. Exegetische Aufsätze und Vorträge, Freiburg ³1962, 90–107; J. Jeremias, Jesu Verheißung für die Völker, Stuttgart 1956; D. Bosch, Die Heidenmission in der Zukunftschau Jesu, AThANT 36, Zürich 1959; F. Hahn, Das Verständnis der Mission im NT, WMANT 13, Neukirchen-Vlyn 1963; A. Vögtle, in: LThK² X (1965) 553; ders., in: Ökumenische Kirchengeschichte 1, hrsg. von R. Kottje u. B. Moeller, Mainz u. München 1970, 21; R. Schnackenburg, Die Kirche im Neuen Testament, Freiburg ³1966, 47.

[2] Vgl. Mt 15,24.26; 10,5 ff.; 10,23; Lk 22,28 ff.; siehe v. Harnack, Mission I 39 ff.; Schlier, Entscheidung für die Heidenmission 90 f.: »Soviel läßt sich, wenn wir einmal die synoptischen Evangelien als historische Quelle nehmen, noch erkennen, daß Jesus in seinem irdischen Wirken keine Sendung an die Heiden kannte. Welche Einzelworte man auch immer anführen mag, es ist deutlich, daß Jesus sich nur an Israel gewiesen wußte.«

[3] So die heidenchristlichen Evangelien.

[4] R. Bultmann, Jesus (1926), Siebenstern-Taschenbuch 17, München-Hamburg 1964, 33 f.: »Aber diese erste Gemeinde zeigt eben deutlich, daß Jesu Verkündigung sich nicht über die Grenzen des jüdischen Volkes hinaus richtete; an Mission unter den Heiden hat er nie gedacht. Erst unter schwierigen Konflikten ist es in der Urgemeinde zur Heidenmission gekommen.« Anders Th. Lohmann, Der Ausschließlichkeitsanspruch Jesu und des Urchristentums, Berlin 1962, 140. Zu Mt 28, 18-20 siehe A. Vögtle, Das christologische und ekklesiologische Anliegen von Mt 28,18-20, in: Stud. Evangelica II = TU 87, Berlin 1964, 266-294; G. Bornkamm, Der Auferstandene und der Irdische, in: Zeit und Geschichte. Dankesgabe an R. Bultmann, hrsg. von E. Dinkler, Tübingen 1964, 171-191; Goppelt, Die apostolische u. nachapostolische Zeit 38; J. Gnilka, Der Missionsauftrag des Herrn nach Mt 28 und Apg 1, in: Bibel u. Leben 9 (1968) 1-9; W. Trilling, Das Kirchenverständnis des Mt, in: Vielfalt u. Einheit im NT, Einsiedeln 1968, 125-139; Kasting, Mission 34-38.

gen das Thema »Jesus und die Heidenmission« noch nicht erschöpfend behandelt. Für die Heidenmission und damit zugleich für die Beschneidungsfrage sind ferner Jesu Kritik gegenüber der jüdischen Heilsgewißheit sowie der Universalismus seiner Botschaft bedeutend. Hatten schon die alttestamentlichen Propheten dagegen protestiert, wenn Israel seine Erwählung als unverlierbaren Besitz betrachtete, und hatte Johannes der Täufer durch seine eschatologische Bußtaufe die Heilsgarantie der leiblichen Abrahamskindschaft und der Zugehörigkeit zum Abrahambund in Frage gestellt, so findet sich dieses Motiv in der Botschaft Jesu in nicht zu übersehender Deutlichkeit: die Zugehörigkeit zum jüdischen Volk begründet noch keinen Anspruch auf die Teilnahme an der Gottesherrschaft. Nur wer »umkehrt« (Mk 1, 15), eine »bessere Gerechtigkeit« als die der Schriftgelehrten und Pharisäer aufweisen kann (Mt 5, 20) und wer den Willen des himmlischen Vaters tut (Mt 7, 21), wird in das Reich eingehen (s. auch Mt 7, 13 f.; Lk 13, 23 f.). Zur Beschämung seiner unbußfertigen Zeitgenossen prophezeit Jesus: »Ich sage euch aber: Viele werden von Osten und Westen kommen und mit Abraham und Isaak und Jakob im Himmelreich zu Tisch liegen. Die Söhne des Reiches aber werden hinausgeworfen werden in die Finsternis draußen« (Mt 8, 11)[1]. Wenn man auch von der Ablösung des Gottesverhältnisses von der Volkszugehörigkeit in der Botschaft Jesu reden kann[2], so wird man doch nicht übersehen dürfen, daß von einem »Kommen« der Heiden und nicht von einer »Sendung« zu den Heiden die Rede ist und nichts Näheres gesagt wird, »in welcher Weise« die Heiden kommen, und daß »die Grundlage der eschatologischen Gemeinde« ... »die Väter, Propheten und Frommen Israels insofern (bleiben), als die Heiden in ihre Mitte aufgenommen werden. Gott *ist* der Gott Abrahams, Isaaks und Jakobs (Mk 12, 26)«[3]. Für das Gottesgebot der Beschneidung brauchte daraus nicht die Aufhebung dieses Grundsakramentes zu resultieren, weil hier eben mehr war als bloß ein völkisches Zeichen. Mag der Beschneidung auch nicht die ausschlaggebende Bedeutung für das Heil des einzelnen zukommen[4], sie konnte als Gehorsamsakt

---

[1] Dazu Bultmann, Jesus 34 ff.; Schlier, Entscheidung für die Heidenmission 92 f.

[2] Siehe A. Vögtle, in: LThK[2] V (1960) 927: »In Anerkennung des heilsgeschichtlichen Erstanspruchs Israels als des Volkes Gottes gilt Jesu und seiner Jünger Sendung zunächst nur diesen (Mk 7, 27 par.; Mt 10, 6; vgl. 15, 24). Aber seine (noch als Ausnahmen erkenntlichen) Heidenheilungen demonstrieren gleichzeitig die Aufhebung der grundsätzlichen Bindung des Heils an die blutsmäßige Abrahamskindschaft; grundsätzlich ermöglichte Jesus die Einbeziehung der Heidenvölker in das Heil durch die Streichung aller nationalen Hoffnungen, durch die Individualisierung der Heilsbedingungen und des Gerichts und verhieß er ausdrücklich auch Heiden den Anteil am Endheil, sogar unter Androhung des Ausschlusses Israels (Lk 13, 28 f.; 11, 31 f.).«

[3] So Schlier, Entscheidung für die Heidenmission 93 f.

[4] Solche Gedanken waren selbst dem Judentum nicht fremd, siehe Bousset-Greßmann, Die Religion des Judentums 197.

Gott gegenüber verstanden werden, von dem man sich nicht eigenmächtig emanzipieren durfte. Für das Problem der Heidenmission, die Beschneidungsfrage, hinterließ also Jesus keine eindeutige Weisung, so daß sich auf Jesu Vorbild und Verkündigung verschiedene Richtungen der Urkirche berufen konnten[1].

Über die Anfänge der urchristlichen Mission sind wir nur unzureichend unterrichtet. Selbstverständlich warb die Urgemeinde, die auf die Wiederkunft ihres Herrn und das Kommen des Reiches Gottes wartete, in der Nachfolge der Verkündigung Jesu für dieses Reich[2]. Wenn die urchristliche Paränese nie zu missionarischer Tätigkeit aufruft, so wird dazu keine Notwendigkeit bestanden haben, weil sich der Gläubige, der sich im Besitz der einzigen Wahrheit für das Heil wußte, gedrängt fühlte, diese Heilsbotschaft auch anderen Menschen mitzuteilen (vgl. 1 Thess 1, 8)[3]. Mission geschah also zunächst primär durch das Vorbild im Glauben und durch das Gespräch, das über den Glauben Rechenschaft ablegt, weniger durch die große Predigt, und der wandernde Missionar ist eine sekundäre Erscheinung der Urkirche. So stellt L. Goppelt mit Recht für die Urgemeinde fest: »Das missionarische Wirken (der Apostel) vollzog sich in Wirklichkeit sicher viel zurückhaltender, als es die lukanische Redaktion darstellt. Sie führten Lehrgespräche in kleineren Gruppen und von Mensch zu Mensch. Zweifellos aber wurde ihr Anspruch in der Stadt, die man in weniger als 30 Minuten durchqueren konnte, in einiger Zeit allgemein bekannt«[4]. »Zunächst wurde das Evangelium ausschließlich den Juden gepredigt«[5]. Dies entsprach dem Vorbild Jesu und der Vorstellung, daß Israel das eigentliche Heilsvolk sei und Christus primär zum Heil Israels wiederkomme (Apg 3, 20), sowie dem Selbstverständnis der messianischen Gemeinde. Heidenmission stand zunächst nicht im Programm der Urgemeinde, denn

---

[1] Siehe Hahn, Mission 31 f.

[2] Vgl. Lietzmann, Geschichte der Alten Kirche I 64.

[3] Dazu E. Neuhäusler, Art. »Heidenbekehrung«, in: LThK² V(1960) 70: »Dadurch also, daß eine Gemeinde Gemeinde ist, missioniert sie, nicht durch ein besonderes missionarisches Werk.« Georgi, Gegner 47: »Eine Gemeinschaft, die in knapp sechs Jahren auf einer Strecke von 700 km, vergleichsweise der Entfernung von München bis zum Ruhrgebiet, eine Vielzahl von Gemeinden gründen konnte, mußte ein enormes Maß von missionarischem Interesse und entsprechender Aktivität besitzen.« Georgi folgert allerdings daraus: »Es war aber eine technische Unmöglichkeit, daß alle Angehörigen der urchristlichen Gemeinden in gleichem Maße Missionsarbeit trieben. Dann aber mußten die Männer, die in der Lage waren, ihre ganze Zeit und Kraft der Mission zu widmen, in einem besonderen Ansehen stehen.«

[4] Goppelt, Die apostolische u. nachapostolische Zeit 23.

[5] v. Harnack, Mission I 31; ferner K. Holl, Kirchenbegriff des Paulus (1921), in: WdF XXIV 161 f.; Schlier, Entscheidung für die Heidenmission 94; Kuss, Die Rolle des Apostels Paulus 110 u. 166; F. Mußner, Art. »Sendung«, in: H. Haag, Bibellexikon ²1968, 1576.

Heidenbekehrung war als eschatologisches Ereignis Sache Gottes und
»Heiden vorher bekehren« hieße also, wie A. Schweitzer sagte, »selber in
die Hand nehmen, was Gott sich vorbehalten hat«[1]. Ein Heide, der in die
Gemeinde aufgenommen werden wollte, mußte zuerst durch Übernahme
der Beschneidung in den Abrahambund eintreten[2]. Wie ist es aber zur
Heidenmission gekommen? Wir werden uns bei der Frage der Heidenmission und der damit gegebenen Problematik hüten müssen, jeweils
theologische Debatten und kirchliche Entscheidungen ausfindig machen
zu wollen. Oft sind es äußere Faktoren der Geschichte, die zu neuen theologischen Erkenntnissen führen. So waren die Hinrichtung des Stephanus
und die Vertreibung der Hellenisten (Apg 7 u. 8) für die Heidenmission
von größter Bedeutung. Allerdings werden auch diese griechisch sprechen-
den Juden sich zuerst an ihre ehemaligen Glaubensgenossen gewandt
haben, bevor es – wahrscheinlich in Antiochia – zur Heidenmission kam[3].
Kontrovers ist, ob es zu einem gewichtigen Protest der strengsten Judenchristenheit gekommen ist, wie er etwa in Mt 10,5 f. 23 vorliegen könnte[4].
Doch scheint die Heidenmission auch in der judenchristlichen Urgemeinde
mehr und mehr bejaht worden zu sein.

Ganz anders steht es mit dem aus der Heidenmission entstandenen
Problem, ob die Heiden zu beschneiden und auf das Gesetz zu verpflichten
seien. Nicht mit der Aufnahme des ersten Heiden in die neue Glaubensgemeinschaft[5], sondern erst allmählich, als der Faktor der Heidenchristen

---

[1] So A. Schweitzer, Die Mystik des Apostels Paulus (1930), Nachdruck [2]1954,
176; E. Käsemann, in: Exegetische Versuche II 115; Hahn, Mission 43 ff.; v. Campenhausen, Bibel 31; anders Lerle, Proselytenwerbung 91; Munck, Paulus 63;
Schmithals, Paulus u. Jakobus 94.

[2] So Bultmann, Jesus 34; Goppelt, Christentum u. Judentum 89; K.G. Kuhn:
ThWNT VI 743,23 ff.; Kasting, Mission 117: »Wurde durch die Urgemeinde hin
und wieder auch ein Heide bekehrt, dann hat man selbstverständlich nicht mit seiner Beschneidung gezögert. Das entsprach einfach der jüdischen Missionspraxis
und der Überlieferungstreue der palästinischen Judenchristen. Das praktische Vorgehen der Urgemeinde und ihrer Missionare deckte sich seit jeher mit der judaistischen Forderung, und ihre Verfechter werden sich in Antiochia gewiß darauf berufen haben.«

[3] Vgl. Lietzmann, Geschichte der Alten Kirche I 65; Goppelt, Die apostol. u.
nachapostol. Zeit 39; E. Käsemann, in: Exeget. Versuche II 241; E. Neuhäusler,
in: LThK[2] V (1960) 71 f.; W. Grundmann, in: Umwelt des Urchristentums I 454.

[4] So Bultmann, Jesus 34; Hahn, Mission 43 ff.; E. Käsemann, in: Exeget. Versuche II 87; H. v. Campenhausen, Bibel 31 Anm. 5; W. Grundmann, in: Umwelt
des Urchristentums I 433 f.; anders Kasting, Mission 110 ff.; H. Conzelmann, Geschichte des Urchristentums, Göttingen 1969, 48 f., die nicht an ein Zeugnis einer
judenchristlichen Sondergruppe denken, sondern die Forderung, nur Israel auf-
zusuchen, aus der heilsgeschichtlichen Konzeption des Matthäus erklären. Vgl.
auch Goppelt, Die apostolische u. nachapostolische Zeit 37 f.

[5] Apg 10,1-11,18 kann nicht, wie immer man diese Geschichte in ihrem histo-

immer größer wurde[1], wird dieses Problem voll ins Bewußtsein der Judenchristen getreten sein, und werden die brennenden Fragen entstanden sein,
ob das Gesetz Gottes weiter gültig sei und ob man sich vor dem ungläubi-
gen Israel als die wahren Nachkommen der Väter und als die messianische
Gemeinde bekennen konnte. Mit Recht bemerkt G. Bornkamm: »Für die
noch streng an das Gesetz gebundene Urgemeinde stand mit der Beschneidungsforderung nichts geringeres als die leibhaftige Kontinuität der Heilsgeschichte auf dem Spiel und damit die Frage nach der Legitimation ihres
Anspruchs, das wahre Israel zu sein im Gegensatz zu den Juden, die ihren
eigenen verheißenen Messias-König verworfen hatten«[2]. Die Aufrechterhaltung von Gesetz und Beschneidung durch die Judenchristen läßt sich
nicht aus Opportunitätsdenken, um etwa einer drohenden Verfolgung
durch die Synagoge bei Aufgabe der Beschneidung zu entgehen, erklären,
vielmehr ging es um den Bund Gottes mit den Vätern und dem auserwählten Volk und um das Erbe der Verheißungen, die sich in Jesus, dem
Christus, zu erfüllen schienen.

Wogegen Paulus, der zwar nicht der erste Heidenmissionar, wohl aber
der markanteste und schärfste Verfechter jener urchristlichen Richtung
war, die auf die Beschneidung für die Heidenchristen verzichtete, zu
kämpfen hatte, beschreibt O. Kuss folgendermaßen: »Die Position der
Beschneidungsleute ist ohne Zweifel stark: Paulus selber ist beschnitten,
die ganze junge Gemeinde besteht aus Beschnittenen, die Apostel sind beschnitten, schließlich Jesus selbst ist es – ganz gewiß muß es jeden, der im

---

rischen Wert beurteilen mag, als eine prinzipielle Entscheidung für die beschnei-
dungsfreie Heidenmission verstanden werden. Dagegen sprechen Gal 2, 1-10 und
das Verhalten des Kephas in Antiochien (Gal 2, 11 ff.). Vgl. die Kommentare zu
Apg 10f.; Kasting, Mission 117f.

[1] Vgl. v. Harnack, Mission I 68 f.; Lerle, Proselytenwerbung 109 f.: »Diese Entscheidung (Heidenbekehrung ohne Beschneidung) war aus dem Leben gekommen,
die Forderung der Beschneidung dagegen kam aus der Theologie.« E. Käsemann,
in: Exeget. Versuche II 87; Bornkamm, Paulus 54; anders, aber wenig überzeugend, J. Daniélou, in: Geschichte der Kirche I 58f., der mit G. Dix (Jew and
Greek, 1953, 43) die Beschneidungsforderung der Judenchristen, die anfänglich
auf die Beschneidung bekehrter Heiden verzichtet hätten, auf den Druck natio-
nalistischer Juden zurückführt. Gerechter wird der kirchlichen Entwicklung
A. Vögtle, wenn er herausstellt, daß »die Kirche zunächst de facto (seit der vor-
paulinischen Heidenmission) und dann grundsätzlich auf Beschneidung und Gesetzesobservanz der Heidenchristen verzichtete« (LThK² X [1965] 553).

[2] Bornkamm, Paulus 55; vgl. Liechtenhan, Mission 57f.: »Es trifft die Lage nicht
genau, wenn man sagt, die Judenchristen hätten von den Heiden verlangt, sie
müßten durch die Beschneidung erst Juden werden, bevor sie durch die Taufe
Christen würden. Es handelt sich nicht um den Eintritt in den Volksverband, sondern in den alten Bund... Der neue Bund erschien den Judenchristen nicht als die
Aufhebung des alten, sondern als seine Fortsetzung und Erfüllung.« Siehe ferner
O. Michel, in: Antijudaismus im NT?, hrsg. von W. Eckert usw. 1967, 56.

Zusammenhang der Heilsgeschichte denkt, so wie sie sich aus der Schrift ergibt, auf das stärkste befremden, wenn Paulus hier eine grundsätzliche Änderung vornimmt«[1]. Zu diesem Verzicht auf die Beschneidung kommt aber Paulus weniger von der prophetischen Linie der Verinnerlichung des Ritus[2], erst recht nicht, wie C. Tresmontant meint, weil der Apostel den Prozeß einer Spiritualisierung und Entmythologisierung vorantreibt, »einen Prozeß, der Israel von den Überresten der alten, abergläubischen und magischen religiösen Praktiken befreit«[3], vielmehr läßt für Paulus die Relevanz des Christusereignisses die Beschneidung überflüssig werden, ein ganz anderer Heilsweg tut sich auf (s. Gal 2, 21; 5, 2)[4]. Inwieweit die Heidenmissionare vor und neben Paulus die Beschneidung von einer entsprechenden Deutung des Christusgeschehens her in ihrem Heilswert so prinzipiell wie Paulus in Abrede stellten, läßt sich schwer sagen; feststeht, daß die Geltenden auf dem Apostelkonzil die Freiheit der Heidenchristen vom Beschneidungsgebot konzediert haben (G 2, 1–10; Apg 15). Inwieweit damit eine In-Frage-Stellung des Heilswertes des Gesetzes verbunden war, bleibt späterer Untersuchung vorbehalten. Ebenso bleibt zunächst die Frage nach der judenchristlichen Reaktion offen.

3. Ein gnostisches Beschneidungsverständnis in Galatien?

In seinem Aufsatz »Die Häretiker in Galatien« hat W. Schmithals[5] die bisherige Meinung der Forschung, die Beschneidungspredigt in Galatien

---

[1] Kuss, Die Rolle des Apostels Paulus 45.

[2] R. Meyer: ThWNT VI 77.

[3] C. Tresmontant, Art. Paulus, in: HThG II 290.

[4] Selbstverständlich greift Paulus auch die prophetische Beurteilung der Beschneidung auf. Es wäre verwunderlich, wenn der Apostel im Kampf gegen die Beschneidungsprediger sich dieses Argumentes nicht bedient hätte (vgl. Röm 2, 25-29). »Ja Paulus geht noch einen letzten Schritt weiter: ›Beschneidung‹ wird ihm zur Bezeichnung für das neue Gottesvolk: den jüdischen oder judaistischen Gegnern, der ›Zerschneidung‹ (κατατομή), stellt er die Glaubenden als die echte ›Beschneidung‹ (περιτομή) gegenüber (Phil 3, 2.3)«: Kuss, Römerbrief 98, zur theologischen Bewältigung des Beschneidungsproblems siehe die Ausführungen ebd. 96-98. Wie Paulus je nach der verschiedenen Frontstellung seine theologischen Aussagen über die Beschneidung unterschiedlich akzentuiert, bemerkt Fr. Sieffert (Theolog. Studien f. B. Weiß 1897, 349): »Und von der Vollziehung der Beschneidung an Heidenchristen sagt er geradezu, daß sie die Heilswirkung Christi ausschließen werde (Gal 5, 2f.). Dagegen im Römerbrief (2, 25) erklärt er die Beschneidung für nützlich, ja spricht ihr großen Nutzen zu und erklärt die Feier besonderer Tage für gleichgültig (14, 5 f.)... Er hat auch weder im Römerbrief noch sonst irgendwo die Beschneidung prinzipiell für gestattet erklärt.«

[5] Siehe S. 13 Anm. 4.

sei ein eindeutiger Hinweis auf den judaistischen Charakter des anderen Evangeliums, in Abrede gestellt und für die antipaulinischen Missionare ein gnostisches Beschneidungsverständnis postuliert. Nachdem Schmithals gleich zu Beginn seiner Untersuchung auf Grund von Gal 1,1 und 1,11f. den gnostischen Apostolatsbegriff der Paulusgegner entdeckt zu haben glaubt, setzt er sich mit dem für seine Gnostikerhypothese schwierigsten Problem, der Beschneidungspredigt in Galatien, auseinander. Zunächst meint er, Paulus selbst bescheinige, wie 5,3 und vor allem 6,13 zeigen, seinen Gegnern »offensichtlich einen grundsätzlichen Verzicht auf das Gesetz«[1]. Also könnten es keine Judaisten gewesen sein. Auch habe es nach dem Apostelkonzil einen Judaismus, der von den Heidenchristen die Beschneidung forderte, nicht gegeben[2]. Was aber war dies für eine Beschneidungspredigt in Galatien? »Judenchristliche Gnostiker, deren Heimat jedenfalls *nicht* Judäa war, hatten natürlich gar keine Beziehung zum ›Apostelkonzil‹ und dessen Abmachungen. Aber auch in späterer Zeit ist *deren* Missionsarbeit ja nicht beschränkt gewesen. Die Gnosis bedrohte vielmehr ernsthaft die in der hellenistischen Umwelt wachsende Gemeinde. Und von ihr – und das ist nun das Wichtigste – wissen die Kirchenväter übereinstimmend zu berichten, daß sie gerade in der frühen, der neutestamentlichen, der paulinischen Zeit, und gerade im Heidenland, besonders in Kleinasien, die Beschneidung predigte«[3]. Als Kronzeugen führt W. Schmithals den judenchristlichen Gnostiker Cerinth an. Da nun Paulus über die Verkündigung seiner galatischen Gegner nicht hinreichend informiert sei[4], enthielte der Galaterbrief natürlich keine näheren Zeugnisse für das gnostische Verständnis der Beschneidung, abgesehen von der Bemerkung, die Beschneidung sei in Galatien nicht mit der Gesetzesobservanz verbunden (6,13; 5,3). Doch Kol 2,9ff. zeige Spuren einer gnostischen Umdeutung der Beschneidung: Beschneidung als Symbol für die »Befreiung des Pneuma-Selbst von dem Kerker dieses Leibes«[5].

Eine kritische Forschung wird gegenüber den von Schmithals zusammengetragenen Gründen seiner Hypothese folgendes zu bedenken geben: Gal 5,3 u. 6,13 lassen alles andere als sicher auf »einen grundsätzlichen Verzicht auf das Gesetz« bei den Beschneidungspredigern in Galatien schließen, vielmehr ist, wie die Einzelexegese gezeigt hat[6], die spezifisch

---

[1] Schmithals, Häretiker I 43, II 23.
[2] Ders., Häretiker I 43f., II 24f.
[3] Ders., Häretiker I 45f., II 25. Leicht zugänglich sind die hier zur Debatte stehenden Kirchenvätertexte im Originaltext bei Hilgenfeld, Ketzergeschichte 421 ff.
[4] Schmithals, Häretiker I 30, II 12.
[5] Ders., Häretiker I 46f., II 27 (um einiges Material erweitert, das den Argumentationswert nicht vergrößert).
[6] Siehe S. 34f.; 41f.; ferner die Ausführungen S. 22ff.

paulinische Denk- und Argumentationsweise bei der Deutung dieser Stellen zu berücksichtigen. Im übrigen erweckt der ganze Brief den Eindruck, daß Paulus mit Gesetzesverfechtern rechnet. Das Problem des Judaismus nach dem Apostelkonzil bedarf noch der Erörterung und bleibt vorläufig offen[1]. Der angeblich »übereinstimmende« Bericht der Kirchenväter über die Gnosis, die in »paulinischer Zeit« »besonders in Kleinasien« »die Beschneidung predigte«, muß in seinem Wert für die Erhellung der galatischen Situation untersucht werden. Schmithals weist auf Zeugnisse von Irenäus (seit 177/78 Bischof von Lyon), Hippolyt (gest. 235), Tertullian (gest. nach 220), Eusebius von Cäsarea (gest. 339), Epiphanius von Salamis (gest. 403) und Filastrius (gest. um 397) hin. Es handelt sich im wesentlichen um deren Mitteilungen über die Ebioniten und Elchasaiten[2]. Wie ist der Quellenwert dieser offensichtlich späten Kirchenvätertexte zu beurteilen?[3] Zunächst wird man folgenden Tatbestand in Rechnung stellen müssen: »Alle späteren Ketzerbekämpfer, von Tertullian angefangen, haben für die frühere Zeit aus Irenäus geschöpft«[4]. Irenäus nun, der im Kampf gegen die Gnosis des 2. Jahrhunderts stand, gibt in dem ersten Buch seines um 180 entstandenen Werkes »Entlarvung und Widerlegung der falschen Gnosis«, gewöhnlich Adversus haereses genannt, u.a. einen Überblick über die Geschichte des Gnostizismus von Simon Magnus an. Im Anschluß an die Charakteristik Kerinths (26, 1) kommt er auf die Ebionäer zu sprechen (26, 2), von denen er berichtet: Sie glauben, daß die Welt von Gott geschaffen ist, vertreten eine ähnliche Christologie wie Kerinth und Karpokrates, verwenden nur das Evangelium nach Matthäus, Paulus weisen sie als Gesetzesabtrünnigen zurück; ferner haben sie eine eigentümliche Auslegung der »Prophezeiungen« (prophetica curiosius exponere); sie pflegen die Beschneidung und beobachten das Gesetz (circumciduntur ac perseverant in his consuetudinibus quae sunt secundum legem et iudaico charactere vitae) und richten ihr Gebet nach Jerusalem. G. Strecker[5] macht darauf aufmerksam, daß der Name »Ebionnaei« für Judenchristen zum ersten Mal bei Irenäus erscheint, dieser keine eigene Anschauung vom

---

[1] Siehe dazu Kap. 5 der vorliegenden Arbeit.

[2] Siehe Schmithals, Häretiker II 25 Anm. 63.

[3] Gnilka, Phil 212, spricht in seiner Kritik an der von Schmithals postulierten antipaulinischen gnostischen Einheitsfront mit Recht von einer »Überforderung sowohl der historischen Situation als auch der uns zur Verfügung stehenden Texte..., zumal Schmithals mit Kirchenvätertexten arbeitet, die einer späteren Zeit angehören und nur vorsichtige Rückschlüsse zulassen«. Vgl. Blank, Paulus 25 ff.

[4] So B. Altaner – A. Stuiber, Patrologie. Leben, Schriften und Lehre der Kirchenväter, 7., völlig neubearbeitete Auflage, Freiburg 1966, 112. Vgl. auch G. Strecker, Zum Problem des Judenchristentums, Nachtrag zu: W. Bauer, Rechtgläubigkeit 278 ff.

[5] Strecker, Zum Problem des Judenchristentums 278 ff.

Ebionitismus habe, da er das Matthäusevangelium mit dem Ebioniten-evangelium verwechsle, und vor allem für die »Komplexität des Juden-christentums« keinen Sinn mehr habe[1]. Am nomistischen Charakter der Ebionäer aber läßt Irenäus wie alle späteren Häresiologen keinen Zweifel[2]. Dies trifft auch für Origenes und Eusebius zu, die »für die Kirche des Ostens noch im 3./4. Jahrhundert die Anerkennung der komplexen Situation des Judenchristentums« bezeugen, während »die Kirche des Westens schon um die Wende des 2./3. Jahrhunderts das Judenchristentum in ein festes häre-siologisches Schema einspannt«[3]. Der Judaismus und die Verwerfung des Apostels Paulus als Gesetzesabtrünnigen berichten die Kirchenvätertexte übereinstimmend[4] von den Ebioniten. Damit soll natürlich nicht geleugnet werden, daß diese Judenchristen unter dem Einfluß der Gnosis gestanden haben könnten, nur ist ein spezifisch gnostisches Beschneidungsverständnis aus den Quellen nicht zu erheben. Wie Justin (gest. um 165)[5] und der Ver-fasser der in der ersten Hälfte des 3. Jahrhunderts im nördlichen Syrien entstandenen Didaskalia[6] sowie die in den Pseudoklementinen enthaltenen Traditionen[7] dokumentieren, hat es auch nach dem Apostelkonzil ein Judenchristentum gegeben, das sich durch seinen Judaismus und Anti-paulinismus vom Heidenchristentum unterschied[8].

---

[1] Das gilt auch für Hippolyt, der nach Photius ein Schüler des Irenäus gewesen sein soll und die Ebionäer auf Ebion als ihren Gründer zurückführte. Siehe dazu Hilgenfeld, Ketzergeschichte 422 f.

[2] Dem Phänomen des Judaismus bzw. Nomismus wird Schmithals wohl nicht gerecht, wenn er bagatellisierend schreibt: »Daß die Kirchenväter die beschnei-dungsfreudigen Gnostiker der Frühzeit dabei manchmal als halbe Judaisten dar-stellen, ist in der späten Zeit, in der man von der bestimmenden jüdischen Kom-ponente der frühen Gnosis nicht mehr viel wußte, nicht verwunderlich« (Häre-tiker II 25 Anm. 62). Siehe dagegen Hilgenfeld, Ketzergeschichte 411 ff.; Strecker, Zum Problem des Judenchristentums 278 ff.; Brox, Pastoralbriefe 33.

[3] Strecker, Zum Problem des Judenchristentums 285.

[4] Vgl. auch Epiphanius von Salamis, der in seiner 80 Häresien beschreibenden Schrift »Panarion«, auch als »Haereses« zitiert, von Anschuldigungen gegen Paulus berichtet, die in den von den Ebionäern gelesenen Ἀναβαθμοῖς Ἰακώβου standen. Paulus, ein Grieche aus Tarsus, habe sich aus Liebe zu einer Jerusalemer Priester-tochter beschneiden lassen. Als er diese aber nicht bekam, habe er gegen Beschnei-dung, Sabbat und Gesetz geschrieben (XXX 16.25).

[5] Zu Justin siehe Altaner-Stuiber, Patrologie 65 ff.; Strecker, Zum Problem des Judenchristentums 275 ff.; Schoeps, Das Judenchristentum 15.

[6] Zu der Didaskalia siehe Altaner-Stuiber, Patrologie 84 f.; Strecker, Zum Pro-blem des Judenchristentums 248-260.

[7] Zu den Pseudoklementinen siehe die auf S. 2 Anm. 2 angegebene Literatur; ferner v. Campenhausen, Bibel 24 ff.

[8] Vgl. v. Campenhausen, Bibel 24: »Das ebionitische Judenchristentum hat sich von Paulus und der gesamten heidenchristlichen Weltkirche um dieses Gesetzes willen getrennt.«

»Am nächsten liegt es, den judenchristlichen Gnostiker Cerinth, namentlich nach der Darstellung des Epiphanius, zum Vergleich mit den galatischen Gegnern des Paulus heranzuziehen« – mit diesen Worten führt W. Schmithals seinen Hauptzeugen ein[1], und in diesem Punkt seiner Darlegung trifft er sich mit der Ansicht von H. Schlier, der gleichfalls von »ähnlichen Tendenzen« bei Kerinth und den judenchristlichen Gegnern des Paulus in Galatien spricht[2]. Wenn auch gegenüber den Berichten des Epiphanius von Salamis (gest. 403) Skepsis angebracht ist[3] und für die Überlieferung über Kerinth, wie Schmithals selbst bemerkt, gilt, daß sie »je später desto verworrener« ist[4], so wird man schwerlich ebenso wenig wie das gnostische das jüdische Element in der Lehre Kerinths leugnen können. Die Mitteilung des Epiphanius, Kerinth hätte die Beschneidung gefordert, nicht weil sie zum Gesetz gehörte, sondern weil auch Christus beschnitten gewesen sei (Haer. 28, 5, 1 ff.; 30, 26, 1 f.), spricht freilich keineswegs eindeutig für ein gnostisches Beschneidungsverständnis, wenngleich ein solches auch nicht völlig auszuschließen ist[5]. Ob man dann allerdings noch vom Judaismus Kerinths reden darf, ist m. E. zu bezweifeln[6]. Die entscheidende Frage aber ist, ob Kerinth, der am Ende des 1. Jahrhunderts in Vorderasien auftrat und vielleicht von der syrischen Gnosis herkommt, mit den um die Mitte des 1. Jahrhunderts in Galatien lehrenden Beschneidungspredigern in einen geistes- und religionsgeschichtlichen Zusammen-

---

[1] Schmithals, Häretiker I 45, II 25.

[2] Schlier, Gal 23 f.

[3] Schon A. Jülicher schreibt über Epiphanius, daß dieser zwar manche verlorengegangene Quelle zitiere, seine Mitteilungen aber »leider recht verworren« seien (Paulys Real-Encyclopädie X, Stuttg. 1905, Art. »Ebioniten«); vgl. H. Rahner, in: LThK² VI (1961) 120.

[4] Schmithals, Häretiker I 45 Anm. 51; II 26 Anm. 64.

[5] Das Material für einen Rekonstruktionsversuch der Lehre des Kerinth ist gut zusammengetragen bei A. Hilgenfeld, Ketzergeschichte 411-421; s. auch H. Schlier, Gal 23 f.; H. Rahner, Art. »Kerinthos«, in: LThK² VI (1961) 120; E. Lohse: ThWNT VII 33 f.

[6] Dies wird von der Beantwortung etwa folgender Fragen abhängen: War für Kerinth, wie H. Rahner a. a. O. behauptet, Gesetz und Beschneidung »heilsnotwendig«? Welches Gesetz? Wie erklärt sich der Antipaulinismus Kerinths? Hat Jerusalem, wie Bo Reicke (Diakonie, Festfreude u. Zelos usw., Uppsala Universitets Arsskrift 1951 V, S. 284) ausführt, für Kerinth eine politische Bedeutung gehabt? Wie versteht Kerinth das Sabbathgebot, das er neben der Beschneidung angeblich propagierte? Vgl. Hilgenfeld, Ketzergeschichte 418: »Kerinth ist der Erste, bei welchem wir Gnosis und Judaismus verbunden finden.« S. 420 f: »Die Verbindung der Gnosis mit dem Judenchristentum ist wohl Tatsache, aber so vereinzelt, daß erst Irenäus von ihr nähere Kenntnis nehmen konnte. Der eigentliche Entwicklungsgang der christlichen Gnosis war mehr und mehr antijudaistisch.« Für die Zusammengehörigkeit von Gnosis u. Judaismus sprechen sich aus: G. Kretschmar, in: EvTh 13 (1953) 354ff.; G. Quispel, in: Eranos 13 (1953) 195ff. u. 14 (1954) 474ff.

hang gesetzt werden darf und ob hier nicht spätere gnostische Lehre als ein neues Interpretament für das »andere Evangelium« in Galatien herhalten muß. R. McL. Wilson, der einerseits die Auseinandersetzung mit der Gnosis für die Korintherbriefe und den Kolosserbrief bejaht[1], steht andererseits der Galaterbriefdeutung von W. Schmithals kritisch gegenüber: »It is legitimate to infer from the existence of such groups (Ebionites, Elchasaites, Cerinthus) towards the end of the first century and early in the second that groups of a similar character were already in existence in the New Testament period itself? Is it not possible that they in fact represent a later stage of development, so that to employ them for understanding of the New Testament is to commit the sin of eisegesis? The question is not whether such groups provide a parallel which suggests an interpretation for some New Testament passage, nor whether such an interpretation is apposite and meaningful, but whether this is a *necessary* interpretation because no other is completely adequate«[2].

Die Frage, inwieweit es erlaubt ist, spätere religionsgeschichtliche Erscheinungen zum Interpretationsschlüssel der galatischen Situation zu machen, stellt sich erneut, wenn die Irrlehre, die der Kolosserbrief bekämpft, zum Kanon für die Rekonstruktion der von Paulus im Galaterbrief bekämpften anderen Verkündigung christlicher Missionare erhoben wird. Eine abschließende Diskussion dieses Lösungsversuches wird zum Thema »Stoicheiakult« erfolgen. Hier sei auf die Behauptung, Kol 2,11 lasse ein gnostisches Verständnis der Beschneidung erkennen[3], eingegan-

---

[1] R. McL. Wilson, The Gnostic Problem. A Study between Hellenistic Judaism and the Gnostic Heresy, London 1958, 84f.

[2] Ders., Gnostics – in Galatia? 365. Siehe jetzt vom gleichen Verfasser den Beitrag: Der ›Gnostizismus‹ im Neuen Testament, in: Gnosis und Neues Testament, Stuttgart 1971, 34–59, bes. 36f., 53 ff. Vgl. ferner R. Schnackenburg, Gnostizismus und NT, in: LThK[2] IV (1960) 1026: »Daß frühgnostische Irrlehrer urchristliche Gemeinden beunruhigten, ist nach dem Zeugnis einiger ntl. Schriften sicher. Ob freilich schon gewisse Kreise in Korinth ›gnostisch‹ infiziert waren, ist umstritten... Vor allem sind die in die Gemeinde eingedrungenen Gegner Pauli (2 K 10–13) und ihre Anschauungen (vgl. 2 K 11,4!) nicht sicher zu diagnostizieren. Sie wie auch die ›schlechten Arbeiter‹ von Phil 3,2–6... und die Verführer von Röm 16,17–20 sind von dem nomistischen Judaisten des Gal wohl zu unterscheiden, die mit Gnostizismus schwerlich etwas zu tun haben. Die Irrlehre des Kol... ist sicher jüdisch-gnostisch wie auch die in den Pastoralbriefen bekämpfte ›fälschlich so genannte Gnosis‹ (1 Tim 6,20)... Libertinistische (judenchristliche) Gnostiker werden im Jud und in der Apk... bekämpft.«

[3] So Schmithals, Häretiker I 46f., II 27; vgl. G. Bornkamm, Die Häresie des Kolosserbriefes (1948), in: Aufsätze I 145 ff.; E. Lohmeyer, Die Briefe an die Philipper, an die Kolosser und an Philemon, Meyers-Kommentar IX, Göttingen [13]1964, zu Kol 2,11; E. Lohse, Die Briefe an die Kolosser und an Philemon, Meyers-Kommentar IX 2, Göttingen [1]1968, 153f.; Lähnemann, Der Kolosserbrief 88 u. 120.

gen. Innerhalb des Gesamtbildes der kolossischen Häresie[1] dürfte dieser Punkt wohl am meisten unklar und umstritten sein[2], da V. 11 keine direkte Aussage über eine etwaige Beschneidungsforderung oder Beschneidungspraxis enthält und die Frage, ob eine gezielte antithetische Äußerung vorliegt, von den Kommentaren nur mit »vielleicht« und »wahrscheinlich« bejaht wird[3]. Der Text handelt von der Taufe der Christen (vgl. V. 12)[4] und lautet: »In ihm (Christus) seid ihr auch beschnitten worden durch Beschneidung, einer nicht mit der Hand gemachten, in dem Ausziehen des Leibes des Fleisches, in der Beschneidung des Christus« (V. 11). Der sachlich zugrundeliegende Vergleich: Beschneidung-Taufe ist im Neuen Testament einmalig, entspricht jedoch paulinischem Denken[5] und drängt sich einer christlichen Verkündigung, die sich von der Beschneidung gelöst hat, auf. Die neue Beschneidung wird ἀχειροποιήτης genannt, ein Hinweis wohl, daß sie »von Gott bewirkt« ist[6], zugleich das notwendige Epitheton, um deutlich zu machen, daß von Beschneidung in übertragenem Sinn die Rede ist. Der Wendung ἐν τῇ ἀπεκδύσει τοῦ σώματος τῆς σαρκός mag gnostisches Gedankengut zugrundeliegen[7], allerdings ist die Frage, auf wessen Konto dieser Sprachgebrauch geht, auf das des Verfassers des Kolosserbriefs oder auf das seiner Gegner, deren Terminologie er aufnimmt. Ob man mit E. Käsemann unter »der Beschneidung des Christus« zunächst »die im Kreuz beginnende Erhöhung« des Herrn verstehen soll, die »in der Taufe mit sakramentaler Gültigkeit für die Glieder der Gemeinde wiederholt« wird[8], oder ob hier unmittelbar die Taufe sinnbildlich »Beschneidung des Christus« genannt wird, ist schwer zu entscheiden. Wenn auch das Bild von der Be-

---

[1] Dazu neben den einschlägigen Kommentaren J. Gewiess, Kolosserbrief, in: LThK² VI (1961) 400f.; ders., Die apologetische Methode des Apostels Paulus im Kampf gegen die Irrlehre in Kolossä, in: Bibel und Leben 3 (1962) 258-270; E. Käsemann, Kolosserbrief, in: RGG³ III (1959) 1727f.; W. Foerster, Die Irrlehrer des Kolosserbriefes, in: Studia Biblica et Semitica, Festschr. f. T.C. Vriezen, 1966, 71-80; Goppelt, Christentum und Judentum 137-140; ders., Die apostol. u. nachapostol. Zeit 69ff.; v. Harnack, Mission I 122 Anm. 1.

[2] Vgl. die unterschiedlichen Deutungen etwa von Lohmeyer a.a.O.; Kümmel, Einleitung 243f.; Goppelt, Christentum und Judentum 137 Anm. 6; Lähnemann, Der Kolosserbrief 51,78; 88,120ff.; Foerster a.a.O. 73.

[3] So die meisten Kommentare.

[4] Anders Lähnemann, Der Kolosserbrief 120 Anm. 46.

[5] Vgl. Röm 2,25-29. Siehe R. Meyer: ThWNT VI 82,28ff.; O. Kuss, in: Auslegung und Verkündigung I 123ff.

[6] Vgl. Lohse, Kol 154f.; H. Schlier, Der Brief an die Epheser. Ein Kommentar, Düsseldorf ⁴1963, 119.

[7] Siehe G. Bornkamm, Aufsätze I 145; H. Conzelmann u. E. Lohse z. St.; zurückhaltender jedoch E. Schweizer: ThWNT VI 137, 4ff.

[8] E. Käsemann, in: Exeget. Versuche I 45f.; doch siehe E. Schweizer: ThWNT VI 137 Anm. 292.

schneidung nur hier im Neuen Testament für die Taufe verwandt ist und die Rede vom »Ausziehen des Fleischesleibes« ein Hinweis auf ein gnostisches Beschneidungsverständnis sein kann[1], so wird man doch den reinen Vermutungscharakter der Ansicht unterstreichen müssen, in Kolossä sei die Beschneidung praktiziert oder gar gefordert und als »Wiedergeburtsmysterium« gefeiert worden[2]. Ebenso rein hypothetisch ist die Ansicht, es könne auch ein »Selbstverstümmelungsritus orientalisch-hellenistischer Religionen« gemeint sein[3]. Man wird abschließend feststellen müssen, daß die kolossische Irrlehre im Punkt »Beschneidung« unklar bleibt und von einer Beschneidungsforderung Heidenchristen gegenüber, wie immer dieser Ritus motiviert sein mag, nicht die Rede sein kann.

---

[1] So E. Lohmeyer z. St.; G. Bornkamm, Aufsätze I 145; H. Conzelmann z. St.; E. Lohse, Kol 153: »Die περιτομή gilt vielmehr als sakramentale Handlung, durch die man Aufnahme in die Gemeinde und Zugang zum Heil erfährt. Der Hinweis auf die ἀπέκδυσις τοῦ σώματος τῆς σαρκός deutet auf Praktiken von Mysteriengemeinschaften hin. In der Weihe hat der Myste abzulegen, was ihm bisher zur Kleidung diente, um sich mit göttlicher Kraft erfüllen zu lassen. Die jüdische Bezeichnung soll dann offensichtlich dazu dienen, der sakramentalen Weihehandlung um so mehr Ansehen und Anziehungskraft zu verschaffen.«

[2] Dazu Kümmel, Einleitung 243: »Daß die Bezeichnung der Taufe als einer *nicht mit Händen gemachten Beschneidung* 2,11 auf eine Beschneidungsforderung der Häretiker hinweist, ist unwahrscheinlich.« Auch E. Lohse, Kol 153 Anm. 2 räumt ein: »Ob περιτομή dabei nur als Bezeichnung für die sakramentale Handlung diente oder aber die Beschneidung auch tatsächlich vollzogen wurde, ist nicht mehr auszumachen.«

[3] So M. Dibelius – H. Greeven, An die Kolosser, Epheser, an Philemon, HNT 12, Tübingen ³1953, 30; vgl. K. Staab, Die Thessalonicherbriefe. Die Gefangenschaftsbriefe, RNT 7,1, Regensburg ⁵1969, 92.

III. Kapitel

DIE HEILSGESCHICHTE ALS
KONTROVERSTHEOLOGISCHES THEMA

1. Vorbemerkungen

Paulus vermag die Beschneidungspredigt seiner Gegner nicht zu lösen vom religiösen Selbstbewußtsein der Juden als des durch dieses Bundeszeichen ausgewiesenen auserwählten und von den Heiden ausgesonderten Volkes, und ebenso unlösbar ist für den Apostel der Zusammenhang von Beschneidung und Gesetz: Wer sich beschneiden läßt, der ist auf das Gesetz des alten Bundes verpflichtet (vgl. Gal 5, 3). Die Frage, ob hier im Zentrum der Thematik des Galaterbriefs ein fundamentales Mißverständnis hinsichtlich der von Paulus bekämpften Verkündigung seiner Gegner gegeben sei, da diese sich in ihrem gnostischen Beschneidungsverständnis vom heilsgeschichtlichen Denken Israels getrennt hätten und, wenn überhaupt, nur ein kosmologisch verstandenes Gesetz gelten ließen, bedarf der weiteren Untersuchung. Dabei werden die zentralen Aussagen des Apostels im lehrhaften Teil seines Briefes angemessen erörtert werden müssen und nicht vorschnell etwa als midraschartiger Exkurs ohne tiefere Bedeutung für die konkrete Gemeindesituation (W. Schmithals) oder als prinzipielle Antwort, die auch bei einer anderen Schattierung judenchristlicher Irrlehre gleich ausgefallen wäre, abgetan werden können. Es muß also gleichsam eine zweite Expedition gestartet werden mit dem Ziel und der Aufgabe, den zweiten Teil des Galaterbriefs, den Kern der paulinischen Erwiderung, nach seinem Bezug zur galatischen Situation zu befragen. Da die Thematik von 2, 15–21 ausführlicher und deutlicher in Gal. 3 und 4 zu Wort kommt, sei dieser Abschnitt vorerst ausgeklammert. Die Ergebnisse der Exegese von 5, 1–12 (Zusammenfassung der Kapitel 3 u. 4 und Überleitung zur Paränese) und 6, 11–18 (Resümee der Hauptgedanken des Schreibens und letzte Abrechnung mit den Beschneidungspredigern) sind zu berücksichtigen. Ebenfalls werden die Ausführungen des Apostels über die Geschichte seines gesetzesfreien Evangeliums (1, 11–2, 14) nicht völlig außer acht gelassen werden können. Da die Paränese des Galaterbriefs (5, 13–6, 10) ein Stück mit relativ geschlossenem Gedankengang und eigenem Gepräge ist – es fehlt u. a. die scharfe Polemik, die für 3, 1–5, 12 so kennzeichnend ist –, sei die von Paulus selbst gegebene Akzentsetzung aufgegriffen, die Paränese einem eigenen Kapitel dieser Arbeit vorbehalten und die Kap. 3 und 4 zunächst für sich genommen, so wie es die Rede des Apostels anbietet.

2. Erläuterung des Gedankengangs von Gal 3 und 4 mit Hervorhebung der exegetischen Probleme

a) Gal 3, 1–14

Nach ersten einleitenden Gefechten gegen das »andere Evangelium« in Galatien, zu denen vor allem ein apologetischer Überblick über die Geschichte des paulinischen Evangeliums und seines Apostels gehörte (1, 11– 2, 14) – Grundzüge der Erwiderung des Paulus wurden aber auch schon besonders in der Rede gegenüber Kephas (2, 11–21) erkennbar –, beginnt mit 3, 1 die ausführliche, sachlich, doch nicht ohne Leidenschaft geführte Argumentation des Apostels, der die Galater wieder ganz auf die Seite seines Evangeliums bringen möchte.

Wieder unmittelbar an sie gewandt (vgl. 1, 4. 6–9. 11; 2, 5), nennt er seine gefährdeten Glaubensbrüder beim Namen: *»o unverständige Galater«*[1], tadelt zugleich ihren Unverstand, ja er kann fragen: *»Wer hat euch bezaubert?«*[2], denn Jesus Christus war ihnen doch als »Gekreuzigter« *»vor Augen vorgezeichnet«* (προεγράφη)[3] worden, d. h. die Heilsbedeutung des Todes Christi war ihnen doch erschlossen worden[4]. Wie können sie da noch nach einem anderen Heilsweg Ausschau halten und sich vom Gesetz faszinieren lassen!

Nur die eine Frage ehrlich beantwortet, müßte doch die Galater in ihren derzeitigen Ambitionen widerlegen: *»Aus Werken des Gesetzes habt ihr empfangen den Geist oder aus Hören des Glaubens?«* (V. 2). Paulus scheint vor-

---

[1] Vgl. 2 Kor 6, 11; Phil 4, 15; die Anrede »Galater« ist eins der gewichtigsten Argumente dafür, daß der Brief zu den eigentlichen Galatern in der Landschaft Galatien und nicht zu den südlichen Bewohnern der römischen Provinz Galatien ging.

[2] Ob mit dem Begriff βασκαίνω = »bezaubern«, »behexen« nur eine bildliche Redeweise vorliegt (so etwa de Wette, Hilgenfeld, Bisping, Lietzmann, Oepke) oder der Apostel bewußt die Verkündigung der fremden Missionare mit dämonischen Mächten in Verbindung bringt (so Bousset, Kuss, Maurer, Beyer-Althaus, Schlier; G. Delling: ThWNT I 596, 29 ff.), ist nicht sicher zu beantworten. Die Häufung der rhetorischen Mittel in 3, 1–5 spricht eher für die erste Auffassung. Die rhetorische Frage will auch nicht die Unkenntnis des Apostels über das »andere Evangelium« offenbaren, sondern ist wie 5, 7 als Stilmittel zu verstehen; vgl. auch Zahn z. St.

[3] Προγράφω: 1. vorher schreiben, 2. vorzeichnen, vormalen, vor aller Augen hinschreiben, öffentlich hinschreiben: Bauer Wb 1397 f.; siehe bes. G. Schrenk: ThWNT I 771 f. und Schlier z. St.

[4] Es handelt sich also nicht um eine plastische Beschreibung der Leiden Christi – »das war in einer Zeit nicht notwendig, die das alles aus eigener Anschauung kannte« (Kuss) –, sondern »›Ἰησοῦς Χριστὸς ἐσταυρωμένος‹ ist die zusammenfassende Formel für das entscheidende Heilsereignis und als solche für den zentralen Inhalt des paulinischen Kerygmas« (Schlier).

auszusetzen, daß sichtbare Wirkungen des Geistes stattgefunden haben[1] (vgl. V. 5) und daß auch für die Galater der Geist ein Symptom für die Nähe des Reiches Gottes und den Anbruch des Heils ist[2]. Dieses Heil aber, so will es der Apostel den um ihres Heiles willen zu fast allem bereiten Galatern durch Appellation an ihre eigene Heilserfahrung klarmachen[3], hat mit dem Hören der Glaubensbotschaft (ἐξ ἀκοῆς πίστεως)[4] begonnen und nicht mit der Befolgung der Gesetze[5].

Es folgt eine weitere vorwurfsvolle Frage: »*So unverständig seid ihr? Begonnen habt ihr im Geist*[6], *jetzt endet*[7] *ihr im Fleisch?*« (V. 3). Möglich ist auch die Übersetzung: »jetzt wollt ihr im Fleisch vollenden«, was als Hinweis darauf zu verstehen wäre, daß die Galater in ihrem »Seligkeitstrieb« (Holsten) durch Annahme der Beschneidung die Vollendung ihres Glaubens erwarten[8]. Für Paulus wäre es dann »ironisch« »eine ›Vollendung‹ eigener

---

[1] So Hilgenfeld; H. Gunkel, Die Wirkungen des heiligen Geistes nach der populären Anschauung der apostolischen Zeit und der Lehre des Apostels Paulus, Göttingen [1]1888, unverändert [2]1899, [3]1909, 63; Zahn, Burton, Oepke; Kuss, Römerbrief 551; E. Schweizer: ThWNT VI 420, 26f., 425, 30ff.; Luz, Geschichtsverständnis 147.

[2] Vgl. Gal 4, 6; 1 Kor 12, 13; 2 Kor 1, 21 f.; Röm 5, 5; 8, 22 ff.; Gunkel, Wirkungen des hl. Geistes 65: »Wo Gottes Geist, da Reich Gottes.«

[3] Gegen Schmithals (Häretiker I 51, II 32) ist festzustellen, daß Paulus gerade nicht auf »die betonte Behauptung der Galater« eingeht, »sie hätten den Geist empfangen«. Im Gegenteil, diese Erfahrung war ihnen viel zu wenig vor allem in ihrer theologischen Bedeutsamkeit bewußt. Siehe auch Wilson, Gnostics 363.

[4] Ἀκοὴ πίστεως: 1. Hören des Glaubens (gen. obj.) (so Vulg., Bengel, de Wette; Lietzmann: »Hören der Glaubensbotschaft«; O. Holtzmann u. a.); 2. Hören, das im Glauben geschieht (vgl. Holsten; Zahn, Bousset, Burton; Oepke – möglich –; E. Schweizer: ThWNT VI 424 Anm. 620); 3. Kunde oder Verkündigung des Glaubens (so de Wette, Hilgenfeld, B. Weiss, Gutjahr, Kuss, Kürzinger); 4. Kunde bzw. Verkündigung, die auf Glauben rechnet (so v. Hofmann, Sieffert; G. Kittel: ThWNT I 222, 31 f.: »Verkündigung, die den Glauben zum Inhalt und Ziel hat.«). Im einzelnen ist die Diskussion der vorliegenden Wendung in den Kommentaren recht verworren – kaum klare Entscheidungen –, ein Zeichen dafür, daß die Wendung schwerlich exakt zu bestimmen ist. Vgl. Schlier z. St.

[5] Dazu neben den Kommentaren E. Lohmeyer, »Gesetzeswerke«, in: Probleme paulinischer Theologie, Darmstadt 1954, 33 ff.

[6] Diese allgemeine Aussage wird auch so umfassend zu verstehen sein. Es sind also wohl die sichtbaren Geistäußerungen und die Geistmitteilung bei der Taufe gemeint. Vgl. W. Schrage, Die konkreten Einzelgebote in der paulinischen Paränese, Gütersloh 1961, 71.

[7] So Bisping, Hilgenfeld, v. Hofmann, Zahn, Steinmann, Lietzmann; anders Chrysostomus »verenden«.

[8] So de Wette, Meyer, Wieseler, Holsten, Zöckler, Lipsius, Sieffert (»Diese vermeintliche Vollendung ist in Wahrheit der kläglichste Rückschritt.«); Gutjahr, Watkins, Kampf des Paulus 17; Oepke, Kuss, R. Bring, Kürzinger. Zum religionsgeschichtlichen Hintergrund des Begriffspaares ἐνάρχεσθαι – ἐπιτελεῖν siehe Lightfoot, Zahn, Lagrange, Schlier, Bonnard z. St.

Art« (Oepke), nämlich »im Fleisch«. Ob diese Wendung auf die Beschneidung anspielt[1], bleibt ungewiß.

Nicht um an etwaige Verfolgungen, die die Galater um des Evangeliums willen erduldet haben[2], zu erinnern, sondern um die Geisterfahrungen als Zeichen des Heils in ihrer Bedeutung aufleuchten zu lassen, fragt der Apostel erneut: »*Solches habt ihr umsonst erfahren*[3]? *Wenn (es) denn wirklich umsonst (war)*« (V. 4), was ich nicht annehmen möchte[4].

Mit der Wiederholung der entscheidenden Frage beschließt der Apostel die Appellation an die Heilserfahrung der Galater: »*Der nun Darreichende euch den Geist und Wirkende Kräfte*[5] *unter euch – aus Werken des Gesetzes oder aus Hören des Glaubens?*« (V. 5).

Wie der Glaube für die Galater die Voraussetzung des Geistempfanges und der sichtbaren Geistäußerungen war, und diese zugleich ein Beweis dafür sind, daß die Galater auf dem Heilsweg sind und sich nicht nach neuen Wegen umzusehen brauchen, so war auch für Abraham, wie es Paulus jetzt in einem Vergleich den von der in den Abrahambund eingliedernden Beschneidung beeindruckten Galatern demonstriert, der Glaube der Grund seiner Gerechtigkeit: »*Gleichwie Abraham ›glaubte Gott, und gerechnet wurde es ihm zur Gerechtigkeit‹*, (Gen 15,6)[6]« (V. 6). Mit diesem Schriftwort hat der Apostel in besonderem Maße seine Aussage autorisiert (vgl. Röm 4, 3).

»*Erkennt*[7] *also*« – damit wird noch deutlicher, was der Rekurs auf Abrahams Glaube konkret den Galatern sagen soll – »*daß die aus Glauben, diese (und keine anderen) Söhne Abrahams sind*« (V. 7). Die Vermutung ist nicht zu

---

[1] So Sieffert, Gutjahr, O. Holtzmann, Schlier, Lyonnet u. a.

[2] So in neuerer Zeit: Zahn, Gutjahr; Lütgert, Gesetz und Geist 97f.

[3] Πάσχειν hat also hier neutralen Sinn: »erleben, erfahren« (Bauer Wb 1256)

[4] So v. Hofmann, M. Kähler, Lipsius, Sieffert, Gutjahr, Zahn, Lietzmann, Kuss, K. L. Schmidt, Schlier u. a.; anders, als Bestätigung aufgefaßt: »Ja wirklich: umsonst!«: Holsten, Sieffert (möglich), B. Weiss, Oepke u. a.; wieder anders: »Ja, wenn wirklich (bloß) vergeblich« – daß nicht noch Schlimmeres als bloße Vergeblichkeit eintreten möge: de Wette, Meyer, Bisping, Wieseler, Wörner, Philippi, Zöckler, Dalmer, O. Holtzmann, Züricher-Bibel.

[5] Nicht exakt zu bestimmen ist, welcher Art diese Krafttaten (δυνάμεις) waren, die hier im Zusammenhang – vielleicht auch explikatives καί! – mit den Geistesmanifestationen genannt werden. Nach 1 Kor 12, 10; 12, 28 f. und 2 Kor 12, 12 ließe sich an Wunder der Heilung und des Exorzismus denken (so z. B. Schlier).

[6] Zur umstrittenen Formel λογίζεσθαι εἰς δικαιοσύνην siehe Oepke, Schlier; Kuss, Römerbrief 181, ferner den Exkurs »Die Gerechtigkeit Gottes« 115-121, den Art. »Gerechtigkeit Gottes«, in: LThK[2] IV (1960) 716f.; Käsemann, in: Exegetische Versuche II 183; Kertelge, »Rechtfertigung« 122, 184ff.; vgl. auch J. Scharbert, in: Mysterium Salutis II 1084.

[7] Es kann auch indikativisch heißen: »Ihr erkennt also«: so Holsten, Lipsius, Schlatter, O. Holtzmann, Kuss, Züricher-Bibel u. a.

widerlegen, daß das Thema »Abrahamssohnschaft«, das hier (in der Parallele Röm 4 nur implizit) auftaucht, durch die Verkündigung der Beschneidungsprediger in Galatien in die Debatte eingeführt worden ist[1]. Die Abrahamskindschaft ist ja der Stolz Israels (vgl. Ps Sal 9,17; 3 Makk 6,3). Die paulinische Antwort, welche die Abrahamssohnschaft nicht vom natürlichen Generationszusammenhang und der Beschneidung abhängig macht, ist zwar der Synagoge nicht völlig fremd[2], aber doch in ihrer exklusiven Fassung, daß nur der Glaubende Abrahamssohn ist, neu[3].

Seine judenchristlichen Gegner vermag Paulus am besten vor den Augen der Galater mit der Schrift und ihrer Autorität zu widerlegen. So fährt er fort: »*Da aber die Schrift voraussah, daß aus Glauben*« (und nicht aus Gesetzeswerken) »*Gott die Heiden*[4] *gerechtspricht, vorausverkündete sie als Evangelium* (προευηγγελίσατο) *dem Abraham: ›Es werden gesegnet werden in dir alle Heiden‹*[5]« (V. 8). Damit tritt das Anliegen des Apostels wieder deutlich zutage, nämlich den heidenchristlichen Galatern klarzumachen, daß sie, wenn sie nur ihre ganze Existenz auf den Glauben gründen, den Segen Abrahams erhalten und nicht anderer Vorleistungen bedürfen.

So lautet denn auch die Schlußfolgerung: »*Daher: die aus Glauben werden gesegnet mit* (σύν!) *dem gläubigen Abraham*« (V. 9).

Paulus gibt sich aber nicht damit zufrieden, die Heilskraft des Glaubens herauszustellen, sondern versucht auch den gesetzeswilligen Galatern (vgl. 4,21) seine spezifische Meinung von der Unheilskraft des Gesetzes darzu-

---

[1] Vgl. W. Foerster, in: ZNW 1937, 292 Anm. 1: »Das Thema des Galaterbriefs ist: wer ist Abrahams Sohn und hat dadurch an den Abraham gegebenen Verheißungen Anteil?«; ders. in: ThWNT III 783 f. und neuestens in seinem Aufsatz: Abfassungszeit und Ziel des Galaterbriefes, BNW 30, 1964, 139; siehe auch Dahl, Volk Gottes 212.

[2] Vgl. Billerbeck I 529, II 523.

[3] Siehe Hilgenfeld z. St., ferner Klein, Rekonstruktion 203: »Diese Definition der Abrahamssöhne mittels einer schon für deren Ahnherrn charakteristischen Daseinshaltung hat erkannbar exklusiven Sinn. Da nun aber die πίστις eine erst mit dem Christusgeschehen eröffnete und nur in Einstellung darauf erschwingliche Existenzweise ist (vgl. V. 23 ff.), so ist bereits damit festgestellt, daß es außerhalb der christlichen Gemeinde keine Abrahamssohnschaft gibt und es ante Christum eine solche überhaupt niemals gegeben hat.«

[4] Τὰ ἔθνη entsprechend dem hebräischen גּוֹיִם, vgl. die LXX: die Heiden, ursprünglich: die Völker.

[5] Paulus zitiert den Abrahamssegen wohl nach Gen 12,3 LXX, nimmt aber die letzten vier Worte aus Gen 18,18 LXX, einer anderen Fassung des Segenswortes, um deutlicher die Deutung auf die Heiden zu ermöglichen, und versteht diesen Segen, der ursprünglich besagt, daß Jahwe alle die segnet, die Abraham segnen (s. Gen 12,3, vgl. auch J. Scharbert, Mysterium Salutis II 1084 u. 1086), als Vorausdarstellung des Evangeliums, daß alle Heiden, die wie Abraham den Weg des Glaubens gehen, mit ihm (ἐν σοί: so Oepke, anders Schlier) den Segen erlangen (vgl. V. 9).

legen[1] und aus der Schrift zu beweisen: »*Denn wieviele aus Werken des Gesetzes sind, unter Fluch sind sie. Denn geschrieben ist: ›Verflucht ist jeder, der nicht bleibt bei allem dem Geschriebenen in dem Buch des Gesetzes, es zu tun‹*« (V. 10). Das Schriftwort entstammt mit geringfügigen Änderungen Deut 27, 26 LXX und will ursprünglich zur vollständigen Befolgung des Gesetzes anspornen, setzt also voraus, daß das Gesetz erfüllt werden kann[2]. Demgegenüber scheint Paulus das Versagen des Menschen vor dem Anspruch des Gesetzes vorauszusetzen (vgl. 2, 17; 5, 3; Röm 2, 25–29)[3].

»*Daß* (deklaratives ὅτι) *aber im Gesetz*[4] *niemand gerechtgesprochen wird bei Gott*[5]«, d. h. auf dem Weg des Gesetzes nicht zur Anerkennung bei Gott gelangt, belegt der Apostel mit dem Schriftwort Hab 2, 4, das jedoch im Gegensatz zu Röm 1, 17 nicht eigens als solches kenntlich gemacht ist: »*Der Gerechte aus Glauben wird leben*«[6] (V. 11). Es handelt sich hier weniger um eine logische Begründung als um eine mit dem »Buchstaben« der Schrift argumentierende Feststellung.

---

[1] Insofern wird man nicht bloß von der »expliziten Destruktion« »der empirischen Judenheit« reden können (gegen Klein, Rekonstruktion 205).

[2] Siehe auch M. Noth, Die mit des Gesetzes Werken umgehen, die sind unter Fluch, in: Gesammelte Studien 1957, 155-171.

[3] So Bisping, M. Kähler, Lipsius, Gutjahr, Zahn, Bousset, O. Holtzmann, Lietzmann, Oepke; Kuss z. St. und in: MThZ 17 (1966) 217; Beyer-Althaus; Schoeps, Paulus 183; Bultmann, Theologie 263 f. und in: Glauben u. Verstehen II 44; H. Braun: ThWNT VI 479, 14 ff.; Klein, in: Rekonstruktion 206; K. Berger, Abraham usw., in: MThZ 17 (1966) 51: »Paulus sieht die Nicht-Erfüllung des Gesetzes im Sinne der Totalität als ein Faktum an und verbindet deshalb hier ebenso unbedenklich Gesetz und Fluch wie oben Glaube und Segen«; Luz, Geschichtsverständnis 149 ff.; Conzelmann, Theologie 247; anders Schlier, Gal 132: »Die Schriftstelle soll vielmehr nur bekräftigen, daß die Gesetzesleute unter dem Fluch stehen.« Der Fluch haftet dann nur an dem »Tun« (vgl. die Kontrastierung in V. 11 und Phil 3,6). Doch wird man schwerlich die Mitte des Zitates »der nicht bleibt bei allem dem Geschriebenen im Buch des Gesetzes« als für paulinische Aussage unerheblich erklären können. Auch ist nicht einzusehen, daß diese Aussage mit τοῦ ποιῆσαι αὐτά »fast ... ein Begriff« sein soll. Bonnard, Gal 67, interpretiert ähnlich wie Schlier; doch siehe H. Ridderbos, Paulus. Ein Entwurf seiner Theologie, Deutsch von E.-W. Pollmann, Wuppertal 1970, 111.

[4] Gutjahr: »Ἐν νόμῳ = auf Grund des Gesetzes ist wesentlich von διά oder ἐκ νόμου (ἐξ ἔργων νόμου) nicht verschieden.« Siehe auch Luz, Geschichtsverständnis 151.

[5] Ob Paulus hier einen möglichen Einwand seiner Gegner aufnimmt (so Cornely, de Wette, Sieffert, Gutjahr u. a.), ist ungewiß. Eher wird man mit Klein, Rekonstruktion 206, sagen: »Scheint es demnach so (nach V. 10), als enthalte es (das Gesetz) doch wenigstens eine zwar verschwindende, jedoch grundsätzliche Chance des Heils, so zeigt sich in dem eigentlichen Argument, V. 11 f., daß sein Unheilscharakter ein prinzipieller ist.«

[6] Dazu Holsten, Sieffert, Zahn, Oepke, Schlier, Kuss zu R 1, 17; Klein, Rekonstruktion 206.

Es folgt eine weitere Aussage über das Gesetz, die Paulus wie in den VV. 10 und 11 als These voranstellt und dann durch ein wiederum nicht ohne weiteres erkennbares Schriftwort legitimiert: »*Das Gesetz aber ist nicht aus Glauben, sondern ›wer sie getan hat, wird leben durch sie‹ (Lev 18,5)*« (V. 12). Es ist schwerlich zu bezweifeln, daß πίστις und ποιεῖν hier in einem Gegensatz zueinander stehen, nur ist zu fragen, ob dies ein prinzipieller Gegensatz ist, so daß das »Tun« als das Leistungsprinzip *die* Fehlhaltung des Menschen ist[1], oder ob ein relativer Gegensatz vorliegt, so daß das »Tun« sich deshalb mit dem Rechtfertigungsprinzip, dem Glauben, nicht deckt, weil das »Tun«, so richtig es theoretisch ist, daß die Täter des Gesetzes gerechtgesprochen werden (vgl. Röm 2, 13), de facto doch nicht zur Gerechtigkeit, sondern zum Fluch führt[2].

Der mit 3, 1 beginnende Reflexionsgang des Apostels findet in den VV. 13 und 14 seinen die wesentlichen Gedanken in ihrer Relevanz für die Galater zusammenfassenden Schluß. Dabei wird der Angelpunkt des paulinischen Denkens, das Verständnis des Kreuzes Christi als des entscheidenden Heilsereignisses, sehr gut sichtbar: »*Vom Fluch des Gesetzes*«, siehe die Verse 10–12, »*hat Christus uns*« (zunächst wohl die Juden[3]) »*losgekauft*[4], indem er wurde* (γενόμενος) *für uns*« (uns zugute[5] und an unserer Stelle[6]) »*Fluch* (κατάρα)« – diese skandalöse Aussage muß erst recht die Schrift legitimieren: –, »*denn geschrieben ist: ›Verflucht (ist) jeder, der am Holz hängt‹ (Deut 21, 23[7])*« (V. 13).

---

[1] So z.B. Oepke, Schlier; Luz, Geschichtsverständnis 150; Klein, Rekonstruktion 206.

[2] Siehe Lietzmann z.St.; Kuss, Römerbrief 68 (zu Röm 2, 13); H. Braun: ThWNT VI 479. Auch die für Paulus so charakteristische objektivierende Ausdrucksweise würde für diese Interpretation sprechen.

[3] Wenn »ἡμᾶς« hier »uns Juden« meint, würde in V. 14a der Blick auf die Heiden gelenkt und in V. 14b Juden und Heiden in λάβωμεν zusammengefaßt: so Bengel, de Wette, Meyer, Bisping, Wieseler, Wörner, Lightfoot, v. Hofmann, Sieffert, Zahn, Burton, Lietzmann, Lagrange, Kuss, Lyonnet, J. Schneider: ThWNT V 39, 6ff. u.a. Möglich erscheint aber auch, daß ἡμᾶς zwar primär die Juden meint, aber als »den Typus derer, die unter dem Gesetz stehen« (Schlier), und somit die Heiden nicht ausgeschlossen sind (vgl. Gal 4, 3-5. 8ff.): so Dalmer, Gutjahr, Bousset, Oepke, Bonnard, Schlier, Beyer-Althaus; Klein, Rekonstruktion 207; Luz, Geschichtsverhältnis 152f.; van Dülmen, Gesetz 36 Anm. 87.

[4] Eine informative Zusammenstellung der unterschiedlichen Meinungen über die ursprüngliche Bedeutung des Begriffes ἐξαγοράζειν bietet K. Niederwimmer, Der Begriff der Freiheit im NT, Berlin 1966, 175f.

[5] So Meyer, Hilgenfeld, Wieseler, Zöckler, Philippi, Sieffert.

[6] So die meisten, s. bes. Zöckler, Sieffert u. Lietzmann z.St.

[7] Die Differenz zum Sinn des Schriftwortes im AT – hier ist vom Aufhängen eines wegen eines todeswürdigen Verbrechens Hingerichteten an einem Schandpfahl zur zusätzlichen Schmach die Rede – ist weniger entscheidend. Der Kernpunkt der Aussage ist, daß ein Gehängter ein vom göttlichen Fluch Getroffener ist.

Ein zweifaches Ziel des Kreuzesgeschehens wird genannt: »*damit zu den Heiden der Segen Abrahams komme in Jesus Christus*« (V. 14a) – die Thematik der VV. 6–9 klingt an – und »*damit wir die Verheißung des Geistes empfangen durch den Glauben*« (V. 14b) – die Darlegungen der VV. 2–5 treten in das Blickfeld. Diese letzte Aussage bedarf keiner Schriftautorisierung, sie ist ja unmittelbare Erfahrung der Galater, die wieder direkt angesprochen sind. Der Loskauf vom Fluch des Gesetzes, der auf dem Anspruch und der Gültigkeit des Gesetzes beruht, bedeutet zugleich Aufhebung des Gesetzes, denn Christus ist in gewisser Weise an die Stelle des Gesetzes getreten[1], in ihm haben die Heiden Zugang zum Segen Abrahams, und der Glaube an Christus ermöglicht den Empfang des Geistes, der als eschatologische Segensgabe die Erfüllung der Verheißung ist[2].

b) Gal 3, 15–18

Im folgenden geht Paulus näher auf das geschichtliche Verhältnis von Verheißung und Gesetz ein. Könnte nicht das Gesetz als gottgegebener Zusatz zur Verheißung verstanden werden, so daß die Befolgung des Gesetzes Voraussetzung für die Erfüllung der Verheißung und der Erlangung des Segens Abrahams wäre? Mit einem Beispiel aus dem menschlichen Leben soll dieses Problem geklärt werden: »*Brüder, nach einem Menschen rede ich: Schon*[3] *eines Menschen rechtsgültig gemachtes Testament* (κεκυρωμένη διαθήκη) *beseitigt* (ἀθετεῖ) *oder erweitert* (ἐπιδιατάσσεται) *keiner*« (V. 15). Da in diesem Vergleich aus dem Rechtsleben[4] die διαθήκη (hier nicht Bund, sondern Willensverfügung[5], am besten Testament) mit der Verheißung an Abraham gleichgesetzt wird (vgl. V. 16f.) und gegenüber dem Gesetz als der möglichen Ungültigmachung oder Abänderung der Verheißung abgegrenzt wird, so ist schon hier das Gesetz implizit als eine gottunabhängige Macht vorausgesetzt (vgl. 3, 19)[6], denn οὐδείς ist nicht auf den Testator selbst zu beziehen[7].

Allerdings läßt Paulus das ὑπὸ θεοῦ fort, ob bewußt, um die Vorstellung zu vermeiden, Jesus sei kein persönlich vom Fluch Gottes Getroffener (so Oepke, vgl. auch Sieffert, Schlier u.a.), ist nicht zu beweisen.

[1] Siehe die präzisierenden Ausführungen in Abschnitt 4a dieses Kapitels und IV. Kap. Abschnitt 4 »Der Christ als Pneumatiker«.

[2] Vgl. 4, 4ff.; 3, 16 u. 3, 28b. 29.

[3] Dazu W. Bauer Wb 1128; J. Jeremias, in: ZNW 52 (1961) 127f.

[4] Zu den Diskussionen über die Frage, an welches Recht zu denken sei, s. bes. Oepke u. Schlier z. St.

[5] So v. Hofmann, Holsten, Philippi, Lipsius, Zöckler, O. Holtzmann, Bousset u.a.

[6] So Lipsius, Lietzmann; vgl. Oepke zu 3, 17.

[7] Gegen Schlier. – Man wird allerdings – wie so oft bei Paulus – das herangezo-

In einer Parenthese identifiziert Paulus das Testament mit den Verheißungen an Abraham[1] und kommt auf die Beziehung dieser zu Christus zu sprechen: »*Dem Abraham aber wurden zugesprochen die Verheißungen ›und seinem Samen‹. Nicht sagt er: und den Samen, wie bei vielen, sondern wie bei einem: ›und deinem Samen‹, das ist Christus*« (V. 16). Die Verheißungen gelten Abraham und seinem Samen[2]; auf dieser Verbindung liegt in unserer Zwischenbemerkung der Akzent. Im Alten Testament und auch in Gal 3, 29; Röm 4, 18; 9, 7 f.) hat σπέρμα kollektiven Sinn. Hier aber entdeckt Paulus den Auslegungsmethoden seiner Zeit entsprechend einen tieferen Sinn in dem Singular τῷ σπέρματι, nämlich einen verborgenen Hinweis auf Christus[3]. Abraham und Christus sind die Verheißungsträger. Christus ist hier nicht der Christus mysticus, die Kirche. Jedoch steht die Einheit von Christus und den an ihn Glaubenden im Hintergrund (vgl. V. 26 f.)[4].

Den Gedanken von V. 15 nimmt der Apostel wieder auf und bringt die Anwendung des Gleichnisses: »*Dies aber sage ich: ein Testament, vorher rechtsgültig gemacht von Gott, macht nicht rechtsungültig das nach 430 Jahren entstandene Gesetz und beseitigt* (εἰς τὸ καταργῆσαι) *die Verheißung*« (V. 17). Während die Verheißung als ein rechtsgültiges Testament Gottes charakterisiert wird, wird das Gesetz degradiert zu einer nicht-göttlichen[5], erst viel später, 430 Jahre[6] nach der Verheißung »gewordenen«[7] Macht, der eine feindliche Position gegenüber der Verheißung, dem eigentlichen Willen Gottes, wenigstens hypothetisch zugetraut wird[8]. Der Angriff des Paulus auf das

---

gene Beispiel nicht nach allen Richtungen hin durchdiskutieren dürfen, denn das Gleichnis hinkt offensichtlich in zumindest einem Punkt, daß nämlich Gott als Erblasser nicht stirbt.

[1] Siehe V. 17; vgl. Schlier; Für Paulus »ist die Identiät der διαθήκη mit den ἐπαγγελίαι so selbstverständlich, daß er die letzteren einfach für die erstere einsetzt«.

[2] Von den Verheißungen an Abraham ist in der Genesis häufig die Rede (12, 2 ff.; 13, 15 f.; 15, 4 ff.; 17, 1 ff.; 22, 16 ff.; 24, 7 ff.), das Stichwort »Bund« (בְּרִית = LXX διαθήκη = Testament) und die Wendung »und deinem Samen« kommen besonders häufig in Gen 17, 1–11 vor, aber auch 13, 15 f. ist nicht auszuschließen, falls Paulus auf eine bestimmte atl. Stelle anspielt.

[3] Kritik gegenüber dieser Schriftdeutung des Paulus wird oft angemeldet, siehe Olshausen, de Wette, Bousset; Burton (streicht V. 16b als Glosse). Zu entschuldigen suchen die Auslegung des Paulus: Philippi, Sieffert, Gal 196; Zahn; vgl.B. Weiß.

[4] Dazu Dahl, Volk Gottes 214: Paulus versteht den singularischen Ausdruck τῷ σπέρματί σου, den er auf Christus bezieht, »nicht exklusiv sondern inklusiv« (s. 3, 26 ff.). Vgl. Blank, Paulus 272 f.

[5] Der Zusatz ὑπὸ τοῦ θεοῦ fehlt, und siehe V. 19.

[6] Die Zahlenangabe »430 Jahre« gründet auf Ex 12,40, nach der LXX die Zeit des Aufenthalts in Kanaan und Ägypten, nach dem masoretischen Text nur die ägyptische Zeit Israels.

[7] Vgl. Oepke: γεγονώς »beinahe verächtlich«.

[8] Dazu Lightfoot, Lipsius, Sieffert.

jüdische Verständnis der Heilsgeschichte ist radikal. Die Mosesoffenbarung erhält einen völlig negativen Akzent[1], und die jüdische Tradition, die weiß, daß Abraham die Tora kannte und auch erfüllte[2], wird annulliert. Weder kann das Gesetz die Verheißung aufheben (V. 17), noch ist es ein positiver Faktor bei der Erlangung des verheißenen Erbes. Diesen Gedanken entwickelt der Apostel in der für ihn typischen dialektischen Denkweise: *»Denn wenn aus dem Gesetz das Erbe, nicht mehr aus der Verheißung«* (V. 18a). Ein Sowohl-Als-auch, wie es die jüdische Tradition und wahrscheinlich auch die galatischen Gegner des Paulus kennen, gibt es für ihn nicht. Als Ergänzung der Verheißung darf das Gesetz ebenfalls nicht verstanden werden[3]. Ein wenig mehr logische Begründung für seine These vom Gegensatz zwischen Gesetz und Verheißung als in der soeben konstruierten Alternative gibt der Apostel in der abschließenden Bemerkung: *»Dem Abraham aber hat sich durch Verheißung gnädig erwiesen* (κεχάρισται) *Gott«* (V. 18b). Gott – nachdrücklich an den Schluß gestellt – hat sich ein für allemal für die Verheißung entschieden und Abraham nicht den Gesetzesweg, sondern die Gnade als das Heil geoffenbart[4].

c) Gal 3, 19–25

Nach den zahlreichen Seitenhieben gegen die jüdische Hochschätzung des Gesetzes muß doch endlich einmal – so verlangt es der Hörer – die Frage nach dem Sinn des Gesetzes gestellt werden: *»Was* (soll) *nun das Gesetz?* (τί οὖν ὁ νόμος;)«[5]. Zunächst die Antwort: *»Um der Übertretungen willen* (τῶν παραβάσεων χάριν) *wurde es hinzugefügt, bis käme der Same, dem die Verheißung gegeben ist«* (V. 19a u. b). Das nach jüdischer Tradition vor der Welt erschaffene[6] und auch nach alttestamentlicher Offenbarung nicht be-

---

[1] Vgl. Röm 5,20: Νόμος δὲ παρεισῆλθεν – zwischen Adams Fall und der Heilstat Christi. Im Gal ist das Gesetz zwischen der Abraham gegebenen Verheißung und der Ankunft Christi, des Samens Abrahams, als heilsgeschichtliches Intermezzo mit negativem Vorzeichen dargestellt. Die Kluft der paulinische Aussage von 3, 17 ist um so größer, wenn man mit O. Eißfeld (Das Gesetz ist zwischeneingekommen. Ein Beitrag zur Analyse der Sinai Erzählung Ex 19–24, in: ThLZ 91 [1966] 1–6, = Kleine Schriften IV, Tübingen 1968, 209–214) »im Mittelpunkt des Sinaibundesschlusses« ... »nicht ein Gesetz, sondern eine göttliche Verheißung« sieht (209).

[2] Vgl. 2 Makk 2, 18; syr Bar 57, 2; 59, 2; 4 Esr 6, 56; Jub 24, 11; siehe ferner Billerbeck III 205 f.; Schlier z. St.

[3] Siehe Anm. 1 u. die Kommentare.

[4] Beachte das κεχάρισται.

[5] Sowohl nach der Qualität des Gesetzes (Was *ist* das Gesetz?) als auch nach der heilsgeschichtlichen Bedeutung des Gesetzes (Was *soll* das Gesetz?) ist gefragt, wie die folgende Anwort zu erkennen gibt.

[6] Vgl. Billerbeck IV 436; Bousset-Greßmann, Die Religion des Judentums 120.

grenzte, ewige Gesetz ist für Paulus ein Zusatz (προς-ετέθη) mit Anfang
und Ende, hinzugekommen zur Verheißung, freilich nicht als heilsförder-
liche Ergänzung, und nur gültig bis zur Ankunft Christi, des Samens, dem
die Verheißung gilt (ἐπήγγελται). Nach Röm 5, 20 ist das Gesetz »daneben
hereingekommen« (παρεισῆλθεν) zu Sünde und Tod. »Weit entfernt also,
das Generalthema der Heilsgeschichte zu sein, ist es lediglich ein Intermezzo, ein Zwischenspiel, das selbständige Bedeutung nicht hat«[1]. Vollends
dem jüdischen Gesetzesverständnis zuwider ist es, wenn Paulus im Gesetz
keinen Heilsfaktor in der Geschichte sieht, sondern den Sinn seiner Existenz mit den Worten τῶν παραβάσεων χάριν[2] umschreibt. Nicht eine sünden-
wehrende[3], sondern eine sündenmehrende Funktion kommt nach der Ansicht des Paulus dem Gesetz zu (vgl. Röm 5, 20; 7, 7 ff.)[4]. »Der Rückschauen-
de erkennt von Jesus Christus her, daß Gottes Plan gerade in der Mehrung
der Sünde die überschwengliche Mehrung der Gnade intendierte«[5]. Im
Unterschied zur strengen Judenchristenheit kommt Paulus zu seinem für
jüdische Ohren skandalösen Gesetzesverständnis[6] wohl aus dem Grund,
weil er nicht wie die Judenchristen vom »alten Testament« aus auf Christus
als das »volle« Heil blickt, sondern von Christus als dem einzigen Heil aus
auf das »alte Testament« zurückblickt, das dann nur Finsternis und Unheil
sein kann (das Damaskuserlebnis des Apostels ist hier zu berücksichtigen).
In seiner Umwertung der Werte geht Paulus noch einen weiteren Schritt,
indem er vom Gesetz sagt: »*angeordnet durch Engel, in der Hand eines Mittlers*«
(V. 19 c). Was jüdischer Tradition Zeichen für die Heiligkeit des Gesetzes
war – die Anwesenheit der Engel bei der Gesetzgebung –[7], benutzt Paulus,
um die Minderwertigkeit des Gesetzes zu charakterisieren: es ist bloß von
Engeln gegeben. Es ist strittig, ob der Apostel hier ausdrücken will, das

---

[1] Kuss, Römerbrief 240.

[2] Χάριν, Akk. zu χάρις, zur Präposition geworden (Bl-Debr § 160), kann die Ursache (vgl. Lk 7,47; 1 Joh 3, 12), aber auch den Zweck (vgl. 1 Tim 5, 14; Tit 1, 11;
Jud 16) angeben. Der ursprüngliche Sinn »zugunsten« mag zu der Bedeutung »um
willen« abgeschliffen sein, was jedoch den Sinn der paulinischen Aussage nicht
ändert (siehe den Kontext u. Röm 5, 20).

[3] So viele ältere Kommentare, vgl. Olshausen, de Wette.

[4] Auch die Exegese, das Gesetz sollte die Übertretungen und damit die Sünde
bewußt machen, um den Menschen ganz auf Gottes Gnade in Christus zu verweisen, trifft den Skopus der paulinischen Aussage nicht exakt (gegen Schäfer, Gutjahr; Zerwick, Gal 65; dagegen richtig Meyer, Hilgenfeld, Lightfoot, Sieffert,
Lietzmann, Duncan, Oepke, Kuss, Schlier; H. Conzelmann, Theologie 250; Ridderbos, Paulus 114; u.a.).

[5] Kuss, Römerbrief 240.

[6] Auch den Christen späterer Jahrhunderte sind diese Worte anstößig gewesen,
siehe die vielen Korrekturen des Textes.

[7] Vgl. Deut 33,2 LXX; Jub 1,29; 2,2ff.; aeth. Hen 60,11; Apk Mos 1; ferner
Billerbeck II 354, III 554f.; im NT: Apg 7,38.53; Hebr 2,2.

Gesetz stamme nur mittelbar von Gott (διά würde die Mittlerschaft der Engel bezeichnen)[1], oder ob Paulus das Gesetz als feindliche Macht nicht auf Gott zurückgehen läßt (διά im Sinne von ὑπό)[2]. Hierfür würden die vorhergehenden Ausführungen (VV. 15–17) sprechen – das Gesetz als fremde ἐπιδιαθήκη – und vor allem, wie Oepke mit Recht sagt, daß die Engel als bloße Mittelspersonen neben dem μεσίτης nicht der Erwähnung bedürften[3]. Jedenfalls liegt Paulus daran, den sekundären Charakter des Gesetzes – seinen im Vergleich zur Verheißung nicht gleichwertigen Ursprung – so stark wie möglich zur Sprache zu bringen[4]. Mit dem μεσίτης kann kein anderer als Moses gemeint sein, den Paulus interessanterweise im Gegensatz zu Abraham in der ganzen Gesetzesdebatte kein einziges Mal namentlich erwähnt und auch hier nur am Rande »nicht in maiorem, sondern in minorem gloriam legis« (Oepke) auftreten läßt[5].

Eine Bemerkung recht allgemeiner Art soll wohl die Aussage von V. 19b erläutern: »*Der Mittler aber ist nicht eines, Gott aber ist einer*« (V. 20). Wenn das Gesetz von einem Mittler stammt, dann ist klar, so dürfte der Gedanke des Paulus sein, daß es nicht von Gott stammt, denn der Mittler vertritt in der Regel eine Gruppe, eine Vielzahl[6], nicht einen, Gott aber ist einer[7]. Schon die Tatsache der Vermittlung läßt die Inferiorität des Gesetzes gegenüber der Verheißung erkennen.

---

[1] So Zöckler, Sieffert, Burton, Lagrange, Schlier; Kuss, Nomos 242; Bring; v. Campenhausen, Bibel 43.

[2] So Loisy; Schweitzer, Mystik 70ff.; Lietzmann, Oepke; Bultmann, Theologie 178 u. 270; Bornkamm, Aufsätze I 148; Marxsen, Einleitung 48; Klein, in: Rekonstruktion 209.

[3] Dazu Zerwick: »Jedenfalls wird ihnen (den Engeln) mehr zugeschrieben als reine Vermittlung zwischen Gott, dem Gesetzgeber, und seinem Volk, denn von einer solchen Vermittlung (nämlich durch Moses) ist ja noch eigens die Rede.«

[4] Die Nähe der paulinischen Aussage zu gnostischen Anschauungen betonen Schlier z. St.; Bornkamm, Aufsätze I 148; Bultmann, Theologie 270; jedoch auch schon Hilgenfeld z. St.

[5] Ist die Gestalt des Moses, der Israel aus Ägypten führte, zu ehrwürdig und zu sehr Autorität, daß Paulus sie nicht offen negativ bestimmen kann?

[6] Diese Voraussetzung muß bei diesem Lösungsversuch gemacht werden. Vgl. F. J. Schierse, Mittler, in: HThG II (1963) 170: »Der Apostel hat wahrscheinlich den rabbinischen Maklerbegriff vor Augen und denkt sich das Gesetz als Ergebnis einer Vereinbarung zwischen Moses und den Engeln. Dagegen hat die Verheißung ihren Ursprung in Gott allein; deshalb bringt sie seinen Willen unverkürzt zum Ausdruck, während das Gesetz einen Kompromiß darstellt.«

[7] Ähnlich interpretieren Loisy; Schweitzer, Mystik 71; Lietzmann, Oepke, Kuss, Bonnard, Schlier, Zerwick, anders Lightfoot, Sieffert, Burton, Lagrange, die den Kompromißcharakter des Gesetzes, weil von einem Mittler zweier Parteien, betonen. Auf folgende Literatur sei noch hingewiesen: R. Bring, Der Mittler und das Gesetz – eine Studie zu Gal 3,20, in: Kerygma u. Dogma 12 (1966) 292–309; U. Mauser, Gal 3,20: Die Universalität des Heils, in: NTSt 13 (1966) 258–270.

Bei einer so negativen Charakterisierung des Gesetzes drängt sich die Frage auf: »*Ist nun das Gesetz gegen die Verheißungen (Gottes)?*« (V. 21 a). Dieser Einwand, den der Apostel mit einem μὴ γένοιτο niederschlägt (vgl. 2, 18), will nicht nach dem Gesetz als einem etwa mit der Verheißung konkurrierenden Heilsweg fragen[1], sondern danach, ob das Gesetz der Verheißung widerstreitet. Den Einwand gibt Paulus zurück[2] in der für ihn bezeichnenden dialektischen Argumentationsweise: »*Denn wenn gegeben wäre ein Gesetz, das fähig wäre, Leben zu spenden*« – so der judenchristliche Standpunkt –, »*käme die Gerechtigkeit aus dem Gesetz*« (V. 21 b)[3]. Dies aber – so ist zu ergänzen – wäre in der Tat ein Angriff auf die Verheißung, nämlich ihre Annullierung[4]. Der Sinn des Gesetzes muß also ein ganz anderer sein, wie der Apostel im folgenden darlegt.

»*Doch zusammenschloß die Schrift alles unter Sünde, damit die Verheißung aus Glauben an Jesus Christus gegeben würde den Glaubenden*« (V. 22). In V. 23 finden wir den gleichen Gedanken, nur ist nicht von der Schrift, sondern von dem Nomos die Rede. Deshalb könnte man interpretieren: Was der Nomos wirkte, hat die Schrift – hier wie V. 8 personifiziert – gewußt und als göttlicher Absicht nicht zuwiderlaufendes Geschehen zum Ausdruck gebracht[5]. In diesem Sinn war es der Wille der Schrift, den freilich nur der von Christus her sehende Gläubige recht erfaßt[6], alles unter die Sünde zusammenzuschließen, damit die Verheißung aus Glauben, dem einzigen Heilsprinzip, den an Christus Glaubenden zuteil würde. Wenn auch ohne Anspielung auf besondere Schriftstellen – allerdings hat der Apostel ja schon einen Schriftbeweis für den Fluch des Gesetzes geführt (VV. 10-12) – scheint Paulus

---

[1] »Denn nach V. 19 b. 20 wäre es doch absurd, die Frage für möglich zu halten, ob das Gesetz den Verheißungen soteriologisch den Rang abzulaufen vermöge«: so richtig Klein (Rekonstruktion 211) gegen Schlier; richtig ferner Wörner, Lipsius, Sieffert, Zahn, Bousset, Lietzmann.

[2] Dazu Gutjahr: »So schlägt Paulus die Gegner mit ihren eigenen Waffen.« Bousset: »Was man ihm etwa vorwerfen möchte, daß er einen grundsätzlichen Widerspruch zwischen Gesetz und Verheißung behaupte, das ergibt sich nur dann, wenn man von der judaistischen Behauptung ausgeht, es gehe ein lebensschaffendes Gesetz.« Vgl. Wörner, Sieffert, Lipsius, Zahn, Oepke, Zerwick.

[3] Bisping: »Die Beweisführung des Apostels geht ab effectu (ζωοποιῆσαι) ad causam (ἡ δικαιοσύνη).«

[4] Hier könnte der Gedanke vom Gesetz als vermeintlichem mit der Verheißung konkurrierenden Heilsweg seinen Ort haben.

[5] Dazu E. Grafe, Die paulinische Lehre vom Gesetz nach den vier Hauptbriefen, Freiburg i. B. u. Leipzig ²1893, 16: »Paulus giebt die kühne, für einen Juden geradezu verblüffende Antwort: das, was das Gesetz *thatsächlich* gewirkt hat, *sollte* es auch wirken.«

[6] Vgl. Klein, Rekonstruktion 213: »Der positive Gesetzessinn erschließt sich also nur a posteriori: Nicht wird vom Gesetz aus der Glaube als die einzige infrage kommende Ablösung des Gesetzes einsichtig, sondern umgekehrt wird erst vom Glauben her einsichtig, worauf das Gesetz den Menschen objektiv anweist.«

seine so ganz andere Auffassung vom Gesetz und der Heilsgeschichte mit dem Hinweis auf die Autorität der Schrift untermauern zu wollen (vgl. auch 4, 21 ff.).

»*Vor dem Kommen des Glaubens aber*« – die verobjektivierende Sprache des Apostels ist an dieser Stelle unverkennbar[1] – »*wurden wir unter dem Gesetz gefangengehalten* (ὑπὸ νόμον ἐφρουρούμεθα), *zusammengeschlossen* (συγκλειόμενοι) *für* (εἰς)[2] *den Glauben, der offenbart werden sollte*« (V. 23). Die Wendung ὑπὸ νόμον ἐφρουρούμεθα steht zu dem συνέκλεισεν... ὑπὸ ἁμαρτίαν (V. 22) parallel. Schon daraus ist ersichtlich, daß φρουρεῖν[3] hier nur den Sinn: »in Haft halten, bewachen« haben kann und nicht positiv: »bewahren, beschützen, behüten« zu fassen ist. Der Sinn einer Haft kann recht verschieden sein. Es gibt Untersuchungshaft, Strafhaft und Schutzhaft. Doch ist es fraglich, ob Paulus hier an eine Schutzhaft denkt und der Sinn des In-Haft-Seins darin besteht, »vor dem Ärgsten zu bewahren«[4] – an eine sündeneinschränkende Wirkung des Gesetzes wird auch hier nicht gedacht sein[5] –, vielmehr wird das Moment der Gefangenschaft hervorgehoben[6]. Das folgende συγκλειόμενοι bringt ebenfalls diesen Gedanken zum Ausdruck.

Zusammenfassend sagt der Apostel über den Sinn des Gesetzes: »*Also ist das Gesetz unser Aufseher* (παιδαγωγός) *geworden bis zu Christus hin, damit wir aus Glauben gerechtgesprochen werden*« (V. 24). Das von vornherein nicht ganz eindeutige Bild des παιδαγωγός kann nur seine letzte exakte Bestimmung von den nicht-bildhaften, »sachlichen« Aussagen des Kontextes über das Gesetz erhalten. Ist schon von der negativen Charakterisierung des Gesetzes in den vorherigen Versen her einer positiven Deutung des Nomos als παιδαγωγός hier im Schlußwort Halt geboten, so entspricht dies auch der Feststellung, daß der antike »Pädagoge« alles andere als ein Erzieher, sondern ein Aufseher – oft ein zu nichts anderem tauglicher Sklave – war, der mit Härte bis

---

[1] Siehe Sieffert, Zahn; vgl. Oepke: »Gemeint ist dabei immer der Glaube an Christus. Im Glauben Abrahams ist dieser Glaube nur erst vorgebildet.« Nach Zerwick denkt Paulus hier »schematisierend«.
[2] Chr. Dietzfelbinger, Heilsgeschichte bei Paulus?, ThEx 126, München 1965, 29: »Das εἰς in Gal 3,23 f. ist zunächst also zeitlich zu verstehen und bezeichnet das Ausgerichtetsein einer Epoche auf den Anbruch einer neuen Epoche. Theologisch gesehen hingegen bringt das εἰς die göttliche Absicht zum Ausdruck: sie wirkte in der Schrift, durch die sie alles unter die Sünde einschloß, und sie ist von vornherein auf die Ablösung der Nomoszeit durch die Zeit des Glaubens und der Sohnschaft aus.«
[3] Φρουρέω: 1. bewachen; 2. in Haft halten; 3. bewahren, beschützen, behüten: Bauer Wb 1714f.
[4] So Bisping, Lightfoot, Bousset, Lagrange, Bonnard u.a.
[5] So richtig Sieffert.
[6] Siehe Lipsius, Sieffert, Zahn, Bousset, Schlier, Beyer-Althaus; Ridderbos, Paulus 112.

zur Zeit der Mündigkeit des Knaben sein Amt ausübte[1]. Sicherlich interessiert hier Paulus nicht der Einzelzug, daß der Pädagoge natürlich auch seinen Zögling vor Unfällen und päderastischen Nachstellungen zu bewahren hatte, sondern im Mittelpunkt steht in Übereinstimmung mit den Aussagen von V. 22f. die aufpassende, überwachende und harte Funktion des Gesetzes. Der παιδαγωγὸς εἰς Χριστόν ist also keineswegs ein Erzieher auf Christus hin[2], der den Menschen immer »christlicher« werden läßt[3] – »Der Apostel selber hat das Gesetz nicht als Erzieher zu Christus erfahren« (Beyer-Althaus) –, sondern mit dem Bild des »Pädagogen« soll die zeitlich befristete »Gefangenschaft« des Menschen unter einem Zuchtmeister, der nicht bessert, sondern nur äußerlich erzieht, der nicht das Leben eröffnet, sondern verweigert, ausgesagt werden[4].

»*Nachdem aber der Glaube gekommen ist*« (ἐλθούσης δὲ τῆς πίστεως) – so sagt es Paulus am Schluß seines Exkurses über das Gesetz den gesetzeswilligen Galatern –, »*nicht mehr unter einem Aufseher sind wir*« (V. 25). Die Gefangenschaft ist beendet, denn für den an Christus Glaubenden gibt es einen παιδαγωγός (ohne Artikel!), d. h. das Gesetz, welcher Provenienz auch immer (vgl. 4, 1 ff.), nicht mehr. Damit spricht der Apostel wieder recht konkret in die galatische Situation hinein; das findet seine Fortsetzung in der direkten Anrede V. 26.

d) Gal 3, 26-29

Unmittelbar an die Galater gewandt, zieht der Apostel für ihre Glaubenssituation ähnlich wie in V. 14 (vgl. auch 5, 1-12; 6, 11-18) die Summe aus seinen bisherigen Erörterungen[5]: Um das Heil zu erlangen und Erben der an Abraham ergangenen Verheißungen zu werden, brauchen sie nicht durch Übernahme der Beschneidung Abrahamssöhne zu werden; ebenso ist der Gesetzesweg nicht bloß nicht erforderlich, sondern von Christus her als Unheilsweg zu erkennen. Wonach die Galater also Ausschau halten, das

---

[1] Dazu das Material bei Lietzmann, Oepke, Schlier.

[2] Εἰς Χριστόν ist zunächst zeitlich zu verstehen, aber das telische Moment ist, wie der ἵνα-Satz zeigt, mitgegeben. Vgl. auch Ridderbos, Paulus 115 Anm. *80*.

[3] So Chrysostomus u. viele ältere Kommentare; ferner Wörner, Gutjahr, Duncan u. a.

[4] So richtig Lipsius, Sieffert; W. Wrede, in: WdF XXIV 45 f.; Bousset, Lietzmann, Oepke, Kuss, Schlier; Bornkamm, Paulus 138; Beyer-Althaus; Ridderbos, Paulus 114: »Kein Bild ist Paulus radikal genug, um diesen negativen Effekt (des Gesetzes: Sündenpro-duktion; Gefangenschaft und Tod) und die darin enthaltene göttliche Absicht mit dem Gesetz in der ganzen Unheil bringenden Kraft darzustellen.«

[5] Wie Gal 3, 13 f. wird der Angelpunkt des paulinischen Denkens, die Mitte seiner Theologie, sichtbar: »in Christus« ist das Heil gegeben.

sind sie schon in Christus, ja noch mehr: »*Denn alle seid ihr Söhne Gottes durch den Glauben in Christus Jesus*« (V. 26). Nicht Unmündige und Zöglinge, dem Gesetz wie einem Zuchtmeister unterstellt, sondern »Söhne Gottes« sind sie[1], aber nur »durch den Glauben« und »in Christus«[2].

Die kühne und zuversichtliche Aussage über die Gottessohnschaft »in Christus« begründet der Apostel weiter mit der Feststellung: »*Denn alle, die* (ὅσοι)[3] *ihr auf Christus getauft seid, habt Christus angezogen*[4]« (V. 27). Was V. 26 vom Glauben sagt, ist hier von der Taufe ausgesagt. Das Zum-Glauben-Kommen und das Getauft-Werden gehören für Paulus zusammen[5], wobei der Glaube das Umfassendere ist[6]. Nach 4, 6f. und Röm 8, 14 (vgl. auch Gal 3, 14) ist der Empfang und das Wirken des Geistes wesentlich für die Sohnschaft.

Was die Galater zu beherzigen haben, heißt also: »*Nicht ist da*[7] *Jude noch Grieche, nicht ist da Sklave noch Freier, nicht ist da männlich und weiblich*; *denn alle seid ihr einer in Christus Jesus*« (V. 28). Aus dem neuen Stand der Gottessohnschaft in Christus resultiert – und dies ist betont vorangestellt –, daß der Unterschied zwischen Jude und Grieche[8] aufgehoben ist. Christus ist die

---

[1] Das Moment der »Mündigkeit« der Söhne ist implizit mitausgesagt (vgl. V. 29 u. 4, 1–7). Daß die dem Gesetz Unterstellten und Verhafteten »unmündige Söhne Gottes« seien, sagt Paulus nicht. Er vermeidet es, in diesem Fall von Söhnen Gottes zu reden.

[2] Eine so kühne und zuversichtliche Aussage kann der Apostel machen, weil die Glaubenden »in Christus« sind. ’Εν Χριστῷ ’Ιησοῦ bezieht sich auf υἱοὶ θεοῦ, so Lightfoot, Zahn, Oepke, Schlier; anders Sieffert, Lagrange. – Oepke: »Paulus unterscheidet also eine abgeleitete von der ursprünglichen Gottessohnschaft Christi, er braucht aber im Unterschied von Joh υἱοί und τέκνα noch als Wechselbegriffe.« Siehe auch W. Thüsing, Per Christum in Deum. Studien zum Verhältnis von Christozentrik und Theozentrik in den paulinischen Hauptbriefen, NTA NF 1, Münster 1965, 116–119.

[3] Ὅσοι entspricht hier sachlich dem πάντες (V. 26); es »will nicht einen engeren Kreis innerhalb der Leserschaft abgrenzen, sondern diese als Gesamtheit umfassen« (so Oepke; vgl. Sieffert, Schlier).

[4] Schlier: »Χριστὸν ἐνεδύσασθε setzt die Vorstellung von Christus als einem für alle bereiteten himmlischen Gewande voraus, dessen ›Anziehen‹ das Eingehen in einen neuen ›Äon‹ und das Umfaßtwerden von einem neuen ›Äon‹ bedeutet. Es ist also nicht ein Ausdruck für das Eingehen eines ethischen Verhältnisses (gegen Zahn), sondern eines Seinsverhältnisses zu Christus.« Die ethische Relevanz dieses Tatbestandes bringt Röm 13, 14 zum Ausdruck. Vgl. auch Bultmann: GuV I 168.

[5] Anders W. Marxsen, Darf man kleine Kinder taufen? / Eine falsche Fragestellung, Gütersloh 1969, 35.

[6] Vgl. Kertelge, »Rechtfertigung« 239: »Die Erklärung, daß die Taufe das ›Festgemachtwerden in dem neuen Seinsgrund, in Christus Jesus‹ bewirke, wozu der Glaube nur hinführe (so Schlier, Gal 172), schmälert das Gewicht und die Bedeutsamkeit der Glaubensaussage für die Begründung der christlichen Existenz.«

[7] ’Ενί für ἔνεστιν, in unserer Literatur nur negiert οὐκ ἔνι es gibt nicht: Bauer Wb 527; vgl. Bl-Debr § 527.

[8] ῞Ελλην Grieche; Heide: Bauer Wb 499; siehe ferner H. Windisch: ThWNT II 501–514.

neue, einzig maßgebende Wirklichkeit. Diesen Gedanken entfaltet der Apostel, der sich gern der prinzipiellen Redeweise bedient, in der Erweiterung des Gegensatzpaares: »nicht ist da Sklave noch Freier, nicht ist da männlich und weiblich«. Vielleicht greift Paulus hier eine Formel auf[1].

Der folgende Schlußsatz des Kapitels ist in der Tat das Ergebnis der Erörterungen für die Galater: »*Wenn ihr aber des Christus, also des Abrahams Same seid ihr, nach der Verheißung Erben*« (V. 29). Wer Christus angehört, für den gibt es kein Problem, wie er Same oder Sohn Abrahams werden soll, um das Erbe des verheißenen Segens und das volle Heil zu erlangen, denn »in Christus«, nicht auf dem Gesetzesweg, sondern durch den Glauben, erhält er all das, was Christus hat, und in gewisser Weise das, was dieser ist (vgl. V. 16)[2].

e) Gal 4, 1-7

Nachdem Paulus in Kapitel 3 zu den seiner Meinung nach durch die Verkündigung seiner judaistischen Gegner bei den Galatern aufgeworfenen Themen: »Abrahamssohnschaft zur Erlangung der Verheißung und des Erbes« und »das Gesetz in der Heilsgeschichte« Stellung genommen hatte, gibt er jetzt in 4, 1-11 noch einmal einen kurzen Abriß der Heilsgeschichte, so wie er sie sieht, mit besonderer Berücksichtigung der heidnischen Vergangenheit der galatischen Christen.

In einem neuen Vergleich aus dem Rechtsleben, der das Stichwort »Erbschaft« (3, 18) bzw. »Erbe« (3, 29) aufgreift, beschreibt der Apostel den vorchristlichen »Sklaven«-Stand der Geretteten (vgl. 3, 22-25):» *Ich aber sage, auf wie lange Zeit der Erbe unmündig* (νήπιος) *ist*[3], *in nichts unterscheidet er sich von einem Sklaven, obwohl er Herr über alles ist* (κύριος πάντων ὤν), *sondern unter Vormündern* (ἐπιτρόπους)[4] *ist er und Hausverwaltern* (οἰκονόμους) *bis zu dem festgesetz-*

---

[1] Dazu Lietzmann, Oepke. Käsemann, in: Exeget. Versuche II 124 f., sieht hier eine »Parole der hellenistischen Gemeinde« vorliegen. »So radikal faßt hellenistischer Enthusiasmus die in der Taufe gründende Aussage, daß die Erlösten mit Christus auferstanden und mit ihm im himmlischen Wesen inthronisiert worden seien.« Siehe ferner Bultmann: GuV I 168; Schrage, Einzelgebote 205 f. – Nach Bornkamm, Paulus 60, darf man die in dieser Formel ausgesprochene Erkenntnis »nicht ohne weiteres für die Jerusalemer voraussetzen«.

[2] K. Berger (Abraham 58) meint: »Das Erstaunlichste ist, daß (nach diesem Text) der gesamte Inhalt des Heils für die Christen nichts anderes ist als die Abraham gegebene Verheißung.« – Die situationsbezogene Aussage des Apostels ist aber unverkennbar (gegen Berger a.a.O. 47f.).

[3] Über den Stand geistiger oder sittlicher Reife des νήπιος ist nichts gesagt.

[4] Der Plural kann rhetorisch als verallgemeinernde Ausdrucksweise bzw. als starke Herausstellung der Vormundschaftsgewalt verstanden oder als Angleichung an den Plural οἰκονόμοι erklärt werden. Meyer, Wieseler u. a. übersetzen nicht »Vormünder«, sondern »Aufseher«, »Oberverwalter«, weil der Vater in der Anwendung des Gleichnisses nicht gestorben sei. Doch wenn der Sohn κύριος πάντων ὤν

ten Tag des Vaters« (VV. 1 u. 2). Stark hervorgehoben ist im Gleichnis die Unfreiheit des νήπιος, wenn er, der Erbe, der doch Sohn ist (χύριος πάντων ὤν), einem Sklaven gleichgestellt wird. Doch hat nach dem Willen des Vaters die Zeitspanne (ἐφ᾽ ὅσον χρόνον) der Unmündigkeit und der Sklaverei ein bestimmtes Ende. Sie wird abgelöst von dem verheißungsvollen Ziel, wenn der Erbe mündig und frei und ihm das volle Sohnesrecht zuteil wird.

Es folgt die Anwendung des Gleichnisses: »*So auch wir, als wir Unmündige waren, unter die Elemente der Welt* (ὑπὸ τὰ στοιχεῖα τοῦ κόσμου) *waren wir versklavt«* (V. 3). Das tertium comparationis besteht nicht in der zwar ebenfalls gemeinsamen Unmündigkeit, sondern in dem Versklavtsein (siehe das betont ans Satzende gestellte δεδουλωμένοι). Die versklavende Macht nennt der Apostel τὰ στοιχεῖα τοῦ κόσμου[1]. Ihr müssen, wie es die allgemeine Aussage und der Tatbestand, daß sich der Judenchrist Paulus mit den heidenchristlichen Galatern in dem ἡμεῖς zusammenfaßt, verlangen, Juden und Heiden unterworfen gewesen sein[2].

In einer 3, 13 f. inhaltlich, vor allem aber auch strukturmäßig ähnlichen Aussage[3] schildert Paulus die große Wende vom Unheil zum Heil: »*Als aber kam die Fülle der Zeit«* – der vom Vater festgesetzte Zeitraum bis zur Mündigkeit des Sohnes war verstrichen und die Zeit für das eschatologische Handeln Gottes reif[4] –, »*aussandte Gott seinen Sohn«* – nicht bloß auf die Menschwerdung[5], sondern auf das gesamte Heilsgeschehen in Christus, dem präexistenten Gottessohn[6], zu beziehen –, »*gekommen* (γενόμενον) *aus einer Frau«*[7],

---

ist, liegt es nahe, den Tod des Vaters vorauszusetzen. Bei der Auswertung der paulinischen Bilder ist Vorsicht geboten, und Gutjahr nennt mit Recht das zuletzt erörterte Problem eine zwar viel umstrittene, aber »belanglose« Frage.

[1] Zur Bedeutung dieses Begriffs bei Paulus siehe zu 4,9 und die Ausführungen S. 126 ff.

[2] So Lipsius, Zöckler, Dalmer, M. Kähler, Sieffert, Gutjahr, O. Holtzmann, Oepke, Kuss, Schlier, Beyer-Althaus, Bring; G. Delling: ThWNT VII 684f. Ἡμεῖς beziehen nur auf die Judenchristen: de Wette, Wieseler, Wörner, Philippi, B. Weiss, Zahn u.a.

[3] Siehe dazu die überzeugenden Ausführungen von Blank, Paulus 260ff. Aufgrund seiner Beobachtungen beurteilt Blank die Frage, inwieweit Paulus hier vorgegebenes Material verwendet habe, im wesentlichen negativ; anders z.B. E. Schweizer, zuletzt in: ThWNT VIII 376f.

[4] Zum Begriff τὸ πλήρωα τοῦ χρόνου siehe außer den Kommentaren von Oepke u. Schlier ferner Bousset-Greßmann, Die Religion des Judentums 242ff.; Billerbeck III 570; G. Delling: ThWNT VI 303, 26ff; J. Ernst, Pleroma und Pleroma Christi. Geschichte und Deutung eines Begriffs der paulinischen Antilegomena, BU 5, Regensburg 1970, bes. 69f.

[5] Dazu Kuss, Römerbrief 491; Blank, Paulus 264.

[6] Die Präexistenz des Sohnes dürfte vorausgesetzt sein, vgl. 2 Kor 8,9; Phil 2,6. Siehe Oepke, Kuss, Schlier; Blank, Paulus 265; E. Schweizer: ThWNT VIII 376.

[7] Das Theologumenon von der Jungfrauengeburt steht hier nicht im Blickfeld des Apostels; so Lightfoot; Sieffert, Gal 242; Bousset, Oepke, Schlier u.a.

d. h. er trat in den Raum menschlicher Geschichte ein, »*gekommen* (γενόμενον) *unter das Gesetz*« – wo und wie die Erlösung geschah, ist hier auf eine Kurz-formel gebracht (vgl. 3, 13 f.) –, »*damit die unter dem Gesetz*[1] *er erkaufe* (ἐξαγοράσῃ)« und »*damit wir die Sohnesstellung* (υἱοθεσίαν) *empfingen*« (V. 4 f.). Mit diesen beiden letzten parallel zu einander stehenden ἵνα–Sätzen be-schreibt Paulus das Heilsereignis negativ und positiv, wobei zunächst die »vorgängige, universale Bedeutung des Heilsgeschehens« und dann ihre »soteriologische Gültigkeit« für den einzelnen ausgesagt ist[2]. Den Heilsstand der Erkauften bezeichnet der Apostel nicht, wie das Gleichnis es fordert, mit dem Begriff »Mündigkeit« bzw. »Mündigkeitserklärung«, sondern mit dem juristischen Terminus für die Annahme an Kindes Statt, mit υἱοθεσία[3]. Die Vermutung dürfte nicht abwegig sein[4], daß durch den nur in der paulini-schen Tradition vorkommenden Begriff υἱοθεσία (siehe Röm 8, 15.23; 9,4; Eph 1, 5) die von Israel aufgrund der Bundesschlüsse und Verheißungen beanspruchte Sohnschaft (vgl. Röm 9, 4) hier bewußt denen, die an Christus glauben, zugesprochen wird. Was die Galater durch Gesetzesbeobachtung und Beschneidung zu erreichen meinen, die Sohnschaft, ist ihnen durch Gottes eschatologisches Handeln in Christus geschenkt worden. Sie müssen es nur gläubig bejahen.

Wie sehr sich der Apostel bei seinen oft so abstrakt klingenden Aus-führungen auf die Glaubenssituation der Galater bezieht, zeigt sich, wenn er ihnen nun versichert: »*Daß* (ὅτι)[5] *aber ihr seid Söhne,* (erkennt ihr daran:)

---

[1] »Die unter dem Gesetz« sind zunächst die Juden; doch dürfte es gerade in unserem Abschnitt, in dem Juden und Heiden auf einen Nenner gebracht werden (siehe 4, 3.9 f.), nicht unberechtigt sein anzunehmen, daß der Apostel die universale Befreiungstat des Sohnes für Juden und Heiden von der Macht des Gesetzes im weitesten Sinne im Auge hat. Vgl. Burton, Lagrange, Oepke, Schlier u. a.

[2] So Blank, Paulus 261; vgl. Sieffert, Gal 245.

[3] Dazu W. v. Martitz: ThWNT VIII 400 f.

[4] Siehe die verschiedenen Erklärungsversuche bei Lietzmann, Oepke, Schlier u. a. Ob das Denkschema »der Sohn und die Söhne« für die Aussage des Apostels bestimmend war (so E. Schweizer: ThWNT VIII 377), läßt sich nicht zwingend beweisen.

[5] So Cornelius a Lapide, Cornely, Rückert, Philippi, Dalmer, Wörner, v. Hof-mann, Zahn, Loisy, Steinmann, Lagrange, Lietzmann, Kuss, Beyer-Althaus; Küm-mel, Theologie 150 u. 194; Blank, Paulus 276: »Der Empfang der υἱοθεσία schließt sicher die Geistbegabung eo ipso mit ein, eins ist ohne das andere nicht zu denken. Mit Glauben, Taufe und Geistempfang ist der Vorgang der Adoption gleichsam ratifiziert. Dieses Ineinander darf nicht als logisches oder zeitliches Nacheinander gefaßt werden. Richtiger wäre zu sagen: Während Gal 4, 5 vom Empfang der Sohnschaft aufgrund der Heilstat Christi die Rede ist, geht es in V. 6 f. um die pneumatische Erfahrung der Sohnschaft. Oder anders ausgedrückt: Während V. 4 f. das Zustandekommen der Sohnschaft von außen, von der objektiven Seite des Handelns Gottes am Menschen her und deshalb auch in vorwiegend juristi-scher Terminologie beschrieben wird, wird sie in V. 6 f. in dem, was ihre innere

Gott hat den Geist seines Sohnes in eure Herzen gesandt, der schreit: *Abba, Vater*« (V. 6). Der in der Ekstase sich äußernde Geistbesitz ist Zeichen für die neue heilsgeschichtliche Stellung der Galater: sie sind nicht mehr Sklaven, sondern durch den Glauben Söhne Gottes[1]. Der Abba-Ruf (vgl. Röm 8, 15) beweist es ja, daß sie, die durch den Glauben mit Christus verbunden sind und »den Geist des Sohnes« besitzen, Söhne Gottes sind (vgl. 3, 26)[2]. Deshalb kann Paulus jedem einzelnen der Galater sagen: »*Daher nicht mehr bist du Sklave, sondern Sohn. Wenn aber Sohn, auch Erbe durch Gott*« (V. 7). Das betont an den Schluß gestellte διὰ θεοῦ klingt fast wie eine letzte unanfechtbare Besiegelung der Aussage des Apostels, deren antithetischer Charakter zur Verkündigung seiner Gegner zumindest der Sache nach nicht zu leugnen ist[3].

f) Gal 4, 8-11

Der folgende Abschnitt 4,8-11 aktualisiert den heilsgeschichtlichen Entwurf des Apostels für die heidenchristlichen Galater in besonderem Maße: Ihr jetziger Stand als Söhne Gottes und Erben steht im Gegensatz zu ihrer einstigen Unheilssituation als Sklaven fremder Scheingötter: »*Doch damals, nicht kennend Gott, Sklaven wart ihr* (ἐδουλεύσατε[4]) *den von Natur nicht seienden Göttern* (τοῖς φύσει μὴ οὖσιν θεοῖς)« (V. 8). Die Galater müssen also in der Mehrzahl Polytheisten gewesen sein. Die Bezeichnung ihrer Götter als φύσει μὴ ὄντες θεοί spricht diesen ihr Gottsein ab; es wird aber »nicht positiv gesagt, ob es bloße Gebilde der Phantasie oder irgendwelche Realitäten seien« (Sieffert)[5]. Von 1 Kor 8, 5 und 10, 20 her ist nicht auszuschließen, daß Paulus in ihnen Götzen dämonischen Charakters sieht[6].

Wirklichkeit, ihren lebendigen Vollzug ausmacht, gesehen.« – Ὅτι übersetzen mit »weil«: Vulg., Luther, Calvin, Bengel, de Wette, Meyer, Hilgenfeld, Bisping, Lightfoot, Holsten, Lipsius, Sieffert, Gutjahr, Burton, Oepke, Schlier, Kürzinger; I. Hermann, Kyrios und Pneuma. Studien zur Christologie der paulinischen Hauptbriefe, StANT 2, München 1961, 94ff.; E. Schweizer: ThWNT VI 424 Anm. 624; Ridderbos, Paulus 144.

[1] Vgl. Gunkel, Wirkungen des hl. Geistes 60f.; Bultmann: GuV I 168.

[2] Siehe Kuss, Römerbrief 550: »In dem enthusiastischen, auffallenden, mitgerissenen Schreien des neuen Kernwortes zur Bezeichnung des göttlichen Wesens – ›Vater!‹ – erfährt der vom Pneuma Ergriffene eine unmittelbare Bestätigung seines neuen Status Gott gegenüber: ›Der Geist selbst bezeugt es unserem Geiste, daß wir Kinder Gottes sind‹ (Röm 8, 16).«

[3] Vgl. Zahn: »Sohn und folgerichtig auch Erbe, und dies nicht, wie die Judaisten von den gesetzlos lebenden Heidenchristen behaupteten, vermöge einer dreisten Anmaßung, sondern durch Gott.«

[4] Δουλεύειν hat hier negativen Sinn, vgl. 4, 3.7.9.

[5] Vgl. E. Gräßer, in: ZThK 66 (1969) 321 Anm. 53.

[6] So de Wette, Lightfoot, Sieffert, Gutjahr, Zahn, Oepke; H. v. Soden, in:

War ihr damaliges Sklavesein wegen ihrer fehlenden Gotteserkenntnis noch verständlich, so ist ihr jetziges Verhalten um so unverständlicher und unentschuldbar: »*Jetzt aber, kennend Gott, mehr aber: erkannt von Gott*« – Paulus korrigiert sich, um die gnädige Erwählung durch Gott zum Ausdruck zu bringen[1] –, »*wie hinwendet ihr euch wieder zu den schwachen und armseligen Elementen, denen ihr von neuem Sklaven wieder sein wollt* (οἷς πάλιν ἄνωθεν δουλεῦσαι θέλετε)?*« (V. 9). Der Apostel beschuldigt also die Galater, daß sie aus eigener Initiative (beachte das θέλετε)[2] den Stand der Erwählung aufgeben, und fragt ironisch[3], ob sie von neuem Sklaven der Stoicheia, die er polemisch als schwach und armselig charakterisiert, werden wollen[4].

»In höhnischer Konsequenzenmacherei«[5] fragt der Apostel gleich darauf die Galater: »*Tage beobachtet ihr und Monate und Zeiten und Jahre?*« (V. 10). Ob der Satz als Frage[6] oder als »vorwurfsvoller Ausruf« (Sieffert) verstanden wird, ändert den Sinn nicht entscheidend. Kontrovers bleibt, ob Paulus hier den »neuen« Glauben der Galater, der auf die Predigt der neuen Lehrer zurückgeht, in wesentlichen Punkten richtig wiedergibt. Ist schon ausgeschlossen, daß die Galater »Jahre«[7] beobachten[8] – der letzte Aufenthalt des Apostels bei ihnen liegt ja noch nicht lange zurück (vgl. 1, 6) –, so ist auch

---

WdF XXIV 341; u.a. Mit den στοιχεῖα τοῦ κόσμου identifizieren diese Götter: Holsten, Lipsius, Schlier, Beyer-Althaus u.a.

[1] Sieffert u. Gutjahr sehen hier keine Selbstkorrektur, sondern eine Steigerung vorliegen. »Erkennen« entspricht hier dem hebr. יָדַע mit dem Sinn »erwählen«, vgl. Gen 18,19; Ex 33,12; Am 3,2; Jer 1,5; ferner Röm 8,29; 11,2.9; R. Bultmann: ThWNT I 709, 34.

[2] Dazu Sieffert, B. Weiss, Oepke u.a.

[3] So Bornkamm, Aufsätze I 148.

[4] Siehe E. Bammel: ThWNT VI 909, 12 ff.

[5] Bultmann, Der Stil der paulinischen Predigt 103: »Das Argumentieren durch *falsche* oder *lächerliche Darstellung* der gegnerischen Absicht kennt Paulus auch. Und zwar wendet er es in ähnlich pointierter Weise an, wie es in der Diatribe geschieht, nur mit fast noch beißenderer Ironie. Die Galater, die die jüd. Zeremonialgebote annehmen wollen, fragt er, ihre Absicht ins Gegenteil verdrehend, ob sie unter die Herrschaft der ἀσθενῆ καὶ πτωχὰ στοιχεῖα zurückfallen wollen. Und gleich darauf fragt er in höhnischer Konsequenzenmacherei nicht nur, ob sie Tage, Monate und Zeiten, sondern auch, ob sie das Sabbathjahr heiligen wollen (Gal 4,9f.). Beschneidung und Verschneidung stehen auf derselben Stufe (Gal 5,12). Der Gott der Judaisten, die die Speisegesetze einführen wollen, wird höhnisch als κοιλία bezeichnet, und die δόξα dieser Beschneidungsprediger ist ἐν τῇ αἰσχύνῃ αὐτῶν (Phil 3,19).«

[6] So Tischendorf, Meyer, Hilgenfeld, Bisping, Lightfoot, Schlier.

[7] Zu ἐνιαυτούς siehe die Aufstellung der zahlreichen Erklärungsversuche bei Schlier, Gal 206 Anm. 1.

[8] So die meisten Kommentare, die aber inkonsequent in den anderen Gliedern der Formel eine mehr od. weniger exakte Beschreibung der galatischen Situation sehen.

bei der Interpretation der »Zeiten«, »Monate« und »Tage« zu fragen, ob der Apostel nicht auch hier (vgl. V. 9) recht eindrucksvoll mehr den Galatern bewußt machen will, wohin sie kommen, wenn sie den Gesetzesweg einschlagen, als daß er tatsächlich bestehende Verhältnisse beschreibt[1]. Dafür würden ferner sprechen: die formelhafte und ungenaue Aufzählung[2], die »ironische Art« der Darlegung, »die des Ernstes nicht entbehrt, mit ein paar allgemeinen Andeutungen den Galatern die Vielfältigkeit der von ihnen geforderten Verpflichtungen nachzuweisen«[3], und vor allem, daß Paulus hier wie 5, 12 die jüdische Gesetzesobservanz bewußt in die Nähe des heidnischen Kultes bringt[4]. Darin liegt der skandalöse Skopus der paulinischen Aussage, daß der angebliche Fortschritt der Galater zum Gesetz Israels in Wirklichkeit ein Rückfall ins Heidentum und die Sklaverei sein soll (siehe das πάλιν ἄνωθεν δουλεῦσαι von V. 9). Judentum und Heidentum rücken hier auf ein und dieselbe Stufe gegenüber dem neuen, wahren Heilsglauben zusammen (vgl. Gal 5, 1.12)[5]. Die weder in der Zusammenfassung des Schreibens 6, 11-18 noch sonst irgendwo im Brief Resonanz findende, die Konsequenzen der neuen Ambitionen der Galater ironisch beschreibende Bemerkung des Apostels in V. 10 ist deshalb kaum geeignet, das Fundament dafür abzugeben, daß in Galatien »apokryphe jüdische Spekulationen über glückbringende bzw. unglückbringende Tage und Zeiten« aufgrund der neuen Verkündigung stattgefunden hätten[6]. Das Dogma vom Gestirnskult der Galater scheint m. E. nicht unanfechtbar zu sein.

Mit einem recht persönlichen Schlußwort: »*Ich fürchte für euch, daß ich mich vergebens um euch gemüht habe!*« (V. 11) leitet Paulus zu einem Abschnitt über, in dem er auf sein persönliches Verhältnis zu den Galatern zu sprechen kommt und von da aus erneut um ihre Zustimmung für seine Worte wirbt (4, 12-20).

---

[1] Ein sonst übliches γάρ zur Einführung eines Beweises fehlt.

[2] Dazu Schlier. – Kol 2, 16 ist viel exakter; vgl. Lagrange zu Gal 4, 10.

[3] Schlier, Gal 207. Vgl. Παρατηρέω = peinlich beobachten; jedoch wird παρατηρεῖν häufig in dem hier zur Sprache gebrachten Kontext verwendet (Bauer Wb 1234).

[4] Siehe das Zitat R. Bultmanns auf S. 92 Anm. 5; ferner Goppelt, Christentum u. Judentum 93 Anm. 1: »Die ironisierende Aufzählung Gal 4, 10 rückt in der Linie des vorher (Gal 4, 9) Gesagten die Beobachtung der mosaischen Festtage in die Nähe astrologischer Tagewählerei.«; ders., in: Apostol. u. nachapostol. Zeit 55.

[5] Vgl. E. Käsemann, Paulinische Perspektiven, Tübingen 1969, 259f.; Weizsäcker, Apostol. Zeitalter 132 u. 213; F.C. Baur, Ausgewählte Werke in Einzelausgaben, hrsg. von K. Scholder, 3.Bd, Stuttgart 1966, 55f.

[6] Gegen Schlier; H. Riesenfeld: ThWNT VIII 146ff.; Bornkamm, Paulus 98 u.a. Siehe dagegen Hilgenfeld, Vorgeschichte 336; R.McL. Wilson, Gnostics 366 u. die Ausführungen S. 126ff.

g) Gal 4, 21-31

Zunächst überraschend, aber aus dem Ernst der Situation heraus verständlich, setzt Paulus noch einmal ein, »recht energisch in mediam rem
führend« (Meyer), um die zwischen ihm und den Galatern strittige Sache zu
verhandeln: »*Sagt mir, die ihr unter dem Gesetz sein wollt, hört ihr nicht das Gesetz?*«(V. 21). Was bisher immer vorausgesetzt war, ist jetzt den Galatern –
Paulus unterscheidet nicht unter ihnen verschiedene Gruppen oder Richtungen[1] – expressis verbis gesagt, natürlich mit einseitiger negativer Akzentsetzung: Sie wollen[2] unter dem Gesetz sein. Und nicht ganz ohne Ironie
fragt der Apostel: τὸν νόμον οὐκ ἀκούετε;[3] Während νόμος in der Wendung
οἱ ὑπὸ νόμον θέλοντες εἶναι das Gesetz als vermeintlichen Heilsweg meint, ist
hier unter νόμος der Pentateuch zu verstehen bzw. die Schrift insgesamt als
Gottes Offenbarung, deren Autorität Paulus, wie er sie von Christus her
versteht[4], gegen das »andere Evangelium« erneut einsetzen will[5].

Was aus dem Gesetz zu erkennen ist, demonstriert er wieder an der bedeutendsten Gestalt der jüdischen Heilsgeschichte, an Abraham, wobei die
Abrahamssohnschaft bezeichnenderweise erneut diskutiert wird[6]: »*Denn geschrieben ist, daß Abraham zwei Söhne bekam* (ἔσχεν[7]), *einen von der Sklavin und
einen aus der Freien*« (V. 22). Gedacht ist nur an Ismael und Isaak (vgl. Gen
16, 15; 21, 29), nicht an die anderen Söhne Abrahams (vgl. Gen 25, 2). Die

---

[1] Man würde die scharfe, oft ein wenig ironische Sprache des Paulus verkennen,
wenn man ihm hier das Feingefühl bescheinigt, er habe nur den Teil der Gemeinden, der zum Judaismus neigt, angesprochen (gegen Lütgert, Gesetz u. Geist 11,
88; dagegen richtig v. Hofmann, Oepke, Schlier). Daß sich Paulus unmittelbar
»über die galatische Gemeinde« an seine Gegner wende (bis V. 27), wie Ulonska,
Paulus 65 u. 69, meint, ist nicht ersichtlich.
[2] Vgl. 1, 7; 4, 9. – Zugleich ist hier zu erkennen – doch darauf liegt nicht der
Nachdruck –, daß die Galater sich noch nicht endgültig für die neue Lehre entschieden haben.
[3] D G pe lat sa vg lesen ἀναγινώσκετε: dieser Lesart schließen sich an: Lightfoot,
Ramsay, Wörner, Zahn.
[4] Auch ἀκούειν wird hier nicht bloß einfaches Hinhören auf das beim Gottesdienst verlesene Gesetz meinen, sondern zugleich, den Sinn des Gesetzes, wie ihn
Paulus von Christus her erschließt, verstehen; siehe Olshausen, Holsten, Lipsius,
Zöckler, Dalmer, Sieffert, Gutjahr, Kuss.
[5] Zu 4, 21 siehe auch Schoeps, Paulus 176; L. Baeck, Der Glaube des Paulus, in:
WdF XXIV 588.
[6] Dazu v. Hofmann: »Auf den Bericht von dem Anfange, den die Gemeinde
Gottes im Hause Abrahams genommen hat, geht der Apostel zurück, also nicht
auf irgendeinen beliebigen Bestandteil der biblischen Geschichte, sondern dahin,
wo zu lernen war, was es um die Nachkommenschaft Abrahams im heilsgeschichtlichen Sinne sei. Und dies war es ja, um was es sich in diesem Briefe so wesentlich
handelte.« Vgl. B. Weiss z. St.
[7] Ἔσχεν heißt seiner ingressiven Bedeutung nach »bekam«, so Holsten, Zahn,
Oepke, Schlier u. a.

παιδίσκη (= Magd, Sklavin) ist Hagar, wie auch aus V. 24f. hervorgeht. Unter der ἐλευθέρα kann nur Sara gemeint sein.

Die Herkunft von Abraham könnte beide Söhne gleichstellen, aufgrund der unterschiedlichen Stellung ihrer Mütter und der Art ihrer Zeugung bestand ein Unterschied: »*Doch der aus der Sklavin ist nach dem Fleisch* (κατὰ σάρκα) *geboren*[1]« – also auf ganz natürliche Weise[2] – »*der aber aus der Freien durch die Verheißung* (διὰ τῆς ἐπαγγελίας)« (V. 23). Die Verheißung Gottes an Abraham war die eigentliche Ursache seiner Existenz[3]. Paulus vermeidet den zu κατὰ σάρκα parallel zu erwartenden Begriff κατὰ πνεῦμα, weil es ihm hier auf die Verheißung ankommt (anders jedoch V. 29).

Der Apostel entdeckt nun in der alttestamentlichen Geschichte, wie sie in der Tora als Offenbarung vorliegt, einen tieferen Sinn: »*Das ist anders gesagt*« (mit einem anderen Sinn als dem Schriftsinn gesagt: ἀλληγορούμενα[4]): »*Denn diese*« (die Sklavin und die Freie) »*sind (die) zwei Testamente* (διαθῆκαι), *das eine vom Berg Sinai, zur Sklaverei gebärend, welches ist Hagar*« (V. 24). Διαθήκη steht hier »in der Bedeutung, welches es in der LXX durch Übersetzung des hebr. בְּרִית erhalten hat« (Sieffert), also weniger in der ursprünglichen Bedeutung »Bund«[5] als in der Bedeutung »Verfügung«, »göttlich gestiftete Ordnung« (M. Kähler) und »kommt der Bedeutung Testament, wie sie 3, 15.17 vorliegt, sehr nahe« (Schlier)[6]. Wie die Sklavin Hagar ihre Kinder in die Leibeigenschaft hineingeboren hat, so gebiert die Sinai-Diatheke, d.i. die Gesetzesordnung, in die Sklaverei.

Diesen unerhörten Gedanken, daß die Sklavin Hagar die eigentliche Stammutter Israels sei[7], scheint die folgende schwer deutbare Bemerkung[8]

---

[1] »Das Perfekt γεγέννηται bezeichnet die Thatsache nach ihrer bis in die Gegenwart andauernden Folge des bestehenden Verschiedenheitsverhältnisses«: Sieffert; so auch Gutjahr, Schlier; vgl. Bl-Debr § 342, 5.

[2] Siehe Lietzmann, Oepke, Schlier. – Nach K. Galley, Altes und neues Heilsgeschehen bei Paulus, Stuttgart 1965, 39, bedeutet κατὰ σάρκα zugleich auch »ohne und gegen Gottes Heilswillen«.

[3] Ob Paulus den hellenistischen Gedanken »einer vaterlosen, nur durch die Schöpferkraft des Gottesgeistes bewirkten Geburt ... streift« (so Oepke), ist m. E. zweifelhaft.

[4] Dazu Lietzmann; F. Büchsel: ThWNT I 264. Zur Kritik gegenüber der paulinischen Beweisführung siehe de Wette, Hilgenfeld; Baur, Paulus II 311f.; Schoeps, Paulus 252 Anm. 1; vgl. Goppelt, Typos 168.

[5] So Meyer, Hilgenfeld, Bisping, Holsten, Lipsius, Gutjahr, B. Weiss, Luz, Züricher-Bibel, u.a.

[6] Vgl. v. Hofmann, Zahn, Kuss u.a. – Auch wird in der weiteren Erörterung kein christlicher Bundesschluß der Sinaidiatheke entgegengesetzt. Doch siehe Bornkamm, Paulus 149f.: »Ohne daß das Wort fällt, spricht er (Paulus) damit den Gedanken des *neuen* Bundes aus, der zu dem alten, auf Israel beschränkten Sinaibund in radikaler Antithese steht (vgl. 2 K 3, 6ff.; Gal 4, 24; Röm 11, 27).«

[7] Dazu G. Kittel: ThWNT I 56, 36ff.

[8] Vgl. Lietzmann: »Ich muß gestehen, daß ich eine befriedigende Erklärung der

weiter begründen zu wollen, wenn Hagar mit dem Sinaiberg, wo Israel sein Grundgesetz erhielt, in Verbindung gebracht wird[1]: »*Das* (Wort) *Hagar aber*[2] *ist der Sinai-Berg in der Arabia*« (V. 25 a). Ob die Zusammengehörigkeit von Hagar und Sinai durch ein geographisches Moment: der Sinaiberg liegt in Arabien, d. h. außerhalb des heiligen Landes, inmitten unterjochter Völkerschaften, die auch als Nachkommen Hagars bezeichnet werden (vgl. Ps 83, 6 f.; 1 Chron 5, 19), zum Ausdruck gebracht werden soll[3] oder durch den Gleichklang des Namens Hagar mit dem arabischen Wort hadjar, das soviel wie »Stein«, »Fels« heißt, die Beziehung zum Sinai hergestellt werden soll[4], ist nicht sicher zu entscheiden. Deutlich aber ist der Kern der provozierenden Aussage des Apostels: »*Sie* (*Hagar*) *aber entspricht* (συστοιχεῖ[5]) *dem jetzigen Jerusalem, denn Sklave ist es* (δουλεύει[6]) *mit seinen Kindern*« (V. 25 b). Hagar und das jetzige Jerusalem gehören für Paulus in die gleiche Kategorie, denn beide sind versklavt[7]. Die Argumentation des Apostels wollte also das jetzige Jerusalem, das sich durch seine Gesetzesordnung vom Sinai auszeichnet, als Nachkommenschaft Hagars (im übertragenen Sinn) erweisen und somit

---

Stelle nicht kenne.« Schlier: »So muß m. E. der genaue Sinn des Sätzchens V. 25 a und damit der Grund und Anlaß, der es Paulus ermöglichte, Hagar mit der Diatheke von Sinai zu verbinden, dunkel bleiben.«

[1] Ob die Gleichsetzung von Hagar mit Sinai von der Aussage in V. 25 a abhängig ist, ist m. E. zu bezweifeln. V. 25 a soll wohl nur die Allegorie weiter stützen.

[2] Der Text ist nicht einheitlich überliefert; siehe die kritischen Ausgaben u. den Exkurs II bei Zahn. Τὸ δὲ Ἀγάρ streichen: Vulg., Bisping, Wörner, v. Hofmann, Lightfoot, Zöckler, Zahn, O. Holtzmann, Lagrange, Lyonnet; Kittel: ThWNT I 56 Anm. 4; F. Mußner, Hagar, Sinai, Jerusalem – zum Text von Gal 4, 25 a, in: ThQ 135 (1955) 56–60. Lietzmann u. Oepke betonen, daß die Entscheidung über die Lesart hier vom Inhalt aus getroffen werden muß.

[3] So Bisping, v. Hofmann, Lightfoot, Zahn, Lagrange, Lyonnet u. a.

[4] In diese Richtung gehen die Erklärungsversuche von Sieffert, Lietzmann, Burton, Oepke, Kuss, Schlier; L. Goppelt, Typos. Die typologische Deutung des Alten Testaments im Neuen (1939), Darmstadt 1969, 167. – Nach H. Gese (Τὸ δὲ Ἀγάρ Σινᾶ ὄρος ἐστὶν ἐν τῇ Ἀραβίᾳ (Gal 4, 25), in: Das ferne u. nahe Wort, Festschr. L. Rost, BZAW 105, Berlin 1967, 81–94) bezieht sich Paulus auf eine jüdische Ortslegende, die Hagar mit der Stadt Hegra in Arabien in Verbindung bringt, in deren Nähe Paulus den Sinai vermutete.

[5] Συστοιχέω »in der milit. Sprache ›Vordermann halten‹, demgemäß bei den Grammatikern und in den Kategorientafeln der Pythagoreer ... ›entsprechen‹«: Bauer Wb 1574; das Subjekt von συστοιχεῖ ist nicht ganz deutlich; auf Hagar beziehen συστοιχεῖ: Bisping, B. Weiss, Lietzmann, Oepke, Schlier u. a.; auf Sinai: Vulg.; v. Hofmann, Zöckler, Dalmer u. a.

[6] Auf Hagar bezieht δουλεύει: Lietzmann; anders, auf Jerusalem, die meisten.

[7] Dazu Wörner: »Der Satz δουλεύει γάρ κτλ. zeigt wieder, daß Paulus die Knechtschaft des gesetzlichen Israels als gegebene Tatsache voraussetzt, nicht erst den Beweis hierfür aus Hagar-Sinai, also Sinai-Knechtschaft herauspressen will.« Anders Oepke z. St.

zugleich das Sklavesein derer beweisen, die unter dem Gesetz stehen. »Damit ist der Bruch mit der jüdischen Überlieferung vollzogen und das Gesetz vom Sinai abgetan; denn ›Christus ist des Gesetzes Ende‹«[1].

Der Sklaverei des jetzigen Jerusalems stellt Paulus, ohne erst bei Sara zu beginnen, den Schluß der zweiten Reihe[2] gegenüber: »*Das obere Jerusalem aber ist frei, welches ist unsere Mutter*« (V. 26). »Das obere Jerusalem[3]«, das als neues Jerusalem bereits im Himmel existiert, ist Inbegriff für die neue, von Gott bereitete und mit dem neuen Äon kommende Heilsordnung, an der die Glaubenden schon Anteil haben (vgl. Ph 3, 20)[4].

Ein Schriftwort soll beweisen, daß »das obere Jerusalem« »unsere Mutter« ist: »*Denn geschrieben ist:* ›*Freue dich, Unfruchtbare, die nicht gebiert, brich aus und schreie, die nicht Geburtswehen leidet, denn viele (sind) die Kinder der Einsamen, mehr als der, die den Mann hat*‹« (Jes 54, 1)« (V. 27). Jes 54, 1 handelt von Sion und stellt es als (wegen ihrer Sünden) unfruchtbare Frau dar. Doch Jahwe erbarmt sich seines Volkes und schenkt Sion »wunderbar« großen Kindersegen (zunächst auf die zahlreiche Wieder-bevölkerung des Landes nach der Rückkehr aus dem Exil gedeutet). Die Entsprechung zum Geschick Saras ist deutlich. Paulus bezieht das Prophetenwort auf »das obere Jerusalem«, das »unsere Mutter« sein muß, weil dieser wie jenem auf übernatürliche Art kraft der Verheißung, nicht auf natürliche Art wie dem »jetzigen Jerusalem«, Kindersegen zuteil wird[5]. Zugleich ist die Typologie zu Sara hergestellt, und die Glaubenden sind als die Verheißungskinder erwiesen[6].

Deshalb fährt V. 28 fort: »*Ihr aber, Brüder, nach Isaak der Verheißung Kinder seid ihr.*« Damit ist zumindest indirekt gesagt, daß die Glaubenden die »legitimen« und »wahren« Abrahamssöhne, die »nach der Verheißung« geboren sind[7], und zugleich die Freien und Erbberechtigten sind.

---

[1] E. Lohse: ThWNT VIII 285, 15 f.

[2] Siehe dazu die Systoichientafel bei Steinmann u. Lietzmann.

[3] Dazu Bousset-Greßmann, Die Religion des Judentums 239, 285; das ntl. Material zusammengestellt bei Richter Wb 464; vgl. F. Büchsel: ThWNT I 376f.; H. Strathmann: ThWNT IV 530–533; Schlier z. St.

[4] Die Vorstellung »Jerusalem als Mutter« ist dem Judentum geläufig; vgl. Billerbeck III 574; im AT: Jes 50, 1; Jer 50, 12; Hos 4, 5.

[5] Vgl. Sieffert, B. Weiss, Lietzmann, Oepke, Schlier u.a.; ferner Galley, Heilsgeschehen 41.

[6] Dazu Klein, Rekonstruktion 216f.: »Liefert das Schriftzitat die Begründung dafür, daß das ›obere Jerusalem‹ die Mutter der Christen ist, so kann die Anspielung auf die ›Unfruchtbare, die nicht gebiert‹ bzw. auf die ›Einsame‹ nur besagen, daß dieser in vorchristlicher Zeit keine Kinder zugewachsen waren, vielmehr ganz Israel der νῦν Ἰερουσαλήμ angehörte, die als diejenige apostrophiert wird, ›die den Mann hat‹ und damit die Kinder.«

[7] Siehe Lietzmann: »Mit V. 28 zieht Paulus nun auch formell die in V. 26 schon inhaltlich gegebene Folgerung ›ihr seid die wahren Söhne Abrahams nach der Verheißung, entsprechend eurem Prototypos Isaak‹.«

In einem gewissen Nachtrag wird eine weitere Parallele zwischen den Glaubenden und Isaak aufgezeigt und so die paulinische These von den Christen als den Verheißungskindern unterstützt. Beide verbindet die gemeinsame Verfolgung durch die »nach dem Fleisch« Geborenen, durch Ismael bzw. die Kinder des »jetzigen Jerusalems«: »*Doch geradeso wie damals der nach dem Fleisch Geborene* (ὁ κατὰ σάρκα γεννηθείς) *verfolgte den nach dem Geist* (τὸν κατὰ πνεῦμα), *so auch jetzt*« (V. 29). Von einer Verfolgung Isaaks durch Ismael weiß das Alte Testament nichts, wohl findet die rabbinische Exegese in dem Wort מְצַחֵק Gen 21,9 die Verfolgung angedeutet[1]. Daß Paulus die galatischen Verhältnisse vor Augen habe, wenn er hier von der Verfolgung spricht, ist nicht zu beweisen. Vielmehr wird an die Verfolgung der Christen durch die Synagoge zu denken sein, vielleicht besonders an die palästinensischen Verhältnisse (vgl. Gal 6, 12)[2].

Mögen auch Ismael und seine Nachkommen, die Kinder des »jetzigen Jerusalems«, ihre Verfolgung auf die Verheißungskinder richten, ihr Treiben führt nicht zum Ziel. Die Schrift offenbart es: »*Doch was sagt die Schrift?*: ›*Hinauswirf die Sklavin und ihren Sohn! Denn nicht wird erben der Sohn der Sklavin mit dem Sohn der Freien*‹ (*Gen 21,10*[3])« (V. 30). Das Schriftwort will wohl nicht primär zur Zurückweisung der Gesetzeskinder und der ihre Grundsätze bei den Galatern verfechtenden Missionare auffordern[4], sondern den Galatern versichern, daß nicht die Kinder des Israel κατὰ σάρκα[5], sondern die Glaubenden – und das ist von Gott gewollt – das Erbe erlangen.

Abschließend[6] stellt Paulus das Ergebnis seiner Ausführungen noch einmal besonders im Hinblick auf die Freiheit der Glaubenden von der Gesetzesordnung (vgl. 4, 21 und 5, 1) fest: »*Deshalb, Brüder, nicht sind wir einer Sklavin Kinder, sondern der Freien*« (V. 31). Was die Galater also endlich be-

---

[1] Dazu Billerbeck III 575 f.

[2] Gegen Zahn, Lagrange; Lütgert, Gesetz u. Geist 97; – Sieffert, den Schlier, Gal 227 Anm. 1, angibt, kann nicht als Vertreter dieser Exegese angeführt werden; siehe Sieffert z. St.

[3] Paulus weicht vom LXX-Text ab und liest statt μετὰ τοῦ υἱοῦ Ἰσαάκ – μετὰ τοῦ υἱοῦ τῆς ἐλευθέρας.

[4] Eine solche Aufforderung zur Zurückweisung der Irrlehrer sehen vorliegen: v. Hofmann, Zahn, Lagrange, Beyer; Ulonska, Paulus 72; O. Merk, Beginn der Paränese 97.

[5] Das Verhältnis unserer Aussage zu Röm 11, 1 ff. 25 ff. wird sich nur schwer bestimmen lassen, weil der Apostel in Gal 4, 30 einem Zitat und »Bild« verhaftet ist und so nicht zu einer abgewogenen Aussage kommt und darüber hinaus im Gal eine schärfere Sprache geführt wird. Zu dem hier aufgeworfenen Problem siehe Lietzmann, Oepke, Schlier; Goppelt, Typos 168 Anm. 4; Luz, Geschichtsverständnis 285 f.; Kuss, Römerbrief 285.

[6] Als Eröffnung der Ermahnungen von 5, 1 ff. verstehen den Vers: de Wette, Meyer, v. Hofmann, Wörner, Holsten, Dalmer, O. Holtzmann, Zahn, Bousset, Lagrange; doch siehe Schlier z. St.

greifen sollen, ist dies: Sie sind nicht Kinder »einer Sklavin« – ohne Artikel
zur Bezeichnung der allgemeinen Qualität[1] –, d. h. mit der Gesetzesordnung
vom Sinai haben sie sowenig zu tun wie mit irgendeiner anderen in die
Sklaverei führenden Ordnung (vgl. V. 24), vielmehr sind sie Kinder »der
Freien«, also die wahren Abrahamssöhne, die Freien und die Erben, die einer
ganz anderen Ordnung angehören, nämlich dem »oberen Jerusalem«.

3. Die Mitte des Galaterbriefs und die Glaubenssituation der galatischen Christen

Der Gang durch das Mittelstück des Galaterbriefs dürfte sehr deutlich
gezeigt haben, wie gezielt der Apostel auf die durch die Predigt des »anderen
Evangeliums« entstandene Glaubenssituation der Galater Bezug nimmt.
Immer wieder redet er die galatischen Christen unmittelbar an und gibt
ihnen recht konkrete Belehrung über die Fragen und Probleme, die sie zur
Zeit bewegen. Es entspricht freilich dem prinzipiellen Denken des Paulus,
daß er seine Argumente prinzipiell begründet und Fragen grundsätzlicher
Art aufwirft. Man könnte somit den Duktus der Ausführungen in Gal 3 und 4
wellenlinig illustrieren mit den »Tiefpunkten« konkreter, situationsbezoge-
ner Rede: 3, 1-5; 3, 7; 4, 14b; 3, 15a; (3, 23-25); 3, 26-29; 4, 3; 4, 6f.; 4, 8-11;
4, 12-20; 4, 21; 4, 28; 4, 31 (und dann die aktualisierende Zusammenfassung
5, 1-12). Die abstraktere Rede steht dabei durchweg im Dienst der Aussagen,
die die angefochtenen Galater nach der Meinung des Paulus in besonderem
Maße zu beherzigen haben. Man wird deshalb dem Kernstück unseres Briefes in keiner Weise gerecht, wenn man mit W. Schmithals behauptet, »das
dieses Mittelstück des Galaterbriefes im Gegensatz zu allen anderen Abschnitten überhaupt keine direkten Hinweise auf die Situation in Galatien
enthält«[2].

---

[1] Vgl. Berger, Abraham 62: »Die Begriffe παιδίσκη und ἐλευθέρα in V. 31 sind un-
aufhebbar doppeldeutig: sie beziehen sich sowohl auf die Kindschaft gegenüber
den beiden Jerusalem als auch auf die gegenüber den beiden Frauen Abrahams.«

[2] Schmithals, Häretiker I 60 Anm. 108; korrigiert in: Häretiker II 29: »Es ist ja
kennzeichnend, daß dieses Mittelstück des Galaterbriefs im Gegensatz zu allen
andern Abschnitten kaum direkte« –!– »Hinweise auf die Situation in Galatien enthält.« Auf den Begriff »midraschartiges Kernstück des Galaterbriefes« (Häretiker
I 60 Anm. 108) verzichtet Schmithals ebenfalls im korrigierten Text. Auch Berger,
Abraham 47, verneint den konkreten Situationsbezug der paulinischen Aussagen
in Gal 3, wenn er schreibt: »Gal 3 ist in erster Linie zu verstehen als ein Kommentar zu den dogmatischen Aussagen in Gal 2, 15–21.« Die Situationsbezogenheit
der Ausführungen des Apostels wird erkannt z. B. von Schlier (siehe zu Gal 4, 8–11,
besonders die Einleitung); Kürzinger zu Gal 3, 28 f.: »Mit dieser starken Betonung
der durch Christus und den Glauben an ihn zu erlangenden Abrahamskindschaft

Im Argumentationsgang des Apostels fällt nun auf, wie nachdrücklich er den Galatern öfters versichert, um es auf eine Formel zu bringen, daß sie im Heil sind. So appelliert er an ihre Geisterfahrungen, damit sie diese als Beweis für die Göttlichkeit des paulinischen Evangeliums und das ihnen durch den Glauben geschenkte Heil verstehen (3,2-5). Er stellt ihnen das Beispiel des gläubigen Abrahams vor Augen, der aufgrund seines Glaubens die Gerechtigkeit erlangte, (3,6) und betont, daß »die aus Glauben« die wahren Abrahamssöhne sind und den verheißenen Segen empfangen (3,7-9). Gerade zu den Heiden ist der Segen Abrahams in Christus gekommen, denn der Gesetzesweg, der in den Fluch führte, ist durch Christus überwunden. Die Erfüllung der Verheißung ist im Geistbesitz der Glaubenden manifest (3,13f.). Ganz im Gegensatz zu den derzeitigen Vorstellungen der Galater wird der Gesetzesweg als ins Unheil führend (3,10-12) und als für die Heilsgeschichte belanglos, d.h. als keineswegs heilsförderlich abgetan (3,15-18. 19-25; 4,1ff.; 4,9f.; 4,21ff.). Stark arbeitet Paulus heraus, daß die Galater als die an Christus Glaubenden Söhne Abrahams und Erben der Verheißung (3,7; 3,29; 4,7; 4,21ff.), ja noch mehr: Söhne Gottes in Christus sind (3,26-29; 4,6f.). Wieder soll der Rekurs auf die Geistmanifestation, auf den ekstatischen Abba-Ruf, die Galater zu der existentiellen Erfahrung bringen, daß sie Söhne und Erben oder kurz: im Heil sind (4,6f.). Auch im Nachtragsabschnitt 4,21ff. sind die Glaubenden die wahren Abrahamssöhne, nach Isaak Kinder der Verheißung, Erben und Freie und zugleich Kinder des oberen Jerusalems.

Bezeichnenderweise warnt Paulus die Christen Galatiens in der Thematik von Kapitel 3 und 4 nirgends vor einem möglichen Heilsverlust, vielmehr ist es sein Hauptanliegen, ihnen klarzumachen, daß sie die Ziele, welche ihnen die Predigt der neuen Missionare als begehrenswert und für ihr Heil relevant vor Augen stellte, durch den Glauben in Christus erhalten. Mit Recht spricht C. Holsten vom »Seligkeitsinteresse« der Galater[1], und man wird dieses nicht hoch genug veranschlagen können. Um ihres Heiles willen sind sie offensichtlich bereit, den Gesetzesweg zu beschreiten und die in der hellenistischen Welt verspottete Beschneidung anzunehmen (6,12f.; 5,3). Die Heilssehnsucht der Galater, der in besonderem Maße die Antwort des Apostels gilt, macht verständlich, weshalb die ehemals heidnischen Galater so schnell auf die Verkündigung der nach Paulus zu ihnen gekommenen

---

will der Apostel der Forderung der Judaisten entgegentreten, nach denen der Mensch allein durch die Beschneidung zu einem Sohn Abrahams wird.« S. auch U. Wilckens, Das Neue Testament 670 zu Gal 3,19f.: »Aktuelle polemische Abzielung führt ihm hier die Feder – während er sonst durchweg daran festhält, daß das Gesetz eine Gabe *Gottes* zum Leben sei ...«

[1] Holsten, Evangelium 93.

christlichen Missionare eingingen. Um ihres Heiles willen hatten sie sich aufgrund der Predigt des judenchristlichen Missionars Paulus zum Vater Jesu Christi bekehrt, der aber zugleich der Gott der Juden war. Der Glaube an die Heilsbotschaft von Jesus Christus bedeutete außerdem – und das war für die heidnischen Galater fundamental – ein Weg-von-den-Götzen und eine Bekehrung hin zu dem lebendigen und wahren Gott (vgl. 1 Thess 1,9). Mag Jesus die Gottesvorstellung der Juden kritisiert haben, wer als Heide zum Christentum konvertierte, rückte damit automatisch näher an das Judentum heran[1]. Auch war das Christentum ja noch keineswegs, religionsgeschichtlich betrachtet, eine völlig eigenständige Größe, sondern die Zusammengehörigkeit mit der jüdischen Religion wird in den Augen der Zeitgenossen und vielleicht selbst der Christen größer gewesen sein als die Differenz. Bedenkt man ferner, daß die Schrift der Juden als die Schrift der Christen beim Gottesdienst der Galater verlesen wurde (vgl. 4,21), so wundert es nicht, wenn das Interesse der Galater an der Heilsgeschichte, um einmal diesen der Bibel unbekannten Begriff zu gebrauchen, erwacht war. Paulus scheint jedenfalls vorauszusetzen, daß dieses Thema und die konkreten Fragen nach den an Abraham ergangenen Verheißungen und der Abrahamssohnschaft sowie das Kardinalproblem der Bedeutung des Gesetzes im Heilsgeschehen selbst für die heidenchristlichen Galater – und dies gerade in ihrer gegenwärtigen Glaubenskrise – höchste Aktualität hatten. Die Offenbarungen des Gottes, zu dem sich die Galater bekehrt hatten, konnten den Neubekehrten nicht gleichgültig sein. Sie gehen denn auch nach dem Bericht des Paulus auf eine betont judenchristliche Verkündigung relativ schnell ein (1,6; vgl. 3,1).

---

[1] Mit Recht schreibt A. v. Harnack zu 1 Kor 12,2 und 1 Thess 1,9f.: »Hier haben wir die Missionspredigt an die Heiden in nuce. Der ›lebendige und wahrhaftige Gott‹ ist das Erste und Entscheidende; Jesus, der Sohn Gottes, der uns gegen den zukünftigen Zorn (d. h. an dem nun hereinbrechenden Gerichtstage) sicherstellt – daher ›Jesus der anzubetende Herr‹ –, das Zweite« (Anm. 1: »Das modernste Verfahren, *alles* auf den *Christuskultus* zu reduzieren und von ihm abzuleiten, befindet sich in Gefahr, die grundlegende, alles überragende Bedeutung des θεὸς πατὴρ παντοκράτωρ für das Glaubensbewußtsein der Christen, sofern sie nicht Marcioniten waren, zu unterschätzen)« (Mission I 117). Um die Hinwendung der überwiegend heidenchristlichen Galater zur Verkündigung der neuen judenchristlichen Missionare zu verstehen, muß man sich immer wieder klarmachen, daß ihre Bekehrung nicht bloß ein Bekenntnis zu Jesus Christus, sondern zugleich eine Konversion von ihrem Heidentum zum Gott Israels einschloß. In dieser Hinsicht hat D. Flusser recht, wenn er sagt: »Die Heiden wurden ihrerseits durch ihren neuen Glauben dem Judentum nähergebracht. Es drohte also von dieser Seite die Gefahr, daß das Christentum nur eine Station für neue jüdische Proselyten werden würde« (in: Antijudaismus im NT?/Exeget. u. system. Beiträge, hrsg. v. W. Eckert usw., München 1967, 63).

Die Antwort des Apostels auf die Predigt seiner Gegner bzw. seine Ansprache an die gefährdeten Galater im Kernstück seines Briefes richtet sich nun, kurz gesagt, gegen eine indirekte Bejahung der Heilsgeschichte nach jüdischem bzw. judenchristlichem Verständnis. Er setzt sich mit dem angeblich weiter bestehenden heilsgeschichtlichen Vorrang Israels auseinander, wie er im Beschneidungsgebot und in der These von der Notwendigkeit der Abrahamssohnschaft zur Erlangung des Erbes zum Ausdruck kommt, und muß Stellung nehmen zur Frage nach der Relevanz der Offenbarung vom Sinai für die an Christus Glaubenden.

4. Das Thema der wahren Abrahamssohnschaft und die verschiedene Deutung der Heilsgeschichte bei Paulus und seinen Gegnern

Für das Verständnis von Gal 3 und 4 ist die Geschichte des paulinischen Evangeliums und seines Boten, wie sie in Gal 1 und 2 unter bestimmtem Aspekt skizzenhaft dargelegt wird, nicht unwichtig. Der Apostel schildert ja seinen von Gott geführten Weg vom »Judentum« zum »Christentum«. Letzteres ist durchaus schon als eigenständige heilsgeschichtliche Größe begriffen, denn es war das Anliegen des Paulus, gerade diese Erkenntnis mit all ihren Konsequenzen den Jerusalemern klarzumachen (vgl. 2, 1-10; 2, 11-21), und sein Kampf gilt den judaisierenden Kräften im Christentum (vgl. 2, 2ff., 2, 12; aber auch 2, 13ff.), die weitgehend das jüdische Konzept der Heilsgeschichte vertreten, dieses freilich um die Christusoffenbarung ergänzen, aber es nicht wie Paulus von Christus her fundamental neu interpretieren. Statt Bruch mit der Vergangenheit und radikaler Kritik am heilsgeschichtlichen Selbstverständnis des Judentums ist ihre Devise: Kontinuität mit dem Glauben der Väter. Dagegen richtet Paulus sein Anathema (vgl. 2, 11-21).

Es kann kaum bezweifelt werden, daß Paulus überzeugt ist, in Galatien der gleichen Front gegenüberzustehen. So ist denn der Übergang zum Kernstück des Briefes, thematisch gesehen, fließend, und die besonders in Kapitel 2 begonnene Auseinandersetzung mit dem Geschichtsverständnis Israels, das nach der Meinung des Paulus ein tragender Pfeiler der Verkündigung seiner Gegner ist, wird explizit weitergeführt. Den Reflexionsgang des Apostels von 3,6 an könnte man, formal betrachtet, mit U. Luz folgendermaßen beschreiben: »Für die Verse 6-14 ergibt sich auch eine gewisse ›historische‹ Reihenfolge, indem der Gedankengang von Abraham (V. 6ff.) über das Mosegesetz (V. 10ff.) zu Christus (V. 13f.) fortschreitet, ohne daß daraus allerdings eine kontinuierliche heilsgeschichtliche Linie entnommen werden könnte. Dieser Gedankenfortschritt scheint sich im folgenden in den Versen 15ff. (Abraham), 19ff. (Mosegesetz), 25ff. (Christus) zu wiederholen«[1]. Diesem von Christus her das jüdische bzw. judenchristliche Konzept der Heilsgeschichte radikal verändernden Entwurf des Paulus – auf den Inhalt wird noch näher einzugehen sein – folgt ein weiteres paulinisches Konzept, welches mehr die Vorgeschichte der heidenchristlichen Galater berücksichtigt (4,1-11). Doch das entscheidende Problem besteht in der Bewältigung der mit Abraham beginnenden Geschichte Israels als Geschichte der Offenbarung des Gottes, der sich auch in Christus offenbarte zwar auf einzigartige Weise, ohne daß damit aber von vornherein seine bisherigen Offenbarungen und Bundesschlüsse bzw. grundlegenden Berufungen, z.B. die Erwählung Israels, in Frage gestellt oder als nicht mehr für den Glauben relevant erklärt werden können. So setzt Paulus in 4,21 noch einmal neu ein – wiederum bei Abraham –, um ein letztes Mal zum heilsgeschichtlichen Anspruch Israels und der Frage nach der wahren Abrahamssohnschaft Stellung zu nehmen.

Weshalb der Apostel auf Abraham so oft zu sprechen kommt und hier immer wieder seinen Argumentationsgang beginnen läßt, dürfte in den bisherigen Bemerkungen eine erste Antwort gefunden haben. Es stellt sich jedoch sofort die zusätzliche Frage: Weshalb gibt Paulus nicht Abraham wie soviele Gestalten der jüdischen Heilsgeschichte ebenfalls der Unheilssphäre preis? Weshalb bleibt Abraham im heilsgeschichtlichen Koordinatensystem des Apostels eine positive Größe, obwohl die vorchristliche Periode doch durchweg dunkel gezeichnet wird und man hier besser von der Unheilsgeschichte als von der Heilsgeschichte reden könnte? Chr. Dietzfelbinger meint dazu: »Es reicht als Antwort dafür sicher nicht der Hinweis auf das Zitat Gen 15,6, das für die Argumentation des Paulus sich als besonders günstig angeboten habe. Denn Gen 15,6 ist vom Spätjudentum neben Paulus ja nicht übersehen worden, konnte aber gerade im gegenteiligen Sinn wie bei Paulus interpretiert werden. Zudem hätten Worte über den Glauben, die Paulus in seinem Sinn hätte auswerten können, sich auch in anderen Zusammenhängen des Alten Testaments finden lassen« ... »Der eigentliche Grund, weshalb Abraham und sein Glaube in das Zentrum paulinischen Denkens gerückt sind, ist vielmehr in dem mit der Gestalt Abrahams verknüpften Gedanken des Gottesvolkes zu suchen. Von Abraham als dem Stammvater leitet Israel seine Existenz ab und zwar seine Existenz als Gottesvolk«[2]. »Von diesem Gedanken der Vaterschaft Abrahams konnte Paulus offenbar nicht abgehen; darum muß er an ihn anknüpfen, wenn er die neutestamentliche Gemeinde als das wahre Gottesvolk erweisen wollte«[3]. Man

---

[1] Luz, Geschichtsverständnis 149.

[2] Chr. Dietzfelbinger, Heilsgeschichte bei Paulus?/Eine exegetische Studie zum paulinischen Geschichtsdenken, ThEx 126, München 1965, 41 (mit Hinweis auf Weiser ThWNT VI 185 ff. und Billerbeck I 116 ff.).

[3] Ders., a.a.O. 42.

wird dieser Deutung grundsätzlich zustimmen können und ergänzend hinzufügen, daß offenbar auch Paulus nicht die gesamte vorchristliche »Heilsgeschichte« mit einem negativen Vorzeichen versehen kann, sondern daß er – nur so ist überhaupt noch ein Gespräch mit Israel möglich – die Erwählung des Stammvaters des Gottesvolkes nicht leugnet, jedoch von Abraham aus sofort die Brücke zu Christus schlägt, indem dieser als der Same Abrahams, dem die Verheißungen gelten, verstanden wird (3,16; 3,8f.; 3,29), und die übrige israelitische Vorgeschichte der Christusoffenbarung als Heilsgeschichte negiert wird. Die an Christus Glaubenden sind die wahren Abrahamssöhne, denen in Christus der verheißene Segen zuteil wird, und die Gemeinschaft der Glaubenden ist das eigentliche Israel Gottes (3,8f.; 3,29; 4,21ff.; 6,16). Paulus sieht also in seinem heilsgeschichtlichen Entwurf von Abraham nicht als positiver Größe ab, weil er Gottes Heilshandeln in der Geschichte Israels bejaht, diese allerdings kritisch von dem Christusereignis her und auf den Christus hin deutet[1]. Die Verheißungen an Abraham[2] gehen aber nicht in der vorchristlichen Geschichte Israels in Erfüllung, sondern erst in Christus[3]. Die irdisch-natürliche Kontinuität von Abraham zu Christus ist in dem Sinn kein heilsgeschichtlicher Faktor für Paulus, da für das Heil allein der Glaube, wie er explizit im Glauben an das Heilshandeln Gottes in Christus gegeben ist, ausschlaggebend ist[4].

---

[1] Welche Bedeutung Abraham für den Glauben Israels hat, bringt J. Scharbert mit wenigen Worten treffend zum Ausdruck:»Mit Abraham läßt die Bibel die entscheidende Wende geschehen. Gott greift ein und verhilft dem Segen gegenüber dem Fluch zum Durchbruch« (in: Mysterium Salutis II 1083). Zu den variierenden heilsgeschichtlichen Konzeptionen in der Urkirche siehe P. Bläser, Heilsgeschichte, in: HThG I (1962) 668ff.

[2] Zu den Verheißungen siehe J. Hoftijzer, Die Verheißungen an die drei Erzväter, Leiden 1956; V. Hamp, Verheißung, in: Haag BL ²1968, 1825f.; J. Scharbert Verheißung, in: HThG II 1963, 753–759; ders., Die Verheißungen an die Erzväter, in: Mysterium Salutis II 1083–1090; U. Luz, Zum Begriff ἐπαγγελία, in: Geschichtsverständnis 66f.

[3] Dazu Chr. Dietzfelbinger, Paulus u. das AT. Die Hermeneutik des Paulus, untersucht an seiner Deutung der Gestalt Abrahams, ThEx 95, München 1961, 8f.

[4] Vgl. O. Kuss, Die Heilsgeschichte, in: Römerbrief 275–291, 284:»Von der Wirklichkeit Jesus Christus her wandelt sich also das Bild von der Heilsgeschichte, das sich Israel entworfen hatte, grundlegend, indem die tragenden Faktoren dieses Geschichtsbildes sich wandeln: Abraham ist in Wahrheit Vater aller Glaubenden (Röm 4,11.12), das Gesetz ist nicht helfender, sondern hart bedrängender Zuchtmeister auf Christus hin (Gal 3,24).« – Bornkamm, Paulus 153ff, 158:»In der von Paulus gemeinten Geschichte ist die einzige Kontinuität, die es gibt, Gott selbst, seine Verheißung und der Glaube, der seinem Worte traut.« – H. Conzelmann, Fragen an Gerhard von Rad, in: EvTh NF 19 (1964) 113–115; Chr. Dietzfelbinger, Heilsgeschichte 41; P. Bläser, Heilsgeschichte, in: HThG I 671; Luz, Das Geschichtsverständnis des Paulus 181; Klein, Rekonstruktion 207f., 215. – Die

Die Diskussion über die Heilsgeschichte, die in Gal 3 und 4 geführt wird, scheint, wie eingangs schon erörtert, ihren unmittelbaren Anlaß in der judenchristlichen Verkündigung der galatischen Gegner zu haben. Ob diese sich etwa bei ihrer Beschneidungsforderung auf Abraham beriefen, ist zwar im Galaterbrief nicht ausdrücklich gesagt. Vergegenwärtigt man sich aber, welche Bedeutung Abraham im Spätjudentum[1] und vor allem auch in der jüdischen Missionspredigt[2] hatte, so ist es eine durchaus berechtigte Vermutung, daß sie Abraham als Beispiel den Galatern vor Augen stellten und die Notwendigkeit der durch die Beschneidung zu erlangenden Abrahamssohnschaft zur Erlangung der Verheißungen behaupteten[3]. Jedenfalls spielt das Thema der Abrahamssohnschaft im Galaterbrief eine zentrale Rolle und ist so prononciert wie sonst nirgends bei Paulus dargestellt[4]. 3,7 betont der Apostel – diese Bemerkung wäre in einem Reflexionsgang, der nur Abraham als Prototyp des Glaubenden und die Heilskraft des Glaubens darstellen wollte, entbehrlich –: »Erkennt also« – was der Rekurs auf Abrahams Glaube konkret für die Galater bedeutet, wird hier ausgesagt –, »daß die aus Glauben, diese (und keine anderen) Söhne Abrahams sind.« Gerade das Verhältnis der Heiden zu Abraham und den Verheißungen scheint ein für die Galater brennendes Thema zu sein (vgl. 3,8f.14). Wer ist der Same Abrahams? – diese Frage bewegt den Apostel; er beantwortet sie zunächst in gezwungener Exegese mit der Deutung auf Christus (3,16) und in dem das Ergebnis seiner Erörterungen für die Galater zusammenfassenden Schlußsatz: »Wenn ihr aber des Christus, also des Abrahams Same seid ihr, nach der Verheißung Erben« (3,29). Den letzten Zweifel an der Aktualität der Frage nach der Bedeutung der Abrahamssohnschaft für den Empfang

---

Bedeutung des geschichtlichen Israels für die heilsgeschichtliche Kontinuität betont E. Käsemann, Paulinische Perspektiven 121; vgl. Kuss a.a.O. 285; Kümmel, Theologie 132.

[1] Dazu Billerbeck I 116–120; III 186–201; 204ff.; 211ff.; 755 u.ö.; ferner O. Schmitz, Abraham im Spätjudentum u. im Urchristentum, in: Festschr. A. Schlatter 1922, 99–123; J. Jeremias: ThWNT I 7–9; U. Luz, Abraham im Judentum u. bei Paulus, in: Geschichtsverständnis 177–182.

[2] Dazu Georgi, Gegner 63–82.

[3] Dazu bes. W. Foerster: ThWNT III 738f.; ders., Abfassungszeit 139; Oepke, Gal 64; Kürzinger zu Gal 3,28f. – Es darf nicht übersehen werden, daß das Thema »Abrahamssohnschaft« unter dem Aspekt des den Nachkommen Abrahams verheißenen Erbes diskutiert wird. Insofern ist die Frage, ob sich die Proselyten Abrahamskinder nennen durften (verneinend Schürer III 187), nicht entscheidend. Zu berücksichtigen ist hier, daß einerseits die Stellung zu den Proselyten im Judentum verschieden war (vgl. K.G. Kuhn: ThWNT VI 737,20ff.), andererseits aber der Proselyt durch Beschneidung, Tauchbad und Opferdarbringung wie die Israeliten in der Wüste vor der Bundesschließung Angehöriger des Bundes wurde (Kuhn a.a.O. 739, 15ff., 31ff.).

[4] Vgl. etwa Röm 4.

des verheißenen Erbes, und das heißt für die Galater zugleich: für die Erlangung des Heils, müßten eigentlich die nachträglichen Ausführungen des
Apostels in 4, 21–31 beseitigen. Auch hier geht es dann Paulus, wie G.
Klein richtig gesehen hat[1], um den »Abbau der jüdischerseits prätendierten
Abrahamssohnschaft« und der »Reklamation Abrahams als des ausschließlichen Ahnherrn der Christen«. Der Kampf des Apostels Paulus jedenfalls
ist deutlich: er richtet sich gegen die von seinen judenchristlichen Gegnern
in Galatien, so wie er sie sieht, weiter aufrechterhaltenen heilsgeschichtlichen Dignität Israels.

5. Das Gesetz im Brennpunkt der Kontroverse

a) Sinn und Bedeutung des Gesetzes nach dem lehrhaften Teil des Gala-
terbriefs

Der Galaterbrief bezeugt wohl als ältestes literarisches Dokument den
Kampf um die theologische Bewältigung des Gottesgesetzes des Alten
Bundes in der neuen Glaubensgemeinschaft[2]. Im lehrhaften Teil des Briefes
(3, 1–5, 12; 2, 15–21 ist zu berücksichtigen) tritt uns eine Beurteilung des
Gesetzes entgegen, wie sie in ihrer fast antinomistischen Ausprägung sonst
nicht mehr bei Paulus begegnet[3]. Will man die situationsbezogene Rede

---

[1] Klein, Rekonstruktion 203. Dieser »Abbau der jüdischerseits prätendierten
Abrahamssohnschaft« beginnt nach Klein mit 3, 6. Zuzustimmen ist auch der zu
3, 19 f. getroffenen lapidaren Feststellung: »Das ist die Disqualifikation der Geschichte Israels in nuce« (210) und bedenkenswert die scharfe Aussage: »Handelt
es sich bei der Verfallenheit des ›jetzigen Jerusalems‹ nicht um einen interimisti-
schen, sondern um einen definitiven Charakter (4, 30), so ist klar, daß die fest-
gehaltene Kontinuität der Kirche mit Abraham nicht durch die Geschichte Israels
vermittelt sein kann, sondern im Zerbruch des geschichtlichen Abstands die Abra-
hams-Unmittelbarkeit der Christen reklamiert werden muß (vgl. 4, 28.31)« (217).
Siehe auch den Nachtrag 221–224.
[2] Vgl. W. Wrede, Paulus (1904), in: WdF XXIV 74: »Geschichtlich bleibt stets
die Hauptsache, daß sie (die paulinische Lehre vom Gesetz) das Christentum vor
den Satzungen schützt und daß sie die Scheidung des Judentums vom Christen-
tume ausspricht, damit zugleich aber – zum ersten Male – das volle Bewußtsein
um die Eigenart der christlichen Religion. In dieser Hinsicht sind die Kap. 3 und 4
im Galaterbrief das Dokument eines denkwürdigen Moments der Religionsgeschichte.«
[3] Daß die paulinische Gesetzesinterpretation im Gal schärfer hinsichtlich der
Verneinung des Gesetzes ist, ist oft gesehen worden. Siehe etwa E. Grafe, Die
paulinische Lehre vom Gesetz nach den vier Hauptbriefen, Freiburg u. Leipzig
²1893, 27 ff., 30: »Den Galatern gegenüber hätte er sich schwerlich zu der Bezeichnung des Gesetzes als πνευματικός und ἅγιος bestimmen lassen; das hätte ihm wahrscheinlich nur mehr Schwierigkeiten und Mißverständnisse bereitet.« P. Feine, Das

voll erfassen, so wird man die scharfen und einseitigen Aussagen nicht durch Hinzuziehung anderer Stellen der Paulusbriefe entschärfen dürfen, und auch die Paränese des Galaterbriefs darf zunächst nicht etwa als ein die Kernaussagen des Briefes an die Galater korrigierender Kommentar herangezogen werden. Mit Recht bemerkt W. Marxsen: »Die Exegese muß den Mut haben, einseitige Äußerungen stehen zu lassen, denn sie sind durch die Frontstellung bedingt; und jede systematische Nivellierung würde ein geschichtliches Verstehen erschweren oder verhindern«[1].

Bevor die paulinische Gesetzeslehre nach Gal 3 und 4 zusammenfassend dargestellt werden soll, seien einige Voraussetzungen genannt, die zum Verständnis der Aussagen des Apostels gemacht werden können. Paulus entwickelt in Kap. 3 und 4 keine systematische Lehre über das Gesetz, sondern kommt im innerbrieflichen Gedankengang mehrfach von verschiedenen Themen her – gezwungenermaßen – auf die angebliche Heilsbedeutung des Gesetzes zu sprechen. Daß die Gesetzesaussagen des Apostels in einer bestimmten Frontstellung gemacht sind, bestätigen auch 2,15 ff., wo der unmittelbare Anlaß zur Reflexion über das Gesetz das judaisierende Verhalten des Kephas ist, und 5,2–4, wo die Forderung der neuen Missionare gegenüber den Galatern, sie mögen sich beschneiden lassen, den Apostel zu der scharfen Formulierung verleiten: »Beseitigt seid ihr, weg von Christus, die ihr im Gesetz gerechtgesprochen zu werden sucht, aus der Gnade seid ihr gefallen« (5,4). Eine weitere Voraussetzung macht dieses Zitat sichtbar: Gesetz und Christus sind für Paulus von vornherein zwei unvereinbare Größen. »Denn wenn durch das Gesetz Gerechtigkeit« – so faßt der Apostel seinen ersten Reflexionsgang über das Gesetz zusammen –, »also starb Christus umsonst« (2,21). Daß das Heil allein durch Christus dem Glaubenden zuteil wird, ist persönliche Heilserfahrung des Apostels, der einst als Eiferer im Judentum die Kirche Gottes verfolgte, weil ihm der gekreuzigte Messias als ein vom Gesetz Verfluchter (3,13) ein Ärgernis gewesen sein mag und weil vielleicht auch innerhalb der neuen Glaubensgemeinschaft Tendenzen sichtbar wurden, die im Glauben

---

gesetzesfreie Evangelium des Paulus/nach seinem Werdegang dargestellt, Leipzig 1899, 184f., 186, 209: »Eine Beurteilung des Gesetzesdienstes als Dienstherrschaft unter den Elementarmächten der Welt findet sich in diesem Brief (Röm) nicht. Es war dies eben ›eine Wahrheit des Gegensatzes‹. Auch ist nicht von einem zum Teil untergöttlichen Ursprung des Gesetzes die Rede«. – A. Jülicher, Das Gesetz in der Theologie des Paulus, in: Die Schriften des NT II, hrsg. v. J. Weiß, Göttingen ²1908, 265; Oepke, Gal 98; U. Wilckens, in: EKK 1, 58 (Anm. 17: »... Darin wird Wredes Darstellung m.E. der paulinischen Theologie in ihrer geschichtlich bedingten Ausprägung besser gerecht als die heute führende systematische Darstellung der paulinischen Theologie von der Basis des Römerbriefes aus bei R. Bultmann.«).

[1] Marxsen, Einleitung 56.

an Christus die Heilsbedeutung des Gesetzes in Frage stellen[1]. Davon, daß Paulus über eine Entwicklungsphase des Leidens am Gesetz[2] den Weg zur Gesetzesfreiheit in Christus fand, wissen die Selbstzeugnisse des Apostels nichts zu berichten. Sie betonen eher das Gegenteil[3]. In seinem prinzipiellen und dialektischen Denken und aufgrund seiner eigenen Heilsgeschichte stellt Paulus fest, daß von Christus her und der Erkenntnis der Heilsbedeutung des Χριστὸς ἐσταυρωμένος aus das Gesetz kein Heilsfaktor sein kann.[4]

Im Kampf gegen das Gesetz appelliert Paulus zunächst an die Heilserfahrung der Galater, daß sie die unter ihnen geschehenen sichtbaren Wirkungen des Geistes doch als göttliches Zeugnis für den Heilsweg des Glaubens verstehen. Aufgrund von Werken des Gesetzes ist ihnen diese Gabe und Heils-Kraft Gottes (vgl. 3,14; 3,5; 4,6f.) nicht zuteil geworden (3,2–5). Der Glaube an Jesus Christus und die Werke des Gesetzes sind für Paulus unvereinbare Größen (s. 2,16f.; 3,2ff.). Dabei ist nicht etwa bloß objektiv der Gegensatz zwischen der Botschaft des Glaubens und dem Gesetz behauptet, sondern es scheint sich hier um zwei grundverschiedene Lebensprinzipien zu handeln. So erlangte Abraham aufgrund seines Glaubens die Gerechtigkeit bei Gott, und nur »die aus Glauben« sind Söhne Abrahams, die »mit dem gläubigen Abraham gesegnet werden« (3,6–9). Der Heilskraft des Glaubens steht die Unheilskraft des Gesetzes gegenüber, die der Apostel mit dem allgemeinen Urteil charakterisiert: »Denn wie viele aus Werken des Gesetzes sind, unter Fluch sind sie« (3,10). Mit einem Schriftzitat autorisiert Paulus seine Aussage und gibt zugleich die Ursache des Fluches an: das Versagen des Menschen vor dem Gesetz (vgl. 2,17; 5,3; Röm 2,25–29)[5]. Insofern radikalisiert Paulus in einer dem Judentum

---

[1] Siehe zu Gal 1,13f. u. 1,23; ferner R. Bultmann: GuV I 189; Conzelmann, Theologie 184; Blank, Paulus 238ff., 247f. u.a.

[2] So jüngst wieder Schalom Ben Chorin, Das Leiden am Gesetz, in: Paulus. Der Völkerapostel in jüdischer Sicht, München 1970, 60–76, s. etwa S. 65: »Das Gesetzesverständnis des Paulus ist aber nur aus seinem *Leiden am Gesetz* zu begreifen. 613 Gebote und Verbote haben die Weisen Israels zusammengestellt.« S. 67: »Offenbar hat Paulus das Joch des Gesetzes in seiner ganzen Schwere empfunden, nicht aber die Freude am Gesetz.« Demgegenüber ist mit J. Blank daran festzuhalten, daß die Selbstaussagen des Apostels in seinen Briefen keinen Anhaltspunkt dafür bieten, »daß Paulus zu seiner Gesetzeskritik«... »durch Resignation oder Ressentiment gekommen ist« (in: Paulus 221, ferner 184: »Einen seelischen Zusammenbruch nach einer inneren Krise, hervorgerufen durch die Gesetzesproblematik, hat er (Paulus) ebenfalls nicht erlebt.«). – Man hat eher den Eindruck, daß die Gal 3,10 und 5,3 in die Debatte geführten Argumente von der Unerfüllbarkeit des Gesetzes (vgl. auch Röm 2,17ff.) erst von dem Christen Paulus gegen die Gesetzesobservanz ins Feld geführt werden. Vgl. Ridderbos, Paulus 103f.

[3] Siehe Gal 1,13f.; Phil 3,6.

[4] Vgl. Gal 2,21; 3,13f.; 4,4f.; 5,2ff.; siehe auch 3,1ff.

[5] Dazu Kuss, Nomos 217; v. Campenhausen, Bibel 41; J. Blank, in: EKK 1,89.

unbekannten Weise die Gesetzesforderung, um das Versagen des Menschen zu enthüllen[1]. In zwei weiteren Schriftzitaten scheint der Apostel auch noch die hypothetische Möglichkeit, aufgrund vollkommener Gesetzeserfüllung das Heil zu erlangen, zu verneinen, indem er das ganz andere Heilsprinzip, nämlich den Glauben, wiederum namhaft macht (3, 11 f.). Der Fluch des Gesetzes wird vollends darin offenbar, daß Christus ein vom Gesetz Verfluchter war nach dem Schriftwort: »Verflucht ist jeder, der am Holz hängt« (Deut 21, 23). Doch gerade auf diese Weise, indem Christus »für uns Fluch wurde«, hat er uns vom Fluch des Gesetzes losgekauft (3, 13). Dieses Heilsgeschehen beschreibt der Apostel 4, 4 f. mit den Worten: »Als aber kam die Fülle der Zeit, aussandte Gott seinen Sohn, gekommen aus einer Frau, gekommen unter das Gesetz, damit die unter dem Gesetz er erkaufe, damit wir die Sohnesstellung empfingen.« Unter dem Gesetz sein heißt für Paulus durchweg der Erlösung bedürftig sein. Relativ ausführlich wird in diesen mit dem jüdischen Verständnis der Heilsgeschichte sich auseinandersetzenden Kapiteln des Briefes die Frage nach dem geschichtlichen und sachlichen Verhältnis von Gesetz und Verheißung und der Stellung des Gesetzes im Heilsplan Gottes erörtert. Ein Vergleich aus dem Rechtsleben bringt den Apostel dazu, die Verheißung als ein rechtsgültiges Testament Gottes zu bezeichnen, während das Gesetz als nicht-göttliche, 430 Jahre nach der Verheißung entstandene Größe, die zumindest hypothetisch als eine der Verheißung gegenüberstehende feindliche Macht erscheint, dargestellt wird. Das Gesetz ist keine Ergänzung der Verheißung und somit auch kein positiver Faktor zur Erlangung des verheißenen Erbes. In der Verheißung dagegen zeigt sich schon Gottes Gnade (3, 15–18). Am schärfsten tritt die Disqualifikation des Gesetzes 3, 19 zutage, wenn die Frage nach dem Sinn und der Bedeutung des Gesetzes mit der Feststellung beantwortet wird: »Um der Übertretungen willen wurde es hinzugefügt, bis käme der Same, dem die Verheißung gegeben ist.« Es ist also lediglich ein Intermezzo in der Heilsgeschichte, das in Christus sein Ende gefunden hat und das für das Heil der Menschen nicht förderlich war, sondern das Gesetz war ein Unheilsfaktor mit der Aufgabe, die Übertretungen zu mehren. Die Minderwertigkeit des Gesetzes gegenüber der Verheißung kommt ferner zum Ausdruck, wenn Paulus über die Herkunft des Gesetzes sagt: »angeordnet durch Engel, in der Hand eines Mittlers«. Auch der folgende schwer deutbare V. 20 scheint das Gesetz soweit wie möglich als Offenbarung Gottes zu negieren. Die Aufgabe des Gesetzes im Heilsplan Gottes bestand nach Paulus nun nicht darin, daß es zum Leben führen, sondern

---

[1] Doch macht H. Braun auf eine gewisse Nähe der paulinischen Aussagen zum Rigorismus in der Tora-Observanz Qumrans aufmerksam (ThWNT VI 469, 31 ff.; 479, 14 ff.).

den Menschen als Zuchtmeister unter der Sünde in Gefangenschaft halten sollte bis zur Offenbarung des Glaubens und zur Erlösung durch Christus (3,21–25). Von Christus her begreift der Apostel die vorchristliche Geschichte als gottgewollte Unheilsgeschichte. Stehen schon fast alle bisherigen paulinischen Aussagen über Sinn und Bedeutung des Gesetzes in krassem Widerspruch zur jüdischen Tradition und zum Selbstverständnis des alttestamentlichen Gottesvolkes – es wird dies noch näher zu erörtern sein –, so ist es direkt blasphemisch für alle, die in der Heilsgeschichte Israels eine positive Größe sehen, wenn Paulus 4,3 und vor allem 4,8–10 (ebenso 5,12) die Beobachtung des Gottesgesetzes des Alten Bundes auf eine Stufe mit dem Kult der Heiden stellt und beides als ein den στοιχεῖα τοῦ κόσμου Versklavtsein erklärt. Was Paulus innerhalb der Debatte mit seinen judenchristlichen Gegnern in Galatien von der Sinai-Diatheke hält, sagt er noch einmal 4,24 – für jüdische Ohren nicht weniger skandalös –: sie gebiert wie Hagar ihre Kinder in die Sklaverei und bewirkt, daß die gesetzestreuen Juden – »das jetzige Jerusalem« – nicht κατὰ πνεῦμα gezeugte Kinder der Verheißung sind, sondern κατὰ σάρκα gezeugte depravierte Nachkommen Abrahams, die das Erbe nicht erlangen (4,21–31).

Diese die Hauptgedanken des Apostels über das Gesetz zusammenfassende Skizze dürfte deutlich genug gezeigt haben, daß Paulus im lehrhaften Teil des Galaterbriefs in für jeden Gesetzestreuen provozierender und ärgerniserregender Weise jeglichen Heilswert des Gesetzes vom Sinai in Abrede stellt, ja das Gesetz erscheint als eine dem Heil des Menschen entgegenstehende feindliche Macht. Wie aber geschah näherhin die Befreiung von dieser den Menschen versklavenden Macht? Oder anders gefragt: Wie lautet von Gal 3 und 4 her die Antwort auf das Problem der abrogatio legis? Ein Blick in die Kommentare zu Gal 3,13f. zeigt die höchst uneinheitliche Beantwortung dieser Frage in der Exegese. Diese markante Stelle führt ins Zentrum der theologischen Reflexion des Paulus: Christus der Gekreuzigte, der vom Gesetz Verfluchte, – das Ärgernis für den gesetzesgläubigen Juden Paulus, die göttliche Heilsoffenbarung für den an Christus glaubenden Paulus. Was bedeutet es nun für die Frage nach der Gültigkeit des Gesetzes, wenn Christus ein vom Gesetz Verfluchter war und er den Fluch des Gesetzes freiwillig auf sich genommen hatte (3,13, vgl. 2,19ff.; 1,4)? Daß das Gesetz sich als ungerecht erwiesen hat, weil es den Gerechten verfluchte, und deshalb ungültig geworden ist?[1]

---

[1] So Hilgenfeld, Gal 160; Schweitzer, Mystik 73: »Im Gesetze steht nämlich, daß, wer am Holze hängt, verflucht ist (Deut 21,23). Jesus hat am Holze gehangen, kann aber nicht verflucht sein. Also ist ein Fall eingetreten, wo das Gesetz nicht gilt. Da es aber entweder überhaupt gilt, oder überhaupt nicht gilt, ist es durch diesen einen Fall außer Kraft gesetzt.« – Vom Mißbrauch des Gesetzes spricht auch Zahn zu Gal 3,13f. Darüber, daß Jesus »in der Befolgung des Gesetzes« ans Kreuz

Oder daß Christus den berechtigt über den Gesetzesübertretern lastenden Fluch als der Unschuldige stellvertretend auf sich nahm und so ein für allemal dem Fluch des Gesetzes Genugtuung leistete?[1] 2 Kor 5,21 könnte als Kommentar gelten: »Er hat den, der von keiner Sünde wußte, für uns zur Sünde gemacht, damit wir in ihm die Gerechtigkeit Gottes würden.« Doch hat der Sühnetod Jesu, der vom Fluch des Gesetzes die an Christus Glaubenden befreite, das Gesetz ungültig gemacht oder nicht gerade seine Forderung als berechtigt anerkannt? E. Grafe glaubt über die Ansicht der judenchristlichen Widersacher des Paulus sagen zu können: »Aber durch diese Tilgung der auf den Gesetzesübertretern lastenden κατάρα glaubten sie das Gesetz nun erst recht in seinem Bestande befestigt und den Menschen zu erneuter Erfüllung des Gesetzes befähigt«[2]. Für Paulus jedoch – daran kann nach Gal 3 und 4 kein Zweifel sein – hat das Gesetz ausgedient; seine negative Dienstfunktion ist mit dem Kommen Christi beendet; im neuen Äon herrscht das Gesetz nicht mehr[3], und vom Heilsereignis des Todes und der Auferweckung Jesu her enthüllt sich der Gesetzesweg als Unheilsweg[4].

---

gekommen sei (so Schlier, Gal 139), spricht sich Paulus nicht näher aus. Ferner sagt er nichts darüber, daß Jesus etwa als Gesetzesübertreter verurteilt worden sei, wie er sich auch nie im Kampf gegen das Gesetz auf die Verkündigung des historischen Jesus beruft.

[1] So die meisten Kommentare; ferner R. Schnackenburg, Die sittliche Botschaft des NT, München [2]1962, 160; ders., in: Christliche Existenz nach dem NT. Abhandlungen und Vorträge II, München 1968, 40f.; Kuss, Nomos 214; Cerfaux, Christus 100; Kertelge, »Rechtfertigung« 210f.; P. Stuhlmacher, Gerechtigkeit Gottes bei Paulus, Göttingen [2]1966, 75; Kümmel, Theologie 170; U. Wilckens, in: EKK I S. 76 u.a.

[2] Grafe, Gesetz 20.

[3] Ob Paulus in diesem Punkt von jüdischen Vorstellungen abhängig ist, ist umstritten. Dafür sprechen sich aus vor allem die jüdischen Theologen L. Baeck, Der Glaube des Paulus (1952), in: WdF XXIV 584; Schoeps, Paulus 174ff. und Ben-Chorin, Paulus 70f. (siehe S. 71 den Protest gegen H. Conzelmann!); vgl. auch Schweitzer, Mystik 185, dagegen: U. Wilckens, in: ZThK 56 (1959) 291; L.Goppelt, Apokalyptik und Typologie bei Paulus (1964), in: Typos usw., Nachdruck Darmstadt 1969, 266; Conzelmann, Theologie 247.

[4] Vgl. Kuss, Nomos 176,211ff.; Blank zu Gal 3,13, in: EKK I, S. 94: »Das heißt, Christus wurde als Gekreuzigter vom Fluch des Gesetzes getroffen. Man darf dies zunächst so verstehen, daß durch die einfache Tatsache, daß Christus am Kreuz hingerichtet wurde wie ein Verbrecher, offenkundig war, daß er vom Gesetz, und damit auch von Gott her, verflucht war. Das Kreuz war nach dem Gesetz als solches ein Gottesurteil, es war der Fluch. Vom Gesetz her konnte es kein anderes Urteil geben. Hier nun erfolgt die entscheidende Wende: Hatte Gott durch die Auferweckung Jesu dennoch anders geurteilt, dann war durch dieses eschatologische Urteil Gottes das Gesetz in Frage gestellt. Tatsächlich zieht sich die ganze Gesetzesproblematik in diesen einen Punkt zusammen: Der gekreuzigte Christus oder das Gesetz.«

Der Untersuchung der Paränese des Galaterbriefs (mit den Stellen 5,14; 5,23 b; 5,18; 6,2) bleibt es vorbehalten, die weiterführende Frage zu beantworten, ob das Gesetz – vielleicht in einer geläuterten Form – weiter für den Christen normativ ist. Es ist damit zugleich das Problem angesprochen, daß Paulus im lehrhaften Teil seines Briefes an die Galater gar nicht über das Gesetz an sich und das Wesen des Gesetzes sich geäußert haben könnte, sondern über das Gesetz, wie es dem vorchristlichen Menschen begegnet[1]. Das würde eine erhebliche Entschärfung der dann nur vordergründig gegebenen Verneinung des Gesetzes bedeuten[2]. Eine solche objektivierende Darstellung des Gesetzes[3] wäre dem prinzipiellen Denken des Paulus nicht unangemessen und würde sich mit seiner Vorliebe für vereinfachende und überspitzte Redeweise treffen[4].

Um die Einseitigkeit der paulinischen Lehre vom Gesetz, wie sie im Kernstück des Galaterbriefs vorliegt, voll zu erfassen[5] und die Funktion des lehrhaften Teils im Kampf gegen das »andere Evangelium« und damit vielleicht die von Paulus bekämpfte Front besser zu erkennen, sei zunächst die provozierende Darstellung des Gesetzes als einer dämonischen, dem Menschen Unheil bringenden Macht – so mußten auch die Galater zuerst jedenfalls die Äußerungen des Apostels verstehen – stehen gelassen. Zugleich wird dadurch der jüdische und judenchristliche Protest gegen die Gesetzeslehre des Paulus und ihn selbst bzw. das Mißverständnis seiner Theologie verständlicher.

---

[1] Vgl. Bultmann, Theologie 260 ff., 341 ff.; Schlier, Gal 179; Conzelmann, Theologie 251; v. Campenhausen, Bibel 41 f.; Bornkamm, Paulus 139; J. Blank, in: EKK 1,89; Niederwimmer, Freiheit 131; N. Schneider, Die rhetorische Eigenart der paulinischen Antithese 98; Kuss, Nomos 224f. u. Fr. Sieffert, in: Theologische Studien f. B. Weiss, Göttingen 1897, 347f.

[2] Vgl. Bultmann, Theologie 270: »Vor allem ist es bezeichnend, daß Paulus in der Polemik Gal 3,19f. den gnostischen Mythos von der Gesetzgebung durch die Engel aufgreifen kann, um zu beweisen, daß das Gesetz des Mose nicht auf Gott selbst zurückgeht. Er kann das nur deshalb, weil das Gesetz als Mosegesetz von vornherein in dem Charakter ins Auge gefaßt ist, in dem es der Jude sich begegnen läßt.«

[3] Vgl. Conzelmann, Theologie 251.

[4] Siehe S. 25 f.

[5] Zur Einseitigkeit und dialektisch scharfen Fixierung seiner Gesetzeslehre in Gal 3 und 4 siehe S. 106f. Vgl. v. Campenhausen, Bibel 32f.: »Der älteste erhaltene Paulusbrief schweigt vom Gesetz und von der ganzen Rechtfertigungslehre, die ihm korrespondiert. Es scheint danach wohl denkbar, daß Paulus erst durch die später einsetzende judaistische Gegenpropaganda dazu genötigt wurde, diesen Fragenkreis zu entfalten und den Heidenchristen bekanntzugeben«; ferner U. Wilckens, in: EKK 1,58 Anm. 17.

b) Die Gesetzeslehre des Paulus und das Selbstverständnis des Alten Testaments.

Die Eigenart der paulinischen Gesetzesinterpretation erhält noch schärferes Profil, wenn man die Gesetzeslehre des Apostels mit dem Selbstverständnis des Alten Testaments konfrontiert. Die kritischen Urteile der alttestamentlichen Wissenschaft gegenüber Paulus sind jedenfalls zur Kenntnis zu nehmen und in die Debatte über die paulinische Gesetzestheologie einzubringen. Auch wenn man in Rechnung stellt, daß Paulus gegen das jüdische Gesetzesverständnis seiner Zeit Front gemacht hat und »das Wesen des Gesetzes nicht mehr von seinem Ursprungsort aus« beschreibt, sondern »die Lage des Menschen« bedenkt[1], so ist ein kritischer Vergleich der Beurteilung des Gesetzes bei Paulus und im Alten Testament höchst aufschlußreich und durchaus berechtigt, da der Apostel ja auch das Alte Testament nicht verwirft, sondern als Gotteswort akzeptiert (vgl. Gal 4,21 und die zahlreichen Schriftzitate)[2], ja mit der Autorität der Schrift die Verkündigung seiner Gegner, die sich ihrerseits ebenfalls auf die Schrift berufen haben mögen[3], ad absurdum führen will.

Obgleich die Frage nach dem Stellenwert des Gesetzes innerhalb des Alten Bundes eine spezifisch neutestamentliche ist[4] und die Rede von dem Gesetz im Alten Testament problematisch ist, denn das Gesetz ist »unter den verschiedensten Gesichtspunkten eine sehr komplizierte Größe«[5], so wird man

---

[1] Bornkamm, Paulus 139.

[2] Zur Bedeutung und Auslegung des AT bei Paulus siehe: Ph. Vielhauer, Paulus und das AT, in: Studien zur Geschichte u. Theologie der Reformation, Festschr. E. Bizer, Neukirchen-Vluyn 1969, 33-62; Bornkamm, Paulus 128f.; v. Campenhausen, Bibel 33ff.; Conzelmann, Theologie 187ff.; Luz, Geschichtsverständnis 41ff.; Kuss, Nomos 221ff.; H. Ulonska, Paulus und das Alte Testament, Dissertation Münster 1964; Chr. Dietzfelbinger, Paulus und das AT, ThEx 95, München 1961; H. Braun, Das Alte Testament im Neuen Testament, in: ZThK 59 (1962) 16-31; H. Müller, Die Auslegung atl. Geschichtsstoffs bei Paulus, Dissertation Halle 1960; E. Ellis, Paul's Use of the Old Testament, London 1957; J. Schmid, Die atl. Zitate bei Paulus und die Theorie vom Sensus plenior, in: BZ NF 3 (1959) 161-173; R. Bultmann, Die Bedeutung des AT für den christl. Glauben, in: GuV II 162-186; L. Goppelt, Typos. Die typologische Deutung des AT im Neuen (1939), Neudruck Darmstadt 1969; ferner die Exkurse in den Galaterbriefkommentaren nach Gal 4,31 von Lietzmann, Oepke u. Beyer-Althaus.

[3] Diese Vermutung ist zwar nicht unmittelbar zu belegen, aber doch sehr wahrscheinlich. Vgl. auch Georgi, Der Kampf um die reine Lehre 82ff.

[4] So G. v. Rad, Theologie des Alten Testaments II, München ²1960, 403.

[5] M. Noth, Die Gesetze im Pentateuch. Ihre Voraussetzungen und ihr Sinn (1940), in: Gesammelte Studien zum Alten Testament, ThBü 6, München 1957, 15; s. ferner v. Rad, Theologie I 197; II 403: »Wir sind heute weit davon entfernt, eine solche allgemein anerkannte Vorstellung von dem zu haben, was im AT ›Gesetz‹ ist.«

den Ort des Gesetzes im alten Israel doch eindeutig in Übereinstimmung mit der in diesem Punkt fast einstimmigen Meinung der alttestamentlichen Wissenschaft dahingehend bestimmen dürfen, daß das Gesetz im alten Israel in einem bestimmten sachlichen Verhältnis zum Bund Jahwes mit seinem Volk stand und dieser Bund die dem Gesetz vorgegebene Größe war[1], oder anders gesagt: die Erwählung Israels ging dem Gesetz voraus[2]. Weitere Erhellung der Stellung des Gesetzes innerhalb des Bundes dürften die Erkenntnisse über die Strukturverwandtschaft zwischen altorientalischen Verträgen und den alttestamentlichen Berichten über den Bundesschluß Jahwes mit Israel – dies gilt besonders für den Sichembund Jos 24 und das Bundesformular des Deuteronomiums – gebracht haben. Dagegen bleibt die Frage nach diesem Bundesformular in den ältesten Pentateuchüberlieferungen und besonders in der Sinaiperikope (Ex 19–24) umstritten[3]. Mit Berufung auf die Forschungsergebnisse von G. Mendenhall und K. Baltzer[4] stellt J. Scharbert für die Sinaiberichte folgende »wesentlichen Merkmale altorientalischer Verträge« heraus: »Präambel mit Selbstvorstellung Jahwes (Ex 20, 2a; 34,10; Dt 5,1–6a); Vorgeschichte mit Erwähnung der Heilstaten Jahwes an Israel (Ex 20,2b; Dt 5,6b; im heutigen Pentateuch ausgeweitet zur Heilsgeschichtsdarstellung Gn 12 bis Ex 19; Dt 1–4); das Corpus der Gesetze (Ex 20–30; Lev 1 bis 25; Dt 5–26); Befehl zur Aufzeichnung, Hinterlegung und Verlesung der Urkunde (Ex 25,16. 21; 34,27; Dt 10,2–5; 31,9–13; 24ff.); Segen und Fluch (Lev 26; Dt 4; 27f.)«[5]. Daraus folgt, daß Jahwes Heilstat, der an der Stelle des Großkönigs steht, der Forderung gegenüber Israel, das den Platz des Vasallen

---

[1] So W. Zimmerli, Das Gesetz und die Propheten. Zum Verständnis des Alten Testaments, Göttingen 1963, 68 (das Buch bietet eine gute Information der Forschungsgeschichte); W. Eichrodt, Bund u. Gesetz. Erwägungen zur neueren Diskussion, in: Gottes Wort und Gottes Land, Festschr. H.-W. Hertzberg, Göttingen 1965, 35.

[2] Dazu J. Scharbert, Gesetz, in: LThK[2] IV (1960) 817; ders., in: Mysterium Salutis II 1117ff.; D. J. McCarthy, Der Gottesbund im AT, Stuttg. Bibelstudien 13, Stuttg. 1966, 80-82; J. Schreiner, Die Zehn Gebote im Leben des Gottesvolkes. Dekalogforschung und Verkündigung, München 1966, 27; N. Lohfink, Bund, in: Haag BL [2]1968, 268ff.; ders., Gesetz und Gnade, in: Das Siegeslied am Schilfmeer. Christliche Auseinandersetzungen mit dem AT, Frankfurt a.M. [3]1965, 151-173.

[3] Siehe G. J. Botterweck, Form- und überlieferungsgeschichtliche Studie zum Dekalog, in: Concilium 1 (1965) 392-401, bes. 396; N. Lohfink, in: Haag BL [2]1968, 268f.

[4] G. E. Mendenhall, Law and Covenant in Israel and the Ancient Near East, Pittsburgh 1955, deutsche Übers.: Recht u. Bund in Israel und dem Alten Vorderen Orient, Zürich 1960; K. Baltzer, Das Bundesformular, WMANT 4, Neukirchen 1960, [2]1964; siehe ferner D. J. McCarthy, Treaty and Covenant, AnBib 21, Rom 1963.

[5] Scharbert, a.a.O. 817.

einnimmt, vorausgeht. Doch wird man der Ausführung W. Eichrodts zustimmen müssen: »Die Ausspielung der alleinigen Initiative Gottes bei der Bundesstiftung und ihres Geschenkcharakters gegen eine Verpflichtung des Volkes in klaren Geboten, denen auf Gottes Seite die Versicherung des Schutzes entspricht, erweist sich als eine Verkennung altorientalischen Denkens, das in konkreten Lebensverhältnissen gründet. Hier ist offenbar kein Widerspruch, daß ein Zusammengehörigkeitsverhältnis mit gegenseitigen Rechten und Pflichten doch zugleich als Geschenk und gnädige Stiftung des überlegenen Vertragspartners gelten kann«[1]. Die Gebote des Bundes, die die neue Lebensform des menschlichen Vertragspartners markieren, sind also für die Aufrechterhaltung des Bundes und den Segen des göttlichen Bundesherrn konstitutiv[2]. Das Gebot des Bundes ist, obwohl es den Herrscherwillen des Bundesherrn kompromißlos zum Ausdruck bringt, »die Heilsgabe des in zuvorkommender Gnade mit seinem Volke handelnden Bundesgottes«[3]. Die Beobachtung des Gebotes bringt dem, der bundesgemäß lebt, weiter Segen, die Mißachtung des Bundesgesetzes bedeutet für den Bundesbrüchigen Fluch. W. Zimmerli spricht daher treffend von den »hinter dem Bunde lauernden ›Bundesmöglichkeiten‹ von Segen und Fluch«[4]. Dabei ist jedoch mit N. Lohfink festzuhalten: »Wenn für den Fall des Bundesbruches als Fluchinhalt die Möglichkeit der Verstoßung aus dem Land gestellt wird, dann meint das den Verlust der

---

[1] Eichrodt, Bund u. Gesetz 38 f.
[2] Scharbert, a. a. O. 817: »Dem Gesetz geht die gnädige Erwählung Israels durch Jahwe voraus; es ist ein Gnadengeschenk, das für Israel eine unter dem Segen stehende Ordnung begründet. Seit es aber durch verantwortliche Bundesorgane oder gar durch das ganze Volk gebrochen wurde, steht Israel auch unter dem Fluch des Gesetzes, der nach der Auffassung der Propheten nur durch einen neuen Bund und ein ins Herz geschriebenes Gesetz (Jer 31; Ez 11,19; 36,26) aufgehoben werden kann.«
[3] Eichrodt, Bund u. Gesetz 44.
[4] Zimmerli, Gesetz u. Propheten 82, siehe auch die folgenden Ausführungen S. 93: »Es geht ohne Zweifel nicht an, Israel als ein Volk zu beschreiben, das in seinem Glauben einfach unter dem Gesetze und seiner Drohung steht. Es geht aber ebensowenig an, wie es bei Noth und deutlicher noch bei von Rad zur Gefahr wird, das alte vorprophetische Israel in seinem Glauben als ein Volk zu schildern, das im Bunde vor aller Möglichkeit der Gefährdung behütet ist und das in seinem Gebot lediglich die Aufforderung zu dem je und dann zu erwartenden zeichenhaften Bekenntnis zu Jahwe besitzt. Vielmehr steht das Gebot, so sehr es auch immer Erinnerung an das Heil des Bundes ist, immer auch als Größe da, hinter der ein Fluch lauern könnte. Der Gott Israels, aus dessen gnadenvoller Zuwendung alttestamentlicher Glaube lebt, bleibt allezeit auch der in seinem heiligen Willen Unerbittliche, ohne daß das eine eindeutig in das andere aufgelöst würde. In der Spannung dieser beiden Aussagen lebt das alte Israel.« Vgl. ferner Eichrodt, Bund u. Gesetz 43.

schon vorhandenen Heilsgabe, nicht die Verweigerung einer erst durch Gesetzeswerke zu erwerbenden«[1].

Zu der äußerst schwierigen Frage nach der Stellung der Propheten zum Gesetz – die prophetische Botschaft kann ja auch kaum auf einen Nenner gebracht werden[2] – sei auf folgende Punkte hingewiesen, wie sie – wenn auch nicht immer einhellig – von alttestamentlicher Wissenschaft aufgezeigt werden. Einerseits ist der Angriff der Propheten auf den illusionären Heilsbesitz ihrer Zeitgenossen[3] und die Enthüllung des Versagens Israels gegenüber dem Bundesgesetz in der Gerichtsandrohung[4] unleugbar, und die Rede vom neuen Bund und der Notwendigkeit einer dem Menschen ins Herz geschriebenen Thora (Jer 31,33; vgl. Ez 36,24ff.; 11,19) scheint das gebrochene Bundesverhältnis zu offenbaren[5], ohne freilich die Bundestreue Jahwes in Frage zu stellen oder vom Ende des Bundes zu reden. Eine gewisse Nähe zur paulinischen Theologie zeigt sich darin, daß das Problem der Gebotserfüllung aufbricht (Jer 13,23; Jos 24,19) und es Ez 20,25f. heißt: »So gab auch ich ihnen Satzungen, die nicht gut waren, und Rechte, durch die sie nicht das Leben finden konnten, sondern ich machte sie durch ihre Gaben unrein, indem sie jede Erstgeburt (durchs Feuer) hindurchgehen ließen, um ihnen Grauen einzuflößen, (damit sie erkennen sollen, daß ich Jahwe bin)«[6]. W. Zimmerli sieht in diesem Text Ezechiels »eine eigenartige teilhafte Vorwegnahme der Erkenntnis, die dann bei Paulus ungleich grundsätzlicher aufbricht, daß schließlich gerade Gottes Gebot dem Menschen zum Gericht wird«[7]. Andererseits stellt N. Lohfink fest, »daß Ezechiel seine Aufgabe von seiner Berufung her ganz im Rahmen des Bundes versteht. Er hat im Namen Gottes das Bundesgesetz Gottes in Israel zur Geltung zu bringen«[8]. »Auch bei Ezechiel müssen wir wieder eine nichtpaulinische Gesetzesauffassung konstatieren. Gesetz ist immer ein Gotteswille, dem Gottes Gnade vorausging« (vgl. Ez 5,5–17)[9]. »So steht auch Ezechiel – und mit ihm wohl alle Propheten – auf dem generellen Standpunkt der israelitischen Bundestheologie, das heißt auf einem Standpunkt, der in der Beurteilung des heilsgeschichtlichen Sinns des Gesetzes

---

[1] N. Lohfink, in: Siegeslied 158.

[2] Vgl. v. Rad, Theologie II 409ff.; Zimmerli, Gesetz u. Propheten 94ff.; N. Lohfink, in: Siegeslied 169.

[3] Vgl. etwa Am 2,6; 8,4ff.; Jer 8,8.

[4] Dazu die Ausführung von P. van Imschoot u. H. Haag, in: Haag BL ²1968, 1412f.

[5] Dazu J. Scharbert, in: LThK² IV (1960) 817; N. Lohfink, in: Siegeslied 153f.

[6] Übersetzung nach J. Ziegler, Echter-Bibel, AT III 506.

[7] Zimmerli, Gesetz u. Propheten 128; vgl. N. Lohfink, in: Siegeslied 153.

[8] N. Lohfink, in: Siegeslied 170; vgl. H. Reventlow, Der Wächter Israels, Berlin 1962.

[9] N. Lohfink, in: Siegeslied 171.

nicht mit dem paulinischen übereinstimmt«[1]. Von einer Aufhebung des Gesetzes als gültiger Bundesordnung und der Leugnung des Heilswertes der Beobachtung des Bundesgesetzes kann bei den Propheten nicht die Rede sein[2].

Bei aller Konzession, daß Paulus einem späteren Gesetzesverständnis als dem des Alten Testaments verhaftet war, wird doch auf der Seite der alttestamentlichen Wissenschaft Kritik gegenüber den Gesetzesaussagen des Apostels laut. Sie ist gerade für das Verständnis von Gal 3 und 4 recht bezeichnend. So urteilt J. Scharbert: »Die traurigen Erfahrungen aus der Geschichte Israels lassen Paulus die Segenssanktion des alttestamentlichen Bundesgesetzes fast ganz übersehen und ihn zur Überzeugung kommen, daß Fluch und Alter Bund gerade zusammengehören«[3]. N. Lohfink spricht von einem »breiten Konsensus des Alten Testaments gegen Paulus« und fährt fort: »Das Alte Testament ist der Meinung, es stehe im Raum der Gnade. Natürlich erkennt Paulus diese Meinung dadurch selber an, daß er Abraham und alles, was den Charakter der Verheißung hat, für den »Glauben« beschlagnahmt und so, indem er es Christus schon zuordnet, dem Alten Testament entnimmt. Aber das Alte Testament vermeidet eine solche Aufspaltung, wenigstens in den breiten und tragenden Aussageschichten, die wir untersuchten. Es stellt das Gesetz viel unbekümmerter in den Zusammenhang der Gnade hinein. Man fragt sich, ob Paulus nicht deshalb so negativ vom mosaischen Gesetz sprechen konnte, weil für ihn von vornherein feststand, daß alles, was im Israel vor Christus an Glaube, Gnade und Leben war, von vornherein anders eingeordnet werden mußte – auf der Linie Abraham – Christus. Damit saugte er die positiven Möglichkeiten aus dem Gesetz heraus, und übrig blieb diese dämonische, sündentreibende Macht«[4].

---

[1] Ders. a.a.O. 172.

[2] Für die eschatologische Zeit ist ja gerade verheißen: »Ich (Jahwe) werde mein Gesetz in ihr Inneres legen und ihnen ins Herz schreiben« (Jer 31,33) und ferner, daß die Völker zum Sion strömen, um das Gesetz Jahwes zu erhalten (Is 2,2f.). S. auch G. v. Rad, Theologie II 419; Eichrodt, Bund u. Gesetz 44.

[3] J. Scharbert, in: Mysterium Salutis II 1123; vgl. v. Rad, Theologie II 422 Anm. 29; 423; W. Zimmerli, Gesetz u. Propheten 5; ders., Das Gesetz im Alten Testament, in: Gottes Offenbarung. Gesammelte Aufsätze, Th Bü 19, München ²1969, 259; Eichrodt, Bund u. Gesetz 41 f., doch s. auch S. 46; vgl. ferner E. Schlink, Gesetz u. Paraklese (1956), in: Gesetz u. Evangelium. Beiträge zur gegenwärtigen theolog. Diskussion, hrsg. v. E. Kinder u. K. Haendler, WdF CXLII, Darmstadt 1968, 141.

[4] N. Lohfink, in: Siegeslied 172; es heißt dann weiter: »Sollte das so sein, dann wäre es fast nur noch eine Frage des Denkansatzes, ob man paulinisch oder genuin alttestamentlich über das Gesetz urteilt. Oder besser: der Begriffsbildung. Dann wären vielleicht beide Denkweisen nebeneinander möglich: die alttestamentliche, die Gnade und Gesetz als Einheit sieht, die allerdings stets gefährdet ist, und die

c) Paulus und das Gesetzesverständnis des Judentums

Weit verbreitet und relativ unangefochten ist unter den christlichen Theologen die These, Paulus habe mit seiner radikalen Gesetzeskritik letztlich nicht das Gottesgesetz des Alten Bundes treffen wollen, sondern er habe – und zwar mit vollem Recht – gegen das Gesetzesverständnis des nachexilischen Judentums revoltiert[1]. So fragt W. Zimmerli: »Hat Paulus, wenn er diese Antithese (von Gesetz und Gnade, Mose und Christus) aufstellt, nicht nur ein ganz karikiertes Bild des Alten Testaments vor Augen – eine spätjüdische Depravation der eigentlich alttestamentlichen Sicht?«[2] In seiner Abhandlung »Die Gesetze im Pentateuch. Ihre Voraussetzungen und ihr Sinn« hat M. Noth den Wandel des Gesetzesverständnisses in Israel herauszuarbeiten versucht und faßt dann die Einzelbeobachtungen zusammen: »Der Weg des Gesetzes im Alten Testament von dem anfänglichen sachentsprechenden Eingegliedertsein der einzelnen geschichtlich gewordenen Gesetze in den Rahmen einer vorausgegebenen sakralen Gemeinschaftsordnung, des alten Verbands der zwölf israelitischen Stämme, über die nach dem Ende dieser alten Ordnung zunächst provisorisch erfolgende Verbindung des überlieferten Gesetzes mit der Erwartung einer bevorste-

---

paulinische, die alles Positive in die Gnade Abrahams, alles Negative in den Begriff des Gesetzes konzentriert. Vielleicht könnte man auch auf dem Wege des typisch alttestamentlichen Denkens eine neutestamentliche Aussage formulieren, die Christus gegenüber allen früheren Heilswegen Gottes sein einmaliges, eschatologisches Recht gäbe. Wenn das gelänge, wäre Paulus das Monopol entrissen, allein kompetent über das Verhältnis der beiden Testamente sprechen zu können. Aber vielleicht ist das schon längst gelungen, in anderen Schriften des Neuen Testaments. Wenn nicht sogar in anderen Paulusbriefen als den Briefen an die Römer und an die Galater.« Vgl. v. Rad, Theologie II 423 f.

[1] Zu dieser These und zugleich zum Gesetzesverständnis des nachexilischen Judentums siehe etwa: M. Noth, Die Gesetze im Pentateuch. Ihre Voraussetzungen und ihr Sinn (1940), in: Gesammelte Studien zum AT, Theol. Bü. Bd. 6, München 1957, 9-141, bes. 112-141; Bousset-Greßmann, Die Religion des Judentums im späthellenist. Zeitalter 119-141; J. Bonsirven, Le Judaisme palestinien, Paris 1934/35, Bd. I 247-303; W. Gutbrod: ThWNT IV 1040-1050; D. Roessler, Gesetz und Geschichte. Untersuchungen zur Theologie der jüdischen Apokalyptik und der pharisäischen Orthodoxie, WMANT 3, Neukirchen 1960 (doch siehe die Kritik bei W.G. Kümmel, NTSt 10 [1964] 174; Blank, Paulus 79 f.; ders. in: EKK 1 [1969] 81 f.; A. Nissen, Tora und Geschichte im Spätjudentum. Zu den Thesen Dietrich Rösslers, in: Nov. Test. IX [1967] 241-277); J. Becker, Gottesfurcht im AT, Rom 1965, 262-282; J. Bright, Geschichte Israels. Von den Anfängen bis zur Schwelle des Neuen Bundes, Düsseldorf 1966, 456-473; W. Foerster, Neutestamentliche Zeitgeschichte, Hamburg 1968, 103-164; K. Hruby, Gesetz und Gnade in der rabbinischen Überlieferung, in: R. Brunner, Gesetz u. Gnade im AT u. im jüdischen Denken, Sonderdruck der Zeitschrift Judaica, Zürich 1969, 30-63.

[2] W. Zimmerli, Das Gesetz im AT, in: Gottes Offenbarung, Theol. Bü. 19, München 1963, 159.

henden Wiederherstellung des Vergangenen bis hin zu der Weitergeltung des nunmehr als strenge Einheit verstandenen Gesetzes als einer voraussetzungs- und zeitlosen Größe göttlicher Herkunft mußte sich an Hand der Überlieferung als eine unsachgemäße Entwicklung darstellen«[1]. Noth beklagt, daß das Gesetz »zu einer absoluten Größe von voraussetzungsloser, zeit- und geschichtsloser Gültigkeit«, »zu einer auf eigenen Füßen stehenden Macht« geworden sei[2] und »daß die Lösung ›des Gesetzes‹ aus dem Rahmen einer vorausgegebenen Gemeinschaftsordnung zu einer folgenreichen Verlagerung des Gewichts von dem göttlichen Handeln auf das Tun des Menschen, und zwar des einzelnen Menschen, führte. Nach der alten Ordnung der Dinge hatte hinter den Gesetzen jene Institution gestanden, deren Ursprung die grundlegende Sinaiüberlieferung auf den aus freier Initiative heraus handelnden Gott zurückführte, und das Verhalten des Menschen innerhalb dieser Institution entsprechend den geltenden Gesetzen war nur als eine Art Antwort auf jenes vorausgegangene göttliche Handeln zu denken gewesen. Jetzt wurde im Verhältnis zwischen Gott und Mensch das Verhalten des (einzelnen) Menschen auf Grund des voraussetzungslos gültigen Gesetzes zum entscheidend Wichtigen, und für Gott blieb, abgesehen davon, daß er als Geber und Hüter des Gesetzes allerdings das erste Wort gehabt hatte bzw. noch hatte, nunmehr im wesentlichen nur noch übrig, auf das Verhalten des Menschen nach Maßgabe des Gesetzes zu reagieren«[3]. Das Vergeltungsschema »Lohn und Strafe« aufgrund der Gesetzeserfüllung bzw. Nicht-Erfüllung werde jetzt bestimmend, wobei der göttliche Segen als Gabe vor der Gesetzeserfüllung nicht mehr im Blickfeld stehe[4]. Die Darstellung Noths fand, was ihre grundsätzliche Aussage über eine Positionsveränderung des Gesetzes im nachexilischen Juden-

---

[1] M. Noth, Die Gesetze im Pentateuch 136.

[2] Ders., a.a.O. 114.

[3] Ders., a.a.O. 125. Belege für diesen Wandel im Gesetzesverständnisses in Israel sieht Noth in den späteren Psalmen (etwa Ps 1; 19,8-15; 119), in der Rede von »*dem* Gesetz, *den* Geboten, *den* Satzungen schlechthin« (115f.), »in späten Stücken der atl. eigentlichen Weisheitsbücher«, in der Erscheinung, daß das Gesetz Jahwes, »ebenso wie es ein Objekt des eigenen Nachdenkens war, auch zum Gegenstand der Belehrung des Volkes durch die Priester und vor allem durch die Leviten gemacht wurde« (117). »Das Neue war dies, daß nunmehr die feste und schriftlich fixierte Größe ›des Gesetzes‹ nicht nur als Grundlage, sondern als Gegenstand solcher Belehrung erscheint« (117). Weitere Belege bietet für Noth die Priesterschrift (120ff.), vornehmlich die »Entleerung des Bundesbegriffes«, d.h. die Ausdehnung dieses Begriffs auf den Noah- und Abrahambund und die Verwendung des Bundesbegriffs »für alle möglichen Regelungen des Verhältnisses zwischen Menschen und Gott«. Der Bund verlor seine spezifische Bedeutung. Für den Begriff »Erwählung« ließe sich die gleiche Entwicklung aufzeigen (124f.).

[4] Noth, Die Gesetze im Pentateuch 129ff.

tum angeht, weite Zustimmung[1]. Auch J. Bright beschrieb jüngst die entscheidende Wende im Gesetzesverständnis Israels folgendermaßen: »Ursprünglich war der Bund die Grundlage, und das Gesetz ordnete auf dieser Basis das Handeln des einzelnen; nun war es aber selbst zur Grundlage des Handelns geworden, d. h. gleichbedeutend mit dem Begriff ›Bund‹, es war Inbegriff und Inhalt der Religion«[2]. Die Tendenz, das Gesetz aus dem Zusammenhang mit der Bundesverfassung zu lösen, so meint Bright, »führte aber zu einem gewissen Verlust jenes lebendigen Sinnes für Geschichte, der für das alte Israel so charakteristisch war«[3]. Der Höhepunkt dieser Entwicklung der Verabsolutierung sei im Buch der Jubiläen erreicht, »wo viele Institutionen, die das Gesetz geschaffen hat, in die Uranfänge zurückdatiert werden«[4]. »Es gibt sogar Stellen«, wie Bright ferner aufzeigt, »nach denen das Gesetz schon vor dem Bund Bestand hatte, z. B. Sir 44, 19 ff., wo Abraham der Bund und seine Verheißungen gegeben wurden, weil er das Gesetz beobachtet und an Gott geglaubt habe (vgl. 1 Makk 2, 51–60). Hier bestimmt das Gesetz nicht mehr, wie der Mensch auf Gottes gnädiges Handeln antworten muß, es wird zum Mittel, durch das die Menschen die göttliche Gunst erringen und der Verheißungen würdig werden«[5]. Daß dann im späteren Judentum die Verabsolutierung des Gesetzes voll zur Geltung gekommen sei – »der Mensch hat sein Verhältnis zu Gott nur in

---

[1] So etwa v. Rad, Theologie des AT I 201; II 409 f.; Becker, Gottesfurcht 264 f.; Foerster, Zeitgeschichte 16 ff.; J. Scharbert, in: LThK[2] IV (1960) 817 f.; ders., in: Mysterium Salutis II 1114 f.: »Am maßgeblichsten hat aber dem Judentum bis heute das Gesetz das Gepräge gegeben. Wohl schon im Exil, dann unter Esdras und Nehemias wurde das aus der Zeit des Moses ererbte, allerdings sicher schon in vorexilischer Zeit öfters ergänzte und redigierte Gesetz einer eingehenden Revision unterzogen und teilweise den neuen Gegebenheiten angepaßt. So erhielt der Pentateuch seine heutige Gestalt. Damit wurde aber auch das einst in lebendiger Tradition gewachsene und ständig neuen Verhältnissen angepaßte Gesetz zu einem Gesetzeskodex fixiert, dessen Text fortan als unantastbar galt. Es entstand dann unter Nehemias ein besonderer Kreis von Gesetzeslehrern, der über dem Gesetz wachte und es durch Interpretation mit den jeweiligen Verhältnissen in Einklang zu bringen suchte. Dabei wird aber die Tendenz immer spürbarer, daß man durch kleinliche Auslegung nicht das Gesetz den Verhältnissen anpaßt, sondern das Leben der Gemeinde und der einzelnen Gemeindeglieder nach dem nicht mehr zeitgemäßen Gesetz weltfremd reglementiert.«

[2] Bright, Geschichte Israels 460.

[3] Ders. a. a. O. 471; vgl. auch 464 – als Folge der Kanonisierung des Gesetzes: »Andere Wege, den Willen Gottes zu erkennen, wurden zugeschüttet oder versperrt. Dies erklärt, warum die Prophetie langsam verschwand, denn das Gesetz hatte ihre Funktion übernommen und sie überflüssig gemacht.« Siehe ferner R. Bultmann, Das Urchristentum, Rowohlt 1963, 55.

[4] Bright a. a. O. 472, dort weitere Belege.

[5] Ders. a. a. O. 473.

seinem Verhältnis zur Thora«[1] –, ist ein solch allgemeines Urteil christlicher Theologen, das zunächst einmal hier hingestellt sei.

Es darf aber nicht übersehen werden, daß gegenüber der aufgezeigten Entwicklung des Gesetzesverständnisses im Judentum, wie sie Noth u. a. behaupten, Kritik vorgebracht wurde. So meint W. Zimmerli, »daß gegen diese Darstellung des Gesetzes als einer ganz von der Wirklichkeit des Bundes gelösten Größe doch sehr erhebliche Bedenken bestehen. Hat es das im Judentum wirklich je gegeben? Hat Paulus wirklich in seinem Gespräch mit dem Judentum solch ein verändertes Gesetz vor sich?«[2] Zimmerli setzte sich kritisch mit der diesbezüglichen Deutung der Priesterschrift durch Noth auseinander[3], nachdem schon H. W. Wolf, H.-J. Kraus und A. Deissler, um nur einige zu nennen, die Psalmen 1 und 119 (118) vor dem Verdikt, Zeugnisse der Verabsolutierung des Gesetzes zu sein, verteidigt hatten[4]. Über die »Gesetzes«-Psalmen urteilt G. J. Botterweck zusammenfassend: »Ps 1, 19 B und 119 zeigen einen Höhepunkt in der theologischen Wertschätzung der Torah: In der Torah begegnet der Psalmist seinem Bundesgott und erfährt in der Selbstbezeugung Jahwes im Gesetz dann Erquickung, Weisheit, Freude, Lebenskraft, Gerechtigkeit und Befriedigung. Die Epitheta der Torah – Vollkommenheit, Verläßlichkeit, Redlichkeit, Lauterkeit, Wahrheit, Werthaftigkeit und Süßigkeit – zeigen die quasi-sakramentale Schätzung. Die Freude an Gottes Weisung ist nach Jer 31,34 Zeichen der eschatologischen Existenz der Frommen«[5]. Grundsätzlich wird man feststellen müssen, daß die Charakterisierung der Gesetzesfrömmigkeit des späteren Judentums als Verfallserscheinung ein undifferenziertes und unangemessenes Urteil ist. Wenn das nachexilische Judentum ein großes Interesse am Gesetz zeigte, so bedeutet dies nicht, wie auch J. Bright bemerkt, »daß man eine neue Religion schuf oder ein fremdes Element in Israels Glauben einführte, vielmehr wurde nur auf eine Seite, die zu allen Zeiten von größter Wichtigkeit war, erhöhter Nachdruck ge-

---

[1] So W. Gutbrod: ThWNT IV 1047; vgl. Foerster, Zeitgeschichte 132 und Noth S. 119 Anm. 3.

[2] Zimmerli, Das Gesetz und die Propheten, Göttingen 1963, 77f.

[3] Siehe W. Zimmerli, Sinai- und Abrahambund, in: ThZ 16 (1960) 268-280, ferner in: Gottes Offenbarung. Gesammelte Aufsätze zum AT, Theol. Bü. 19, München 1969, 205-216.

[4] H. W. Wolf, Psalm 1, in: EvTh 9 (1949/50) 385-394; H.-J. Kraus, Freude an Gottes Gesetz, in: EvTh 10 (1950/51) 337-351; A. Deissler, Psalm 119 (118) und seine Theologie. Ein Beitrag zur Erforschung der anthologischen Stilgattung im Alten Testament, MüThSt hist. Abt. 11, München 1955, bes. 292f. u. 304; vgl. ferner v. Rad, Theologie I 201f.

[5] G. J. Botterweck, Form- und überlieferungsgeschichtliche Studie zum Dekalog, in: Concilium 1 (1965) 400; siehe vom gleichen Verfasser, Ein Lied vom glückseligen Menschen (Psalm 1), in: ThQ 138 (1958) 129-151.

legt«[1]. Es ist ferner in Rechnung zu stellen, daß die Hochschätzung des Gesetzes als des Ausdruckes des Willens Gottes das Judentum vor dem Untergang »in der großen Religion des Synkretismus« bewahrte[2]. Die Gesetzesobservanz gründete auf der Treue zu Jahwe und der dankbaren Anerkennung der Offenbarung und Weisung des Bundesgottes[3]. Das Erwählungsbewußtsein war auch im hellenistischen Judentum stark ausgeprägt[4], und das Gesetz wurde als Heilsangebot Gottes verstanden. Der Lohn- und Vergeltungsgedanke, der seinen legitimen Ort auch im alten Israel hatte, im Neuen Testament und selbst bei Paulus durchaus nicht nur ganz am Rande erscheint[5], brauchte nicht notwendig zum Nomismus und Legalismus zu führen, und neben der Differenziertheit des Judentums[6] ist die innerjüdische Kritik an einer nomistischen Werkfrömmigkeit zu berücksichtigen[7]. So wenig der jüdische Nomismus besonders des späteren Rabbinentums geleugnet werden soll[8], so wenig ist daran zu zweifeln, daß das Gesetz auch im Judentum der neutestamentlichen Zeit als konkrete Form der Gnade, Zeichen der Erwählung und Satzung des Bundes ver-

---

[1] Bright, Geschichte Israels 459.

[2] So G. Kittel, Die Religionsgeschichte und das Urchristentum, Gütersloh 1931, Nachdruck Darmstadt 1959, 68 f.; ebd. S. 114: »Wir urteilen leicht über die Begriffe Toleranz und Intoleranz nach sentimentalen Gesichtspunkten, die dem Religiösen unangemessen sind. Die tolerante Bejahung der Religionsvielheit ist eine Dekadenzerscheinung; und die Bewußtheit der einzigartigen, alle andern ausschließenden Sendung ist für eine Religion lediglich ein Ausdruck der ihr innewohnenden Lebenskraft. Und so muß man sagen: für dieses junge Christentum steckt in diesem elementaren und völlig ungebrochenen Anspruch auf Absolutheit und Allgemeingültigkeit die Vollmacht, die Wucht, der Sinn seines Daseins.« Siehe ferner das Zitat von F. C. Grant S. 54 Anm. 3.

[3] Vgl. Billerbeck III 336; IV 488; W. Pesch, Der Lohngedanke in der Lehre Jesu verglichen mit der religiösen Lohnlehre des Spätjudentums, MüThSt hist. Abt. 7, München 1955, bes. S. 96: »Alle Richtungen des Spätjudentums kennen die verzeihende Liebe Gottes gegen den Sünder, die jedem einzelnen in dieser Welt und während seines Lebens die Möglichkeit verschafft, durch Umkehr Vergebung zu erlangen. Dabei wird diese Vergebung nicht immer dem Verdienst der Umkehr zugeschrieben, sondern oft der grundlosen Güte Gottes.« W. Grundmann: ThWNT II 298 f.

[4] Dazu bes. P. Dalbert, Missionsliteratur 137.

[5] Für Paulus siehe die Zusammenstellung der Texte bei Kuss, Die Rolle des Apostels Paulus 162 f. Anm. 435.

[6] Siehe S. 53 Anm. 4.

[7] Dazu Billerbeck III 105-118; Foerster, Ntl. Zeitgeschichte 129.

[8] Man lese etwa einmal einen Traktat der Mischna oder des Talmuds im ganzen. Siehe ferner Bousset-Greßmann, Die Religion des Judentums 119-141; N. A. Dahl, Die Gemeinde der Tora, in: Das Volk Gottes 118-127; J. Schmid, Gesetz im Judentum, in: LThK² IV (1960) 818 ff.; Foerster, Ntl. Zeitgeschichte 30 f.; 52 ff.; 123 ff.; H.-F. Weiss, Der Pharisäismus im Lichte der Überlieferung des NT, SSAK phil.-hist. K. 110, Berlin 1965, 114 ff.

standen wurde[1]. Der Protest der jüdischen Theologen aller Zeiten gegen die paulinische Gesetzesinterpretation dürfte jedenfalls nicht zu Unrecht die radikal einseitige Karikierung des Gesetzes durch Paulus, wie sie etwa in Gal 3 und 4 vorliegt, als unsachgemäße Darstellung der jüdischen Gesetzesfrömmigkeit bezeichnen. So tadelt vor allem H. J. Schoeps, daß Paulus »das Gesetz aus dem übergreifenden Zusammenhang des Gottesbundes mit Israel herausgelöst und isoliert hat«[2]. Dagegen überzeugt seine Erklärung nicht ganz, wenn er »das grundlegende Mißverständnis« des Paulus auf die Septuagintaübersetzung des hebr. בְּרִית mit διαθήκη zurückführt[3]. Es bleibt vielmehr zu vermuten, daß Paulus das Christusgeschehen als alleiniges Heilsgeschehen voll zur Geltung bringen wollte und ihm nomistische Erscheinungen im Judentum den gelegenen Anlaß zu einer einseitigen Gesetzesinterpretation und damit – wie es seinem prinzipiellen Denken entsprach – zur Verteufelung des Gesetzes boten.

d) Das Gesetz in der Verkündigung der judenchristlichen Gegner des Apostels Paulus

Die Eigenart der paulinischen Gesetzeslehre, wie sie im Kernstück des Galaterbriefs dargelegt ist, dürfte durch den Vergleich mit dem Gesetzesverständnis des Alten Testament und dem des Judentums deutlich hervorgetreten sein. Recht instruktiv wäre eine – diese Arbeit jedoch sprengende – ausführliche Diskussion über die Position der paulinischen Gesetzestheologie im Urchristentum[4]. Sie würde die singuläre Konzeption des Apostels hinsichtlich des hier verhandelten Problems bestätigen. Auch wenn eine Verwandtschaft der Grundüberzeugungen des Paulus mit der angeblich gesetzeskritischen Haltung der Hellenisten und der Theologie der hellenistischen Gemeinde zu konstatieren ist[5] und der Apostel vielleicht ein Grund-

---

[1] Vgl. H. Cazelles, Gesetz, in: Bauer, Bibeltheologisches Wörterbuch [2]1962, 484; H.-F. Weiss a. a. O. 123; Becker, Gottesfurcht 267; Conzelmann, Theologie 38: »Man kann nicht das dogmatische Urteil der Reformation über das Gesetz als Heilsweg in ein historisches Urteil über das Gesetzesverständnis der Juden umsetzen.«

[2] Schoeps, Paulus 225.

[3] Ders., a. a. O. 224ff.

[4] Dazu v. Campenhausen, Bibel (bes. Kap. I u. II); Kuss, Die Rolle des Apostels Paulus 14ff., 164ff.; G. Eichholz, Glaube u. Werk bei Paulus u. Jakobus, ThEx 88, München 1961; P. G. Verweijs, Evangelium u. neues Gesetz in der ältesten Christenheit bis auf Marcion, Utrecht 1960.

[5] Dazu W. Heitmüller, Zum Problem Paulus u. Jesus, in: ZNW 13 (1912) 320-337; W. Bousset, Kyrios Christos. Geschichte des Christusglaubens von den Anfängen des Christentums bis Irenaeus, Göttingen [5]1965, 75-154; Bultmann, Theologie 61-186; Käsemann, in: Exeget. Versuche II 114; W. Schrage, »Ekklesia« und »Synagoge«, in: ZThK 60 (1963) 196ff.; doch siehe auch K. Holl, Kirchen-

anliegen der Botschaft Jesu besser zur Sprache bringt als Jesu unmittelbare
Schüler, so ist die Differenz seiner Gesetzesinterpretation zur Beurteilung
des Gesetzes in der Urkirche und bei Jesus unleugbar. So wenig an Jesu
souveräner Haltung gegenüber dem Gesetz zu zweifeln ist (vgl. etwa
Mk 7, 14 ff.)[1], so sehr kann man mit R. Bultmann feststellen: »Daß Jesus
die Autorität des Alten Testaments nicht polemisch bestritten hat, beweist
das spätere Verhalten seiner Gemeinde, die am alttestamentlichen Gesetz
treu festhielt und mit Paulus deswegen in Konflikt geriet«[2]. Im Kampf für
die Gesetzesfreiheit beruft sich denn auch Paulus – dies entspricht jedoch
seinem mangelndem Interesse an den Worten und Taten des historischen
Jesus – nie auf das Verhalten und die Botschaft Jesu. Aufgrund der Exegese
von Gal 1 und 2, um nur diese Schrifttexte hier zu nennen, ist m. E. E.
Käsemann recht zu geben, wenn er gegen E. Fuchs[3] ausführt: »Die Gesetzesproblematik ist der urchristlichen Gemeinde nicht aus ihrer Besin-
nung auf Jesu Predigt und Handeln erwachsen, sondern aus der sie jäh
überfallenden Realität der Heidenmission und deren unvorhersehbaren,
die Judenchristenheit mehr und mehr in die Enge treibenden Erfolg. Diese
hat, so seltsam das uns erscheint, bis dahin hier überhaupt kein Problem
gesehen und so dem Judentum an dieser Stelle auch nicht den mindesten
Anlaß geboten. Sie konnte eine Sondergemeinschaft im jüdischen Reli-
gionsverband bleiben«[4]. Es wird nach der Exegese von Gal 2, 1–10 und
2, 11–14 noch zu erörtern sein, ob die Rede von der Konzession der »Gesetzesfreiheit« für die Heidenchristen seitens der Jerusalemer Kirche den
historischen Tatbestand und den Stand der Theologie z. Z. des Apostelkonzils in der Urkirche wirklich angemessen zum Ausdruck bringt. Im

---

begriff des Paulus (1921), in: WdF XXIV 170 Anm. 35; Goppelt, Christentum u.
Judentum 78 f.

[1] Siehe A. Vögtle, Jesus, in: LThK[2] V (1960) 926 f.; P. Bläser, Gesetz, in:
HThG I 508 f.; v. Campenhausen, Bibel 5 ff., 27; Käsemann, in: Exeget. Versuche
II 47 ff., 55 f., 60.

[2] Bultmann, Theologie 16; ders., in: GuV I 192: »Und wenn seine (Jesu)
Interpretation faktisch den Sinn der alten Gesetzgebung vernichtete, so ist doch
hier zunächst einfach das die Frage, ob er das Gesetz vernichten wollte oder nicht.
Und daß er das nicht wollte, ist völlig klar.« Siehe auch GuV II 36 Anm. 3; W.
Trilling, Fragen zur Geschichtlichkeit Jesu, Düsseldorf 1966, 94: »Die Weisungen
Jesu können auch schon deshalb nicht so eindeutig und klar gewesen sein, weil
sich dann das unterschiedliche Verhalten der frühen Gemeinden in dieser Frage
(des Gesetzes) nicht erklären ließe. Vor allem würde der leidenschaftliche und
jahrzehntelange Kampf des Apostels Paulus um die Frage des Gesetzes nicht verständlich.« Siehe ferner K. Niederwimmer, Jesus, Göttingen 1968, 91 Anm. 20; 53.

[3] E. Fuchs, Über die Anfänge einer christlichen Theologie, in: ZThK 58 (1961)
248 ff.

[4] Käsemann, in: Exegetische Versuche II 113 f; vgl. v. Campenhausen, Bibel 29;
W. Gutbrod: ThWNT IV 1057; P. Wernle, Die Anfänge unserer Religion,
Tübingen u. Leipzig [2]1904, 108.

Neuen Testament jedenfalls treffen wir auf recht verschiedene »Gesetzes-theologien«[1], die z. T. im Widerspruch zu Paulus das Gesetz in seiner Heilsbedeutung als Offenbarung und Weisung Gottes weiter bejahen und darin keine Minderung oder Verneinung des Erlösungswerkes Christi sehen[2].

Auf diesem Hintergrund stellt sich dann die Frage, inwieweit Paulus dem Anliegen seiner judenchristlichen Gegner gerecht wird, wenn er im Haupt-teil des Briefs gerade auch das heilsgeschichtlich verstandene Gesetz als Heilswert negiert. Wenn der Apostel so scharf und radikal wie in keinem seiner andern Briefe das jüdische bzw. judenchristliche Verständnis der Heilsgeschichte mit der Anerkennung der Erwählung Israels und der posi-tiven Bewertung des Gesetzes zu destruieren versucht, so enthüllt sich hier die Meinung des Apostels Paulus über den Kern der Verkündigung seiner Gegner in Galatien, und diesen Kern glaubt er mit seiner Gegenverkündi-gung in Gal 3 und 4 zu treffen. Dann aber wird man auch aufgrund des Zeugnisses des Paulus in den galatischen Konkurrenten seiner Mission keine engstirnigen Gesetzesverfechter etwa von der Art des nomistischen Rabbinentums sehen dürfen[3], denn der Apostel selbst rechnet mit der Mög-lichkeit heilsgeschichtlichen Denkens bei den neuen christlichen Missiona-ren in Galatien. Die ersten beiden Kapitel des Galaterbriefs zeigen zu-mindest soviel, daß Paulus seine judaistischen Gegner Galatiens in geistige Verwandtschaft mit den judaisierenden Kräften der Urgemeinde bringt, die ebenfalls nicht bereit waren durch Aufgabe des Gesetzes und der in den Abrahambund eingliedernden Beschneidung radikal mit der Ver-gangenheit zu brechen[4] und Abtrünnige gegenüber dem Bund Gottes mit

---

[1] So Kuss, Nomos 174.

[2] Siehe etwa die Theologie des Matthäus und die des Jakobusbriefes; aber auch die Apostelgeschichte dürfte nicht auszuklammern sein. Vgl. u. a. A. Sand, Gesetz und Freiheit. Vom Sinn des Pauluswortes: Christus, des Gesetzes Ende, in: ThGl 61 (1971) 4f.

[3] Vgl. Bornkamm, Paulus 55 f. – Über den Streit, der zum Apostelkonzil führte und dort ausgetragen wurde, heißt es: »Mit den berühmten Worten Pascals zu sprechen, meldet sich darin (in dem durch den Protest der strengen Judenchristen aufgeworfenen Problem der Geschichtlichkeit des Glaubens) die Erkenntnis, daß auch der Gott des christlichen Glaubens der ›Gott Abrahams, Isaaks und Jakobs‹, nicht ›der Gott der Philosophen‹ ist. Man versteht von hier aus, daß mit jener historisch längst vergangenen Streitfrage des Apostelkonvents die Einheit des Gottesvolkes und seiner Geschichte und damit die Frage des Heils überhaupt auf dem Spiel stand. Unter diesen Aspekten wird man weder die Gegner des Paulus als bloße sture Ritualisten noch ihn selbst als starrköpfigen, zu keinem Kompro-miß in gleichgültigen Dingen bereiten Neuerer ansehen.« Siehe auch die seiner Deutung der galatischen Häresie entsprechende Bemerkung von Georgi, Kampf um die reine Lehre 87.

[4] Nicht persönlich, sondern durch ihre Zustimmung zu einer auf das Beschnei-dungsgebot den Heidenchristen gegenüber verzichtenden Mission.

Israel zu werden[1]. So meint K. Kertelge: »Die Treue zum Gesetz ist für die Gegner des Apostels Paulus offenkundig deshalb ein Anliegen, weil sie meinen, daß die alte Bedeutung des Gesetzes als konstitutives Element des in Christus erneuerten Bundes restauriert und durchgehalten werden müsse, und zwar um der Verheißungen willen, die mit dem Bund gegeben sind. Hierfür scheint gerade die Forderung der Beschneidung in den galatischen Gemeinden zu sprechen, denn die Beschneidung ist nach Gen 17, 1–27 das von Gott verordnete Zeichen des Bundes, dem die göttlichen Verheißungen gelten (vgl. Gen 17, 4–7)«[2]. Welche Bedeutung das Thema »Bund« bzw. »Bunderserneuerung« bei den galatischen Gegnern des Paulus gehabt hat, läßt sich allerdings den Ausführungen des Apostels, in denen dieses Thema nur am Rande erscheint[3], nicht näher entnehmen[4].

Wie die Exegese von Gal 6, 13 und 5, 3 gezeigt hat, wird man in den Ausführungen des Apostels keinen Widerspruch festzustellen brauchen, daß er nämlich einerseits im Kernstück des Briefes durch seinen Frontalangriff auf das als Heilswert bei den Galatern gepredigte Gesetz seinen galatischen Gegnern also doch indirekt eine Gesetzespredigt bescheinigt[5], andererseits aber an den soeben genannten Stellen 6, 13 und 5, 3 ihr mangelndes Interesse am Gesetz zum Ausdruck bringt[6]. Die polemische Diktion der dort vorliegenden Aussagen erlaubt eine solche Schlußfolgerung nicht. Auch gegenüber einer Exegese von Gal 4, 9 f. wurden Bedenken angemeldet, wenn man hier ein Gesetzesverständnis der galatischen Gegner des Paulus eruieren zu können glaubte, welches das Gesetz nicht heilsgeschichtlich, sondern primär kosmisch aufgrund eines Stoicheia-Kultes begreift. Diese Meinung ist zwar in zahlreichen Schattierungen z. Z. recht verbreitet[7], vermag aber den Raum der Spekulation und Vermutung nicht zu verlassen.

Zunächst wird man trotz aller gegenteiligen Behauptungen[8] feststellen

---

[1] Siehe die Ausführungen über »das Beschneidungsgebot in der Heidenmission des Urchristentums« S. 58–64.

[2] Kertelge, »Rechtfertigung« 201.

[3] Siehe Gal 4, 21 ff.

[4] Gegen H. Köster, in: ZThK 65 (1968) 192 f.

[5] So die meisten Exegeten, selbst Marxsen, Einleitung 56. Siehe ferner Kümmel, Einleitung 194.

[6] Siehe zu Gal 6, 13 u. 5, 3.

[7] Siehe die Ausführungen S. 13 ff. u. die dort angegebene Literatur, ferner H. Schlier, Stoicheia, in: LThK[2] IX (1964) 1087 f. (dort weitere Literatur).

[8] So Schmithals, Häretiker I 50 Anm. 72: »Daß es sich bei den στοιχεῖα τοῦ κόσμου um persönliche Engelmächte handelt, darf heute als bewiesen gelten.« Siehe dagegen J. Blinzler, Lexikalisches zu dem Terminus τὰ στοιχεῖα τοῦ κόσμου bei Paulus, in: Studiorum Paulinorum Congressus Internationalis 1961, Analecta Biblica 17/18, Rom 1963, II 429–443; G. Delling: ThWNT VII 666–687; Foerster, Abfassungszeit u. Ziel des Gal 138: »Es gibt ferner keinen Beleg aus der ntl. Zeit, daß der Aus-

müssen, daß der Sinn des Begriffs τὰ στοιχεῖα τοῦ κόσμου bei Paulus auch durch die vielen Forschungsbeiträge nicht eindeutig und unanfechtbar geklärt ist[1]. Bei der Begriffsbestimmung wird zu beachten sein, daß der Apostel sowohl den Gesetzesdienst der Juden (s. 4,3 und 4,9f.) als auch den einstigen Götzendienst der heidenchristlichen Galater (s. das πάλιν in 4,9) unter diesem Begriff als ein den στοιχεῖα τοῦ κόσμου Versklavtsein zusammenfaßt. Eine reale Identität der στοιχεῖα τοῦ κόσμου mit den φύσει μὴ οὖσιν θεοῖς braucht aber nicht ohne weiteres gegeben zu sein, da der Apostel den Begriff τὰ στοιχεῖα τοῦ κόσμου zur Charakterisierung des Heidentums *und* Judentums verwendet, dessen polemischer Charakter unverkennbar ist, wie die Epitheta ἀσθενῆ καὶ πτωχά und der ironische Kontext (vgl. V. 10 und die blasphemische Note, wenn Paulus Judentum und Heidentum auf einen Nenner bringt) beweisen[2]. Vom Kontext her läßt sich jedenfalls m. E. kein überzeugender Beweis dafür führen, daß es sich bei den Weltelementen nach der Meinung des Paulus um »personhaft wirksame engelische bzw. dämonische Potenzen«, die mit den »elementaren Kräften der Gestirne« zu identifizieren seien (so Schlier z. St.), handeln muß. In letzter Zeit setzten sich G. Delling[3] und J. Blinzler[4] eingehend mit dem lexikalischen Material zu dem Terminus τὰ στοιχεῖα und den bisherigen Forschungsergebnissen auseinander und glauben verneinen zu müssen, daß Paulus an einen Kult der Gestirngeister denke, dem die Galater zu verfallen drohen[5]. Ob man nun den Begriff τὰ στοιχεῖα bei Paulus mit Blinzler als »Inbegriff der vor-

---

druck στοιχεῖα τοῦ κόσμου Engelwesen oder Gestirnmächte bezeichnet hätte. Dieser Ausdruck findet sich m. W. auch nicht in der Gnosis.« Das »philologische Unbehagen gegenüber der geläufigen Identifizierung von Stoicheia mit Geistmächten« berücksichtigt auch N. Kehl, Begriffsbestimmung des Ausdrucks στοιχεῖα τοῦ κόσμου, in: Der Christushymnus im Kolosserbrief, SBM 1, Stuttg. 1967, 138–145.

[1] Die zahlreiche Literatur zu diesem nach wie vor umstrittenen Begriff siehe bei Blinzler a. a. O. und bei G. Delling a. a. O. 670, ferner E. Schweizer, Die »Elemente der Welt«/ Gal 4,3.9; Kol 2,8.20, in: Beiträge zur Theologie des NT, Zürich 1970, 147–163; J. Ernst, Pleroma und Pleroma Christi 96–98.

[2] Dazu E. Bammel: ThWNT VI 909, 12ff.: »Gal 4,9 spricht Paulus von den ἀσθενῆ καὶ πτωχὰ στοιχεῖα, denen erneut zu verfallen die Galater in Gefahr stehen. Στοιχεῖον ist sicher ein Ausdruck der jüdischen Polemik gegen das Heidentum. Dasselbe scheint bei ἀσθενῆ καὶ πτωχά der Fall zu sein, einer Formel, die dann nicht direkt die Existenz der heidnischen Gottheiten negiert, aber ihre Kraft als schwach und deren Wirkungen als armselig glossiert.« Vgl. N. Kehl a. a. O. 141, 157.

[3] G. Delling: ThWNT VII 670ff.

[4] Blinzler a. a. O.

[5] Siehe ferner A. J. Bandstra, The Law and the elements of the world, Diss. Amsterdam 1964; Foerster, Die Irrlehrer des Kolosserbriefes 76f.; ders., Abfassungszeit 138; R. Haardt, Gnosis und Neues Testament, in: Bibel und zeitgemäßer Glaube, Bd. II: NT, Klosterneuburg–Wien–München 1967, 138; Ridderbos, Paulus 113.

und außerchristlichen Seinsweise«[1] oder mit Delling als Bezeichnung dessen, »worauf die Existenz dieser Welt beruht und was auch das Sein des Menschen ausmacht,«[2] versteht oder mit H. Schlier u.a. in den Weltelementen »die elementaren Kräfte der Gestirne« sieht, die als personale Wesen »mit der Autorität göttlicher und engelischer Mächte bestimmte Forderungen an die Menschen stellen und Anspruch auf religiöse Verehrung erheben«[3], man wird, wie U. Luz mit Recht bemerkt,[4] »nicht in erster Linie nach den bei diesem Wort anklingenden Vorstellungen zu fragen, sondern den wertenden Charakter des Ausdrucks herauszuhören« und voll zu berücksichtigen haben. Um das Ergebnis der Exegese noch einmal zusammenzufassen[5]: »In höhnischer Konsequenzenmacherei« (R. Bultmann) beschreibt Paulus – wie so oft in seiner Polemik – nicht exakt die Situation und den ihn provozierenden anderen Glaubensstandpunkt, sondern er weist ironisch die Galater darauf hin, wohin sie kommen, wenn sie sich auf das jüdische Gesetz einlassen, nämlich in die Nähe des heidnischen Kultes (vgl. 5,12)[6]. Der polemische Begriff τὰ στοιχεῖα τοῦ κόσμου ist ihm dabei eine willkommene Hilfe. Ob Paulus hier gleichsam den Kernbegriff eines religiösen Synkretismus, in dessen Mittelpunkt ein sogenannter Stoicheiakult stand, aufgreift, ohne um die Existenz eines solchen Kultes zu wissen bzw. sich in der religionsgeschichtlichen Beurteilung dieses Kultes fundamental zu irren,[7] muß bezweifelt werden[8]. Natürlich liegt die Versuchung nahe,

---

[1] Blinzler a.a.O. 442.

[2] Delling a.a.O. 685.

[3] Schlier, Gal 192.

[4] Luz, Geschichtsverständnis 155, siehe auch Anm. 76: »Der Widerspruch G. Dellings ... sieht wohl richtig, daß der Ausdruck nicht in erster Linie die vorchristliche Existenz der Galater beschreiben, sondern sie qualifizieren, d.h. ›alle vorchristliche Religion zusammenfassend abgeurteilt‹ haben will.« Vgl. Kehl, Der Christushymnus 157: »Es kann nach alledem als philologisch und motivgeschichtlich gesichert gelten, daß der paulinische Ausdruck στοιχεῖα τοῦ κόσμου für ›geschaffene Dinge‹ steht. Wenn die Heiden Stoicheia verehren, so verehren sie Geschöpfe, und wenn die Juden dem Gesetz folgen, das von Engeln verwaltet wird (Gal 3,19), so dienen sie Geschöpfen. Der Ausdruck ›Stoicheia‹ bot sich für einen Sprachgebrauch an, durch den Paulus in gleich abwertender Weise sowohl Juden wie Heiden der in Christus geschehenen Gottesoffenbarung gegenüberstellen konnte.«

[5] Siehe ausführlicher zu Gal 4,9f. S. 92f.

[6] Vgl. 1 Kor 1,12: »ich aber des Christus«. Dazu E. Käsemann: »Eine Christuspartei hat es überhaupt nicht gegeben. Die sie vermeintlich kennzeichnende Losung ›ich bin des Christus‹ wird als ironisierende Überbietung der anderen umlaufenden Parolen, also aus spezifisch paulinischer Rhetorik zu begreifen sein« (in: F. Chr. Baur, Ausgewählte Werke in Einzelausgaben, hrsg. v. K. Scholder, 1.Bd, Stuttgart-Bad Cannstatt 1963, X).

[7] Siehe den Forschungsbericht S. 13ff. – Die Verschiedenartigkeit der Elementenvorstellung müßte gerade vor einer allzu schnellen Kombination von Gal 4,3.9 und Kol 2,8.20 warnen. Daß Paulus einen ihm letzlich recht unverständlichen Be-

bei der dürftigen Quellenlage für die Rekonstruktion des »anderen Evangeliums« in Galatien die Elementenphilosophie des Kolosserbriefs[1] zur Aufhellung der galatischen Zustände heranzuziehen[2]. Jedoch darf nicht übersehen werden, daß der hinsichtlich seiner paulinischen Verfasserschaft umstrittene Kolosserbrief[3] nicht bloß örtlich, sondern vor allem zeitlich dem Galaterbrief fern steht – auch sind das keineswegs einheitliche religionsgeschichtliche Bild Kleinasiens[4] und die rapide Entwicklung des Christentums in diesen Jahrzehnten zu berücksichtigen[5] –; besonders aber wird man, wie kürzlich wieder durch E. Lohse hervorgehoben, feststellen müssen: »Der Begriff ὁ νόμος fehlt im Kolosserbrief, und die Polemik gegen die φιλοσοφία sieht ganz anders aus als die Abwehr der Judaisten im Galaterbrief«[6]. Wenn die Beschneidung in der kolossischen Irrlehre überhaupt ein Faktor gewesen ist[7], ist mit Lohse zu konstatieren: »Mit keinem

griff zur Charakterisierung des Gesetzlichkeitsstrebens der Galater verwendet, wird man nicht ohne weiteres postulieren dürfen. Ebenfalls ist der Ergänzungsversuch, die im Gal klar bezeugte Beschneidungsforderung mit der aus dem Kol nur hypothetisch zu erschließenden Beschneidungspropaganda und den relativ deutlichen Stoicheia-Kult der Kolosser mit den im Gal nur nebenbei verwendeten Stoicheia-Begriff zu einem einheitlichen Gesamtbild zu kombinieren, mit Skepsis aufzunehmen, zumal eine solche Konstruktion das angeblich falsche Urteil des Paulus hinsichtlich der Charakterisierung der galatischen Häresie zur Voraussetzung hat.

[8] Vgl. Hilgenfeld, Vorgeschichte des Gal 336, der gegen A. H. Franke schon feststellte: »Aber wo steht denn, daß die στοιχεῖα τοῦ κόσμου, zu deren Dienste auch die Beobachtung jüdischer Tage, Monate, Festzeiten und Jahre gehört, von den Judaisten selbst gelehrt worden waren? Es ist vielmehr Paulus selbst, welcher diesen Orac. Sibyll. III 80. 81 gebrauchten Ausdruck nach mündlichen Unterweisungen als seinen Lesern verständlich anwendet.« Dieser Einwand gilt letztlich auch gegenüber E. Schweizer, Die »Elemente der Welt« 162f., der allerdings den jüdischen Charakter der galatischen Irrlehre betont. Wenn der Stoicheia-Begriff soweit verbreitet war, wie es Schweizer belegt, braucht es gerade kein »merkwürdiger Zufall« zu sein, daß Paulus ihn zur Disqualifizierung der neuen Gesetzlichkeit der Galater verwendet.

[1] Zur Irrlehre des Kol siehe die S. 70 Anm. 1 angegebene Literatur.
[2] So Bornkamm, Aufsätze I 140, 148 u.ö.; Schmithals, Häretiker I 46f., 50 Anm. 73, II 27, 31 Anm. 92; Marxsen, Einleitung 158; Georgi, Gegner 13; Wegenast, Tradition 120 Anm. 2; H. Köster, in: ZThK 65 (1968) 191; Schlier, Gal 191 u.a.
[3] Siehe die neueren Kommentare u. Einleitungen in das NT.
[4] Vgl. Bornkamm, Aufsätze I 142: »Die spekulativen und mythologischen Vorstellungen, in denen der Begriff der Elemente begegnet, sind freilich so mannigfaltig und die Formeln des Kol und Gal so spärlich, daß eine Reihe von Fragen für die in Frage stehende Häresie unbeantwortet bleiben müssen.«
[5] Vgl. v. Harnack, Mission I 3.
[6] So E. Lohse, Kol 189 Anm. 1; vgl. 139; ferner L. Goppelt, Die judaistische Elementenphilosophie in Kolossä, in: Christentum u. Judentum 137–140.
[7] Siehe dazu die Ausführungen auf S. 69ff.

Wort wird jedoch angedeutet, daß ähnlich wie in den galatischen Gemeinden die Beschneidung als Bundeszeichen angesehen worden ist, durch das die Verpflichtung zum Gehorsam gegen das alttestamentliche Gesetz und die Aufnahme in die Gemeinschaft mit den Vätern erfolgt«[1]. Die Differenz zwischen der im Synkretismus Kleinasiens und vielleicht sogar innerhalb der kolossischen Gemeinde entstandenen Irrlehre des Kolosserbriefs[2] und dem von außen – die palästinensische Herkunft ist nicht auszuschließen[3] – in die galatischen Gemeinden durch antipaulinisch eingestellte Missionare gebrachten »anderen Evangelium« kurz auf eine Formel gebracht: In Kolossä spielt die Heilsgeschichte anders als in Galatien keine Rolle[4]. Vom Kolosserbrief aus das Bild, das Paulus vom »anderen Evangelium« entwirft, entscheidend zu korrigieren, ist m. E. ein zu gewagtes Unternehmen, das die unterschiedliche Quellenlage und die Mannigfaltigkeit im Urchristentum zu wenig in Rechnung stellt[5].

Eine nähere Einordnung der judenchristlichen Gegner des Paulus in Galatien in eine der verschiedenen Richtungen des Judentums und damit zugleich eine genauere Umschreibung ihres Gesetzesverständnisses[6] sind deshalb kaum möglich, weil sie als christliche Missionare keine reinen Repräsentanten einer solchen Richtung mehr waren[7].

---

[1] E. Lohse, Kol 153.

[2] Die entscheidende Frage ist hier, wo das synkretistische System die christlichen Elemente aufnahm. Vgl. auch H. Köster, in: ZThK 65 (1968) 191 Anm. 88: »Es ist nur anzumerken, daß die Häresie des Kolosserbriefes vielleicht in stärkerem Maße als bisher angenommen ein lokal begrenztes und bedingtes Phänomen war, das speziell durch den jüdischen Synkretismus Lydiens und Phrygiens gespeist wurde; vgl. A. Kraabel. Judaism in Asia Minor (Diss. Harvard), 1968.«

[3] Siehe dazu Gal 1 und 2 und die Darlegungen auf S. 228 *u.* 235*f.*

[4] So E. Lohse, Kol 188: »Die δόγματα werden aber nicht als Zeichen des Gehorsams gegen den Gott Israels verstanden, der sein Volk als die Gemeinde seines Bundes aus allen Völkern ausgesondert hat, sondern sie sollen der Unterwerfung unter die ἄγγελοι, ἀρχαί und ἐξουσίαι Ausdruck geben, denen der Mensch durch Herkunft und Schicksal unterstellt ist.« H. Conzelmann, Kol 148: »Die Gegner gewinnen ihre Lehre vom Erlöser nicht mehr von der geschichtlichen Offenbarung her, sondern von der Weltschau.« Vgl. Dahl, Das Volk Gottes 255*f.*

[5] Sollte der Kol ein echter Paulusbrief sein, so wird man Paulus bescheinigen müssen, daß er durchaus, was ja auch seine anderen Briefe bestätigen, unter den Irrlehren zu differenzieren versteht und er weder gegen einen Panjudaismus noch gegen einen Pangnostizismus kämpft. Vgl. Blank, Paulus 19.

[6] Sieht man in Gal 4,9f. eine zutreffende Charakteristik der galatischen Irrlehre, so wird man am ehesten ihre Prediger apokalyptisch-jüdischen Kreisen zuordnen; siehe das Material bei Schlier z. St.

[7] Insofern war das Christentum ein Synkretismus.

IV. Kapitel

DIE RELEVANZ DER PARÄNESE DES GALATERBRIEFS
IM KAMPF DES APOSTELS PAULUS
GEGEN DAS »ANDERE EVANGELIUM«

1. Problemstellung

Eine eingehende Untersuchung der Paränese des Galaterbriefs (5, 13-6, 10)[1] ist nicht bloß für die Frage nach dem Verhältnis der sittlichen Weisungen des Apostels zu der in Gal 3 und 4 hervorgetretenen fast antinomistischen Gesetzesinterpretation interessant, sie ist auch gefordert, weil besonders aufgrund der Ausführungen von Gal 5, 13-6, 10 öfters die Meinung vertreten wurde, Paulus kämpfe im Brief an die Galater nicht allein gegen Nomisten, sondern auch gegen »freiere paulinische Christen« (de Wette), gegen »falsche Pauliner« (Bisping) oder, wie vor allem W. Lütgert und J. H. Ropes herauszuarbeiten versuchten, gegen Pneumatiker mit antinomistischen und libertinistischen Tendenzen[2]. Die Warnung vor dem Mißbrauch der Freiheit (5, 13) soll gegen den Libertinismus gerichtet sein, der im Lasterkatalog (5, 19ff.) und in der Mahnung, nicht auf das Fleisch zu säen (6, 8), weiter zu belegen sei. Gal 6, 1 sei für die Wurzel des Übels äußerst aufschlußreich, da der Apostel hier diese sogenannte zweite Front ausdrücklich als »Pneumatiker« anspräche, die sich hochmütig und ruhmsüchtig anderen Gemeindemitgliedern gegenüber gebärdeten (vgl. 5, 26; 5, 15 und die Kataloge) und von der Unterhaltspflicht gegenüber den Lehrern entbunden fühlten (6, 6). Die Aussagen über das Gesetz (5, 14; 5, 18; 5, 23; 6, 2) stünden ebenfalls in der Front gegen den Antinomismus. W. Schmithals, der sich vor allem die Vorarbeiten von W. Lütgert zunutze macht, ohne sie kritiklos zu übernehmen, glaubt in der Paränese eine Fülle antignostischer Äußerungen des Apostels feststellen zu können, wobei aber »es offenbar Paulus nicht zum Bewußtsein gekommen ist, daß die Hervorkehrung des Pneumatikertums Teil des häre-

---

[1] Zum Beginn der Paränese Gal 5, 13 siehe S. 132.
[2] Siehe den Forschungsbericht S. 11f. – Vgl. auch Oepke, Gal 129f.: »Die Zweifrontentheorie hat im zweiten Briefteil (5, 13–6, 10) ihre eigentliche Grundlage. Am ersten Briefteil (1, 12–5, 12) kann man sie nur nachträglich (und unter nicht geringen Schwierigkeiten!) durchzuführen versuchen. Lütgerts Darstellung steht, weil sie diesen Sachverhalt klar zum Ausdruck bringt, immerhin etwas günstiger da als die von Ropes, welche vom ersten Briefteil ausgeht. Ob etwa der *zweite* Briefteil bestimmt mit solch einem spiritualistischen Widerstand rechnet, bedarf genauer Untersuchung.«

tischen Programms in Galatien war«[1]. Für Schmithals ist die Front der
libertinistischen Gnostiker die einzige, der Paulus in Wirklichkeit gegenüberstünde. Seine Gegner seien Gnostiker, die sich ihres Pneumabesitzes
rühmten, Paulus als »Sarkiker« verachteten[2], Beschneidung und Gesetz nicht
in traditionell jüdischem Sinn verstünden[3] und sich als die Pneumatiker von
den sittlichen Ordnungen emanzipierten[4]. Ihr Libertinismus muß in den
Gemeinden ansteckend gewirkt haben, denn Schmithals versteht die Kataloge als situationsbezogene Ethik: »Jedes dieser Laster und Tugenden paßt
also genau in die von uns aufgezeigte Lage in Galatien hinein, was unter der
Voraussetzung judaistischer Gegnerschaft des Paulus nicht gilt«[5]. Damit ist
das Kardinalproblem der Paränese des Galaterbriefs genannt: die Frage nach
dem Grad ihrer Situationsbezogenheit.

2. *Exegese von Gal 5,13 – 6,10*

a) Gal 5,13-15

Der Schlußabschnitt des lehrhaften Teils des Galaterbriefs (5,1-12) stellte
die galatischen Christen noch einmal kompromißlos vor die Alternative:
Christus oder das Gesetz. Unmißverständlich warnte der Apostel vor den
Beschneidungspredigern, und dieser Schlußappell fand in einem sarkastischen Wunsch für die Rivalen des Apostels seinen Höhepunkt. Zu Beginn
des nun folgenden paränetischen Teils des Briefes[6] rechtfertigte Paulus sein
hartes Urteil über seine Gegner[7], da die Galater für ein ganz anderes Ziel
bestimmt sind: »*Denn ihr, zur Freiheit*[8] *wurdet ihr gerufen, Brüder*« (V. 13a).
Mit diesem ›polemischen Begriff‹ »Freiheit«[9] umschreibt der Apostel das

---

[1] Schmithals, Häretiker I 51 Anm. 79; II 33 Anm. 98: »... ist es Paulus vielleicht
(!) nicht zum Bewußtsein gekommen ...«

[2] Ders., Häretiker I 54, II 34.

[3] Ders., Häretiker Kap. II u. III.

[4] Ders., Häretiker I 55, II 36.

[5] Ders., Häretiker I 56f., II 37. – Dieses Argument ist schon deshalb nicht
akzeptabel, weil die Galater selbst keine Judaisten waren.

[6] Daß mit 5,13 die Paränese des Galaterbriefs beginnt, dürfte zuletzt überzeugend O. Merk, Der Beginn der Paränese im Galaterbrief, in: ZNW 60 (1969)
83–104, dargelegt haben. Anders G. Schneider, Gal 117, mit Berufung auf die
französisch-sprachigen Kommentare D. Buzy, P. Bonnard und St. Lyonnet.

[7] In diesem Sinn ist das γάρ zu Beginn von V. 13 zu verstehen, vgl. Oepke,
Schlier u. a.

[8] 'Επ' ἐλευθερίᾳ muß hier wie 1 Thess 4,7 (vgl. Eph 2,10; 2 Tim 2,14) final gedeutet werden: so die meisten Kommentare.

[9] Siehe zu Gal 5,1; ferner H. Schlier: ThWNT II 484–500; Richter Wb 265 bis
269; U. Neuenschwander, Das Verständnis der christlichen Freiheit bei Paulus, in:

Evangelium, wie es gerade für die Situation der galatischen Kirchen konkret
zu verkünden ist. In gewisser Weise »faßt« V. 13 a »in prägnanter Kürze den
Ertrag der ganzen bisherigen Erörterung zusammen« (Oepke), ist aber zugleich auch Überschrift für die folgenden Ermahnungen[1]. Die indikativi-
sche Aussage ist hier vom Imperativ nicht zu trennen.

Als erstes eine Mahnung zum rechten Gebrauch der Freiheit: »*Nur, nicht
die Freiheit zum Sprungbrett*[2] *für das Fleisch*[3], *sondern durch die Liebe seid Sklaven
einander !*« (V. 13 b). Die Meinungen, Paulus wende sich nun an »die freiern
paulinischen Christen« (de Wette), »die falschen Pauliner« (Bisping), an eine
antinomistische Richtung in den galatischen Kirchen (Lightfoot, Lütgert,
Ropes) oder hier trete der libertinistische Charakter der gnostischen Häresie,
die die paulinischen Gemeinden bedrohe, deutlich zutage (Schmithals[4]),
lassen sich nicht hinreichend im Kontext und gesamten Brief verifizieren[5]
und verkennen die Eigenart der Paränese, die denselben Galatern, welche,
polemisch gesprochen, unter dem Gesetz sein wollen und vor dem Gesetz
wie vor einer feindlichen Macht gewarnt wurden, nun klarmachen muß, daß
das Ende des Gesetzes nicht Aufgabe der Moral bedeutet[6]. Allerdings kann

---

Schweiz. Theol. Umschau 24 (1954) 104–112; R. N. Longenecker, Paul, Apostle of
Liberty, New York 1964; R. Schnackenburg, Christliche Freiheit nach Paulus, in:
Christliche Existenz II 33–49; K. H. Schelkle, Freiheit, in: Theologie des NT III,
Düsseldorf 1970, 143–150.

[1] Allerdings fehlt im gesamten Passus (5, 13–15) der für die Paränese so wichtige
Pneumabegriff; deshalb wird man weder V. 13 noch die VV. 13–15 als kurze In-
haltsangabe der Paränese bezeichnen können. Zutreffender ist mit Bousset von
einer »einleitenden Bemerkung« zu reden.

[2] Ἀφορμή »eigentlich der Ausgangs- und Stützpunkt einer Expedition, dann allgemein der Inbegriff der Mittel zur Durchführung eines Unternehmens (z. B. auch
das Betriebskapital), in unserer Literatur der Anlaß, der Vorwand, die Gelegenheit für etwas«: Bauer Wb 253.

[3] Wilckens, Das Neue Testament 676 f., übersetzt in Ermangelung eines treffen-
den deutschen Gegenbegriffs für das Wort »Fleisch« mit »Selbstsucht«, siehe den
Kommentar ebd. 677. Zum Begriff »Fleisch« ferner Kuss, Römerbrief 506–540,
bes. 514 (die »spezifisch ›paulinisch‹ bezeichnete Verwendung des Begriffes
›Fleisch‹« charakterisiert die »gottfeindliche Verfaßtheit des Menschen, so wie sie
dem ›im Geiste‹, dem mit dem Pneuma Beschenkten sichtbar wird«); A. Sand, Der
Begriff »Fleisch« in den paulinischen Hauptbriefen, BU 2, Regensburg 1967; Schelkle, Theologie III 61 f.; Kümmel, Theologie 158 f.

[4] Schmithals, Häretiker I 55, 58 f.; II 36, 39.

[5] Siehe die auf S. 16 f. zitierten kritischen Stimmen und die folgende Einzelexegese.

[6] So u. a. Lipsius, Sieffert, Lietzmann, Oepke; Schlier, der jedoch bemerkt: »Ist
dieser Antinomismus grundsätzlich gemeint und ist er etwa neben dem Nomismus
von den Gegnern des Apostels vertreten worden? Die Frage muß gestellt werden.
Aber sie ist m. E. nicht eindeutig zu beantworten« (Gal 242). Vgl. auch O. Merk,
Handeln aus Glauben. Die Motivierungen der paulinischen Ethik, Marburg 1968,
69 Anm. 21 (siehe das Zitat auf S. 151 f.).

nicht ausgeschlossen werden, daß ein weiterer Grund dieser Ermahnung für den Apostel in der Mißdeutung seines gesetzesfreien Evangeliums durch seine Gegner oder in einem Mißverständnis seiner Predigt bei den Galatern oder möglicherweise in ihrem noch zu tadelndem sittlichen Lebenswandel gegeben ist. Die vorliegende Ermahnung muß aber in erster Linie als eine auf die bisherige prononciert einseitige Verneinung des Gesetzes zu erwartende Aussage des Seelsorgers Paulus begriffen werden[1]. Zu beachten ist ferner, daß der Apostel auch jetzt nicht von einem recht verstandenen Gesetz als Norm des sittlichen Handelns spricht[2], sondern von der Liebe, die aus dem Glauben hervorgeht (5,6) und das sittliche Prinzip ist[3]. Mit demselben Begriff, mit dem er den Stand unter dem Gesetz bezeichnete, beschreibt Paulus nun die christliche Existenzweise[4]. Zwar ist diese vielseitige Verwendung des Begriffs δουλεύειν nicht ungewöhnlich[5], fällt aber im Galaterbrief auf und entspricht der Tendenz des Paulus, sich einer paradoxen Redeweise zu bedienen.

»Paradoxerweise« (Oepke, vgl. Burton z. St.) begründet Paulus seine Ermahnung zur Liebe mit einer erstaunlich positiven Aussage über das Gesetz: »*Denn das ganze Gesetz ist in dem einen Wort erfüllt, in dem*: ›*Du sollst lieben deinen Nächsten wie dich selbst*‹ (*Lev 19,18*)« (V. 14). Es darf nicht übersehen werden, daß der Apostel wie der Kontext zeigt (s. V. 13 u. V. 15), nicht in erster Linie über das Gesetz handelt, sondern die Galater zur Bruderliebe ermahnt; freilich – und dies ist ein deutlicher Hinweis, wie sehr Paulus noch die Gesetzesproblematik beschäftigt und er sich gerade an die »Gesetzeswilligen« wendet – das Gesetz wird hier, wenn man von den Schriftzitaten absieht (vgl. auch 4,21), erstmals als positive Größe vorgestellt. Die Rede vom »Prinzip« des Gesetzes (de Wette), der »Summe« und dem »Wesen« der Gesetzeserfüllung (Bisping, vgl. Röm 13,8-10), vom »ewigen Gesetzesinhalt« (Wörner) und seinem »wesentlichen Inhalt« (Oepke), vom »Grundgedanken des Gesetzes« (Kuss), vom »eigentlichen Sinn« (Schlier) und »Ursinn des Gesetzes« (Beyer-Althaus), vom »letzten Wollen des Gesetzes« (Zerwick) o.ä. darf nicht verdecken, daß hier nach einem einseitigen Auswahlprinzip – die Gottesliebe und das Zeremonialgesetz sind von Paulus

---

[1] In diesem Sinn ist auch das μόνον zu Beginn von V. 13b zu verstehen.

[2] Vgl. Bousset z. St.: »Es ist aber sehr bemerkenswert, daß er (Paulus) auch an diesem Punkt nicht von neuem und nachträglich die Geltung des Gesetzes als Regel für das sittliche Leben der Gläubigen aufrichtet. Es handelt sich um eine ganz neue Grundlage, die der Liebe.«

[3] Vgl. C. Spicq, Agapé dans le N.T., Paris 1958/60, I 240 ff.; Bornkamm, Paulus 162; H.-D. Wendland, Ethik des Neuen Testaments, Göttingen 1970, 57, 59–63.

[4] Nach Zöckler ist δουλεύειν »als akuminöser Gegensatz zu ἐλευθερία, vgl. Röm 6, 18.22; Lk 22,26« zu verstehen.

[5] Siehe Bauer Wb 406 f; K.H. Rengstorf: ThWNT II 264 ff.; Bultmann, Theologie 333; Richter Wb. 818–826, bes. 823 f.

wohl nicht miterfaßt – das Gesetz aufgrund eines für die paulinische Argumentation opportunen Schriftwortes auf die galatische Situation hin ausgelegt wird. Man könnte sogar fragen, ob der Apostel nicht die alttestamentliche »Institution« wie so oft[1] paradoxerweise bzw. nur in einem
»tieferen« Verständnis für »gültig« erklärt[2]. Von einer Wiederaufrichtung
des Gesetzes in der Paränese wird man jedenfalls nicht reden dürfen[3]. Wenn
unsere Stelle offenbaren sollte, daß Paulus grundsätzlich die Autorität und
Gültigkeit des Gesetzes bejaht[4], so belegt Gal 5,14 zugleich die grundsätzliche Kritik des Gesetzesinhaltes durch den Apostel[5]. Im Grunde genommen
wird hier das »andere Evangelium« in Galatien, das das Gesetz wörtlich
versteht und aufrechterhalten will, durch die Gesetzesinterpretation des
Paulus noch einmal zurückgewiesen.

Dem Idealbild christlichen mitmenschlichen Verhaltens stellt der Apostel
das krasse Gegenbild der Lieblosigkeit gegenüber: »*Wenn aber einander ihr
beißt und freßt, seht, daß ihr nicht voneinander aufgezehrt werdet*« (V. 15). Kaum
zu klären ist, ob und inwieweit hier in dieser bildhaften Kontrastierung zu
V. 13b und V. 14 auf faktische Vorgänge in den Gemeinden Galatiens Bezug
genommen wird[6]. Auch bei entsprechender Berücksichtigung des Laster-

---

[1] Vgl. im Galaterbrief die Beantwortung der Frage, wer Abrahams Sohn ist,
(Gal 3 und 4), die Deutung des Begriffes »das Israel Gottes« auf die Kirche (Gal
6,16); ferner Phil 3,3; Röm 2,25 ff.

[2] Vgl. Chrysostomus; Burton, Oepke; Bultmann, Theologie 333.

[3] Die sachliche Parallele Röm 13,8–10 spricht nicht dagegen. Bedeutsam ist
auch, daß der Apostel hier urchristlicher Tradition verpflichtet ist: vgl. Mt 5,43;
19,19; 22,39; Mk 12,31.33; Lk 10,27; Jak 2,8. So auch Conzelmann, Theologie
305: »Das Liebesgebot als die Erfüllung des Gesetzes gehört – als Überlieferung
vom Herrn – zum Grundbestand der frühen Paränese.« Bornkamm, Paulus 222;
van Dülmen, Theologie des Gesetzes 60 Anm. 131. Ob Paulus bewußt auf ein
Herrenwort anspielt (Holtzmann, Theologie 232; Oepke, Bonnard, Kümmel,
Theologie 148), ist nicht zu beweisen. Jedenfalls kann die vorliegende Aussage
nicht als eine grundsätzliche Wertung des Gesetzes durch Paulus verstanden werden. Vgl. G. Delling: ThWNT VI 291 Anm. 40.

[4] Vgl. etwa Bultmann, Theologie 263; Kuss, Nomos 221 ff.; Bornkamm, Paulus
132.

[5] Vgl. Bultmann, Theologie 261: »In der Selbstverständlichkeit freilich, mit der
er (Paulus) als den bleibenden, auch für den Christen verbindlichen Inhalt des νόμος
die sittlichen Forderungen des Dekalogs nennt (Röm 13,8–10; Gal 5,14), zeigt
sich, daß der identische Sinn der kultisch-rituellen und der sittlichen Forderungen
nur für den Menschen vor der πίστις besteht, und daß im Glauben ein unreflektiert
wirksames Prinzip der Kritik gegeben ist«; Ridderbos, Paulus 103 f., spricht treffend von einer »quantitativen« und »qualitativen Radikalisierung« des Gesetzes bei
Paulus.

[6] Ob das εἰ mit dem Indikativ als Ausdruck des Realis (so Gutjahr, Oepke,
Schlier) wirklich so aufschlußreich ist, ist m. E. zu bezweifeln. Die bildhafte Rede
des Apostels verdient stärkere Beachtung.

katalogs und etwa der Stellen 5, 26 und 6, 1. 3 bleiben es reine Vermutungen, wenn an Streitigkeiten über die Gesetzesfrage[1] oder an das Verhalten hochmütiger Pneumatiker[2] gedacht wird. Würde man dann nicht eine konkretere Sprache des Apostels erwarten?[3]

b) Gal 5, 16-24

Paulus vertieft seine Ermahnungen von V. 13-15[4] und formuliert dabei das Moralprinzip seiner Theologie: »*Ich sage aber: Im Geist wandelt*[5] *und das Begehren des Fleisches werdet ihr nicht vollbringen*« (V. 16). Ist in V. 13 dem bösen Prinzip, der Macht des Fleisches, die Liebe gegenübergestellt, so jetzt der Ursprung der Liebe, der neue Lebensgrund der Glaubenden, der Geist, als dessen Frucht die Liebe in V. 22 bezeichnet wird[6]. Das Pneuma ist nicht bloß Norm, sondern Grund und Kraft des sittlichen Lebens, wie V. 18 (πνεύματι ἄγεσθε) bestätigt. Die Mahnung setzt voraus, daß der Christ sich seinem Lebensprinzip und seinem Stand als Sohn, der den Geist des Sohnes Gottes hat (vgl. 4, 6 f.), entfremden kann[7]. Dann ist er vom »Begehren des Fleisches« ergriffen[8].

Den unversöhnlichen Gegensatz dieser beiden Kräfte, die das Leben des Menschen bestimmen können, und ihre nicht zu unterschätzende Macht[9] will die folgende Aussage unterstreichen: »*Denn das Fleisch begehrt gegen den*

---

[1] So Wieseler, Lipsius, Schlatter, Bousset, Zahn, Steinmann, B. Weiss, Lietzmann, Burton, Lagrange, Lütgert, Gesetz und Geist 9; Bonnard, Kürzinger u. a.

[2] So vermutend Lietzmann, Schlier; Schmithals, Häretiker I 51 f., II 33 f.

[3] Vgl. Oepke: »Wieviel Paulus über die galatischen Gemeinden wirklich gewußt hat, entzieht sich unserer Kenntnis. Wir wissen zweifellos noch weniger als er.« ... »Von grimmigem Streit über die Geltung des Gesetzes – innerhalb der Gemeinden! – war bisher weder in noch zwischen den Zeilen des Briefes etwas zu lesen.« ... »Vielleicht will Paulus nur das Motiv ›Unfriede verzehrt‹ variieren.« Siehe ferner van Dülmen, Theologie des Gesetzes 59 Anm. 128.

[4] So richtig Sand, Der Begriff »Fleisch« 210.

[5] Περιπατεῖν entspricht dem hebr. הָלַךְ (4 Kg 20, 3; Spr 8, 20 u. ö.) und beschreibt im NT bei Paulus und Johannes den Lebenswandel, so H. Seesemann: ThWNT V 944, 14 ff.; W. Pfister, Das Leben im Geist nach Paulus, Freiburg/Schweiz 1963, 49: »Wohl ist der Begriff des ›Wandels‹ der Bibel sehr vertraut, aber die Verknüpfung dieses zentralen Begriffs biblischer Ethik mit dem Geist ist eine orginelle Schöpfung des Paulus.«

[6] Zum Pneuma-Begriff bei Paulus siehe Kuss, Römerbrief 540–595 und die S. 152 Anm. 2 angegebene Literatur.

[7] Vgl. Schrage, Einzelgebote 73.

[8] Sand, Der Begriff »Fleisch« 211: »Das ›Begehren, Verlangen‹ wird durch den Gen. σαρκός negativ gewertet. Paulus meint das umfassende Verhalten des sündigen Menschen, der sich gegen das Pneuma und für die Sünde und den Tod entscheidet.«

[9] Vgl. Gunkel, Wirkungen des hl. Geistes 73.

Geist, der Geist aber gegen das Fleisch, denn diese liegen einander gegenüber, damit (ἵνα¹) *ihr nicht, was ihr etwa* (ἐάν) *wollt, dies tut«* (V. 17). Da Paulus den Geist kaum als eine fremde, den Willen des Menschen knechtende Macht angesehen hat, handelt der ἵνα-Satz – so heißt es – von der feindlichen Macht des Fleisches, die den Menschen hindere, »das zu tun, was er im tiefsten will«². Doch darf die Wendung τὸ δὲ πνεῦμα κατὰ τῆς σαρκός nicht übersehen werden³, und es ist durchaus möglich, die Aussage so allgemein zu verstehen, wie sie gehalten ist: die beiden Mächte streiten miteinander⁴ mit dem Ziel, »das jeweilige Wollen des Menschen, das von dem Anspruch des Fleisches oder Geistes provoziert ist, abzufangen und nicht zur Tat werden zu lassen« (Schlier⁵).

Nach der ein wenig den Charakter einer Parenthese tragenden Aussage von V. 17 nimmt Paulus den Gedanken von V. 16 wieder auf und bezieht ihn auf den Hauptgegenstand des Briefes: »*Wenn ihr aber vom Geist getrieben werdet*⁶, *seid ihr nicht unter dem Gesetz* (ὑπὸ νόμον)*«* (V. 18). Die Basis und Norm des Verhaltens der Glaubenden ist der Geist. Nicht das Gesetz ist für den Christen normgebend, mag auch im Gesetz eine rechte Weisung bzw. der Wille Gottes zum Ausdruck kommen; doch davon ist hier und im gesamten Brief nicht die Rede⁷. Ὑπὸ νόμον hat im Galaterbrief einen eindeutig negativen Sinn (vgl. 3,23; 4,4f.21)⁸, und die zu V. 18b sachliche Parallele in V. 16b (»und das Begehren des Fleisches werdet ihr nicht vollbringen«)⁹

---

¹ Konsekutiv verstehen dieses ἵνα: Bisping, Lightfoot, Loisy, Lagrange, Kuss, Bonnard, Beyer-Althaus; siehe auch Bl-Debr § 391; dagegen final: Sieffert, Schlier; E. Schweizer: ThWNT VI 427 Anm. 641.

² So Oepke; vgl. P. Althaus, Damit ihr nicht tut, was ihr wollt. Zur Auslegung von Gal 5,17, in: ThLZ 76 (1951) 15–18; Bultmann, GuV II 46 Anm. 6; Braun, ThWNT VI 480, 10ff.

³ Röm 7,14ff. kann nicht als Interpretationsschlüssel herangezogen werden, da hier vom »vorchristlichen Zustand« des Menschen die Rede ist. Vgl. Merk, Handeln aus Glauben 71f.

⁴ Ἀντίκειμαι im Streite liegen: Bauer Wb 147.

⁵ So schon Meyer, Wieseler, M. Kähler, Gutjahr, B. Weiss, Lietzmann, K.L. Schmidt; E. Schweizer ThWNT VI 427, 14f.

⁶ Vgl. Kuss, Römerbrief 562.

⁷ Von der Erfüllung des eigentlichen Wesens des Gesetzes wird hier ebenfalls nicht gesprochen.

⁸ Oepke: »Ὑπὸ νόμον εἶναι bezeichnet bei Paulus nicht die tiefinnerliche, sittliche Bindung an den im Gesetz zum Ausdruck kommenden Gotteswillen, sondern das gerade Gegenteil, die harte, äußerliche Versklavung unter das Gesetz als gottfeindlicher Macht, die es zu einer wirklichen Erfüllung jenes Willens eben nicht kommen läßt.« Vgl. Ridderbos, Paulus 112f.

⁹ Vgl. Schlier: »Zu beachten ist die Entsprechung der Aussage von V. 16 und V. 18. Unter dem Gesetz-sein und das Begehren des Fleisches ausführen umschreibt ein- und dieselbe Weise des menschlichen Lebens.«

spricht eher dafür, daß auch hier an die versklavende, die Sünde provozierende Macht des Gesetzes zu denken ist[1].

Seine Mahnung, im Geist zu wandeln (vgl. V. 16), bekräftigt der Apostel, wenn er recht drastisch schildert, was die Kehrseite eines geistgeführten Lebens ist: »*Offenkundig aber sind die Werke des Fleisches, welche sind: Unzucht, Unreinigkeit, Zügellosigkeit, Götzendienst, Zauberei, Feindschaften, Streit, Eifersucht, Zornausbrüche, Streitereien, Zwietrachten, Parteiungen, Neid, Trinkereien, Gelage und das diesem ähnliche; davon vorhersage ich euch, wie ich es euch vorhergesagt habe, daß die derartiges Tuenden das Reich Gottes nicht erben werden*« (VV. 19-21). Katalogartige Aufzählungen von Sünden finden sich schon im Alten Testament (Ex 20,1-17; Lev 19,20; Dt 27,15-26; Hos 4,1f. u.ö.). Die literarische Form der Tugend- und Lasterkataloge hat sich jedoch in der kynisch-stoischen Popularphilosophie herausgebildet und das spätjüdische Schrifttum beeinflußt[2]. Auch Paulus kennt diese in der zeitgenössischen Literatur verbreitete Form, vgl. die Lasterkataloge: Röm 1,29-31; 13,13; 1 Kor 5, 10f.; 6,9f.; 2 Kor 12,20f.[3]. Umstritten ist die Frage, ob die aufgezählten Laster einen Einblick in die Situation der galatischen Gemeinden gewähren. Während etwa Bo Reicke die Gewaltsamkeiten des jüdischen Zelotismus hier bescheinigt findet[4], entdeckt W. Schmithals »die typisch gnostischen Verhaltensweisen« und die nähere Gemeindesituation[5], über die Paulus – ganz im Gegensatz zur sonstigen Meinung von Schmithals – offenbar gut unterrichtet ist. Eine Untersuchung der einzelnen Begriffe führt nicht zum

---

[1] Vgl. Lipsius, Sieffert, Lietzmann, Oepke, Kuss, Schlier u.a.

[2] Zu den Tugend- und Lasterkatalogen siehe: K. Francke, Das Woher der ntl Lastertafeln, Leipzig 1930; A. Vögtle, Die Tugend- und Lasterkataloge im NT/ exegetisch, religions- und formgeschichtlich untersucht, Ntl Abh. XVI, Münster 1936; ders., »Lasterkataloge«, in: LThK² VI (1961) 806–808; »Tugendkataloge«, in: LThK² X (1965) 399–401; S.Wibbing, Die Tugend- und Lasterkataloge im NT/ und ihre Traditionsgeschichte unter besonderer Berücksichtigung der Qumran-Texte, BZNW 25, Berlin 1959; E. Kamlah, Die Form der katalogischen Paränese im NT, Wiss. Unters. NT 7, Tübingen 1964; H. Zimmermann, Neutestamentliche Methodenlehre. Darstellung der historisch-kritischen Methode, Stuttgart ³1970, 165f.; W. Barclay, Fleisch oder Geist. Wortstudie aus Gal 5,19–23, Augsburg–Berlin 1968.

[3] Zur Gliederung des Lasterkatalogs von Gal 5,19ff.: Lightfoot, Sieffert, Lagrange, Oepke, Kuss, Schlier.

[4] Reicke, Diakonie 248 ff.

[5] W. Schmithals, Häretiker I 56f.; II 36f.; dagegen: Merk, Handeln aus Glauben 73 Anm. 56. Siehe ferner K.H. Schelkle, in: Wort und Schrift 106: »Das Neue Testament folgt hier (Gal 5,19–23) katalogartigen Aufzählungen, für die es Beispiele auch in der außerbiblischen Literatur gibt. Die Laster sind nicht unbedingt nach dem Befund in der Gemeinde aufgezählt, und die Listen lassen nicht ohne weiteres auf die Wirklichkeit zurückschließen. Aber sie stehen immerhin im Neuen Testament als Mahnung und Warnung der Kirche.«

Beweis, daß die konkrete Situation erfaßt ist[1]. Paulus selbst scheint seine Aussage auch gar nicht in diesem Sinn zu verstehen[2], da er erinnert, daß er schon in früherer Predigt vor derartigen Lastern gewarnt habe. Der allgemeine Charakter des Lasterkatalogs kommt ferner durch die Schlußwendung καὶ τὰ ὅμοια τούτοις zum Ausdruck. Am ehesten könnten noch die zahlreichen Beschreibungen des Unfriedens einen Hinweis auf die Gemeindesituation abgeben[3], doch fehlen die nur hier im Neuen Testament innerhalb eines Lasterkatalogs erscheinenden Begriffe διχοστασία und αἵρεσις in den entsprechenden Katalogen des 1 Kor[4], auch begegnet die Mahnung zur Einheit der Gemeinde verständlicherweise mehrfach bei Paulus (vgl. Röm 13,13; 16,17; 2 Kor 12,20)[5]. Daß der Apostel hier »eine relativ feste Tradition katechetischer Unterweisung« wiederholt (so Schlier), beweist außerdem die Drohung: »die derartiges Tuenden werden das Reich Gottes nicht erben«. Das Thema der biblischen »Einlaßsprüche« taucht hier auf, und ein fundamentales Motiv der Verkündigung Jesu vom Einlaß in das Reich Gottes klingt an[6]. Ferner zeigt der sonst bei Paulus keine Rolle spielende βασιλεία-Begriff, daß unsere Stelle wohl mehr traditionelle Ermahnung bietet als eine gezielte Philippika. Wie der Geist als Anbruch des

---

[1] Man vergleiche die formelhafte Aufzählung der Laster, Übereinstimmung in Inhalt und Reihenfolge: Gal 5,19ff. mit 2 Kor 12,20; 12,21; Röm 13,13. Ganze Gruppen kehren also bei Paulus wieder. Siehe bes. Vögtle, Tugend- und Lasterkataloge 30: »Von den übrigen Katalogen verlangt Gal 5,19, der zusammen mit dem Tugendkatalog eine geschlossene Einheit bildet und erst 5,25 auf die Adressaten seine Anwendung findet, seinem didaktischen und theoretischen Zweck entsprechend, zunächst überhaupt keine konkrete Beziehung auf die Galater.« Der doch teilweise aktuellen Deutung des Lasterkatalogs durch Vögtle widerspricht Schrage, Einzelgebote 43f. Auch Wibbing (Tugend- und Lasterkataloge 95f.) arbeitet stark heraus, was zum festen Bestand der paulinischen Kataloge gehört, und versucht nur für den Lasterkatalog vermutungsweise die aktuelle Situationsbezogenheit einzelner Laster aufzuzeigen.

[2] Vgl. Vögtle, Tugend- und Lasterkataloge 41: »Paulus schwebt hier der Begriff ›die Werke des Fleisches‹ vor, für die er Beispiele aufzählen will und auch nicht ohne Rücksicht auf die Adressaten aufzählt; aber die Reihe bleibt für ihn eine Aufzählung von Beispielen, die noch weiter geführt werden könnte, wie die abschließende Bemerkung ›und dem Ähnliches‹ andeutet.« Siehe ferner: Oepke, Schlier; Schrage, Einzelgebote 20; 127f.; Merk, Handeln aus Glauben 73 Anm. 56.

[3] So Meyer, Lipsius, Sieffert, Zahn, B. Weiss, Lütgert, Gesetz u. Geist 9; Vögtle a.a.O. 30.

[4] Vgl. 1 Kor 5,10f.; 6,9f.; so auch W. Bauer, ThLZ 1937, S. 233; Schrage, Einzelgebote 44.

[5] Die Warnung vor Spaltungen dürfte in der gesamten urchristlichen Verkündigung zu finden sein, vgl. auch das versprengte Herrenwort: »Es wird Spaltungen und Parteihader geben« (Hennecke I 54).

[6] Vgl. Mt 5,20; 7,21; 18,3; Mk 9,43–48; 10,23–27; Lk 13,22.24.25–27.28f.30; 1 Kor 6,9f.; 15,50 u.a.

Heils und das Reich Gottes zusammengehören (vgl. 4,6f.), so sind die Werke des Fleisches und das Reich Gottes unvereinbar.

Den Lastern bzw. – nach der paulinischen Anthropologie – »den Werken des Fleisches« stellt Paulus »die Frucht des Geistes« in einem Tugendkatalog gegenüber: »*Die Frucht des Geistes aber ist: Liebe, Freude, Friede, Langmut, Freundlichkeit, Güte, Treue, Milde, Enthaltsamkeit*« (V. 22). Es dürfte in der Tat nicht zufällig sein, wenn der Apostel nicht von den »Werken« des Geistes spricht[1]. Der Begriff ἔργα scheint durch die Verbindung mit dem Gesetz bzw. Fleisch – τὰ ἔργα νόμου/σαρκός – negativ vorbelastet zu sein. Nur der Singular ἔργον findet sich bei Paulus im neutralen oder positiven Sinn[2]. Der Singular ὁ καρπός dürfte auf die *eine* Quelle der Tugenden hinweisen[3], auf das göttliche Geschenk des Geistes, welches die neue Existenzweise ermöglicht[4]. Die einzelnen Tugenden lassen wohl kaum einen zuverlässigen und überzeugenden Rückschluß auf die durch die Verkündigung des »anderen Evangeliums« entstandene Gemeindesituation zu, auf das also, was die Galater in der gegenwärtigen Stunde besonders zu beherzigen haben[5], vielmehr entfaltet hier der Apostel das Grundanliegen seiner Paränese, zu rechtem »sozialen« Verhalten nach dem Geist aufzurufen.

Der folgende Nachsatz: κατὰ τῶν τοιούτων οὐκ ἔστιν νόμος (V. 23 b) bereitet der Exegese einige Schwierigkeiten. Dabei ist weniger bedeutsam, ob κατὰ τῶν τοιούτων neutrisch, = gegen derartiges[6], – gemeint wäre die vielfältige Frucht des Geistes; ein konkretes Beziehungswort fehlt – oder maskulinisch, = gegen solche[7], – als verkürzte Redewendung für »die derartiges Tuenden«

---

[1] Vgl. Schrage, Einzelgebote 54f.; Kümmel, Theologie 204.

[2] Siehe Gal 6,4; 1 Kor 3,13ff.; Phil 1,6; 1 Thess 1,3; anders: Eph 2,10; 1 Tim 2,10; 5,10; 25; 6,18; Tit 2,7.14; 3,14.

[3] So u.a. Sieffert, Oepke, Schlier; Schrage, Einzelgebote 54f.

[4] Vgl. Kuss, Römerbrief 404: »Ein Begriff, der mit besonderer Deutlichkeit das für das sittliche Tun der Glaubenden charakteristische, zuletzt gar nicht mehr exakt voneinander zu trennende Ineinander von göttlicher und menschlicher Aktivität wiedergibt, ist der Begriff ›Frucht‹.« Siehe ferner K.L. Schmidt, Gal 89; Merk, Handeln aus Glauben 74; Kamlah, Die Form der katalogischen Paränese 181.

[5] Gegen Schmithals, Häretiker I 56f.; II 37. – Zur Gliederung des Tugendkatalogs siehe außer den Kommentaren Vögtle, Tugend- und Lasterkataloge 47f.: »Der am ehesten systematische Tugendkatalog Gal 5,22 ist wohl folgendermaßen zu gliedern: 1. die ersten drei Tugenden bezeichnen mehr innere Gesamtqualitäten und Triebkräfte anderer Tugenden, die 2. sich dem Nächsten gegenüber auswirken (die folgenden fünf), wie auch 3. gegenüber dem eigenen sinnlichen Begehren (ἐγκράτεια).«

[6] So Meyer, Bisping, Hilgenfeld, Lightfoot, Sieffert, Lagrange, Burton, Bonnard, Schlier, Lyonnet u.a.

[7] So die griech. Väter; Luther, Bengel, Lipsius, Wörner, v. Hofmann, Zahn, Steinmann, Oepke; Merk, Handeln aus Glauben 74 Anm. 61; Kamlah, Die Form der katalogischen Paränese 27 Anm. 2.

(V. 21) und in Entsprechung zu dem folgenden Subjekt »die aber des Christus« (V. 24) – übersetzt wird, sondern weshalb und wie der Apostel hier vom Gesetz spricht. Die Analogie zu V. 18 sowie der Kontext (vgl. V. 24 zu V. 16) können nur an die anklagende und versklavende, in Schuld verstrickende Funktion des Gesetzes (vgl. 3, 13; 3, 19-25) denken lassen[1]. Zu beachten ist ferner, daß der Apostel keineswegs sagt: solche Tugenden gebietet das Gesetz[2]. »Wie der Lasterkatalog in V. 21 mit einer Verdammungsandrohung, so gipfelt der Tugendkatalog also in einer Verheißung der Freiheit vom Fluch des Gesetzes, oder positiv gesagt: in einer Heilszusage«[3]. »Also auch hier wieder der letzte Gedanke: Freiheit vom Gesetz!« (W. Bousset). Für diejenigen, die sich vom Geist führen lassen, ist das angeblich auch für das sittliche Leben des Menschen notwendige Gesetz überflüssig[4], ja das nur ins Unheil führende Gesetz existiert für den geistbestimmten Glaubenden nicht mehr. Die Norm und der Lebensgrund des Christen ist ein ganz anderer.

Das V. 13 b angeschlagene Thema, die Freiheit vom Gesetz nicht zur Gelegenheit für das Fleisch werden zu lassen, hat Paulus von V. 16 an mit dem Rekurs auf den Geist als *die* Basis für das Leben der Glaubenden beantwortet, denn das Pneuma steht in unversöhnlichem Gegensatz zum Fleisch und seinen Werken. Noch einmal zerstreut er in einem resümeeartigen Satz alle Bedenken gegen ein »gesetzesfreies« Leben[5]: »*Die aber des Christus Jesus haben das Fleisch gekreuzigt mit den Leidenschaften und den Begierden*« (V. 24). ›Vom Geist getrieben werden‹ und ›in Lebensgemeinschaft mit Christus stehen‹ sind für Paulus ein und dasselbe (vgl. 3, 14; 3, 26 ff.; 4, 6). Ein Leben nach dem Fleisch – der Apostel umschreibt plastisch mit dem Zusatz: »mit den Leidenschaften und Begierden«[6] – kommt für denjenigen nicht in Be-

---

[1] So richtig O. Holtzmann; Kamlah, Die Form der katalogischen Paränese 17; vgl. Oepke, Schlier.

[2] Lütgert, Gesetz u. Geist 19, schließt sich der Meinung de Wettes an, der in V. 18 und hier folgende Aussage intendiert sieht: »Es soll nämlich die Widersacher des Gesetzes (also die Ultrapuliner) milder gegen dasselbe (das Gesetz) stimmen, durch die Betrachtung seines, doch immer geistlichen Inhaltes.« Diese Erklärung steht oder fällt mit der Zweifrontentheorie. Auch ist zu bemerken, daß Paulus hier das Gesetz zunächst als negative Größe auftreten läßt und vom »wesentlichen Gehalt« des Gesetzes eben ausdrücklich nicht die Rede ist. Ob man den Gedanken von 5, 14 hier eintragen darf, ist m. E. fraglich: gegen Zahn, Oepke, Schlier u. a.

[3] Kamlah, Die Form der katalogischen Paränese 18.

[4] Vgl. Sieffert, B. Weiss, Schlier; Kuss, Nomos 223.

[5] Vgl. Lipsius, B. Weiss.

[6] Sand, Der Begriff »Fleisch« 215: »›Fleisch‹ bezeichnet also nicht den natürlichen Menschen, noch weniger einen Teil des Menschen, sondern das ›Fleisch‹ ist der Mensch ohne Pneuma, der Mensch in seiner gegen Gott gerichteten Existenz.« Zur Wendung »Leidenschaften und Begierden« ebd. Anm. 3: »Der Doppelbegriff unterstreicht die Totalität der sündigen Strebungen.«

tracht, der sich im Glauben und in der Taufe Christus übereignet hat[1]. Mit dem aktivischen ἐσταύρωσαν erinnert der Apostel an die Glaubensentscheidung, in der die Kreuzigung des alten Menschen in der Taufe bejaht wurde (vgl. auch Röm 6, 3-8)[2].

c) Gal 5, 25 – 6, 10

Die klassische Kurzformel der paulinischen Paränese lautet: »*Wenn wir leben im Geist, dem Geist laßt uns auch folgen*« (V. 25). Der Vers kann als Zusammenfassung der bisherigen Erörterungen, zugleich aber auch als Motto über die folgenden Ermahnungen verstanden werden[3]. Was dem Christen durch seine Christuszugehörigkeit als Gabe geschenkt ist, das neue Leben im Geist bzw. durch den Geist nach der Kreuzigung seiner sarkischen Existenz (s. V. 24), hat er als Aufgabe weiter zu bejahen und zu verwirklichen, da er offensichtlich noch im Kampffeld zwischen Fleisch und Geist steht (vgl. V. 17) und sein Heil verlieren kann (s. V. 21 b u. 6, 7 ff.). Aus dem Indikativ ergibt sich der Imperativ: wessen Lebensgrund der Geist ist[4], der hat »der Marschorder des Geistes zu folgen« (Oepke), »sich nach dem Geist auszurichten« (Schlier) oder – wie πνεύματι καὶ στοιχεῖν noch umschrieben werden kann – »im Einklang mit dem Geist zu sein« (Delling[5]). Die Formulierung des Apostels entspricht ganz seiner Theologie und ist so grundsätzlich, daß man nicht mit W. Schmithals in πνεύματι ζῶμεν eine »seinshaft

---

[1] An die Taufe denken die meisten Kommentatoren, so Duncan, Lagrange, Burton, Schlier, Oepke; anders Bonnard; Sand, Der Begriff »Fleisch« 214.

[2] Vgl. L. Nieder, Die Motive der religiös-sittlichen Paränese in den paulinischen Gemeindebriefen. Ein Beitrag zur paulinischen Ethik, Münchener Theol. Studien, 1 Abt. 12, München 1956; 17: »Entweder drückt das Aktiv den radikalen Entschluß aus, ethisch-praktisch ernst zu machen mit dem, was in der Taufe grundgelegt wurde. Das geschieht durch die endgültige Abkehr von den Neigungen und Lüsten der Sarx. Oder das Aktiv drückt die Zustimmung zur Taufe, d. h. zu dem, was Gott durch sie wirkte, und zu den ethischen Konsequenzen aus. Sachlich kommen beide Lösungen auf dasselbe hinaus.« Siehe ferner F. J. Ortkemper, Das Kreuz in der Verkündigung des Apostels Paulus, dargestellt an den Texten der paulinischen Hauptbriefe, Stuttg. Bibelstudien 24, Stuttgart 1967, 35–38.

[3] V. 25 beziehen auf die bisherigen Ausführungen: Meyer, Bisping, Hilgenfeld, v. Hofmann, Zöckler, Zahn, Gutjahr, Zerwick; Merk, Handeln aus Glauben 76. V. 25 u. V. 26 beziehen auf die bisherigen Ausführungen: de Wette, Wieseler, Wörner, Sieffert, Steinmann, Burton, Lagrange, Lietzmann, Lyonnet. V. 25 verstehen als Eröffnung der folgenden Darlegungen: Holsten, Lipsius, B. Weiss, Oepke, Kuss, Schlier, Mauer, Kürzinger, G. Schneider.

[4] Siehe Schlier: »Das εἰ ist nicht Eventualis oder Irrealis, sondern Realis: sie leben tatsächlich πνεύματι.« Paulus spricht also nicht von der Möglichkeit, sondern von der Wirklichkeit. Vgl. Gunkel, Wirkungen des heiligen Geistes 85, 88; H.-D Wendland, in: ThLZ 1952, Sp. 462.

[5] G. Delling: ThWNT VII 668 f., der ferner auf den Unterschied zu περιπατεῖν hinweist.

gemeinte galatische Behauptung« seitens der Pneumatiker sehen kann, die Paulus »angesichts des wenig geistgewirkten *Wandels* der Pneumatiker« ergänze mit der Mahnung: πνεύματι καὶ στοιχῶμεν[1].

Der soeben aufgestellte Grundsatz wird an einer Reihe von Beispielen erläutert: Zuerst eine Warnung: »*Werden wir nicht Prahlerische, Einander-Herausfordernde, Einander-Beneidende*« (V. 26). Die nur hier im Neuen Testament begegnenden Begriffe κενόδοξοι[2], προκαλούμενοι und φθονοῦντες[3] sind kein Beweis dafür, daß Paulus nicht aufgrund seiner Erfahrungen prophylaktisch warnt, sondern sich auf die spezielle Lage der galatischen Gemeinden bezieht. Selbst W. Schmithals meint: »Es ist natürlich schwer, diese verschiedenen vieldeutigen Ausdrücke mit einem konkreten Sinn zu füllen. Ihr Verständnis im einzelnen ist nur von der Gesamtbeurteilung der galatischen Häresie her zu gewinnen«[4]. So sieht denn Schmithals die Warnung an die Adresse der Pneumatiker gerichtet, eine schon oft zu unserer Stelle vertretene Deutung[5]. Auch dachte man an eine Anspielung auf das Verhalten der sich ihrer Gesetzesobservanz rühmenden Gemeindemitglieder[6] oder allgemeiner an Parteistreitigkeiten[7]. Eine eindeutige Klärung dieser Frage ist kaum zu erwarten, denn man könnte auch mit Oepke feststellen: »Es heißt die allgemeine Menschenkenntnis des Apostels nicht besonders hoch einschätzen, wenn man seine Warnungen durchaus mit theologischen Streitigkeiten der Galater in Verbindung bringen zu müssen glaubt.« Der grundsätzliche Charakter der in der 1. Person des Plurals gesprochenen Mahnungen ist jedenfalls schwer zu bestreiten[8].

Wie das πνεύματι καὶ στοιχῶμεν im Gemeinschaftsleben der Christen aussieht, illustriert der Apostel an folgendem Beispiel: »*Brüder, wenn auch überrascht wird*[9] *ein Mensch*[10] *in irgendeinem Fehltritt, ihr, die Geistigen, zurechtbringt*

---

[1] Schmithals, Häretiker I 51; II 33.

[2] Doch siehe Phil 2,3 κενοδοξία.

[3] Jedoch φθόνος Mt 27,18; Röm 1,29; Gal 5,21; Phil 1,15; 1 Tim 6,4; Tit 3,3; Jak 4,5; 1 Petr 2,1.

[4] Schmithals, Häretiker I 52f., II 34.

[5] Siehe de Wette, Bisping, O. Holtzmann, Burton; Schlier, Gal 21.

[6] So Lipsius, Dalmer, Lietzmann; K.L. Schmidt, Gal 93.

[7] So Meyer, Lightfoot, Sieffert, B. Weiss, Gutjahr, Zerwick; vgl. Merk, Handeln aus Glauben 76.

[8] Vgl. Duncan, Gal 179.

[9] »Προλαμβάνεσθαι wie Sap 17,17 ›überrascht werden‹, wobei unausgesprochen bleibt, ob von sich selbst oder andern«: Lietzmann z. St. Im Sinne von »übereilt, hingerissen werden« interpretieren: Chrysostomus, Luther, Calvin, Cornely, Bisping, de Wette, Wieseler, Lipsius, Sieffert, Schäfer, Gutjahr, – nicht Oepke, den Schlier irrtümlich hier aufführt (Gal 270 Anm. 2) –; G. Delling: ThWNT IV 15, 37ff. Im Sinne von »ertappt, (von einem anderen) ergriffen werden« deuten: Hilgenfeld, Lightfoot, Lagrange, Oepke, Kuss, Schlier; Bauer Wb 1404.

[10] Vgl. Gal 6,7; 1 Kor 11,28; Röm 3,28.

den derartigen im Geist der Milde, achtgebend auf dich selbst, daß nicht auch du versucht werdest« (6, 1). Wie der Sprichwortstil im letzten Teil des Satzes anzeigt, will Paulus mit diesem konstruierten Fall eine allgemeine Vorschrift für das Gemeindeleben geben[1]. Sein besonderes Anliegen ist hier wie in der gesamten Paränese die Eintracht der Gemeinde. Dazu gehört, daß die Zurechtweisung des Irrenden »im Geist der Milde« geschieht – darauf liegt der Akzent –; diese Tugend ist eine Frucht des Geistes (s. V. 22f.; vgl. 1 Kor 4,21). Weil Paulus in der Paränese dieses Briefes durchweg alle Christen auf ihren Geistbesitz anspricht und von da aus zu einem Leben aus dem Geist auffordert, besteht kein zwingender Grund, in den ὑμεῖς οἱ πνευματικοί eine besondere Gruppe in den galatischen Gemeinden, etwa Gesetzes-Korrekte[2] oder Pneumatiker[3], angeredet zu sehen[4].

Wie sehr die Ermahnungen an alle gerichtet sind, zeigt ferner der folgende Appell an das Solidaritätsbewußtsein der Gläubigen: »*Voneinander die Lasten tragt, und so werdet ihr erfüllen das Gesetz des Christus*« (V. 2). Nicht bloß ein passives Ertragen, sondern aktive Mitsorge ist gefordert (vgl. 5, 13 c: »durch die Liebe seid Sklaven einander«)[5]. Der singuläre Begriff ὁ νόμος τοῦ Χριστοῦ ist im Galaterbrief ohne antithetische Ausrichtung und polemischen Akzent – auch in der Paränese (vgl. 5, 18.23) – nicht vorstellbar[6]. Der Skopus der Aussage besteht nun gerade darin, daß der Apostel das Gesetz, welches er im lehrhaften Teil des Briefes bekämpft hat, für das praktische Verhalten der Galater in der Paränese nicht wieder aufrichtet, sondern auf das Gesetz des Geistes und »das Gesetz des Christus« als den Imperativ hinweisen kann[7].

---

[1] Bultmann, Der Stil der paulinischen Predigt 66 Anm. 1: »Hier ist die ganz gewöhnliche Neigung maßgebend, allgemeine Vorschriften in der 2. pers. sing. imp. zu geben (Sprichwortstil).«

[2] So Lipsius, Dalmer, Lietzmann, Steinmann; Bornkamm, Aufsätze I 134.

[3] So Lütgert, Gesetz u. Geist 13; Schmithals, Häretiker I 58f.; II 32; vgl. de Wette, Bisping, Lightfoot: »especially to the party of more liberal views«.

[4] Nicht auf eine besondere Gruppe unter den galatischen Christen deuten: Wörner, v. Hofmann, Zöckler, M. Kähler, Sieffert: »Damit gibt Paulus dem Bewußtsein jedes Lesers anheim, sich selbst als Geistliche, d. h., vom göttl. Geiste Geleitete, mit gemeint zu sehen oder nicht«; Gutjahr, Bousset; Burton, Gal 327; Lagrange: »ὑμεῖς οἱ πνευματικοί s'adresse en principe à tous les chrétiens«; K. L. Schmid; Kuss, Römerbrief 570; H. Braun, Qumran u. das NT I 214; Duncan, Gal 180; E. Schweizer: ThWNT VI 421 Anm. 605; Bonnard, Gal 118; Oepke; Merk, Handeln aus Glauben 76; Pfister, Das Leben im Geist nach Paulus 66; Wilson, Gnostics 363. Siehe ferner die Ausführungen S. 155.

[5] Vgl. F. Büchsel: ThWNT I 597, 10f.

[6] So Meyer, Bisping, Lipsius, Sieffert, Lietzmann: »gewollte Antithese gegen den judaistischen νόμος-Begriff«; Bousset, Oepke; v. Campenhausen, Bibel 37 Anm. 31; v. Dülmen, Theologie des Gesetzes 66; Schrage, Einzelgebote 99 Anm. 111; 100 Anm. 116; siehe bes. K. L. Schmidt, Gal 92f.

[7] Siehe den Abschnitt 5 »Das Gesetz des Christus«.

Über eine etwaige Übereinstimmung seines Inhaltes zum Gesetz des Moses ist nichts gesagt[1]. Es wird von diesem jedenfalls unterschieden.

Nur wer um seine eigene Schwäche und Hilfsbedürftigkeit weiß, wird frei von Hochmut und fähig sein, die Lasten des anderen wirklich zu tragen. Deshalb attackiert der Apostel im folgenden die falsche Selbsteinschätzung und Überheblichkeit[2]: »*Denn wenn einer meint, zu sein etwas, obwohl er nichts ist* (μηδὲν ὤν[3]), *betrügt er sich selbst. Das eigene Werk aber prüfe ein jeder, und dann wird er für sich allein den Ruhm haben und nicht für den anderen. Denn jeder wird tragen die eigene Last*« (VV. 3-5). Da die Mahnungen für jedes Gemeindeleben aktuell sind, bleibt eine Deutung auf den Selbstruhm der angeblichen Pneumatiker in den galatischen Gemeinden reine Vermutung[4]. Das Ergebnis der geforderten Selbstprüfung überrascht zunächst – besonders nach V. 3 – im Munde des Paulus. Doch will der Apostel nicht das Sichrühmen fördern, sondern den einzelnen in die Schranken weisen, seinen Ruhm nicht vor andere zu tragen; ja das letzte Wort lautet, daß jeder seine eigene Last[5] (im Gericht?[6]) zu tragen haben wird[7], d. h. wie hoch bei der Bilanz das »Soll« neben dem »Haben« ist, bleibt offen.

Kontrovers ist die Exegese des folgenden Verses: »*Gemeinschaft aber habe* (κοινωνείτω) *der unterrichtet wird im Wort mit dem Unterrichtenden in allen Gütern* (ἐν πᾶσιν ἀγαθοῖς)« (V. 6). Κοινωνείτω kann auch mit »Gemeinschaft, Anteil geben« übersetzt werden[8]. Deutet man τὰ ἀγαθά auf materielle Güter (vgl. Lk 12, 18 f.), so wäre eine Mahnung zur Unterhaltspflicht des Lehrers durch

---

[1] Gegen P. Stuhlmacher, Gerechtigkeit Gottes bei Paulus 96 u. a.

[2] Siehe Schlier: »So wie 1 b σκοπῶν σεαυτόν... 1 a, die Mahnung zur sanften Zurechtweisung, mit dem Hinweis auf die eigene grundsätzliche Gefährdung begründet, so begründen die Verse 3-5 die Mahnung, gegenseitig die Lasten zu tragen, mit der Erwägung, daß Selbstkritik notwendig ist.« Vgl. auch Schrage, Einzelgebote 85; Merk, Handeln aus Glauben 77.

[3] Die exakte Übersetzung von μηδὲν ὤν ist kaum zu geben. Will das Partizip einschränken: = ›wenn er nichts ist‹ (so Lightfoot, Lipsius, Lietzmann) oder eine grundsätzliche Aussage über den Menschen machen: = ›da, weil, obwohl er nichts ist‹ (so Meyer, Bisping, de Wette, Sieffert, Gutjahr, Zahn, Oepke, Schlier, Kürzinger, G. Schneider u. a.)?

[4] Gegen Schmithals, Häretiker I 52; II 33 f., 34 Anm. 102: »Die Gnostiker sind ›etwas‹, weil sie Pneuma sind. Paulus, der für sie lediglich σάρξ (2 Kor 10, 2) ist, ist darum ›nichts‹ (2 Kor 10, 2; 12, 11). Paulus muß diese Beurteilung umdrehen.« Dazu Merk, Handeln aus Glauben 77 Anm. 83: »Sollte dieser Vers eine Anspielung auf die Lage sein, dann würde Paulus hier eine situationsgebundene Begründung geben. Zudem begründet Paulus, *was* er in 6, 1 sagt, nicht *warum* er es sagt.«

[5] Φορτίον u. τὰ βάρη sind kaum dem Inhalt nach voneinander zu unterscheiden.

[6] Aufgrund des futurischen βαστάσει denken an das Jüngste Gericht: Bisping, Gutjahr, Oepke, Bonnard, Schlier; Merk, Handeln aus Glauben 77; dagegen Sieffert, Lagrange, u. a.

[7] Vgl. R. Bultmann: ThWNT III 651, 33 ff.

[8] Vgl. Phil 4, 15 und Lietzmann z. St.

den Schüler ausgesprochen[1]. Allerdings stünde eine solche, dem Denken des Apostels zwar nicht fremde Mahnung[2] im Kontext völlig isoliert, ohne erkennbaren Zusammenhang[3] und Anlaß[4]. Konsequent würde sich der Gedanke an die volle Gütergemeinschaft – beachte das πᾶσιν in der Wendung ἐν πᾶσιν ἀγαθοῖς![5] – ergeben, und die Aussage wäre dann auch im Gesamtkorpus der paulinischen Briefe singulär. »Wann und wo hat Paulus sonst volle Gütergemeinschaft verlangt?« (Oepke[6]). Hält man in der Übersetzung von κοινωνεῖν an der Grundbedeutung und im Neuen Testament am häufigsten anzutreffenden Bedeutung »Gemeinschaft haben« fest[7], so liegt es nahe, in ἐν πᾶσιν ἀγαθοῖς primär sittliche Güter zu sehen (vgl. Röm 3,8; 10,15)[8]. In dieser Richtung liegt ohne Zweifel auch das verwandte τὸ ἀγαθόν in V. 10. Daß Paulus im Ausdruck für die gleiche Sache wechselt, dürfte das τὸ δὲ καλὸν ποιοῦντες von V. 9 beweisen. Nicht auszuschließen ist, daß der Apostel, wie πᾶσιν anzeigen mag, bewußt den Ausdruck recht allgemein und umfassend verstanden wissen will[9]. Ob Paulus mit dieser Ermahnung konkret in die galatische Situation eingreifen will, ist hier wie in so vielen Sätzen der Paränese schwerlich unanfechtbar zu bejahen (vgl. 1 Th 5,12). Erst recht bleibt es reine Hypothese, daß er sich an die Pneumatiker wendet, welche sich von der Unterhaltspflicht gegenüber den Lehrern entbunden glaubten[10]. Treffend bemerkt Fr. Sieffert: »Der Einwand gegen unsere Erklärung, es sei nicht abzusehen, weshalb gerade das Verhältnis des Schülers und Lehrers hervorgehoben sei, erledigt sich durch die Erwägung, daß dieses Verhältnis, das übrigens auch zwischen allen galatischen Gemeindemitgliedern und

---

[1] So de Wette, Hilgenfeld, Bisping, Lightfoot, v. Hofmann, Holsten, Zöckler, Cornely, Zahn, Bousset, Loisy, Lagrange, Lietzmann, Kuss, Schlier; Hauck: ThWNT III 808f.; Beyer-Althaus u.a.

[2] Vgl. 1 Kor 9,7–14; 2 Kor 11,7f. – Vgl. Schlier z.St.

[3] Deshalb ist V. 6 als Glosse von O. Holtzmann u. J. Walter (Der religiöse Gehalt des Gal, Göttingen 1904, 244) gestrichen. Vgl. Meyer, Gal 298 Anm.

[4] Lietzmann: »Dunkel bleibt uns aber bei jeder Erklärung der spezielle Anlaß, der Paulus zu dieser Ermahnung getrieben hat.«

[5] Schlier schwächt die Aussage mit seiner Übersetzung ab: »Wer im Wort unterrichtet wird, soll seinem Lehrer von allen Gütern etwas (!) mitgeben«.

[6] So auch Meyer, Lipsius, Sieffert, Gutjahr, Steinmann, Zerwick.

[7] Vgl. Röm 12,13; 15,27; 1 Tim 5,22; Hebr 2,14; 1 Petr 4,13; 2 Joh 11.

[8] So Meyer, Lipsius, Sieffert, B. Weiss, Gutjahr, Steinmann, Züricher-Bibel, vgl. auch Schmithals, Häretiker I 41, II 21f.; Merk, Handeln aus Glauben 78.

[9] Dazu Sieffert, Lagrange, Burton: »'Εν πᾶσιν ἀγαθοῖς is probably to be taken as referring to both spiritual and material good. Cf. 1 Kor 9,11; Röm 15,27; Barn 19,8; Did 4,8« (Gal 338); Oepke; Schmithals, Häretiker I 41, II 21f.; Merk, Handeln aus Glauben 78 Anm. 87: »Das absolut gebrauchte ἀγαθός ist nur in Gal 6,6 und Phlm 6 mit πᾶς verbunden. Vielleicht will Paulus bewußt die Bezeichnung für irdische Güter τὰ ἀγαθά (vgl. Lk 12,18) durch die Verbindung mit πᾶς verallgemeinern auf das Gute schlechthin, was die materiellen Güter mitumfaßt.«

[10] Gegen Lütgert, Gesetz u. Geist 20f. u.a.

Paulus bestand, eben bei den Galatern durch den Einfluß der Pseudoapostel eine Störung erfahren hatte (4, 17), welche dem Gedeihen des gemeinsamen sittlichen Strebens und Lebens höchst hinderlich sein mußte«[1]. Es mag nicht abwegig erscheinen, bei den Lehrern eine besondere Treue zur Verkündigung des Apostels Paulus und Widerstand gegenüber den neuen Lehrern und ihrer Predigt zu vermuten[2].

Um die Ernsthaftigkeit seiner sittlichen Ermahnungen zu unterstreichen, bedient sich der Apostel eines traditionellen Motivs[3]. Er verweist auf Gottes Gericht: »*Irrt euch nicht*[4], *Gott läßt sich nicht verspotten. Denn was immer sät ein Mensch, dies auch wird er ernten. Denn*[5] *der Säende auf sein Fleisch wird ernten aus dem Fleisch Verderben, der Säende aber auf den Geist wird ernten aus dem Geist ewiges Leben*« (VV. 7-8). Diese letzte Warnung einseitig auf V. 6 zu beziehen und als Untermauerung der dort angeblich geforderten Katechetenbesoldung zu verstehen[6], verkennt den allgemeinen Charakter der Worte des Apostels hier gegen Schluß der Paränese. Das weitverbreitete Gleichnis vom Säen und Ernten findet in 2 Kor 9, 6-10, wo übrigens auch von der Kollekte und nicht einer Gütergemeinschaft oder Katechetenbesoldung die Rede ist, eine ganz andere Anwendung und ist nicht auf »Fleisch« und »Geist« bezogen[7]. Der sprichwortartige Satz: »Gott läßt sich nicht verspotten!« lenkt den Blick auf das göttliche Gericht[8], das durch die den Galatern zuteil gewordene Gnade der Erlösung nicht aufgehoben ist[9]. Die Verantwortung der Glaubenden besteht ohne Zweifel, wie die zweite sprichwörtliche Aussage: »Denn was immer sät ein Mensch, dies auch wird er ernten« deutlich zum

---

[1] Vgl. Gutjahr, Oepke.

[2] Vielleicht hat Paulus auch von dieser Seite die alarmierende Nachricht über die judaistische Verwirrung der galatischen Gemeinden erhalten.

[3] Dazu Preisker: ThWNT IV 726, 7f.: »Dabei folgt Paulus der jüdischen Sitte, seine sittlichen Ermahnungen mit Drohworten und Verheißungen zu enden Gal 5, 21; 1 Kor 6, 9f.«

[4] Μὴ πλανᾶσθε., eine in der Diatribe geläufige Wendung, will die Aufmerksamkeit der Hörer auf den Ernst der folgenden Warnung lenken. Vgl. H. Braun: ThWNT VI 245 f.

[5] »῞Οτι zur Angabe des logischen Grundes wie Röm 5, 5; 8, 27.29; 1 Kor 1, 25 u.a.«: Schlier, Gal 277 Anm. 2.

[6] Gegen Olshausen, de Wette, Hilgenfeld, Holsten, Zahn, Beyer-Althaus. Siehe dagegen Oepke: »Hätte Paulus durch das Bild die Gebefreudigkeit anregen wollen, so hätte er schreiben müssen: *wie* der Mensch sät, *so* wird er ernten (vgl. 2 Kor 9, 6.10)« (Gal 154).

[7] Gegen eine konkrete Deutung mit Recht Sieffert: »Bei der durch kein Wort beschränkten Allgemeinheit der folgenden Lehren ist dies willkürlich und gezwungen.«

[8] Rein willkürlich ist auch die Deutung von Schmithals (Häretiker I 57, II 37f.), der hier speziell Gnostiker angesprochen sieht.

[9] Dazu Kuss, Die Rolle des Apostels Paulus 162; Schrage, Einzelgebote 21; Kümmel, Theologie 128.

Ausdruck bringt. Was der Apostel den Galatern in einem Schlußappell noch
einmal zu beherzigen gibt, ist unverkennbar, wenn er das bekannte Bild vom
Säen und Ernten in seiner Theologie verarbeitet[1], wobei dann neben dem
Was auch das Worauf des Säens entscheidend wird: wer sich der σάρξ über-
läßt, wird zugrundegehen, wer geistgemäß lebt, erlangt das endgültige Heil[2].

Was »Säen auf den Geist« konkret für die Galater bedeutet[3], beschreibt der
Seelsorger Paulus ein letztes Mal: »*Das Rechte aber tuend*[4], *laßt uns nicht er-
müden!*«, und wieder die eschatologische Motivierung: »*Denn zu bestimmter
Zeit*[5] *werden wir ernten, wenn wir nicht ermatten*[6]« (V. 9). Im Kampf um das
Gute nicht aufzugeben und nicht vor Schwierigkeiten zu kapitulieren, da
ein großen Ziel zu erlangen ist, so ließe sich die Devise des Apostels in V. 9
umschreiben. Die eschatologische Ausrichtung sowie die spezifische Anthropologie geben der paulinischen Ethik ihre Unterscheidungsmerkmale
zu einer natürlichen Ethik.

Paulus zieht den Schlußstrich, in gewisser Weise unter die gesamte Paränese: »*Nun also, solange* (ὡς) *wir Zeit* (καιρόν) *haben, laßt uns wirken das Gute*
(τὸ ἀγαθόν) *gegenüber allen, am meisten aber gegenüber den Verwandten des Glaubens*
(πρὸς τοὺς οἰκείους τῆς πίστεως)« (V. 10). Wozu eingangs in 5, 13 aufgerufen
wurde, in Liebe einander Sklave zu sein, wird nun mit dem Hinweis, daß die
Zeit für diese dem Wesen des pneumatischen Menschen entsprechende Aufgabe begrenzt und nicht immer dazu Gelegenheit ist (vgl. ὡς καιρὸν ἔχομεν),
als Schlußmahnung der Paränese den Galatern noch einmal eingeschärft.
Dabei liegt hier wie in der gesamten Paränese der Akzent nicht auf der
Mahnung zu eigener Vollkommenheit, sondern es geht primär um das sitt-
lich gute Verhalten gegenüber dem Nächsten, das sich besonders in Wohl-
tätigkeit und Hilfsbereitschaft darstellt. In diesem Sinn ist τὸ ἀγαθόν zu
interpretieren, das schwerlich von τὸ καλόν (V. 9) scharf unterschieden werden kann (vgl. auch V. 6). An der vorliegenden Stelle schränkt Paulus die
Nächstenliebe nicht auf die Bruderliebe ein, sondern weist der Nächstenliebe
innerhalb der Thematik von Gal 5, 13-6, 10 ihren konkreten Ort zu[7].

---

[1] Siehe Oepke, Schlier; Merk, Handeln aus Glauben 78.

[2] Der Zusammenhang zwischen dem Geistbesitz und dem Leben bzw. Heil ist
auch hier wieder deutlich. Vgl. Gunkel, Wirkungen des Geistes 85.

[3] So Meyer, Sieffert, Gutjahr, Schlier.

[4] Es ist nicht bloß an Werke der Barmherzigkeit zu denken. Der Begriff τὸ καλόν
hat bei Paulus eine weitere, nicht präzise Bedeutung, vgl. Gal 4, 18; Röm 7, 18.21;
2 Kor 13, 7. S. B. Weiss, Gutjahr, Oepke, Maurer, Gal 195 f.; W. Grundmann:
ThWNT III 551, 6 ff.

[5] Mit καιρῷ ἰδίῳ dürfte die von Gott festgesetzte Zeit der Ernte, wohl die Parusie
Christi, nicht schon eine Zeit im derzeitigen Leben gemeint sein (gegen de Wette
u. a.).

[6] Μὴ ἐκλυόμενοι nach Zahn »ein stärkerer Ausdruck für μὴ ἐγκακῶμεν (V. 9a)«.

[7] Vgl. Wendland, Ethik 64–69: »Die Ethik des Paulus als Gemeinde-Ethik«.

3. Die Paränese des Galaterbriefs und die Situation der galatischen Gemeinden

Gal 5,13–6,10 erweist sich als ein Briefabschnitt von eigenem Gepräge mit einem relativ geschlossenen Gedankenzusammenhang. Auf eine Gliederung könnte fast ganz verzichtet werden, jedoch könnte man 5,13-15 als einleitendes Vorwort, 5,16-24 als exkursartige Abhandlung über die Bedeutung von Pneuma und Sarx für das Leben der an Christus Glaubenden und 5,25-6,10 als Belehrung über ein Leben aus dem Geist an Hand einiger Beispiele mit abschließender eschatologischer Verwarnung bezeichnen. Mit Recht gilt dieser dritte Hauptteil des Galaterbriefs als Paränese, der also der literarischen Gattung der »Mahnrede« angehört[1]. Grundsätzlich dürfte M. Dibelius recht haben, wenn er über die paränetischen Abschnitte der Paulusbriefe ausführt: »Vor allem fehlt ihnen eine unmittelbare Beziehung auf die Briefsituation. Die Regeln und Weisungen sind nicht für bestimmte Gemeinden und konkrete Fälle formuliert, sondern für die allgemeinen Bedürfnisse der ältesten Christenheit. Sie haben nicht *aktuelle*, sondern *usuelle* Bedeutung«[2]. Gerade die Analyse von Gal 5,13-6,10 zeigte, wie schwer es ist, diesen Abschnitt im Gegensatz zu den Ausführungen des Apostels in 5,1-12 und 6,11-18 und auch der situationsbezogenen Thematik im lehrhaften Teil des Briefes unmittelbar auf die spezifische Situation der Gemeinden Galatiens zu beziehen. Die einzelnen sittlichen Weisungen könnten auch an andere christliche Gemeinden adressiert sein. So meint denn W. Schrage zu dieser Problematik: »Es ist unmöglich, bei allen Mahnungen und Geboten ein akutes Bedürfnis annehmen oder gar besondere Zustände oder Mißzustände in den einzelnen Gemeinden erschließen zu wollen«[3]. Allerdings lassen die Gesetzesaussagen in der Paränese des Galaterbriefs (5,14; 5,18; 5,23 und 6,2) den polemischen Hintergrund des Briefes erkennen, und die starke Hervorhebung der christlichen Geistethik ist ebenfalls nach der

---

[1] Siehe M. Dibelius, Die Formgeschichte des Evangeliums, 2. Aufl. Tübingen 1933, 239 ff.; ders., Der Brief des Jakobus, Meyers Kommentar XV, 11. Aufl. hrsg. u. ergänzt von H. Greeven, Göttingen 1964, 13–23; R. Schnackenburg, Art. »Paränese«, in: LThK² VIII (1963) 80 ff.; A. Schulz, Grundformen urchristlicher Paränese, in: Gestalt und Anspruch des NT, hrsg. von J. Schreiner unter Mitwirkung von G. Dautzenberg, Würzburg 1969, 249–261.

[2] Dibelius, Formgeschichte 239; vgl. ders., Der Brief des Jakobus 16: »Diese paränetischen Teile der Paulusbriefe besitzen nicht den Reiz und die Eigenart der übrigen Briefabschnitte. Das hängt damit zusammen, daß Paulus in der Paränese zumeist nichts Neues schafft, sondern älteres Spruch-Gut weitergibt.« Vgl. ferner Bornkamm, Paulus 219: »Paränetische Stücke erlauben schon von ihrer Gattung her nicht, sie auf aktuelle Anlässe und bestimmte Gemeindesituationen zu befragen.«

[3] Schrage, Einzelgebote 44.

scharfen und radikalen Verneinung des Gesetzes in Gal 3 und 4 recht verständlich. Im einzelnen ist es jedoch kaum möglich, wahrscheinlich zu machen, daß der Apostel gezielt in die durch die Verkündigung des »anderen Evangeliums« entstandene Lage der galatischen Gemeinden hineinspricht[1]. Vor allem würde man eine konkretere Sprache des Apostels erwarten, wenn er – dies gilt vornehmlich für die Theorie von verschiedenen Richtungen in den Gemeinden – die zu tadelnden oder zu ermahnenden Mitglieder der galatischen Gemeinden bzw. entsprechende Gruppen zur Ordnung rufen wollte. Sollte er wirklich einen Libertinismus zu bekämpfen haben, wie z. B. W. Lütgert und W. Schmithals behaupten[2], müßte man mit K. Deißner fragen: »Hätte Paulus dann nicht in viel stärkerer und offenerer Weise gegen dieses Unwesen polemisieren müssen, noch entschiedener als gegen die Judaisten!«[3]. In der Tat fällt auf, daß der Zorn des Apostels, der sonst ein untrügliches Zeugnis für den antithetischen und situationsbezogenen Charakter der paulinischen Rede ist, mit dem sarkastischen Wunsch in 5, 12 vorläufig bis zum Schlußappell 6, 11 ff. verrauscht zu sein scheint[4]. Die Paränese enthält wie kein anderer Abschnitt des Galaterbriefs eine Fülle traditioneller Elemente. Das Gebot der Nächstenliebe 5, 14 gehört, was besonders die sachliche Parallele in Röm 13, 8-10 zeigt, als Erfüllung des Gesetzes zum Grundbestand urchristlicher Paränese[5]. Die Tugend- und Lasterkataloge sind in der neutestamentlichen Briefliteratur und darüber hinaus in großer Zahl anzutreffen[6]. Die Situationsbezogenheit der Laster und Tugenden ist kaum zu beweisen[7], zumal Paulus schon in der Missionspredigt solche Unterweisung gegeben hat und nur einige Beispiele nennt[8]. Wie der Vergleich zu

---

[1] Hier ist auf die Einzelexegese zu verweisen, die jedenfalls soviel deutlich gemacht haben dürfte, daß etwa von einem antignostischen Charakter der paulinischen Aussagen keine Rede sein kann.

[2] Siehe die Belege im Abschnitt 1 dieses Kapitels.

[3] K. Deißner, in: Die Theologie der Gegenwart, XIV. Jahrgang, 1920, 210; vgl. Oepke, Gal 132.

[4] Vgl. Merk, Handeln aus Glauben 70 Anm. 35: »Mit Recht hat F. R. Crownfield, The Singular Problem of the Dual Galatians, JBL 64, 1945, S. 491-500 darauf verzichtet, dem ethischen Abschnitt Äußerungen über die Gegner zu entnehmen, und die Zusammenfassung der bisherigen Argumentation in 5, 1-12 mit der scharfen Schlußbemerkung in 5, 12 läßt eher darauf schließen, daß der Anlaß des Gal nunmehr zurücktritt.« Vgl. Lagrange, Gal 144; D. Wiederkehr, Theologie der Berufung in den Paulusbriefen, Studia Friburg. NF 36, Diss. Fribourg 1963, 94.

[5] Siehe zu Gal 5, 14, bes. auch Conzelmann, Theologie 305.

[6] Siehe zu Gal 5, 19 ff. und 5, 22 ff.

[7] Vgl. neben den Ausführungen auf S. 138 f. auch Oepke, Gal 132: »Seine (des Paulus) Lasterkataloge sind zwar im allgemeinen der Wirklichkeit abgelauscht, aber nun doch nicht mit einer chronique scandaleuse seiner Gemeinden zu verwechseln.«

[8] Siehe Gal 5, 21! Vgl. Wendland, Ethik 50.

anderen Paulusbriefen deutlich macht, ist die Aufzählung meist formelhaft[1]. Wie sehr der Apostel katechetischer Tradition verpflichtet ist, zeigt das die Kataloge abschließende Drohwort, vor allem V. 21c mit dem bei Paulus sonst nicht im Vordergrund der Verkündigung stehenden Thema vom Erbe des Reiches Gottes[2]. Dieses traditionelle Motiv, die sittlichen Ermahnungen mit Droh- und Verheißungsworten zu schließen, tritt unverkennbar im Schluß der Paränese 6,7ff. zutage, wo der Apostel die Galater an Gottes Gericht, aber auch an den verheißenen Lohn erinnert[3].

Die Entscheidung der Frage aber, ob der Apostel in der Paränese gegen Pneumatiker mit antinomistischen bzw. libertinistischen Tendenzen kämpft, die von W. Lütgert u. a. behauptete zweite Front Wirklichkeit ist[4] und insofern dann auch in Gal 5,13-6,10 primär nicht »usuelle«, sondern »aktuelle« Mahnrede gegeben ist, kann nur die nähere Untersuchung des Problems bringen, welches O. Merk in seiner Kritik an der Exegese von W. Schmithals[5] treffend zur Sprache bringt, wenn er schreibt: »Nicht überzeugt hat mich die Annahme von W. Schmithals, daß Paulus ›bewußt‹ mit der Hervorhebung des Freiheitszeugnisses ›auf die Aussagen der galatischen Gnostiker rekurriert‹ (Häretiker II 36). Schmithals arbeitet hier wie andernorts zu

---

[1] Vgl. Rigaux, Paulus 187: »Diese rhythmischen Passagen erlegen dem Exegeten gewisse Regeln auf, weil sie Einheiten darstellen, die den allgemeinen Rahmen des Textes sprengen. Mir erscheint es zum Beispiel als gewiß, daß die Paränese von 1 Thess 5,14-22 nicht auf die Gemeinde von Thessalonich zugeschnitten ist, wie auch die Perikope über die Auswüchse des Fleisches und die Früchte des Geistes in Gal 5,16-26 zu einem rhetorischen Passus gehört und sich nicht unmittelbar auf die Lage der Kirchen Asiens bezieht.«; ferner Eichholz, Tradition 106.

[2] Siehe zu Gal 5,21.

[3] Siehe zu Gal 6,7ff. Vgl. Wendland, Ethik 50.

[4] Gegen die Zweifrontentheorie sprachen sich aus: K. Deißner, in: Theologie d. Gegenwart 14 (1920) 209ff.; Lietzmann, Gal 38f.; Oepke, Gal 125f., 129,170; u.a. Jüngst wieder Foerster, Abfassungszeit 140: »Ich habe lange die Lütgertsche These von der doppelten Frontstellung des Paulus im Galaterbrief vertreten, bin aber jetzt nicht mehr sicher, ob sie in dieser Form zutrifft. Daß Paulus die Galater davor warnt, die Freiheit zum Vorwand für das Fleisch zu benutzen, braucht noch nicht eine *bewußte* These vorauszusetzen. Er hat Judaisten im Auge, wenn er den Galatern zuruft: εἰ δὲ πνεύματι ἄγεσθε, οὐκ ἐστὲ ὑπὸ νόμον 5,18 und κατὰ τῶν τοιούτων οὐκ ἔστιν νόμος 5,23. Am deutlichsten würde für Lütgert 6,3-5 sprechen, die darin ausgeführten Gedanken und Mahnungen haben in 1 Kor 4,5 eine starke Parallele. Aber diese Worte im Galaterbrief sind eingebettet in andere, deren Sinn jedenfalls nicht erkennbar in dieselbe Richtung geht. Im einzelnen können wir, was Paulus zu den Mahnungen von 5,13 ab bewegte, nicht mehr nachzeichnen; es wäre aber falsch, hinter jeder Äußerung eine widerstreitende *bewußte* Haltung zu suchen. Daß sich auch Libertinismus hat regen können, daß Paulus damit rechnet und darum 6,7f. schreibt, heißt noch nicht, daß er eine solche Haltung als eine bewußte voraussetzt.«

[5] Daß W. Schmithals in der zweiten Front die einzig wirkliche sieht, ist für die folgenden Darlegungen relativ unerheblich.

wenig heraus, was zur grundsätzlichen paulinischen Verkündigung gehört, was Paulus in der Auseinandersetzung mit seinen Gegnern erneut betont und was er an bisher nicht Gesagtem nunmehr in der Auseinandersetzung als Argument neu und der Gemeinde bisher unbekannt anführt«[1]. Die Frage ist also, ob die »Pneumaaussagen« von Gal 5, 13-6, 10 nur oder am überzeugendsten in der Frontstellung gegen einen Vollendungsenthusiasmus mit ungebundenem Lebensstil verständlich sind und ob sich Paulus demnach mit Gnostikern auseinandersetzt, die sich von der sittlichen Ordnung des Gesetzes emanzipiert hatten. Dagegen würden dann die »Gesetzesaussagen« gerichtet sein.

4. Der Christ als Pneumatiker

Nicht bloß in der Paränese, sondern auch in der gesamten Verkündigung des Paulus ist der Geist ein theologischer Faktor ersten Ranges[2]. Dies läßt sich am Galaterbrief exemplifizieren. Zu Beginn des lehrhaften Teils dieses Schreibens appelliert der Apostel an die Pneumaerlebnisse der galatischen Christen, welche sich bei ihrer Bekehrung ereigneten, und er scheint sie als göttliche Legitimation für die Wahrheit seiner Glaubenspredigt, zugleich aber – und darauf kommt es ihm hier besonders an – als Zeichen dafür verstanden wissen zu wollen, daß das Heil wirklich zu den Galatern gekommen ist und andere Vorleistungen – gedacht ist an Werke des Gesetzes – überflüssig, ja ein Mißtrauen der Gnade Gottes gegenüber sind[3]. Die paulinische Argumentation, die nur in der Frage besteht: »Dies allein will ich von euch erfahren: aus Werken des Gesetzes erhieltet ihr den Geist oder aus Hören des Glaubens?« (3, 2), setzt offensichtlich voraus, daß auch die Galater im Geist bzw. den Geisteswirkungen eine göttliche Gabe und Angeld kommender Herrlichkeit sehen, eine Vorstellung, die im Urchristentum allge-

---

[1] Merk, Handeln aus Glauben 69 Anm. 21.

[2] Aus der umfangreichen Literatur seien genannt: H. Gunkel, Die Wirkungen des heiligen Geistes usw. (1888), 3. unveränderte Aufl.. Göttingen 1909; W. Bousset, Kyrios Christos usw., 5. Aufl. Göttingen 1965, bes. S. 110-134; H.-D. Wendland, Das Wirken des Heiligen Geistes in den Gläubigen nach Paulus, in: ThLZ 77 (1952) 457-470; O. Kuss, Der Geist, in: Römerbrief, 540-595; ders., Enthusiasmus u. Realismus bei Paulus, in: Auslegung u. Verkündigung I 260-270; E. Käsemann, Art. »Geist und Geistesgaben im NT«, in: RGG³ II (1958) 1272-1279; I. Hermann, Kyrios u. Pneuma, StANT 2, München 1961; K. Stalder, Das Werk des Geistes in der Heilung bei Paulus, Zürich 1962; W. Pfister, Das Leben im Geist nach Paulus usw., Studia Friburgensia NF 34, Freiburg/Schweiz 1963; F. Mußner, Pneuma im NT, in: LThK² VIII (1963) 572-576; Schelkle, Theologie III 55 f.

[3] Vgl. Gunkel a.a.O. 62 u. 65; Kuss, Römerbrief 551; Hermann a.a.O. 100; Kümmel, Theologie 150, 194.

mein verbreitet war[1]. Dem steht nicht entgegen, daß die Galater bereit waren, sich auf Werke des Gesetzes einzulassen. Wahrscheinlich wollten sie dadurch auf dem Weg, den sie bei ihrer Bekehrung zu Christus eingeschlagen hatten, voranschreiten, um das volle und endgültige Heil sicher zu erreichen. Insofern waren die Galater keine Pneumatiker, die einem Enthusiasmus huldigten, obwohl man die Bedeutung der Pneumaerlebnisse im Leben der Neubekehrten nicht gering veranschlagen darf. Daß besonders diejenigen zur Gesetzesobservanz bereit waren, die selbst vielleicht keine geistgewirkten Ekstasen verzeichnen konnten, solche aber durch Übernahme der Beschneidung und Beobachtung des Gesetzes zu erlangen hofften, ist aus dem Galaterbrief nicht zu belegen. Die Tendenz der Ausführungen des Apostels geht in diesem Kampfbrief gegen den Judaismus nicht dahin, einen etwaigen Enthusiasmus einzudämmen[2], sondern jeden Glaubenden als Pneumatiker anzusprechen und ihm die Konsequenzen dieser Tatsache klarzumachen (siehe 3,2-5; 3,14; 4,6f. und die Paränese). Nach Gal 3,14 ist der Geist die Gabe der Endzeit. Er ist das Heil, das schon Abraham als Segen für die Völker verheißen wurde (3,8f.) und das Christus durch seinen Tod am Kreuz, der vom Fluch des Gesetzes befreite, ermöglichte (3,13) und »durch den Glauben« empfangen wird. Wie 3,2-5 scheint auch hier zumindest implizit der Gegensatz von Geist und Gesetz gegeben zu sein. Die Gesetzeserfüllung ist keine Voraussetzung für den Empfang des Geistes, der eschatologischen Heilsgabe. Das Heil wird nur den Glaubenden, und zwar den an das Heilswerk Christi Glaubenden, zuteil, und es ist unlösbar vom Empfang des Geistes[3]. So ist denn die wunderbare und außerordentliche Wirkung des Geistes Beweis für die neue Existenz und den Heilsstand der Glaubenden als Söhne Gottes: »Daß aber ihr seid Söhne, (erkennt ihr daran:) Gott hat den Geist seines Sohnes in eure Herzen gesandt, der schreit: Abba, Vater. Daher nicht mehr bist du Sklave, sondern Sohn. Wenn aber Sohn, auch Erbe durch Gott« (4,6f.)[4]. Gal 4,29 nennt Paulus die Glaubenden als die

---

[1] Siehe Mt 10,8; Mk 6,13; Apg 11,28; 21,9.10ff.; Eph 1,13f.; Hebr 6,4f.; vgl. Röm 8,23; 2 Kor 1,22; 5,5. Vgl. Bultmann, Theologie 43, 155ff.

[2] Siehe dazu die weiteren Ausführungen und Anm. 2 auf S. 156.

[3] Vgl. Conzelmann, Theologie 235: »Der Geist ist die aktuelle und vorläufige Übertragung des Heils.« Kümmel, Theologie 194: »Der Geist ist also die konkrete Wirklichkeit, durch die der Glaubende an dem durch Christi Auferstehung begonnenen Endzeitheil Anteil erhalten hat.«

[4] Siehe zu Gal 4,6f., ferner Gunkel a.a.O. 60f., 63; Kuss, Römerbrief 545; Kümmel, Theologie 194: »Der Geist befähigt den Christen zum Glauben und zur Hoffnung auf die endgültige Rettung, ja der Geist gibt die Gewißheit, daß die Christen zu Söhnen Gottes eingesetzt sind.« – Zum Verhältnis von Christus und dem Geist siehe u.a. Gunkel a.a.O. 89ff.; Kuss, Römerbrief 575ff.; I. Hermann, Kyrios u. Pneuma, München 1961; F. Mußner, LThK[2] VIII (1963) 575; Kümmel, Theologie 148-151; R. Schnackenburg, Neutestamentliche Theologie. Der Stand der Forschung, München [2]1965, 99f.

Verheißungskinder indirekt die »nach dem Geist« Geboren, die den Kindern des jetzigen Jerusalems, welches der Gesetzesordnung verhaftet ist, als den »nach dem Fleisch« Geborenen gegenüberstehen. So sehr der Apostel in Gal 3 und 4 mit dem Rekurs auf die Geisteswirkungen den Galatern einen Beweis für das ihnen im Glauben geschenkte Heil geben will, so wenig leugnet er, daß das Heil noch kein unverlierbarer Besitz ist (vgl. 6,7ff.) und somit noch ein Hoffnungsgut bleibt: »Denn wir im Geist aus Glauben erwarten das Hoffnungsgut der Gerechtigkeit« (5,6). Der Geist ist hier die »Sphäre« der Glaubenden, der Grund des Glaubens und letztlich wieder das Unterpfand des Vollendungsheils[1].

Der Geist, der neue, gottgeschenkte Lebensgrund der Glaubenden, ist die Voraussetzung der sittlichen Ermahnungen des Apostels (5,13–6,10)[2]. Geist und Fleisch sind die beiden Möglichkeiten menschlicher Existenz, wobei jedoch der Geist immer als Gottes Gabe zu begreifen ist[3]. Diese beiden einander widerstreitenden Mächte wollen den Menschen bestimmen, und, obwohl der Gläubige den Geist hat bzw. der Geist ihn ergriffen hat, steht der Christ noch immer in der Versuchung, der Macht des Fleisches wieder zu verfallen, die Werke des Fleisches zu tun und sich dadurch vom Reich Gottes auszuschließen[4]. Denn nur derjenige, der den Geist des Sohnes hat, ist Sohn und Erbe (vgl. 4,6f.). Es gilt also, »im Geist zu wandeln« (5,16), »sich vom Geist führen zu lassen« (5,18) und »der Marschorder des Geistes zu folgen« (5,25) oder, wozu indirekt der »Tugend«-

---

[1] Vgl. Kuss, Römerbrief 545: »Das Pneuma ist Quelle und Kraft des göttlichen Wunders, als das der Glaubende und Getaufte sich selbst versteht, und es ist damit zugleich Garant, ja Beginn der kommenden Vollendung.«

[2] H. Gunkel definiert den Begriff »Geist« bei Paulus »nach Analogie seiner Worte: δύναμις οὐ τοῦ αἰῶνος τούτου (1 Kor 2,6), ἣν ἐξαπέστειλεν ὁ θεὸς εἰς τὰς καρδίας ἡμῶν (Gal 4,6)« (a.a.O. 60). Weitere Definitionen bei Kuss, Römerbrief 565; F. Mußner, LThK² VIII (1963) 573; s. ferner R. Bultmann, Problem der Ethik bei Paulus, WdF XXIV 191; E. Käsemann, in: Exeget. Versuche I 19; Schnackenburg, Theologie 99f: »Denn der Heilige Geist ist für Paulus nicht einfach die dritte göttliche Person, aber auch schwerlich (wie Deissman meinte) eine Atmosphäre oder ein Fluidum, sondern die an den auferweckten, lebendigen Herrn gebundene und von ihm ausgehende göttliche Lebensmacht (vgl. 1 Kor 15,45; 2 Kor 3,17).« Bornkamm, Paulus 188: »Der Geist Gottes ist darum für Paulus nicht die übernatürliche Kraft der Überstiegs über das eigene begrenzte irdische Dasein, vielmehr die Kraft des in Niedrigkeit u. Schwachheit sich mächtig erweisenden Gottes.«

[3] Vgl. R. Bultmann, in: Kerygma und Mythos I, hrsg. von H.-W. Bartsch, Hamburg-Bergstedt 1967, 31: »Der ›Geist‹ wirkt nicht als eine Naturkraft, und er ist nicht zum Besitz des Glaubenden geworden, sondern er ist die faktische Möglichkeit des Lebens, die im Entschluß ergriffen werden muß.«

[4] Vgl. Wendland, Ethik 53: »Auch als ›Pneumatologe‹ bleibt der Apostel jener Realist, der die Versuchungsmacht der Sünde und des Fleisches genau kennt.« Siehe ferner Bultmann, Theologie 332ff.; Kuss, Römerbrief 408ff.; 518ff.; E. Schweizer: ThWNT VI 425-428: »Πνεῦμα als Absage an die σάρξ«.

Katalog auffordert: die Frucht des Geistes in ihrer vielfältigen Auswirkung reifen zu lassen (5, 22 f.), oder, wie Paulus mit warnendem Hinweis auf das Gericht sagt, auf den Geist zu säen, um aus dem Geist das ewige Leben zu ernten (6, 8)[1]. Der Gläubige hat anzuerkennen und für sein Leben mit allen Konsequenzen zu bejahen, daß er »neue Schöpfung« ist (6, 15), dies ohne Zweifel durch den Geist. Wie ein Leben aus dem Geist konkret aussieht, erläutert der Apostel negativ wie positiv durch die Kataloge (5, 19 ff.), dann an Hand einiger Beispiele, unter denen die Zurechtweisung des gefallenen Bruders »im Geist der Milde« (vgl. 1 Kor 4, 21) in dieser dem Gemeindeleben zugewandten Paränese besonders hervorgehoben wird. Deshalb liegt nichts näher, als von den soeben skizzierten Grundaussagen der paulinischen Theologie aus auch die Anrede Gal 6, 1 »ihr, die Geistigen« nicht auf eine besondere Gruppe in den Gemeinden zu beziehen, sondern entsprechend dem in der Paränese und im gesamten Brief mehrfach betonten Theologumenon, daß jeder Glaubende Pneumatiker ist, auf alle Gemeindemitglieder zu deuten. Zustimmen kann man W. Pfister, der bemerkt: »Es ist interessant zu beobachten, daß hier der Begriff πνευματικός aus der Sache selbst erwächst und nicht durch eine Auseinandersetzung mit den Pneumatikern bedingt ist. Wie πνευματικός als Adjektiv eines Substantives Gegebenheiten bezeichnet, welche die Art und Weise des Pneuma an sich tragen Röm 1, 11; 7, 14; 15, 27; 1 Kor 15, 44; Eph 1, 3 u. a., so charakterisiert es hier für sich allein den pneumatischen Menschen, der nach dem Geist lebt und von ihm auch in seiner religiös-seelischen Haltung gekennzeichnet ist ἐν πνεύματι πραΰτητος«[2]. Für das hier gestellte Problem sind ferner die Ausführungen von O. Kuss über die paulinische Pneumatologie zu bedenken: »Paulus hat sich und den von ihm erzogenen Gemeinden die Augen dafür geöffnet, daß der Geist nicht bloß in den Aufsehen erregenden, ekstatischen oder in den außerordentlichen, für umschriebene Aufgaben befähigenden und aussondernden Pneumagaben wirksam wurde, sondern daß er zuerst und vor allem jeden einzelnen Glaubenden und Getauften durchdrang, erfüllte und bewegte. Diese Erkenntnis in den Mittelpunkt der Pneumatologie gerückt zu haben, gehört zu den großen Leistungen des

---

[1] Siehe die Exegese zu Gal 6, 7 ff.

[2] Pfister, Das Leben im Geist nach Paulus 66; schon K. Deißner (in: Die Theologie d. Gegenwart 14, 1920, 209) führt gegen W. Lütgert aus: »Πνευματικοί sind vielmehr nach Paulus *alle* Christen, deren Leben in seinen entscheidenden Äußerungen von dem πνεῦμα als der religiös-sittlichen Lebenskraft beherrscht und getragen wird. Das läßt sich z. B. an der Hand von 1 Kor 3, 1-3 zeigen. Und vollends kommt man mit dieser Begriffsbestimmung in Anbetracht von Gal 6, 1 aus, wo ethische Ermahnungen aus dem Bewußtsein, ein πνευματικός zu sein, gefolgert werden und wo mithin der Begriff πνευματικός selbst ethischen Sinn hat und nicht auf eine besondere charismatische Begabung abzielen kann«. S. ferner die Exegese zu Gal 6, 1 und die dort angegebene Literatur.

Verkünders und Theologen Paulus«[1]. Allerdings muß für die Paränese des Galaterbriefs festgehalten werden: Weder gegen einen »anderen Geist« (2 Kor 11,4, vgl. 2 Thess 2,1f.; 1 Kor 12,2; 12,10) noch gegen wildes, das Gemeindeleben verwirrendes Pneumatikertum kämpft der Apostel. Nirgends findet sich eine unmittelbare Aussage, die einen etwaigen Enthusiasmus hic et nunc eindämmen will[2], im Gegenteil: Paulus wertet die Pneumaerlebnisse äußerst positiv, argumentiert im Kernstück des Galaterbriefs mit ihnen gegen das »andere Evangelium« und entfaltet in der Paränese eine Geistethik, die jeden Christen als Pneumatiker anspricht und zu geistgemäßem Leben verpflichtet. Die Lücke, welche die scharfe Verneinung des Gesetzes hinterließ, wird nicht durch die Aufrichtung eines geläuterten Gesetzes geschlossen, sondern eine ganz andere Basis und Norm für das sittliche Verhalten des Glaubenden, nämlich das Leben aus dem Geist, tritt an die Stelle des Gesetzes. Eine unzweideutige Charakteristik von Pneumatikern bzw. Gnostikern ist in der Paränese des Galaterbriefs nicht zu finden[3], vielmehr ruft Paulus die Glaubenden als die Pneumatiker zum Kampf gegen die Macht des »Fleisches« und ihre das christliche Gemeindeleben zerstörende Wirkung auf.

5. »*Das Gesetz des Christus*«

Für das rechte Verständnis der Paränese des Galaterbriefs ist die Interpretation des Imperativs innerhalb der paulinischen Geistethik nicht unerheblich. Vor allem ist das Verhältnis des Imperativs zum Gesetz zu erörtern. Führt Paulus das Gesetz, das er im Kernstück seines Briefes an die Galater so radikal verworfen hatte, in der Paränese wieder ein, weil letztlich keine Religion, solange der alte Äon noch währt, auf das Gebot verzichten

---

[1] Kuss, Römerbrief 260f; vgl. auch I. Hermann, Heiliger Geist, in: HThG I 645.

[2] Der Tugendkatalog (5, 22f.) spricht nicht dagegen, da er seine Genesis durchaus in einer antienthusiastischen Kampfessituation des Paulus gehabt haben kann und nun erneut gepredigt wurde. Er wird zum festen Bestand der paulinischen Verkündigung gehören. – Für den Hintergrund des Galaterbriefs gilt, was D. Lührmann feststellt: »Bemerkenswert und ein weiteres Indiz gegen die von Schmithals vertretene These einer einzigen gnostischen gegnerischen Front in allen Paulusbriefen ist das Fehlen ekstatischer Erscheinungen bei den Gegnern in Galatien« (Offenbarungsverständnis 73 Anm. 3).

[3] Hier verweigert denn auch Lähnemann (Kolosserbrief 160 Anm. 19) Schmithals die Gefolgschaft, weil er nicht bloß die korinthische libertinistische Gnosis von der mehr asketisch ausgerichteten galatischen Häresie unterscheidet, sondern auch erkennt: »Die Paränese wird dann nicht wegen des Libertinismus der Gegner durchgeführt, sondern (wie im Kolosserbrief) als notwendiges Korrektiv zur Betonung der christlichen Freiheit.« Vgl. auch Wilson, Gnosis 58.

kann[1]? Kämpft der Apostel zugleich gegen antinomistische und libertinistische Tendenzen in den galatischen Gemeinden? Zunächst sei wieder der Weg beschritten, die paulinische Aussage von den Grunddaten der Theologie des Apostels aus zu verstehen, bevor ihre Genesis aus der Briefsituation erklärt wird oder die eventuell grundsätzliche Aussage in ihrer Beziehung zur Glaubenssituation der Galater markiert wird.

Der Ursprung des Imperativs ist klar: Der Glaubende, der noch im Energiefeld der einander widerstreitenden Mächte Sarx und Pneuma steht, hat den Geist, das ihm von Gott geschenkte neue Lebensprinzip voll zur Auswirkung kommen zu lassen nach dem Motto: Sei, was du bist! oder wie man das Verhältnis von Heilswirklichkeit und Heilsverpflichtung noch umschreiben mag (vgl. 5,16–25). Diese Spannung von Indikativ (Heilszusage) und Imperativ (Aufruf) ist durch die Situation der Zwischenzeit bedingt, wie O. Kuss mit folgenden Worten hervorhebt: »Der Indikativ gibt Zeugnis davon, daß der neue Äon da ist, der Imperativ entspricht der harten Tatsache, daß die Mächte des alten Äons noch tätig sind. Weil mit Kreuzestod und Auferstehung Jesu Christi dem Menschen das Heil geschenkt wurde, herrscht jetzt der Indikativ der Heilszusage – und er ist es, der vor allem den Apostel erfüllt und sein Denken und Handeln ganz durchdringt –; weil aber andererseits die Parusie und damit die Vollendung noch ausstehen, bleibt der Imperativ notwendig«[2]. So richtig es ferner ist, daß »eine Isolierung des Indikativs« »praktisch zu Schwärmertum« und »eine Isolierung des Imperativs zurück ins Judentum« führt[3], so wenig braucht eine Paränese, die von Haus aus den im Indikativ begründeten Imperativ zum Gegenstand ihrer Verkündigung hat, notwendig gegen Antinomismus und Libertinismus gerichtet zu sein. Auch versteht es sich von selbst, daß nach der prononciert einseitigen Heilszusage im lehrhaften Teil des Galaterbriefs und der damit verbundenen situationsbezogenen radikalen Ver-

---

[1] Vgl. W. Wrede, Paulus 1904, in: WdF XXIV, 74: »Man kann aber nicht leugnen, die radikale Ablehnung des Gesetzes behält etwas Künstliches. Keine ethische Religion kann auf den Gedanken verzichten, daß Gott dem Menschen Gebote gibt. Paulus selber gibt dem Zeugnis. Denn der Gedanke des Gesetzes drängt sich doch überall wieder bei ihm ein, sei es daß er vom ›Gesetz Christi‹ redet oder von der Zusammenfassung des Gesetzes im Gebot der Nächstenliebe (Gal 6,2; 5,14; Röm 13,8f.). Ja, was heißt es anders, wenn er fort und fort in Imperativen die sittlichen Gebote einschärft? Aber noch mehr: wo die Polemik schweigt, tritt auch die Vergeltungslehre wieder ganz unverhüllt zutage: Gott richtet nach den Werken. Eine konsequente Ausbildung hat diese Lehre also nicht gefunden.«

[2] Kuss, Römerbrief 411f.; vgl. R. Bultmann, Das Problem der Ethik bei Paulus (1924), in: WdF XXIV 179-199; A. Oepke, Indikativ und Imperativ in der paulinischen Paränese, in: Gal 144f. (dort weitere Literatur); H. Schlier, Indikativ und Imperativ bei Paulus, in: Gal 264-267; Bornkamm, Paulus 208ff.

[3] Kuss, Römerbrief 411.

neinung des Heilswertes des Gesetzes nun im Abschnitt sittlicher Unterweisung der Imperativ stark in den Vordergrund rückt[1].

Wie versteht jedoch die Paränese des Galaterbriefs das im lehrhaften Teil dieses Schreibens so degradierte und disqualifizierte Gesetz? Die am wenigsten umstrittene und eindeutigste Aussage über das Gesetz liegt 5,18 vor: »*Wenn ihr aber vom Geist getrieben werdet, seid ihr nicht unter dem Gesetz* (ὑπὸ νόμον)«. In dem Bedingungssatz steckt die Forderung, sich vom Geist als dem neuen Lebensprinzip göttlicher Herkunft führen zu lassen und ihm voll Raum zu geben. Der Christ ist als Pneumatiker angesprochen. Von ihm heißt es nun, daß er nicht mehr ὑπὸ νόμον sei. Diese Wendung hat, wie die Einzelexegese hervorhob, im Galaterbrief einen eindeutig negativen Sinn (vgl. 3,23; 4,4f. 21), und es besteht kein Grund, nicht auch an unserer Stelle wie durchweg im ganzen Brief das Gesetz als eine die Sünde provozierende und den Menschen versklavende Macht anzusehen. Daß das Gesetz hier als negative Größe vorgestellt wird, ergibt sich ferner aus der zu V. 18 parallelen Aussage in V. 16: »Ich sage aber: Im Geist wandelt und das Begehren des Fleisches werdet ihr nicht vollbringen«. Es ist nicht zu leugnen, daß in der paulinischen Theologie ein enger Zusammenhang besteht zwischen dem Unter-dem-Gesetz-Sein und dem Dem-Begehren-des-Fleisches-Verfallensein. Dies bestätigt auch die Gedankenfolge von V. 23 b zu V. 24: »*Gegen derartiges*« (gemeint ist die vielfältige Frucht des Geistes bzw. »*gegen derartige*«, die solche Furcht zeigen) »*ist das Gesetz nicht. Die aber des Christus Jesus haben das Fleisch gekreuzigt mit den Leidenschaften und den Begierden.*« Auch hier erscheint das Gesetz nicht als positive Größe, allerdings liegt diesmal der Akzent mehr auf der anklagenden und den Menschen seiner Sünde überführenden Funktion des Gesetzes (vgl. 3,10ff.), ohne daß damit die Unheilsfunktion des Gesetzes negiert wird. Bezeichnenderweise sagt ja der Apostel nicht: »Solche Frucht des Geistes gebietet das Gesetz« oder ähnlich, sondern er formuliert negativ und hat das Anliegen, auch hier die Freiheit vom Gesetz als letzten Gedanken vor die Galater hinzustellen[2]. Das Gesetz kann denen, die sich vom Geist regieren lassen, nichts anhaben. Ein Bekenntnis zum positiven Inhalt des Gesetzes ist nicht unbedingt gegeben, aber auch nicht völlig auszuschließen[3]. Der primäre

---

[1] Vgl. Wendland, Ethik 50: »Die Gnade schließt also das Gebot ein und nicht aus; Paulus ist alles andere als ein ›Antinomist‹; seine Briefe wimmeln von Mahnungen und Warnungen für das Handeln der Gemeinden, aber dies sind immer die Imperative der Gnade, nicht des Gesetzes, dessen Herrschaft Christus ja gebrochen hat.«

[2] Siehe die Exegese auf S. 140f.

[3] Vgl. Gal 3,10; 5,3.14. – Doch bleibt die Sicht des Gesetzes als Ausdruck des göttlichen Willens im Galaterbrief ganz im Hintergrund. Nirgends ist es als Gesetz Gottes bezeichnet. Aussagen wie in Röm 7,22.25 b; 8,7; 7,12; 7,14 8,4; 2,26 finden sich bezeichnenderweise nicht.

Sinn der Aussage ist es jedoch nicht. Als Norm für das sittliche Handeln des Christen erscheint hier das Gesetz ebensowenig wie im Abschnitt 5,13–15: »*Nur, nicht die Freiheit zum Sprungbrett für das Fleisch, sondern durch die Liebe seid Sklaven einander. Denn das ganze Gesetz ist in dem einen Wort erfüllt, in dem:* ›*Du sollst lieben deinen Nächsten wie dich selbst*‹ *(Lev 19,18). Wenn aber einander ihr beißt und freßt, seht, daß ihr nicht voneinander aufgezehrt werdet.*« Es ist wichtig zu sehen, daß im Mittelpunkt der Ausführung die Einschärfung des Liebesgebotes steht und nicht eine nachträgliche Belehrung über das Gesetz, die die bisherige Gesetzesinterpretation des Apostels entscheidend ergänzen bzw. ändern will. Ob eine Mißdeutung der paulinischen Gesetzesfreiheit unmittelbarer Anlaß für diese erste positive Aussage über das Gesetz im Galaterbrief war, ist nicht sicher auszumachen. Jedenfalls ist kaum zu bestreiten, daß das Denken des Apostels durch die Kategorie »Gesetz« bestimmt wird, und es nicht unwahrscheinlich sein dürfte, daß Paulus »paradoxerweise« gegenüber den gesetzeswilligen Galatern das Liebesgebot urchristlicher Tradition entsprechend[1] mit dem Gesetz begründet, ja den positiven wesentlichen Inhalt des Gesetzes im Liebesgebot aufgehoben sieht[2]. Wenn der Apostel die Quintessenz des Gesetzes zu bejahen scheint[3], so darf nicht übersehen werden, daß dies nur über den Weg der Kritik am Gesetzesinhalt möglich ist, indem zumindest das Zeremonialgesetz für ungültig erklärt wird[4]. Insofern ist P. Feine zuzustimmen, wenn

---

[1] Siehe S. 135 Anm. 3.

[2] Die paradoxe Redeweise des Apostels darf jedoch nicht übersehen werden, siehe unten, ferner die Exegese S. 134f. Bedenkenswert sind in dieser Thematik auch die Ausführungen von W. K. M. Grossouw, Die Entwicklung der paulinischen Theologie in ihren Hauptlinien, in: AnBibl 17-18, Bd I, Rom 1963, 87: »Der erste Punkt ist, daß er (Paulus) die großen Losungen seiner Gegner zwar in ihrem Sinne ablehnt, aber sie darum noch nicht in ihren Händen zurückläßt. Er verleibt sie, christlich interpretiert, seinem Evangelium ein; er fordert sie für das Christentum. Das schlagendste Beispiel dürfte die ganze Thematik um Abraham, dem Stammvater der Gläubigen, liefern (Röm 4; Gal 3,6-18, usw.). Aber auch die Beschneidung wird spiritualisiert beibehalten (Röm 2,28-29; Phil 3,3; vgl. Kol 2,11) und selbst das Gesetz, dem der Christ mit Christus gestorben ist, sieht er nur im Christentum zu seinem vollen Rechte kommen (Röm 3,31; 8,4; 13,8-10; Gal 5,14; 6,2).«

[3] Siehe S. 134f.

[4] Siehe dazu Anm. 5 S. 135; ferner R. Bultmann, Theologie 342: »Sofern sich für Paulus der νόμος im alttestamentlichen Gesetz mit all seinen kultischen und rituellen Geboten darstellt, versteht es sich freilich von selbst, daß er nicht in seinem ganzen Umfang gelten kann; und der Kampf in Galatien gegen das Gesetz als Heilsweg ist ja zugleich ein Kampf gegen die rituellen und kultischen Gebote, gegen die Beschneidung und die jüdischen Feste (Gal 4,10)«. Vgl. Conzelmann Theologie 246; K. Stalder, Das Werk des Geistes 309; Oepke, Gal 99; v. Campenhausen, Bibel 37f.; Kuss, Römerbrief 428; Schelkle, Theologie III 47; Wendland, Ethik 57; Ridderbos, Paulus 103f.

er sagt, daß hier »der Begriff des Gesetzes über den des mosaischen Gesetzes hinaus sublimiert« ist[1]. Vollends trifft dies für Gal 6,2 zu, wenn es heißt: »*Einander die Lasten tragt, und so werdet ihr erfüllen das Gesetz des Christus.*« Nomos und Christus waren bisher im Galaterbrief unversöhnliche Gegensätze, und ihr Verhältnis ließe sich mit den Begriffspaaren: Unheil und Heil, Fluch und Segen, Sklaverei und Freiheit umschreiben. Wenn Paulus nun vom »Gesetz des Christus« spricht, ist die paradoxe Formulierung evident, und ebenso klar dürfte es sein, daß hier von einem ganz anderen Gesetz als dem mosaischen die Rede sein muß. Der Begriff νόμος bringt die etwaige inhaltliche Übereinstimmung mit dem Gesetz des Moses nicht zum Ausdruck, da Paulus mit diesem Begriff »spielen« kann (vgl. Röm 7,2f. 22–8,1)[2] und »der im Munde des Paulus seltsame Ausdruck νόμος χριστοῦ« ... »ebenso wie Röm 3,27 νόμος πίστεως gewollte Antithese gegen den judaistischen νόμος-Begriff« sein kann[3]. So meint denn H. v. Campenhausen zu den soeben genannten Wendungen: »Mit diesen Ausdrücken wird die Kraft des neuen Lebens in einem sprachlich häufigen Vorgang nur als das bezeichnet, was an die Stelle des alten Gesetzes tritt und es erledigt, ohne ihm darum wesenhaft gleich oder ähnlich zu sein«[4]. Paulus geht es darum, sowohl Gal 5,14 wie 6,2 ein ganz anderes Gesetz den galatischen Christen zu empfehlen, nämlich der Liebe als der Frucht des Geistes in ihrem Leben ganz und gar Raum zu geben. Da die Kategorie »Gesetz« im Zentrum des Denkens des Apostels steht und für die Galater höchst aktuell ist, ist ihre Verwendung an diesen Stellen nicht erstaunlich[5]. Mit Recht gibt E. Grafe zu bedenken: »Es darf, bei der Erwägung des Sinnes dieser Stellen, niemals vergessen werden, daß alle diese Äußerungen ihre Fassung erhalten haben unter Einwirkung der Opposition des Apostels gegen seine Gegner«[6]. Eine positive Würdigung des mosaischen Gesetzes klingt im Galaterbrief nur 5,14 an[7], und es fragt sich, ob der Apostel in seiner paradoxen Redeweise so verstanden werden wollte.

---

[1] Feine, Das gesetzesfreie Evangelium 191.

[2] So Bultmann, Theologie 260.

[3] Lietzmann zu Gal 6,2.

[4] v. Campenhausen, Bibel 37 Anm. 31; vgl. R. Schnackenburg, in: Christliche Existenz II 46; ferner ders. in: EKK 1, S. 105; Kertelge, »Rechtfertigung« 223f.; Wendland, Ethik 57f.

[5] Gegen Schrage, Einzelgebote 99f.

[6] Grafe, Die paulinische Lehre vom Gesetz 22.

[7] So richtig Fr. Sieffert, Die Entwicklungslinie der paulinischen Gesetzeslehre/ nach den vier Hauptbriefen des Apostels, in: Theolog. Studien f. B. Weiss, Göttingen 1897, (332-357) 353: »Der im Galaterbrief nur flüchtig berührte Gedanke, daß das Liebesgebot das ganze Gesetz repräsentirt, erhält hier (im Röm) eine erheblich bedeutsamere Stellung und eine weitere Fortbildung (13,8ff.). Denn hier erscheint das mosaische Liebesgebot nicht nur wie im Galaterbrief als der

Wenn auch die im Abschnitt über »Sinn und Bedeutung des Gesetzes nach dem lehrhaften Teil des Galaterbriefs« geäußerte Vermutung, daß die Lehre vom Gesetz in Gal 3 und 4 in einer objektivierenden Sprache erfolgt sei[1], durch die Analyse der Paränese unseres Briefes in gewisser Weise bestätigt wurde, da nämlich dem neuen Menschen, der dem Pneuma folgt, das Gesetz nicht mehr als anklagende und feindliche Macht begegnet und er, der Pneumatiker, von selbst, wie Paulus meint, dem eigentlichen Sinn des Gesetzes gerecht wird, so zeigt doch gerade diese letzte Aussage, daß auch der Inhalt des Gesetzes eine Läuterung erfahren hat[2], so daß mit vollem Recht von einem neuen Gesetz gesprochen werden kann. »Das Gesetz des Christus« (Gal 6 2), dem der Christ zu folgen hat, ist ein ganz anderes Gesetz, für das gilt, was R. Schnackenburg über das Verhältnis des Alten Testaments zur Christusoffenbarung des Neuen Testament sagt: »Das Alte wird gleichsam integriert, mit hineingenommen, darin ›aufgehoben‹, aber nicht nur im Sinn des Aufbewahrens, sondern auch des Außer-Kraft-Setzens, weil ein Neues, Höheres gekommen ist (vgl. Hebr 8,13). Die eigentliche und volle Offenbarung und damit auch den wirklichen Zugang zu Gott erlangen wir erst in Jesus Christus«[3]. Weil der an Christus Glaubende den Geist des Sohnes hat (Gal 4,6f.; Röm 8,9), ist er imstande, aus innerer Willigkeit heraus »das Gesetz des Christus«, welches Paulus Gal 6,2 mit der Wendung »voneinander die Lasten tragt« umschreibt[4], zu erfüllen. Der imperativische Aufruf ist freilich, wie die Paränese zeigt, solange die Kräfte des alten Äons noch wirksam sind, nicht überflüssig.

---

wesentliche Mittelpunkt des gesammten, sittliche, bürgerliche und ceremonielle Bestandtheile gleichmäßig einschliessenden Gesetzes, so daß die Liebesgesinnung als Erfüllung des letzteren angerechnet werden kann, sondern die einzelnen wichtigsten Sittengebote des alttestamentlichen Gesetzes, die sich dadurch von den übrigen Bestandtheilen des letzteren einigermaßen ablösen und vor ihnen hervortreten, gewinnen ihrem eigenen Wortlaut nach Geltung für das christliche Leben, indem sie eine konkrete Entfaltung des in jenem beschlossenen Inhalts darstellen (Röm 13,8-10)«.

[1] Siehe S. 112; vgl. auch G. Ebeling, Erwägungen zur Lehre vom Gesetz, in: Wort u. Glaube, Tübingen 1960, 283: »Tritt eine Änderung im Verhältnis des Menschen zum Gesetz ein, so tritt eben damit auch eine Änderung im Wesen des Gesetzes ein.«

[2] Siehe Kuss, Römerbrief 428: »Dem alten Gesetz gegenüber ist das neue Gesetz vereinfacht, verwesentlicht und zugleich verschärft, ›radikalisiert‹, und der Getaufte hat das Pneuma Christi, der Geist Gottes wohnt in ihm (Röm 8,9), so daß er imstande ist, diesem Gesetz Christi gerecht zu werden; er befindet sich freilich auch jetzt keineswegs in einer Lage, in der auf Paränese einfach verzichtet werden könne.«

[3] R. Schnackenburg, Wer war Jesus von Nazareth?/Christologie in der Krise, Das theologische Interview, Düsseldorf 1970, 57.

[4] E. Schweizer, Πνεῦμα als Offenheit für Gott und den Nächsten, in: ThWNT VI 428-431.

Zusammenfassend wird man sagen können: Die Paränese des Galaterbriefs ändert das Bild vom Kampf des Paulus gegen die Bejahung des Gesetzes in Galatien nicht. Weder gegen Pneumatiker noch gegen Antinomisten macht der Apostel in Gal 5, 13–6, 10 Front, sondern nach der scharfen Verneinung des Gesetzes im lehrhaften Teil seines Schreibens ist er geradezu gezwungen, in der traditionellen Mahnrede zum Schluß seiner Briefe die neue Basis und ganz andere Norm für das Leben der Glaubenden stark herauszuarbeiten. Die Pneuma-Aussagen und der paulinische Imperativ dürfen nicht verwechselt werden mit bewußten Antithesen gegen Enthusiasmus und Libertinismus. Eine solche zweite Front ist aus den sittlichen Ermahnungen in Gal 5, 13–6, 10 nicht eruierbar. Paulus rechnet in der Regel scharf mit seinen Gegnern ab und scheut nicht davor zurück, seinen Rivalen niedrige Motive für ihre Missionsarbeit zu unterstellen (vgl. Gal 6, 12 f.; 4, 17; Phil 3, 2; 2 Kor 11, 13 ff.), sollte er aufgeblasenem Pneumatikertum und sittlicher Zügellosigkeit in seinen galatischen Gemeinden mit äußerster Zurückhaltung begegnet sein?

V. Kapitel

DIE JUDENCHRISTLICHE OPPOSITION GEGEN DAS PAULINISCHE EVANGELIUM UND SEINEN BOTEN NACH GAL 1 UND 2

1. Exegese von Gal 1, 1 – 2, 14

Die ersten beiden Kapitel des Galaterbriefs, vor allem Gal 1, 1 – 2, 14, sind für unsere Kenntnis von der Geschichte des Urchristentums eine historische Quelle, deren Bedeutung kaum überschätzt werden kann. Paulus gibt als authentischer Zeuge Auskunft. Jedoch ist nicht zu übersehen, daß es eine polemisch-apologetische Darstellung der Geschichte des paulinischen Evangeliums und seines Boten ist. Von der Exegese der Aussagen des Apostels hängt es wesentlich ab, wie man die Rolle des Paulus in der theologischen Entwicklung der Urkirche beurteilt, sein Verhältnis zu den Uraposteln und der Jerusalemer Kirche bestimmt und die judaistische Opposition gegen die paulinische Verkündigung in das Koordinatensystem der Urkirche einordnet. Darüber scheint Paulus selbst auch die Galater belehren zu wollen. Angesichts der Relevanz dieser beiden Kapitel des Neuen Testaments überrascht es nicht, daß sie immer wieder die exegetischen Bemühungen herausgefordert haben, in der Auslegung umstritten sind und die Literatur hierzu fast uferlos ist. Auf eine eigene Untersuchung kann innerhalb dieser Arbeit nicht verzichtet werden.

a) Gal 1, 1–10

Dem ersten Teil des Galaterbriefs (1, 11–2, 21), der eine Apologie des paulinischen Evangeliums und seines Boten darstellt, sind als Einleitung in das Schreiben der Briefeingang mit der Angabe des Absenders, der Adressaten und der Entbietung des Grußes – zu einem Segenswunsch stark erweitert – (1, 1–5) sowie eine kurze, den Ernst der Lage unmißverständlich signalisierende Situationsbeschreibung (1, 6–9) vorgeordnet. V. 10 bezieht sich im Anschluß an die harte und kompromißlose Rede des Apostels in den Versen 8 und 9 offensichtlich auf einen Vorwurf seiner Gegner und leitet zum Thema der Verse 11 und 12 über.

Paulus beginnt sein Schreiben an die Galater mit der antikem Briefstil entsprechenden Angabe des Absenders, d.h. er nennt seinen Namen. Es folgt jedoch eine ausführliche Amtsbezeichnung, die besondere Beachtung verdient: »*Paulus, Apostel, nicht von Menschen, auch nicht durch einen Menschen, sondern durch Jesus Christus und Gott-Vater, der ihn erweckt hat von den Toten*«

(V. 1). Ist der Galaterbrief vor den Briefen an die Korinther und Römer
geschrieben, so begegnet die Selbstprädikation »Apostel« am Beginn eines
Briefes erstmals hier in den Paulusbriefen und ist wie sonst nirgends prononciert herausgestellt. Sie findet sich nicht in 1 und 2 Thess, Phil und
Philemon; von einem Widerspruch gegen die Apostelwürde des Paulus
wissen diese Briefe auch nichts zu berichten. Der Vergleich mit 1 und 2
Kor und Röm macht deutlich, daß ἀπόστολος als Amtsbezeichnung zu verstehen ist[1]. Mit diesem Titel meldet Paulus seinen Anspruch an, in den
Gemeinden Galatiens, die ihrem Gründerapostel untreu zu werden drohen,
gehört zu werden. Dabei scheint er vorauszusetzen, daß die Galater mit
dem Begriff ἀπόστολος die Vorstellung eines mit der Verkündigung des
Evangeliums Christi beauftragten Boten verbinden, denn Paulus gibt nicht
wie in Röm 1, 1–5 den Zweck seiner Sendung an, hebt aber polemisch die
Art seines Apostelseins hervor: ἀπόστολος οὐκ ἀπ' ἀνθρώπων οὐδὲ δι'ἀνθρώπου
ἀλλὰ διὰ Ἰησοῦ Χριστοῦ. Dieser erläuternde Zusatz, mit dem Paulus seine
unmittelbare Sendung durch Jesus Christus und Gott-Vater betont, dürfte
nicht bloß zur Unterstreichung seiner Apostelwürde gegeben oder als
Seitenhieb gegen die in Galatien eingedrungenen Pseudoapostel, denen er
sicherlich nicht göttliche Sendung zugestehen kann, zu verstehen sein[2],
sondern, wie die polemische Wendung οὐκ ἀπ' ἀνθρώπων οὐδὲ δι' ἀνθρώπου
vermuten läßt, Apologie gegenüber Angriffen auf seinen Apostolat bzw.
die Art seines Apostolats sein[3]. Dabei scheint man weniger sein Apostel-
sein als solches bestritten und ihm den Titel »Apostel« verweigert zu haben –
inwieweit es einen fest umrissenen, allseits anerkannten Apostelbegriff
gab, ist ja völlig offen[4] –, sondern eher wird man Paulus zu einem Apostel
niederen Ranges im Vergleich zu den »Vor-ihm-Aposteln« (V. 17) und ihn
von menschlicher Instanz abhängig gemacht haben[5]. Die Deutung der

---

[1] Der Streit, ob hinter ἀπόστολος ein Komma zu setzen ist (so die Textausgaben
von Nestle und Vogels und die meisten Kommentare), ist für die Interpretation
des Verses unerheblich. Auf das Komma verzichten, weil der Partizipialsinn des
Begriffs ἀπόστολος noch erhalten sei: Zahn; H. von Campenhausen, Der urchristliche Apostelbegriff, in: Studia theologica, Lund 1948, 98 Anm. 1; Schlier, Gal 26
Anm. 2; Georgi, Gegner 43 u.a.

[2] Vgl. Hieronymus, Luther, Lightfoot; V. Weber, Abfassungszeit 113 ff.; 275 ff.
– Ph. Seidensticker, Paulus, der verfolgte Apostel Jesu Christi, Stuttg. Bibelstudien
8, 1965, 82, sieht in der polemischen Formel Gal 1, 1 einen »Reflex korinthischer
Erfahrungen (des Paulus), die in Röm 1, 1-6 ihre gradlinige Fortsetzung erfahren
und die heilsgeschichtliche Größe des paulinischen Missionsapostolates unter den
Heiden umfassend formulieren«.

[3] So die meisten Kommentatoren.

[4] Vgl. R. Schnackenburg, Apostel vor und neben Paulus, in: Schriften zum NT.
Exegese in Fortschritt und Wandel, München 1971, 338–358.

[5] So de Wette, Hilgenfeld, Bisping, Lipsius, Cornely, Sieffert, Zahn, Gutjahr,
Oepke, Kuss, Schlier, Kürzinger, G. Schneider; Haenchen, Apg 277.

Wendungen ἀπ' ἀνθρώπων und δι' ἀνθρώπου ist umstritten. Die meisten Kommentare treten für eine Sinnverschiedenheit der Präpositionen ein, wobei ἀπό den Ursprung, διά die Vermittlung des Apostolats bezeichne[1]. Eine nicht einstimmige Antwort findet die Frage, was für Paulus ἀπόστολοι ἀπ' ἀνθρώπων sind, etwa Falschapostel[2] oder solche, die zwar rechtmäßig, aber von menschlicher Instanz gesandt sind, wie z. B. die ἀπόστολοι ἐκκλησιῶν (2 Kor 8,23; Phil 2,25)[3]. Der konkrete Sinn von δι' ἀνθρώπου ist ebenfalls schwer zu erfassen. Hat man Paulus degradiert mit der Behauptung, er sei nach seiner Bekehrung durch einen Menschen mit der Verkündigung des Evangeliums beauftragt oder durch eine bestimmte Person der Urkirche legitimiert worden: durch Ananias[4], Barnabas[5], Kephas[6] oder einen anderen der Urapostel[7]? In Erwägung zu ziehen ist auch die vielfach vertretene Meinung, der Singular δι' ἀνθρώπου erkläre sich als Angleichung an die folgende zentrale Aussage über den paulinischen Apostolat, an das διὰ Ἰησοῦ Χριστοῦ[8]. Entscheidend ist für Paulus – dies stellt ihn auf eine Stufe mit den »Vor-ihm-Aposteln« (V. 17) –, daß er διὰ Ἰησοῦ Χριστοῦ berufen worden ist. Hier liegt die Aussagemitte der Apposition (vgl. 1 Kor 1,1; 2 Kor 1,1; Röm 1,1). Die in den älteren Kommentaren breit erörterte und nicht unwichtige Frage, weshalb διὰ Ἰησοῦ Χριστοῦ dem θεοῦ πατρός vorgeordnet sei, hat Wieseler treffend beantwortet: »Weil διὰ Ἰησοῦ Χριστοῦ den für das Apostolat Pauli entscheidenden Punkt unter den Satzgliedern enthält, aus diesem und keinem anderen Grunde scheint es mir vorangestellt zu sein.« Was »Gesandtsein durch Jesus Christus« bedeutet und welche Autorität damit gegeben ist, wird durch den Hinweis auf das Verhältnis von Jesus Christus zu Gott-Vater skizziert. Jesus steht auf der Seite Gottes den Menschen und damit allen menschlichen Autoritäten gegenüber (vgl. auch

---

[1] Siehe etwa de Wette, Bisping, Lightfoot, v. Hofmann, Sieffert, Burton, Lagrange. Aufgrund der Tatsache, daß den Präpositionen ἀπό und διά im zweiten Satzglied nur das eine διά (διὰ Ἰησ. Χρ. καὶ θεοῦ)gegenübersteht, wird auch auf eine Unterscheidung der Präpositionen an unserer Stelle verzichtet (so Lietzmann) oder der Unterschied für unscharf erklärt (so Schlier). Allerdings ließe sich das Fehlen des ἀπό vor καὶ θεοῦ auch als Breviloquenz erklären.

[2] So Luther, de Wette, Wörner, Bisping, Wieseler, Lipsius u.a.

[3] So Sieffert, wohl auch Schlier und die meisten Kommentare.

[4] Vgl. Haenchen, Apg 277: »Daß Paulus Gal 1,1 bei dem Wort δι' ἀνθρώπου an eine judenchristliche Entstellung der Bedeutung des Ananias gedacht hat, läßt sich freilich nicht ausschließen. Aber wahrscheinlicher ist es doch, daß man eine Abhängigkeit des paulinischen Apostolats nicht von Damaskus, sondern von Jerusalem behauptet hat.«

[5] Erwogen von Zahn und Kuss u.a.

[6] Gutjahr: »Der Singular δι' ἀνθρώπου geht auf Kephas oder einen der übrigen hervorragenden Altapostel. Auf Kephas mochten sich die Gegner Pauli vornehmlich berufen haben.«

[7] Vgl. Gutjahr, B. Weiß, Burton.

[8] So de Wette, Wörner, Wieseler, Zöckler, Sieffert.

V. 12) in enger Beziehung zu Gott-Vater[1]. Seine Stellung erhielt er als der vom Vater Auferweckte von den Toten[2] (vgl. Röm 1, 1–5). Die Erläuterung τοῦ ἐγείραντος αὐτὸν ἐκ νεκρῶν ist zwar formelhaft, aber an unserer Stelle nicht ohne besonderen Grund, denn durch die Begegnung mit dem auferweckten Herrn wurde Paulus Apostel[3] und als »Sendbote des Auferstandenen« (Oepke) hat er die Botschaft von Gott, der durch Christus Leben schenkt, zu künden. Das Moment der unmittelbaren Sendung durch Jesus Christus, auf das Paulus größtes Gewicht legt, darf nicht gestrichen werden (gegen Schmithals[4]), »es ist offenbar Gegenstand der Auseinandersetzung« und »der Kern des Angriffes seiner Gegner in Galatien« (Schlier)[5].

Obwohl Paulus sich als ein von höchster Autorität gesandter Bote vorstellt, scheint es ihm doch angebracht zu sein, als Mitabsender alle Brüder, die bei ihm sind und nach seiner Mitteilung mit ihm übereinstimmen, zu nennen. Ob bei den οἱ σὺν ἐμοὶ πάντες ἀδελφοί an die den Apostel begleitenden Mitarbeiter[6], an die Gemeinde, aus der er schreibt[7], oder diejenigen, von denen er die Nachricht über die Verwirrung der galatischen Gemeinden erhielt[8], zu denken ist, läßt sich nicht sicher entscheiden[9]. Die knappe

---

[1] Auf das verbindende καὶ und die Verwendung der gleichen Präpositon sei hingewiesen. Primär ist hier Gott als der Vater Jesu Christi gesehen (so Meyer, Sieffert, wohl auch Schlier).

[2] »Marcion läßt in V. 1 καὶ θεοῦ πατρός aus. Liest man im folgenden αὐτόν (statt αὐτόν), so entsteht der Sinn: Jesus erweckte sich selbst« (Oepke).

[3] Vgl. Bisping, Hofmann, Lipsius, Sieffert, Bousset, Lietzmann, Burton, Oepke, Kuss, Schlier; Blank, Paulus 210.

[4] Häretiker I 31, II 13 – Für seinen gnostischen Apostolatsbegriff ist die Nichterwähnung des christologischen Moments nicht unbedeutend.

[5] Vgl. B. Weiß, Lietzmann u. die meisten.

[6] So Meyer, Hilgenfeld, Bisping, Lightfoot, Wörner, Sieffert, B. Weiß, Burton, Gutjahr, Oepke; Borse, Standort 31 f.

[7] So Erasmus, Estius, Zöckler, Zahn, Bousset, Lietzmann, Kuss; Michaelis, Einleitung ²1954, 188.

[8] So Zahn. Diese Meinung ist gerade dann nicht so abwegig, wenn man den Galaterbrief als eine unmittelbare Reaktion des Apostels auf die Nachricht aus Galatien begreift und der Vermutung von Borse, Standort 30, zustimmt, der bemerkt: »Nun erübrigt sich zwar die Feststellung, daß die Nachrichten über die Veränderungen in Galatien den Apostel sehr empören mußten, aber es ist nicht selbstverständlich, daß Paulus seiner Erregung in einem Brief unmittelbaren Ausdruck gab. Wenn er es tat, muß er beim Erhalt des Lageberichtes auch schon eine Möglichkeit gesehen haben, seine Stellungnahme den Galatern sofort zu übermitteln. Naheliegend ist deshalb anzunehmen, daß der oder die Berichterstatter, die aus Galatien zu Paulus gekommen waren, anschließend wieder dorthin zurückkehrten, so daß sie den Brief mitnehmen konnten.«

[9] Daß der Brief des Apostels »auch im Namen der Vertreter der einigen christlichen Bruderschaft« ergeht (so Schlier), ist nicht zu erweisen. Freilich mag Paulus die Übereinstimmung mit allen Brüdern, die er nicht als Falschbrüder zu apostrophieren braucht, voraussetzen. Der Mitteilung in V. 2a ist ebenfalls nicht überzeugend zu entnehmen, daß der Brief auf der Reise nach Jerusalem geschrieben sei,

Adresse »*an die Gemeinden der Galatia*«, in der im Gegensatz zu der Anrede in anderen Paulusbriefen alle Ehrennamen fehlen[1], läßt auf die Mißstimmung des Apostels schließen. Aus dem Plural ταῖς ἐκκλησίαις geht hervor, daß der Galaterbrief als Zirkularschreiben, das zu mehreren Gemeinden Galatiens gelangen soll, anzusehen ist.

Der der Angabe des Absenders und des Empfängers folgende Gruß ist zu einem Segenswunsch umgestaltet[2]: »*Gnade euch und Friede von Gott, unserem Vater, und dem Herrn Jesus Christus*« (V. 3). Die Zusammenstellung von χάρις und εἰρήνη dürfte durch Paulus erfolgt sein[3] vielleicht in Anlehnung an die gelegentlich auch im jüdischen Brief bezeugte Formel ἔλεος καὶ εἰρήνη[4]. Unter Gnade, einem Zentralbegriff seiner Theologie, versteht der Apostel gerade das dem Menschen einzig durch Christus zuteilwerdende Heil Gottes, das den neuen Heilsstand begründet (vgl. 1,6; 2,1; 5,4 u.a.). Friede ist hier nicht im Sinne der profanen Gräzität Ruhe und Stille, sondern als LXX-Übersetzung des hebräischen שָׁלוֹם Wohlsein und Wohlergehen[5].

Der Zusatz zum Segenswunsch bietet eine Kurzfassung des Evangeliums, das im Gegensatz zu dem von Paulus bekämpften »anderen Evangelium« nur den einen Heilsfaktor, nämlich Jesus Christus, kennt[6], von dem es heißt: »*der sich selber gab für unsere Sünden, auf daß er uns herausreiße aus dem Äon, dem gegenwärtigen, bösen, nach dem Willen Gottes und unseres Vaters*« (V.4). Die Selbsthingabe Jesu – es ist sein Tod gemeint – geschah um unserer

---

weil Paulus dort von einer Reihe von Brüdern umgeben gewesen sei; gegen Foerster, Abfassungszeit 135 f.

[1] Vgl. 1 Kor 1,2: »an die Gemeinde Gottes in Korinth, an die Geheiligten in Christus Jesus, die berufenen Heiligen«, ferner 2 Kor 1,1; Röm 1,7; Phil 1,1.

[2] Vgl. O. Roller, Das Formular der paulinischen Briefe, BWANT IV, 6, Stuttgart 1933. – Umstritten ist, ob die Wahl des Wortes χάρις wegen des Anklangs an den griechischen Gruß χαίρειν erfolgte (so E. Lohse zu Kol 1,1; anders Foerster: ThWNT II 412 Anm. 78) und ob hier eine liturgische Segensformel zugrundeliegt (so E. Lohmeyer, Probleme paulinischer Theologie I. Briefliche Grußüberschriften [1927], Darmstadt 1954, 9–29; H. Schlier zu Gal 1,1 u. Eph 1,2; J. Gnilka zu Phil 1,2; dagegen G. Friedrich, Lohmeyers These über das paulinische Briefpräskript kritisch beleuchtet, in: ThLZ 81 [1956] 343–346 u. E. Lohse, Kol 33 Anm. 3).

[3] So Lagrange; Kuss zu Röm 1,7; K.H. Schelkle, Die Petrusbriefe, Der Judasbrief, Freiburg 1961, zu 1 Petr 1,2; Oepke, Gal 17.

[4] Vgl. z.B. syrBar 78,2; siehe aber auch Tob 7,12 u. das Achtzehnbittengebet.

[5] Vgl. Gal 6,18; 1 Thess 5,28; 1 Kor 16,23; 2 Kor 13,13; Röm 16,20; Phil 4,23; Philemon 25 – ferner Kuss, Römerbrief 11 f.: »›Gnade‹ (χάρις) und ›Friede‹ (εἰρήνη) bezeichnen wesentliche eschatologische Heilsgüter und damit das Heil, das gewiß gekommen, aber ebenso gewiß auch immer noch im Kommen ist und daher gewünscht werden kann.«

[6] In diesem Zusatz sehen einen verborgenen Angriff auf das »andere Evangelium«: de Wette, Hilgenfeld, Wieseler, v. Hofmann, Sieffert, B. Weiss, Gutjahr, Schlier u.a.

Sünden willen. Die Lesarten schwanken zwischen ὑπέρ- und περὶ τῶν ἁμαρτιῶν ἡμῶν, doch kommen sich beide Präpositionen gerade in kerygmatischen Aussagen über das Heilwerk Christi sehr nahe[1]. Auch läßt sich mit Bisping sagen: »Hat Christus sich in den Tod hingegeben wegen (περί) unserer Sünden, so kann dies nur geschehen sein in der Absicht, um sie zu sühnen, um den gegen uns lautenden Schuldbrief auszulöschen (Kol 2,14) und uns mit seinem Blute zu erkaufen (1 Petr 1,19); er ist somit auch anstatt (ὑπέρ) unserer, die wir wegen unserer Sünden den Tod verdienten, gestorben«. Das positive Ziel des Sühnetodes Jesu[2] bestand darin, uns der Macht des gegenwärtigen, bösen Äon zu entreißen[3]. Obwohl sich in den paulinischen Hauptbriefen das Gegensatzpaar »dieser Äon«[4] und »jener Äon«, bzw. »der kommende Äon«[5] expressis verbis nicht findet, so besteht doch kein Zweifel, daß der Apostel diesem theologischen Grundgedanken spätjüdischer Theologie[6] verpflichtet ist, jedoch mit dem gravierenden Unterschied, daß für ihn die Äonenwende schon stattgefunden und mit dem Tod und der Auferweckung Jesu Christi die neue Weltzeit begonnen hat, wenn auch der alte Äon – als raum-zeitliche Unheilssphäre zu denken – noch wirksam und für das Heil der Geretteten noch gefährlich ist[7]. Den Gedanken einer langsam sich zur Vollkommenheit hin entwickelnden Welt kennt Paulus nicht und hätte ihn wahrscheinlich als phantastisch angesehen. Die Befreiung aus unserer Versklavung in die gegenwärtige böse Weltzeit – ein Mittel dieser Versklavung ist für den Apostel das Gesetz[8] – geschah durch den Tod Christi (vgl. 3,13; 4,5) nach dem Willen Gottes, der hier wie im ganzen Präskript immer als der Vater genannt wird (vgl. auch 4,6 f.). So läßt Paulus die prägnante Darstellung seiner Heilsbotschaft in eine Doxologie ausklingen: Gott, »*dem die Herrlichkeit*[9] *in die Äonen der Äonen (sei), Amen*« (V. 5).

Kein Dank für den Glauben der Gemeinde, keine freundlichen Worte der Anerkennung, wie es der Apostel sonst nach der Briefzuschrift zu tun

---

[1] Siehe Schlier z. St.; H. Conzelmann, Zur Analyse der Bekenntnisformel 1 Kor 15,3–5, in: EvTh 25 (1965) 5.

[2] Oepke: »Paulus macht also den Sühnegedanken zur Grundlage seines Briefes«; vgl. auch de Wette, Wieseler, Wörner, Kuss.

[3] Ἐξαιρέω 1. Akt.: herausnehmen, -reißen; 2. Med.: a) aus etwas herausreißen, befreien, b) für sich aussondern, auswählen: Bauer Wb 538.

[4] Αἰὼν οὗτος = הָעוֹלָם הַזֶּה

[5] Αἰὼν μέλλων = הָעוֹלָם הַבָּא

[6] Siehe Bousset-Greßmann, Die Religion des Judentums 243–249; P. Volz, Die Eschatologie der jüdischen Gemeinde im neutestamentlichen Zeitalter usw. ²1934, 63–77; Billerbeck IV 799–976; H. Sasse: ThWNT I 197 ff.

[7] Vgl. dazu den Exkurs »Die Heilsgeschichte« von O. Kuss, Römerbrief 275–291.

[8] Siehe etwa Oepke, Schlier; Kuss, Römerbrief 283 f.

[9] Dazu O. Kuss, Die Herrlichkeit, in: Römerbrief 608–618.

pflegt, statt dessen gleich mit dem ersten Satz der näheren Briefeinleitung ein Vorwurf: »*Ich wundere mich, daß so schnell ihr euch abwendet von dem, der euch in Gnade Christi berufen hat, zu einem anderen Evangelium*« (V. 6). Paulus zeigt sich bestürzt über den raschen Prozeß des Abfalls[1], in dem die Galater ohne großen Widerstand auf eine neue Lehre eingehen. Die neuen Lehrer müssen also relativ schnell mit ihrer Verkündigung zum Zuge gekommen sein. Jedoch ist die Abkehr vom Evangelium des Apostels bei den Galatern noch nicht perfekt (s. das Präsens μετατίθεσθε[2] u. 4,9.11; 5,2–4; 6,12f.). Das Urteil des Paulus über die Verkündigung seiner Rivalen in den galatischen Gemeinden ist vernichtend: wer sich auf diese nicht-paulinische Predigt einläßt, fällt ab von Gott, der die ehemals heidnischen Galater »in Gnade Christi«[3] berufen hat[4], d. h. er verliert gerade auch den ihm durch und in Christus geschenkten Heilsstand, denn er ist einem Pseudoevan-

---

[1] So Schlier mit Hinweis auf Phil 2,19.24; 2 Thess 2,2; 1 Tim 5,22; vgl. Lightfoot (possible), Holsten, v. Hofmann, Dalmer, Sieffert, B. Weiß, Zahn, Burton, Steinmann, G. Schneider; Foerster, Abfassungszeit 137; anders Oepke; vgl. Hilgenfeld, Wieseler, Wörner, Zöckler, Lipsius; jüngst U. Borse (Standort 33–35) 36: »Somit ergibt sich von Gal 1,6 her für die Abfassungszeit folgender Befund: Mit dem Hinweis ›so schnell‹ meint Paulus einen kurz bemessenen Zeitraum zwischen dem früheren guten Zustand der galatischen Gemeinden und der soeben erhaltenen Nachricht vom Abfall. Als Ausgangstermin kommt entweder der Besuch Apg 18,23 oder ein späterer Zeitpunkt in Betracht, an dem Paulus die letzten Informationen aus Galatien erhalten hatte; naheliegend ist an die Kollektenanordnung 1 Kor 16,1 zu denken. Je nachdem wurde Gal zu Beginn des Aufenthaltes in Ephesus oder erst nach 1 Kor geschrieben.« – Das entscheidende Argument von Borse gegen die zuerst skizzierte Auffassung: »Seine (des Paulus) Überraschung war sicher unabhängig davon, ob die Abwendung vom Evangelium abrupt, kontinuierlich oder auch etappenweise vollzogen wurde«, übersieht, daß Paulus nicht bloß über den Abfall als solchen, sondern auch über die mangelnde Widerstandskraft der Galater befremdet sein kann.

[2] Μετατίθεσθαι Med. sich abwenden, abtrünnig werden, abfallen: Bauer Wb 1016; vgl. Maurer: ThWNT VIII 162, 15 ff.; anders (passivisch) v. Hofmann u. ältere Kommentare.

[3] Unter Voraussetzung, daß der Gen. Χριστοῦ zum ursprünglichen Text gehört, kann ἐν χάριτι Χριστοῦ entweder bedeuten »berufen in die Gnade des Christus« – das Ziel des göttlichen Rufes, das in Christus geschenkte Heil, wäre ins Auge gefaßt (vgl. 5,4; so Vulg. »in gratiam Christi«; Holsten, Burton ,Ridderbos; Wiederkehr, Die Theologie der Berufung in den Paulusbriefen, Studia Friburg. NF 36, 1963, 80) – oder instrumental verstanden werden »berufen durch Gnade des Christus«; ihre Berufung ist durch die Gnade Christi vermittelt (so Meyer, Hilgenfeld, Bisping, Lipsius, Lagrange). Der kausale Sinn »aufgrund der Gnade des Christus« (so Wieseler, B. Weiss, Sieffert, Zahn, Lietzmann) ist dann wohl mitausgesagt. Eine prägnante Bestimmung des ἐν χάριτι Χριστοῦ wird kaum möglich sein; vielleicht hat die Wendung schon bei Paulus einen recht umfassenden Sinn (s. Oepke; E. Gräßer, Das eine Evangelium, in: ZThK 66 (1969) 329).

[4] Der Rufende ist für Paulus in der Regel Gott vgl. 1,15; 5,8; 1 Thess 2,12; 4,7; 5,24; 1 Kor 1,9; 7,15.17; Röm 4,17; 8,30; 9,12.24.

gelium verfallen. »Anderes Evangelium« nennt Paulus nicht ohne Ironie diese mit seinem Evangelium nicht übereinstimmende Verkündigung seiner Gegner. Ob das Schlagwort »anderes Evangelium« in Galatien geprägt wurde, ist ebensowenig zu beantworten wie die weitere Frage, ob die Rivalen des Apostels ihre Verkündigung ausdrücklich als »Evangelium« bezeichneten[1]. Daß sie überzeugt waren, der Sache nach das wahre Evangelium zu bringen, ist kaum zu bezweifeln.

Um auch noch die letzte Unklarheit zu beseitigen und einem möglichen Mißverständnis zu wehren, welches sich aus der Verwendung des Begriffes »anderes Evangelium« (ἕτερον εὐαγγέλιον) ergeben könnte, spricht Paulus in dem Zusatz ὃ οὐκ ἔστιν ἄλλο dem »anderen Evangelium« jegliche Existenzberechtigung als Evangelium ab[2]. Eine Unterscheidung zwischen ἕτερος und ἄλλος ist für den paulinischen und neutestamentlichen Sprachgebrauch nicht durchführbar[3]. Wie es mit der Verkündigung bei den Galatern bestellt ist, eröffnet der Apostel weiter seinen Zuhörern, wenn er ausführt: »*Doch*[4] *einige sind, die euch verwirren und verkehren wollen das Evangelium des Christus*« (V. 7 b). Es ist zwar nicht sicher auszumachen, daß ϑέλοντες[5] die subjektiv böse Absicht der Gegner bezeichnen soll, aber der Eindruck muß entstehen und de facto läuft die Darstellung darauf hinaus, daß Paulus seine Konkurrenten vor den Galatern schlecht machen will mit der Behauptung, sie hätten es auf Verwirrung der Gläubigen abgesehen und sie wollten das Evangelium Christi[6] in sein Gegenteil verkehren[7].

---

[1] Nach E. Molland, Das paulinische Evangelium 1934, 43, nimmt Paulus »mit Ironie« ein Schlagwort der Gegner auf.

[2] So die meisten, anders Zahn und Bousset. Nicht überzeugend auch Lütgert, Gesetz u. Geist 89: »Das Evangelium ist ein ἕτερον, ein ἄλλο dagegen ist es nicht.«

[3] Meinen vornehmlich die älteren Kommentare, ἕτερος habe – jedenfalls bei Paulus – den Sinn von andersartig (qualitativ) und ἄλλος sei enumerativ zu verstehen (so Meyer, de Wette, Bisping, wohl auch Sieffert, B. Weiß; Burton, bei 420–422; Gutjahr, O. Holtzmann; doch siehe auch Wiederkehr, Theologie der Berufung 80), so geben die neueren Kommentare eine Unterscheidung meist völlig auf und sprechen, falls zu differenzieren sei, mit den einschlägigen Wörterbüchern ἕτερος enumerative Bedeutung (= alter), ἄλλος qualitativen Sinn (= alius) zu (so Zahn, Oepke; F. Büchsel: ThWNT I 264, 29 ff.; H. W. Beyer: ThWNT II 699, 25 ff.; Schlier; E. Gräßer, Das eine Evangelium, in: ZThK 66 (1969) 315; so auch schon Holsten, Ramsay u.a.). Vgl. 1 Kor 11,4 und James Keith Ellicott, The Use of ἕτερος in the New Testament, in: ZNW 60 (1969) 140f.

[4] Εἰ μή = »außer«, aber auch »sondern«: Bl-Debr § 376; 448,8; Lietzmann u. Oepke z. St.

[5] Vgl. G. Schrenk: ThWNT III 45,12 ff.; Bultmann, Theologie 223 f. - siehe auch 4,17 u. 6,12 f.

[6] Zur Frage, ob τοῦ Χριστοῦ Genitivus objectivus oder Genitivus subjectivus sei, siehe Blank, Paulus 213 f.

[7] Μεταστρέφω: umkehren, verkehren, umwandeln, und zwar in sein Gegenteil: Bauer Wb 1015.

Seine diskussionslose Verwerfung des »anderen Evangeliums« begründet Paulus in gewisser Weise näher dadurch, daß er seine tiefste Überzeugung über das wahre Evangelium als nichtmenschliche, göttliche und d. h. unantastbare Größe zum Ausdruck bringt, wenn er jedem, sogar sich selbst und einem Engel[1], sollte er das Evangelium manipulieren, das Gericht Gottes prophezeit: »*Doch auch wenn wir oder ein Engel aus dem Himmel ein Evangelium verkündigen würde (euch) an Stelle dessen*[2], *das wir euch verkündet haben, ein Fluch sei er!*« (V. 8). Es ist wohl nicht vom Anathema der Gemeinde die Rede – dieser Instanz untersteht ja auch nicht ein Engel –, sondern vom Strafurteil Gottes, das freilich der Apostel, wie V. 9 zeigt, im Namen Gottes ansagt[3]. Denn leider ist der von Paulus erwogene Fall der Predigt eines anderen Evangeliums Wirklichkeit[4], und er wiederholt, auf die galatische Situation bezogen, sein Anathema: »*Wie wir zuvor sagten, auch jetzt wiederum sage ich: wenn einer euch ein Evangelium verkündet an Stelle dessen, das ihr übernommen habt, ein Fluch sei er!*« (V. 9). Wenn προειρήκαμεν sich nicht auf die vorherige Aussage in V. 8[5], sondern auf den letzten Besuch des Apostels in Galatien bezieht[6], muß man vermuten, der Apostel habe schon damals mit der Gefahr eines »anderen Evangeliums« gerechnet. Er hatte ja seine antiochenischen Erfahrungen (vgl. 2, 11–14).

Im Anschluß an die undiplomatischen und kompromißlosen Worte der VV. 6–9 fragt der Apostel: »*Denn jetzt, Menschen überrede ich oder Gott? Oder suche ich Menschen zu gefallen? Wenn ich noch Menschen gefallen wollte, Christi Sklave wäre ich nicht*« (V. 10). Obwohl mit der Partikel ἄρτι der Bezug zu den vorhergehenden Worten (vgl. bes. 9 b) hergestellt wird, ist die Erklärung, Paulus begründe seine Intoleranz näher mit dem Hinweis, daß er

---

[1] Die Nennung des Engels ist am besten als »rhetorische Steigerung« (Lietzmann) und als »eine möglichst zugespitzte Ausdrucksweise« (Fridrichsen, Apologie 60) zu verstehen; anders, aber wenig überzeugend, Schweitzer, Mystik 74, und Lütgert, Gesetz und Geist 91.

[2] Zu der in der Kontroverstheologie viel verhandelten Frage, ob παρά hier praeterquam oder contra bedeutet, siehe Sieffert z. St.; vgl. Burton u. Schlier, Gal 40 Anm. 3.

[3] Vgl. Wörner, Schlier; E. Käsemann, Sätze hl. Rechtes im NT, in: Exeget. Versuche II 72; P. Stuhlmacher, Das paulinische Evangelium, I. Vorgeschichte, Göttingen 1968, 64 u. 69. Siehe auch E. Gräßer, Das eine Evangelium, in: ZThK 66 (1969) 342 Anm. 142 Zur Herkunft der Formel ἀνάθεμα ἔστω siehe Oepke, Schlier; J. Behm: ThWNT I 356; G. Bornkamm, Das Anathema in der urchristlichen Abendmahlsliturgie, in: Aufsätze I 125 ff.

[4] Beachte den εἰ-Satz mit Indikativ im Unterschied zum Eventualfall in V. 8 (ἐάν mit dem Konjunktiv).

[5] So Chrysostomus, Bengel, Winer, Dalmer, nach Schlier möglich; G. Schneider u. a.

[6] So Olshausen, Meyer, de Wette, Lightfoot, Lipsius, Zöckler, Sieffert, B. Weiß, Zahn, Oepke; Kürzinger.

allein Gott verpflichtet sei[1], nicht voll befriedigend. Vielmehr mag der
Apostel, wie oft vermutet wurde[2], geschickt unsere Stelle dazu benutzen,
um einen gegnerischen Vorwurf zurückzuweisen, der auch in der zweiten
Frage begegnet, er beschwätze mit seinem auf das Gesetz verzichtenden
Evangelium die Menschen. Ἀνθρώπους πείθειν hätte dann den gleichen Sinn
wie ἀνθρώποις ἀρέσκειν[3]. Dagegen macht R. Bultmann den Einwand: »Kann
wirklich das ἀνθρώπους πείθειν (das doch immer ein Umstimmen bzw. Um-
stimmenwollen einschließt) mit dem ἀνθρώποις ἀρέσκειν gleichbedeutend
sein? Und darf man das ἀνθρώπους πείθειν in einem Sinne verstehen, der
dem von Apg 18,4; 19,8; 28,23 und wohl auch 2 Kor 5,11 entgegengesetzt
ist? Muß damit nicht auch hier die legitime apostolische Predigt gemeint
sein? Dann würde die erste Frage die Antwort ›Menschen‹ erfordern,
und sie würde sich gegen den Vorwurf wenden, daß Paulus es unternimmt,
Gott überreden zu wollen (durch seine Predigt von der Gesetzesfreiheit).
Die zweite Frage ginge dann nicht der ersten parallel, sondern würde auf
den anderen Vorwurf antworten, daß Paulus Menschen zu Gefallen rede«[4].
Doch erscheint diese Auslegung recht unwahrscheinlich. Wo begegnet
sonst noch in den Briefen des Apostels der Vorwurf, er würde mit seiner
Predigt von der Gesetzesfreiheit Gott überreden wollen? Kann man solche
Ironie seinen Gegnern zutrauen? Die Wendung ἀνθρώπους πείθειν in 2 Kor
5,11 »als Bezeichnung des apostolischen Berufs zu verstehen«, wird von
Bultmann selbst nur als Möglichkeit angesehen. Es steht nichts im Wege,
sie hier und dort als Vorwurf der Gegner des Apostels zu begreifen[5]: er
beschwätze Menschen (vgl. 1 Thess 2,4.6; Gal 6,12f. und wohl ein Schlagwort jeder Ketzerpolemik). Nicht Menschen zu gefallen, ist seine Aufgabe –

---

[1] Vgl. u.a. v. Hofmann, Dalmer, M. Kähler, Sieffert.
[2] So u.a. Schlatter, B. Weiß, Bousset, O. Holtzmann, Lietzmann, Oepke, Kuss,
Schlier; Kürzinger; G. Schneider; Stuhlmacher, Evangelium I 67. Bei ἢ τὸν θεόν
wäre dann ein sachgemäßes Verbum zu ergänzen oder πείθω müßte, was weniger
wahrscheinlich ist, in einem allgemeinen Sinn verstanden werden.
[3] So die meisten.
[4] R. Bultmann: ThWNT VI 2,24ff. Vgl. Wilckens, Das Neue Testament 661.
[5] Vgl. H. Lietzmann, An die Korinther I II, HNT 9, Tübingen 1949, zu 2 Kor
5,11; Blank, Paulus 309 Anm. 8. Wer die Grundkonzeption von W. Schmithals
kennt, ist über seine Interpretation unserer Stelle nicht überrascht, wenn er ausführt: »Unter Voraussetzung gnostischer Gegnerschaft darf man freilich 2 Kor 5,
11ff. als genaue Parallele heranziehen. Der Vorwurf gegen Paulus ist hier offenbar
der, daß er die Menschen nur überrede bzw. zu überzeugen suche, ihnen aber
die ekstatische (2 Kor 5,13) φανέρωσις τοῦ πνεύματος (2 Kor 5,11; vgl. 1 Kor 12,7)
vorenthalte« … »Die Ekstase behält Paulus seinem persönlichen Verhältnis zu Gott
vor (1 Kor 14,2; 2 Kor 5,11.13). Der gleiche Vorwurf ist dann hinter Gal 1,10 zu
vermuten, ohne daß sich sogleich sagen läßt, wie Paulus ihn verstanden hat; denn
schon das, was Paulus sagt, ist schwer verständlich« (Häretiker I 59, II 39). Dagegen Schlier, Gal 42 Anm. 1; vgl. Bornkamm, Paulus 183.

so versichert Paulus –, sondern seit seiner Berufung[1] stehe er ganz im Dienst seines Herrn als »des Christus Sklave«[2]. Ihn hat er zu verkünden als den »Gekreuzigten«, »den Juden ein Ärgernis, den Heiden eine Torheit« (1 Kor 1,23).

b) Gal 1,11–24

Im folgenden Abschnitt geht es Paulus um den Nachweis des göttlichen Ursprungs des von ihm gepredigten Evangeliums. Dabei liegt ein besonderer Akzent auf dem historischen Beweis seiner Unabhängigkeit von den Jerusalemer Uraposteln. Die Verse 11 und 12 können als Überschrift verstanden werden und markieren die Basis, von der aus Paulus urteilt und jede mit seiner Botschaft nicht übereinstimmende Verkündigung verwirft.

In ruhigerer Tonart, beginnend mit der vertraulichen Anrede »Brüder« gibt Paulus über seinen Standpunkt näher Auskunft[3]: »*Denn ich erkläre euch, Brüder; das Evangelium, das von mir als Evangelium verkündete, daß es nicht ist nach einem Menschen* (κατὰ ἄνθρωπον)« (V. 11). Diese Grundüberzeugung des Apostels ist wie ein Motto an den Anfang seiner Ausführungen gesetzt. Mit κατά wird nicht der Ursprung, sondern die Beschaffenheit, die Qualität des Evangeliums bezeichnet[4]. Es ist nicht nach Menschenart, kein Menschenwerk und kein Produkt menschlicher Weisheit[5]. Freilich ist für die Frage nach dem Wesen des Evangeliums seine Herkunft schlechthin entscheidend, wie denn der folgende Vers zu erkennen gibt: »*Denn auch ich*

---

[1] Das ἔτι ist wohl am besten auf die Zeit nach der Bekehrung des Apostels zu beziehen, anders Lagrange, Lietzmann.

[2] Rengstorf (ThWNT II 279f.) meint δοῦλος Ἰησοῦ Χριστοῦ von ἀπόστολος dahingehend unterscheiden zu können, daß δοῦλος das Amt des Paulus »nach seiner Christus zugewandten Seite«, ἀπόστολος das Amt »nach seiner Bedeutung und Wirkung nach außen« kennzeichne.

[3] Γνωρίζω 1. bekanntmachen, zu erkennen geben, offenbaren, 2. erkennen, kennen, wissen: Bauer Wb 324; vgl. auch 1 Kor 15,1 – Paulus will die den Galatern offenbar entschwundene Erkenntnis vom göttlichen Charakter seines Evangeliums wieder in ihr Bewußtsein heben. Stuhlmacher, Evangelium I 69f., sieht in γνωρίζω einen »Ausdruck für die Kundgabe eines eschatologischen Tatbestandes«.

[4] So die meisten Kommentare.

[5] Das bringen die verschiedenen Übersetzungen zum Ausdruck: »nicht von menschlicher Art« (Züricher Bibel; vgl. Bisping, Lipsius, Sieffert, Zahn, Gutjahr, Lietzmann), »nicht nach einem Menschen« (E. Seeberg, Wer war Petrus? usw., Darmstadt 1961, 41;), »nicht Menschensache« (Bousset, Oepke), »nicht ein menschliches Evangelium« (Schlier). Vgl. Stuhlmacher, Evangelium I 69: »Wenn Paulus mit seinem Evangelium aus der neuen Welt in die alte hineinruft, wenn er in diesem Dienst Sprecher Christi (Gal 4,14), ja Gottes selber ist (2 Kor 5,20), dann entspricht sein Evangelium nicht Menschenmaß, ist es nicht κατὰ ἄνθρωπον, sondern Verlautbarung in der Vollmacht Gottes.«

habe es nicht von einem Menschen empfangen, noch bin ich unterrichtet worden, sondern durch Offenbarung Jesu Christi« (V. 12). Die Interpretation, welche in V. 12 eine unpolemische Weiterführung des Gedankens von V. 11 sieht[1], (ἐγώ ist dann mehr oder weniger tonlos) dürfte dem Kontext der verneinenden, antithetischen Aussagen nicht voll gerecht werden. Daß Paulus hervorheben wollte, er habe im Gegensatz zu denjenigen, denen er das Evangelium gepredigt habe, selbst dieses aus Menschenmund nicht empfangen[2], ist durch nichts weiter zu begründen, vielmehr steht das τὸ εὐαγγέλιον τὸ εὐαγγελισθὲν ὑπ' ἐμοῦ eher in Antithese zum »anderen Evangelium«. Auch eine gezielte Äußerung gegen seine galatischen Gegner, die das Evangelium von menschlichen Autoritäten empfangen hätten[3], wird schwerlich vorliegen, da der Apostel von seinem, d.h. dem einzig wahren Evangelium spricht, welches seine Rivalen nach seiner Meinung gerade nicht verkünden. Daß ihre Verkündigung nicht wahres Evangelium ist, liegt aber nicht an der Herkunft (kein unmittelbarer Offenbarungsempfang), sondern am Inhalt ihres sogenannten Evangeliums. So erscheint nach wie vor die Erklärung recht einleuchtend, daß Paulus sich hier wie in V. 1 mit den »Vor-ihm-Aposteln« (V. 17) und solchen Autoritäten vergleicht (vgl. auch 2, 6), welche sich dadurch auszeichnen, daß sie unmittelbar vom Herrn das Evangelium erhalten haben[4]. Paulus schaltet hier bewußt jede menschliche, d.h. auch kirchliche Vermittlertätigkeit für den Empfang des von ihm gepredigten Evangeliums aus[5], er hat es weder »übernommen«, noch ist er

---

[1] So de Wette, Bisping, Lightfoot, Lipsius, Sieffert (doch siehe seine Bemerkung zu δι' ἀποκαλύψεως 'Ιησοῦ Χριστοῦ), Steinmann u.a.

[2] Siehe Sieffert, Zahn, V. Weber.

[3] Vgl. Oepke, Kuss, Beyer-Althaus. Völlig unwahrscheinlich ist die Deutung von W. Schmithals, wenn er u.a. schreibt: »Für die schismatischen Christen in Galatien sind also Reinheit des Evangeliums und Unmittelbarkeit des Apostolates unlösbar voneinander, eine Vorstellung, die für die Feststellung des Wesens dieser Christen von Bedeutung sein wird, die aber Paulus mit ihnen teilt« .... »Natürlich muß der Apostel von Gott berufen sein, wenn er das Evangelium mit apostolischer Autorität verkündigen will. Aber ich bin ja von ihm berufen. *Auch ich* habe mein Evangelium nicht von Menschen empfangen, sondern – *wie* die Gegner (!) – durch eine Offenbarung Jesu Christi (Gal 1,12)« (Häretiker II 13 f.).

[4] So Meyer; Hilgenfeld, Vorgeschichte des Gal 307; Wörner, Wieseler, Holsten, Zöckler, B. Weiß, Gutjahr, Burton, Zerwick, G. Schneider; Stuhlmacher, Evangelium I 70; Kümmel, Theologie 120; Schlier (»Die anderen Apostel werden nicht genannt. Aber Paulus bewegt sich ja schon fortdauernd in der Auseinandersetzung mit ihnen bzw. mit ihren Anhängern, die ihn selbst mit ihnen konfrontieren«); s. auch Bauer Wb 1172.

[5] Siehe die Kritik gegenüber dieser Äußerung des Paulus bei W. Heitmüller, Paulus und Jesus 1912, in: WdF XXIV 130; Ed. Meyer, Ursprung III, 436; zu neueren Harmonisierungsversuchen hinsichtlich der Spannung von Gal 1,12 zu 1 Kor 15,3 siehe Wegenast, Tradition 16; vgl. ferner Blank, Paulus 212.

»belehrt« worden[1]. Unmittelbar »durch Offenbarung Jesu Christi«[2] ist es ihm zuteil geworden.

Um seine Behauptung über den nicht-menschlichen Ursprung des von ihm verkündeten Evangeliums und die Unabhängigkeit von jeder menschlichen Instanz so glaubwürdig wie möglich zu machen, kommt Paulus auf seine Berufungsgeschichte zu sprechen (V. 13 ff.). Zur Gemeinde der Jesusgläubigen stand er in der Zeit vor seiner Berufung in keinem positiven und aufgeschlossenen Verhältnis, im Gegenteil: »*Denn ihr habt von meinem Treiben einst im Judentum gehört, daß im Übermaß ich verfolgte die Kirche Gottes und sie zu vernichten suchte*« (V. 13). Paulus hat kein Interesse, sein unrühmliches Vorleben, das auch bekannt war, zu verschweigen (vgl. V. 23; 1 Kor 15,9; Phil 3,6), ja es dient ihm als theologisches Argument gegen ein Leben nach dem Gesetz, weil Gott sein Gesetzesleben gewendet hat. Sein Treiben im Judentum[3] erreichte für ihn den »Höhepunkt« in der Verfolgung »der Kirche Gottes«, worunter – der Begriff ἡ ἐκκλησία τοῦ θεοῦ ist hier wie 1 Kor 15,9 u. Phil 3,6 absolut gebraucht – vielleicht konkret die Jerusalemer Gemeinde zu verstehen ist[4]. Das Verbum ἐδίωκον findet seine nähere Erläuterung in καθ' ὑπερβολήν[5] und in ἐπόρθουν[6]. Diese Beschreibung

---

[1] Zu den Traditionstermini siehe bes. Schlier z. St.

[2] Dazu Stuhlmacher, Evangelium I 71, 76 ff.; Kasting, Mission 56: »Mit dieser letzten Stelle (1,16) gibt Paulus deutlich zu erkennen, daß er hinter der Christophanie ein Handeln Gottes erblickt. Deshalb ist es belanglos, ob er in Gal 1,12 in der Wendung ›durch eine Offenbarung Jesu Christi‹ den Genitiv als genitivus auctoris oder als genitivus obiectivus aufgefaßt wissen wollte. Er führt ja auch den Ursprung seines Apostolats abwechselnd auf Christus (Gal 1,1; 1 Kor 1,17; Röm 1,5) und auf Gott (Gal 1,1.15 f.; vgl. Röm 1,1; 1 Thess 2,4; Röm 15,15 ..) zurück.«

[3] Ἀναστροφή Betragen, Lebensart, Wandel: Bauer Wb 122; Ἰουδαϊσμός Judentum = die jüdische Art zu glauben und zu leben: Bauer Wb 750; »›Ἰουδαϊσμός‹ enthält nichts Gehässiges, zeigt aber hier, daß Christentum und Judentum bereits getrennt sind und daß die Leser Heidenchristen sind (4,8)« (Oepke).

[4] So Blank, Paulus 241 ff. (dort weitere Literatur). Man wird allerdings nicht übersehen dürfen, daß Paulus gerade in der Auseinandersetzung mit Gegenpositionen (seine Gegner, seine eigene jüdische Vergangenheit) verallgemeinernde Äußerungen liebt. Er differenziert hier recht wenig. Auch in Gal 1,23 heißt es pauschal, er habe »den Glauben« zu vernichten gesucht. Der im Zusammenhang mit der Beschreibung seiner Verfolgertätigkeit absolut verwandte Ekklesia-Begriff braucht also nicht notwendig eine bestimmte Gemeinde zu bezeichnen.

[5] Καθ' ὑπερβολήν = im Übermaß, überschwenglich: Bauer Wb 1662; diese Wendung begegnet im NT nur bei Paulus u. kehrt bei ihm öfters wieder (1 Kor 12,31; 2 Kor 1,8; 4,17; Röm 7,13). Es ist »ein Lieblingsausdruck des Paulus« (Lipsius). Da der Apostel ferner zugespitzte Urteile liebt, kann aus diesem Ausdruck weder die Demut des Apostels (gegen Bisping) noch das konkrete Ausmaß seiner Verfolgertätigkeit erschlossen werden.

[6] Ἐπόρθουν kann als Imperfekt de conatu verstanden werden (so Lietzmann, Oepke u.a.). Siehe auch L. Baeck, Der Glaube des Paulus, in: WdF XXIV 571 Anm. 11.

stammt vom bekehrten Apostel und gibt schwerlich genau über das Ausmaß der zerstörerischen Tätigkeit Aufschluß. Aus welchem Motiv er einst die Kirche Gottes verfolgte, ist direkt nicht gesagt. Es liegt aber nahe, in der folgenden Aussage über seine innere Einstellung zum »Judaismos« den ihn treibenden Grund zu sehen: *(Ihr habt gehört,) »und daß ich Fortschritte machte im Judentum vor vielen Altersgenossen in meinem Volk, in höherem Maße ein Eiferer für die Überlieferungen meiner Väter«* (V. 14). Wenn der Eifer für die väterlichen Überlieferungen[1] Paulus zur Verfolgung des neuen Glaubens trieb, so muß ein Widerspruch zwischen diesen beiden Bekenntnissen bestanden haben, der für den Verfolger Paulus wohl nicht bloß in dem Ärgernis des Glaubens an den gekreuzigten Messias gegeben war. Gab es für ihn schon die Größe eines das Gesetz in seiner Heilsbedeutung negierenden Christentums?[2] Diese Auseinandersetzung mit dem neuen Glauben war seine negative Vorbereitung für den Christusglauben[3]. Von einem angeblichen Leiden des Apostels am Gesetz[4] wissen die Quellen nichts zu berichten.

Nur in einem Nebensatz – der Hauptsatz (VV. 16c, 17a) behandelt das eigentliche Thema – berichtet Paulus über die Wende seines Lebens: »*Als es aber für gut hielt der, welcher mich von meiner Mutter Leib an ausgesondert und durch seine Gnade berufen hat, zu offenbaren seinen Sohn in mir, damit ich als Evangelium verkünde ihn unter den Heiden, ...*« (VV. 15, 16a.b). Seine Berufung gründet für Paulus allein im souveränen und gnädigen Willen Gottes[5]; ja er weiß sich schon vom ersten Augenblick seiner Existenz an ›ausgesondert‹ und damit, biblischem Verständnis der Erwählung entsprechend[6], bestimmt für einen speziellen Dienst. Dazu wurde Paulus bei

---

[1] Dazu Oepke, Schlier; H.F. Weiss, Der Pharisäismus im Lichte der Überlieferung des NT, Sitzb. Sächs. Akad. d. Wiss. phil.-hist. Kl. 110, Berlin 1965,100.
[2] So W. Heitmüller, in: WdF XXIV 130ff.; R. Bultmann, Paulus, in: RGG² IV 1021; ders., in: GuV I 189; W. Schrage, »Ekklesia« und »Synagoge«, in: ZThK 60 (1963) 198; Schmithals, Paulus u. Jakobus 20 Anm. 4; Conzelmann, Theologie 184; Blank, Paulus 238ff., 247f.; Stuhlmacher, Evangelium I 74f.; J. Gnilka, in: Gestalt u. Anspruch 42.
[3] Vgl. Kuss, Die Rolle des Apostels Paulus 41; 121.
[4] Siehe dazu S. 108 Anm. 2.
[5] Vgl. G. Schrenk: ThWNT 739,21ff.; Blank, Paulus 223 Anm. 60 (gegen Schlier).
[6] Vgl. Gen 12,1-3; Ex 3 u. 4; Jes 6; Jer 1; Röm 1,1. Aufgrund starker Anklänge der Wendung ὁ ἀφορίσας με ἐκ κοιλίας μητρός μου an Jer 1,4-5 und Jes 49,1 vermutet man, Paulus sehe seine Berufung in Analogie zu der der Propheten, ja er verstehe sich als der missionarische Gottesknecht von Deuterojesaias. Siehe O. Haas, Berufung und Sendung Pauli nach Gal 1, in: ZMR 1962, 81–92; T. Holtz, Zum Selbstverständnis des Apostels Paulus, in: ThLZ 91 (1966) 321–330; Blank, Paulus 224–229; Stuhlmacher, Evangelium I 72f.

Damaskus ›berufen‹[1]. Was ihm dort widerfuhr, beschreiben die Worte ἀποκαλύψαι τὸν υἱὸν αὐτοῦ ἐν ἐμοί. Demjenigen, der die Jesusgläubigen verfolgte, enthüllte Gott diesen Jesus als seinen »Sohn«[2], d. h. zugleich: der pneumatische Christus erschien ihm[3] als der erhöhte Herr. Ziel dieser Berufung und Offenbarung war die Sendung des Paulus, Christus als Evangelium unter den Heiden zu verkünden (vgl. Röm 1,9). So jedenfalls sieht es der Apostel selbst, und es kann kein Zweifel daran sein, daß für ihn die Berufung zum Heidenmissionar in diesem grundlegenden Ereignis bei Damaskus gründet[4]. Es kommt ihm ja gerade darauf an, nebenbei zu zeigen, daß die Heidenmission eben nicht seine eigene Erfindung ist. Man wird Paulus hier nicht von der Apostelgeschichte (siehe 22, 17 ff.) her interpretieren dürfen[5]; andererseits muß aber in Rechnung gestellt werden, daß er seine ganze christliche Existenz auf dieses Ereignis zurückführen muß[6].

Bei der Darstellung der Geschichte des paulinischen Evangeliums und seines Boten ist das Anliegen des Paulus, seine Unabhängigkeit von der Jerusalemer Urgemeinde und den Uraposteln zu beweisen, unübersehbar, wie der folgende Hauptsatz erkennen läßt: »*Sogleich, nicht wandte ich mich an Fleisch und Blut, auch ging ich nicht hinauf nach Jerusalem zu den Vor-mir-Aposteln, sondern wegging ich nach Arabien, und wieder zurückwandte ich mich nach Damaskus*« (V. 16 cf.). Was er unmittelbar, in der nächsten Zeit nach seiner Bekehrung tat[7], das will Paulus hier – vielleicht anderslautenden Berichten entgegen (vgl. Apg 9, 26–30) – hervorheben. Weder Rat und

---

[1] Καλέσας und ἀποκαλύψαι sind demnach gleichzeitig, ἀφορίσας dazu vorzeitig (so de Wette, B. Weiß, Gutjahr, Burton, Oepke).

[2] »Sohn« steht hier »im spezifisch messianischen Sinne (vgl. Röm 1, 3)« (B. Weiss). Vgl. Blank, Paulus 255; Stuhlmacher, Evangelium I 81.

[3] »In mir« (ἐν ἐμοί) bezeichnet wohl nicht ein rein inneres Erleben (so z. B. Bousset; Deißmann, Paulus 105), sondern bringt entweder zum Ausdruck, daß der Apostel bis ins Innerste getroffen war (Schlier), oder es ist, wie in der Koine durchaus möglich, als einfacher Dativ anzusehen (so Oepke z. St. und ThWNT II 535; Stuhlmacher, Evangelium I 82; Lührmann, Offenbarungsverständnis 79 Anm. 1).

[4] Dafür, daß die Bekehrung Pauli und seine Berufung zum Heidenapostel zusammenfielen, sprechen sich aus: F. Chr. Baur, Paulus I 68; Lipsius; Weizsäcker, Ap. Zeitalter 65; Holl, Kirchenbegriff, in: WdF XXIV 156 Anm. 17; O. Holtzmann, Lagrange; Dibelius-Kümmel, Paulus 45 f.; Schlier; E. Käsemann, in: Exeget. Versuche II 45; Blank, Paulus 230; Meyer, Sieffert, Zahn, Bousset; P. Gaechter, Petrus und seine Zeit, Innsbruck 1958, 411; B. Rigaux, in: Concilium 4 (1968) 240; Ph. Seidensticker, Paulus 22 f.

[5] So richtig Blank, Paulus 230.

[6] Siehe Kuss, Die Rolle des Apostels Paulus 42.

[7] Εὐθέως gehört grammatikalisch nur zu οὐ προσανεθέμην κτλ., sachlich sicher auch noch zum folgenden οὐδὲ ἀνῆλον κτλ., das in gewisser Weise V. 16 c interpretiert. Vgl. auch Zahn: »Je auffälliger das Zeitadverb εὐθέως in Verbindung mit einer negativen Aussage oder vielmehr mit zwei solchen erscheint, um so sicherer ist, daß dieses εὐθέως einer gegenteiligen Behauptung widersprechen soll.«

Belehrung durch Menschen[1] noch Legitimierung durch irgendeine Instanz[2] hatte der unmittelbar von Christus berufene Apostel nötig. Auffallend ist, wie sehr Paulus auf seine Distanz zu den Jerusalemer Autoritäten bedacht ist (vgl. 1,1.12). An seiner Gleichrangigkeit mit den »Vor-ihm-Aposteln« ist ihm sehr gelegen. Dieser Begriff zeigt zugleich, daß sich Paulus als Außenseiter empfindet und weiß, daß andere in der Urkirche mehr Ansehen haben als er (vgl. die häufige Erwähnung der »Geltenden« 2,2.6.9). Auch die eigens betonte Übereinstimmung mit den »Geltenden« (2,1–10) und der Antiochia-Konflikt (2,11ff.) weisen auf ein keineswegs eindeutiges und unkompliziertes Verhältnis des Paulus zu den Jerusalemer Autoritäten hin. Die Bedeutung Jerusalems kommt dadurch zum Ausdruck, daß die Urapostel dort nach dem Bericht des Paulus zu finden waren[3] und sein Reisebericht[4] als Alibibeweis gelten soll, nicht in Jerusalem gewesen zu sein.

Wie sehr es Paulus um sein Verhältnis zu Jerusalem geht und er sich als der den »Vor-ihm-Aposteln« völlig gleichrangige Apostel verstanden wissen will, zeigt der folgende Bericht über seinen ersten Jerusalemaufenthalt[5] nach seiner Bekehrung[6]: »*Darauf nach drei Jahren ging ich hinauf nach Jerusalem, kennenzulernen Kephas, und ich blieb bei ihm fünfzehn Tage*« (V. 18). Offensichtlich liegt dem Apostel sehr daran, über den Zweck seiner Reise keine

---

[1] Προσανατίθημι: 1. noch dazu auferlegen, vorlegen, 2. τινί sich beraten mit jem., sich wenden an jem.: Bauer Wb 1411.

[2] An welche Instanz gedacht ist, wird wohl die Aussage in V. 17a zum Ausdruck bringen.

[3] Ob man daraus »mit einiger Sicherheit« folgern kann, der Apostelbegriff sei »in der Jerusalemer Urgemeinde entstanden« (so E. Blank, Paulus 166), muß bei der schwierigen Quellenlage zur Beantwortung dieses Problems Vermutung bleiben.

[4] Die Erwähnung von Damaskus gibt uns den Ort der Bekehrung des Paulus an. Die Frage, ob der Apostel in Arabien Missionsversuche unternahm, ist nach wie vor umstritten. Dafür sprechen sich aus: Meyer, Bousset; Wrede, Paulus 1904, in: WdF XXIV 25; Oepke (»vielleicht gelegentlich«); Schlier; Dibelius-Kümmel, Paulus 44f.; Haenchen, Apg 281; J. Schmid, Paulus, in: LThK² VIII (1963) 217; Bornkamm, Paulus 48f.; Stuhlmacher, Evangelium I 84; Conzelmann, Urchristentum 50, 65; Kasting, Mission 56; K. Maly, Paulus als Gemeindegründer, in: Gestalt u. Anspruch 72.
Daß Paulus zur Meditation Arabien aufgesucht habe, betonen: de Wette, Bisping, Holsten, Lipsius, Sieffert; B. Weiss, Einleitung 116ff.; O. Holtzmann; Lietzmann. in: WdF XXIV 382; E. Meyer, Ursprung III 345; L. Baeck, in: WdF XXIV 568.

[5] Würde Paulus eine Jerusalemreise verschweigen, so wäre sein Beweisgang unglaubwürdig (siehe auch V. 20!).

[6] Da »danach nach drei Jahren hinaufging ich nach Jerusalem« bewußt dem »nicht ging ich hinauf nach Jerusalem« von V. 17 entgegengesetzt zu sein scheint, wird man am besten die hier erwähnte Jerusalemreise drei oder gut zwei Jahre – das laufende Jahr wurde nach damaliger Zeitrechnung mitgezählt – nach der Berufung des Paulus ansetzen (so die meisten Kommentare).

Unklarheit aufkommen zu lassen oder eine bestehende Mißdeutung zu beseitigen. Deshalb sagt er: ἱστορῆσαι Κηφᾶν. Ἱστορεῖν, nur hier im Neuen Testament, bedeutet: »besuchen zum Zweck des Kennenlernens«[1]. Es soll also jeder Verdacht ausgeschlossen werden, Paulus habe etwa bei Kephas in Jerusalem Bestätigung oder Weisung gesucht. So sehr das Interesse des Paulus an Kephas (vgl. 2, 11 ff.) ein Hinweis auf dessen besondere Position in der frühesten Kirche ist[2], so hieße es doch den Text überinterpretieren und der Aussageabsicht des Apostels zuwider auslegen, wollte man von einer »Anerkennung des Primates des hl. Petrus« sprechen[3]. Nicht ohne besonderen Grund wählte Paulus das Wort ἱστορεῖν, und der gesamte Kontext spricht dagegen, daß er sich in irgendeiner Weise als Untergebener verstand. Eine andere Frage ist es allerdings, ob Paulus mit ἱστορῆσαι den einzigen Zweck seiner Reise angibt oder ob er – der Außenseiter – nicht darüber hinaus in der Jerusalemer Gemeinde für sich und seine Anschauungen Terrain und für seine Mission Rückhalt gewinnen wollte[4]. Mit der Zeitangabe »und ich blieb bei ihm fünfzehn Tage« scheint der Apostel noch einmal die relative Bedeutungslosigkeit dieses Besuches für seine Position zu unterstreichen. Den drei Jahren apostolischer Unabhängigkeit fern von Jerusalem und den Uraposteln stehen wenige Tage des Zusammenseins mit Kephas in Jerusalem gegenüber. Auf seine Verkündigung kann dieser Aufenthalt bei Kephas keinen entscheidenden Einfluß gehabt haben[5].Weshalb Paulus

---

[1] So Bauer Wb 756; vgl. Lietzmann z.St.; F. Büchsel; ThWNT III 399, 22 ff.; G.D. Kilpatrick, Galatians 1,18 ἱστορῆσαι Κηφᾶν, in: A.J.B. Higgins, New Testament Essays, Studies in memory of Th.W. Manson, Manchester 1959, 144–149. Vgl. Schnackenburg, Apostel vor und neben Paulus 342 Anm. 7; J. Roloff, Apostolat – Verkündigung – Kirche, Gütersloh 1965, 67: »Der Anschein soll entstehen, daß sich die beiden Apostel als gleichberechtigte Partner begegnen.«
[2] Siehe Sieffert z.St.; O. Cullmann: ThWNT VI 109, 24 ff.; Kasting, Mission 88.
[3] So Steinmann, Gutjahr und die ältere katholische Exegese. Davon, daß Paulus Kephas durch seinen Besuch »ehren« wollte (so Zerwick), weiß der Text nichts zu berichten.
[4] Dazu Seidensticker, Paulus 20: »Man wird aber nicht daran zweifeln können, daß es dem Neubekehrten nicht nur um Petrus allein ging und um einen kurzen Besuch bei den Brüdern in Jerusalem, sondern um ein Fußfassen in der Muttergemeinde.« Oft wird auch an missionarische Absicht des Paulus gedacht (vgl. Röm 15,19; Apg 9,29), so z.B. R. Liechtenhan, Urchristliche Mission 80 Anm. 6; Blank, Paulus 246. Was Gegenstand der Gespräche zwischen Paulus und Kephas war, läßt sich nicht ausmachen. Vermutungen darüber werden immer wieder geäußert, so O. Bauernfeind, Die Begegnung zwischen Paulus und Kephas, in: ZNW 47 (1956) 268–276; E. Haenchen, Petrus-Probleme, in: NTSt 7 (1961) 187 bis 197; Stuhlmacher, Evangelium I 84; Kümmel, Theologie 120.
[5] So de Wette, Hilgenfeld, Sieffert, Burton u.a. Man wird jedoch denjenigen zustimmen müssen, die behaupten, auch in 14 Tagen hätte ein Mann wie Paulus nicht unbedeutende Belehrung erhalten können (Rückert, Wörner, Steinmann). Dazu

schon nach so kurzer Zeit Jerusalem verließ, ohne die anderen Apostel gesehen zu haben (s. V. 19)[1], erfahren wir aus dem Galaterbrief nicht. Die Vermutungen basieren meist auf Apg. 9, 26 ff. Hatte die Feindschaft (hellenistischer) Juden ihn zum Verlassen der Stadt gezwungen[2], oder haben ihn die Brüder wegen zu befürchtender Komplikationen mit den Juden »abgeschoben«[3]?

Die folgende Bemerkung ist nicht überflüssig, sondern liegt ganz auf der Linie, daß Paulus seine Unabhängigkeit von den »Vor-ihm-Aposteln« beweisen will: »*Einen anderen aber der Apostel sah ich nicht, wenn nicht* (εἰ μή) *Jakobus, den Bruder des Herrn*« (V. 19). Weshalb sah Paulus die übrigen Apostel nicht? Wollte er nur den Missionskollegen Kephas kennenlernen? Doch die anderen Apostel trieben wahrscheinlich auch Mission, und Paulus sah ja auch Jakobus. Oder mußte Paulus wegen der drohenden Gefahr der Juden verborgen bleiben[4]? Aber auch hier wäre die Gegenfrage zu stellen: Hätte ein Zusammentreffen mit den anderen Aposteln Paulus verraten? Sah er nicht Jakobus und vielleicht auch die Gemeinde? Gibt man nicht die Antwort, die übrigen Apostel hätten Paulus gemieden[5], so ist am wahrscheinlichsten, daß die anderen Apostel nicht in Jerusalem waren, also die Stadt wohl zu missionarischen Zwecken verlassen hatten[6]. Allerdings läßt sich über die Bedeutung der Apostel wenig ausmachen; im Bericht über das sogenannte Apostelkonzil (2, 1–10) erwähnt sie Paulus nicht einmal. Die nähere Einordnung des Jakobus ist umstritten. Ob er hier zu den Aposteln gezählt wird[7] oder nicht[8], läßt die vieldeutige Wendung εἰ μή nicht sicher erkennen. Daß der hier genannte Jakobus kein Mitglied des Zwölferkolle-

---

haben z. B. Meyer und Wieseler mit Recht bemerkt: die eigentliche Zurückweisung der Behauptung, er sei unterrichtet worden, bietet Paulus bereits in der Zweckbestimmung seines Jerusalemer Aufenthaltes: ἱστορῆσαι Κηφᾶν. Es war ihm aber sehr willkommen, auch noch die kurze Zeit seines Aufenthaltes berichten zu können.

[1] Die Gemeinde ist nicht unbedingt auszuschließen, gegen Oepke.

[2] So Sieffert; Seidensticker, Paulus 21; Blank, Paulus 246.

[3] So Seidensticker, Paulus 21.

[4] So Bousset, Lietzmann, Oepke, Beyer-Althaus; Haenchen, Apg 405 (»vermutlich incognito«).

[5] Vgl. Apg 9, 26.30 f.; Holsten 275.

[6] Dazu Sieffert, B. Weiss, Kuss.

[7] Den Apostelrang des Jakobus behaupten: Lightfoot, Gal 95 f.; Lipsius; K. Holl, Kirchenbegriff, in: WdF XXIV 151 f.; O. Holtzmann, Lietzmann, Oepke; K. H. Rengstorf: ThWNT I 422.432; Kürzinger; O. Cullmann, Petrus 255 Anm. 34; W. Schmithals, Das kirchliche Apostelamt. Eine historische Untersuchung, Göttingen 1961, 53.

[8] Den Apostelrang des Jakobus verneinen: Wörner, Sieffert, Zahn (mit bes. starken Gründen), Bousset, Burton, Schlier; Munck, Paulus 84 Anm. 21; G. Klein, Die zwölf Apostel. Ursprung und Gehalt einer Idee, Göttingen 1961, 46 Anm. 190; W. G. Kümmel, Kirchenbegriff und Geschichtsbewußtsein in der Urgemeinde und bei Jesus, Göttingen ²1968, 45 Anm. 13.

giums ist, wird fast einhellig von der heutigen Forschung vertreten[1]. Ob er von Paulus im weiteren Sinn zu den Aposteln gerechnet wird, kann auch unter Hinzuziehung von 1 Kor 9, 5 und 15, 7 f. nicht eindeutig beantwortet werden. Vielleicht soll die Bezeichnung »Bruder des Herrn« gerade die besondere, von der Stellung der Apostel unterschiedene Position des Jakobus markieren[2].

Seine seinen ersten Jerusalemaufenthalt nach seiner Bekehrung bagatellisierenden Aussagen[3] bekräftigt Paulus mit einem Eid: »*Was aber ich euch schreibe, siehe, bei Gott, daß ich nicht lüge*!« (V. 20). Weshalb hat er es überhaupt nötig, seinen Bericht mit einem Schwur glaubwürdig zu machen? Verständlich ist das nur, wenn es andere Auslegungen über den Sinn seines Besuches gab (vgl. Apg 9, 26 ff.). Wollte man ihn irgendwie von Jerusalem und den Vor-ihm-Aposteln abhängig machen?

Den Nachweis seiner selbständigen apostolischen Tätigkeit setzt Paulus fort: »*Darauf ging ich in die Gegenden der Syria und der Kilikia*« (V. 21). Die an sich klare Aussage des Apostels erhält ihre Schwierigkeiten wieder bei einem Vergleich mit Apg 9, 30[4]. Ob Paulus primär in den Provinzen, weniger oder gar nicht in deren Hauptstädten Antiochien und Tarsus missioniert hat, um vielleicht, besonders was Antiochien angeht, selbständig zu sein, bleibt offen[5]. Nach Gal 2, 1 scheint er allerdings mit Barnabas aus Antiochien zu kommen, wohin er nach Gal 2, 11 ff. zurückkehrte. Über die vielen Jahre seiner Tätigkeit in Syrien und Kilikien erfahren wir nichts Näheres. Das erstaunt nur

---

[1] So Sieffert, Lagrange, Loisy, Schlier; F. Mußner, Der Jakobusbrief, Freiburg i. B. 1964, 1 f.; A. Wikenhauser, Einleitung in das NT, Freiburg i. B. [4]1961, 344; anders Kürzinger z. St.

[2] Siehe die S. 180 A. 8 genannten Exegeten, ferner W. G. Kümmel im Anhang zu Lietzmann, An die Korinther, S. 180; Schmithals, Häretiker I 32 Anm. 15.

[3] Die eidesstattliche Versicherung muß sich zumindest auf das in V. 19 Gesagte beziehen; höchst wahrscheinlich ist die Aussage in V. 18 mitgemeint, und auch der entferntere Kontext ist nicht auszuschließen.

[4] Während nach dem Bericht der Apg die Brüder diejenigen sind, die Paulus zur Abreise drängen, erweckt der Bericht des Paulus den Eindruck, der kurze Aufenthalt in Jerusalem sei von ihm beabsichtigt gewesen und er sei dann ungezwungen seine Wege gegangen. Die Differenz, daß nach der Apg Paulus zuerst in Kilikien und dann in Syrien missioniert habe, wobei allerdings expressis verbis von einer Missionstätigkeit nicht gesprochen wird, während die Reihenfolge im Gal »Syrien und Kilikien« (also umgekehrt!) ist, wird von vielen Kommentaren mit der Erklärung ausgeglichen, der Apostel habe Syrien als den Hauptschauplatz seiner Wirksamkeit an die erste Stelle gesetzt und gleichsam zur Ergänzung – beachte die ungewöhnliche Wiederholung des Artikels vor Kilikien! – auch noch dieses Gebiet genannt (so Gutjahr, Bousset, Lietzmann, Oepke, Kuss, Schlier u. a. – nach Zahn spricht Paulus aus der Perspektive von Jerusalem).

[5] Das Schweigen des Apostels über eine mögliche Beeinflussung seiner Verkündigung durch die antiochenische Gemeinde ist in der Tat auffallend und für die Interpretation von Gal 1 und 2 nicht unbedeutend.

den, der den Skopus der biographischen Notizen des Apostels übersieht:
es geht um sein Verhältnis zu Jerusalem. Dieser Gesichtspunkt ist auch bei
der Exegese der folgenden Verse zu berücksichtigen: »*Ich war aber unbekannt
von Angesicht den Kirchen der Judaia, denen in Christus. Nur hörten sie:* ›*Unser
ehemaliger Verfolger verkündet als Evangelium jetzt den Glauben, den er einst zu
zerstören suchte*‹, *und sie priesen in mir Gott*« (VV. 22–24). V. 22 wirft die erste
Frage auf: Will Paulus sagen, daß er persönlich generell oder nur als Kon-
vertit[1] den Gemeinden Judäas unbekannt war? Die recht allgemeine Formulierung ist nicht zu übersehen. Bedeutsamer ist die zweite Frage: Ist
Jerusalem hier in die Gemeinden Judäas miteinzubeziehen oder nicht? Dafür
daß Judäa hier nur die Provinz meine, werden folgende Gründe angeführt:
eine Unterscheidung zwischen Hauptstadt und Provinz sei sprachlich durchaus möglich[2]; Apg 9, 26 ff. u. Röm 15, 19 wie seine Beteiligung an der Steinigung des Stephanus (Apg 7, 58) ließen auf das Bekanntsein des Apostels in
Jerusalem schließen (vgl. Gal 1, 18 und 1, 23 als Bericht der Jerusalemer
Christen)[3]. Die Gegenmeinung, Jerusalem sei bei der Erwähnung der Gemeinden Judäas nicht ausgeschlossen, kann folgende Argumente ins Feld
führen: auch in V. 21 sei von den Provinzen die Rede, ohne daß die Haupt-
städte ausgeklammert seien; der historische Wert von Apg 9, 26–30 sei
zweifelhaft (vgl. Gal 1, 18 ff.); die Beteiligung des Paulus an der Steinigung
des Stephanus umstritten[4], ferner brauche sie ihn der Urgemeinde »von
Angesicht« nicht bekanntgemacht zu haben[5]; die singuläre Aussage Röm
15, 19 kann nicht Basis eines Gegenbeweises sein; die Kunde über die
Christuspredigt des einstigen Verfolgers brauche ihren Ursprung nicht in
Jerusalem zu haben; vor allem aber: was beweisen schon die unbedeutenden
Gemeinden Judäas gegenüber der Urgemeinde, wenn Paulus seine Unabhängigkeit von Jerusalem und den Autoritäten der Urkirche hervorheben
will![6] Daß er Judäa nur deshalb erwähnt, weil sich dort die anderen Apostel
vielleicht aufhielten, ist durch nichts angedeutet, jedoch nicht ganz auszuschließen. Wenn Paulus von der Dankbarkeit der Kirchen Judäas gegenüber
Gott für die Berufung ihres einstigen Verfolgers zum Glaubensboten[7] be-

---

[1] Vgl. Zöckler, Zahn, Lietzmann, Lagrange, Oepke u.a.

[2] Vgl. Apg 1, 8; 15, 23; Mt 3, 5; Hebr 13, 24; Joh 3, 22.

[3] Siehe Bisping, Wieseler, Wörner, Meyer, M. Kähler, Sieffert, B. Weiss, Zahn,
Schäfer, Cornely; Blank, Paulus 243 u. 246 f.

[4] Verneinend W. Heitmüller, Zum Problem Paulus und Jesus (1912), in: WdF
XXIV 132; Haenchen, Apg 248; Stählin, Apg 118.

[5] Vgl. Lipsius, Bousset, O. Holtzmann.

[6] Siehe Hilgenfeld, Lipsius, Heitmüller a.o.a.O., Burton, Bousset, Oepke,
Schlier.

[7] Ἐν ἐμοί ist wohl in dem Sinn zu deuten, daß Paulus als das Werk der Gnade
Gottes der Grund für den Lobpreis der Gemeinden war (vgl. Sieffert, Kuss,
Schlier u.a.).

richtet, so darf dies nicht als Plazet der judenchristlichen Gemeinden für die gesetzesfreie Verkündigung des Apostels verstanden werden[1]. Dies wagt Paulus selbst nicht im Plädoyer für seine Sache zu sagen.

c) Gal 2, 1–10

Im Bericht über sein Verhältnis zu Jerusalem und den dortigen Autoritäten ist die zweite Jerusalemreise[2] des Apostels Paulus von besonderer Bedeutung, auf die er ausführlich zu sprechen kommt (2, 1–10). Die Situationsangabe (VV. 1 u. 2) eröffnet er mit der knappen Feststellung: »*Darauf nach vierzehn Jahren[3] ging ich wieder hinauf nach Jerusalem mit Barnabas, mitdazunehmend auch Titus*« (V. 1). Paulus nennt zwei Begleiter, die jedoch in ihrer Stellung unterschieden werden: Barnabas – er muß den Galatern zumindest dem Namen nach bekannt gewesen sein und könnte uns den Ausgangspunkt der Reise, nämlich Antiochien, anzeigen[4] – scheint neben Paulus zu stehen, wie aus V. 9 hervorgeht, auch wenn sich hier und im ganzen Bericht Paulus

---

[1] Gegen Schmithals, Paulus und Jakobus 16, der meint, der Apostel erkläre »ausdrücklich, daß die Gemeinden in Judäa von Anfang seiner Tätigkeit an Gott wegen des von Paulus verkündigten, natürlich gesetzesfreien Evangeliums priesen (Gal 1, 23 f.)«; vgl. auch Lütgert, Gesetz und Geist 57. Das Äußerste, was man in dieser Hinsicht der Aussage des Apostels entnehmen kann, formuliert Schlier: »Die letzte Bemerkung, die den Zusammenhang von V. 15–24 betont abschließt, deutet kräftig an, wie man damals auch in judenchristlichen Kreisen den Apostel als Gabe der Gnade Gottes annahm.« Daß Paulus hier, wo er seine Distanz zu Jerusalem und den Gemeinden Judäas betont sowie ausdrücklich darlegt, er sei ihnen nicht näher bekannt gewesen, ihr Gutachten über sein auf die Gesetzesobservanz verzichtendes Evangelium in die Debatte bringt, ist unwahrscheinlich. Diese Thematik ist dem folgenden Abschnitt 2, 1–10 vorbehalten.

[2] Da es äußerst unklug von Paulus gewesen wäre, in der Debatte über sein Verhältnis zu Jerusalem eine Reise zur Urgemeinde zu verschweigen, ist gegen die Apg dem paulinischen Bericht zu folgen, so schon Meyer z. St.; Baur, Paulus I 113; in neuerer Zeit: Kuss, in: Auslegung u. Verkündigung I 54; Haenchen, Apg 405; Rigaux, Paulus 113 ff.; J. Cambier, Paulus u. die Tradition, in: Concilium 2 (1966) 794 u. a.

[3] Von wann ab diese vierzehn Jahre zu zählen sind, ob von seiner Berufung an (so Hilgenfeld, Wieseler, Ramsay, Schäfer, Loisy, Steinmann; jüngst Georgi, Kollekte 13 Anm. 2) oder von seinem ersten Jerusalemaufenthalt an (so Meyer, Bisping, Zöckler, Lipsius, Dalmer, Philippi, Sieffert, Zahn, B. Weiss, O. Holtzmann, Bousset, Lagrange, Oepke, Schlier, R. Bring) bleibt Diskussionsgegenstand. Borse, Standort des Gal 133 ff., meint die vierzehn Jahre von der Abfassung des Briefes aus berechnen zu können und übersetzt: »Anschließend – dazwischen liegen (schon) vierzehn Jahre – zog ich wieder hinauf nach Jerusalem...« Gal 2, 1–10 wird dann mit der sogenannten Kollektenreise Apg 11, 29 f. identifiziert und Apg 15 als Dublette angesehen. Dabei dürfte doch wohl die thematische Verwandtschaft von Gal 2, 1–10 und Apg 15 zu wenig berücksichtigt sein.

[4] Vgl. 1, 21; 2, 11 ff.; ferner Haenchen, Apg 406 ff.; Georgi, Kollekte 14 Anm. 9.

als die Hauptperson den Jerusalemern gegenüber versteht. Man wird nicht fehlgehen, Barnabas eine »Mittelstellung« zwischen der Urgemeinde und Paulus als dem Anwalt extremsten Heidenchristentums einzuräumen[1]. Die zweitrangige Position des Titus dagegen deutet auch die Wendung συμπαραλαβὼν καὶ Τίτον an[2]. In V. 9 wird er nicht mehr erwähnt, wohl ist er, der unbeschnittene Heidenchrist (s. V. 3), »ein lebendiges Zeugnis für das paulinische Evangelium und ein Ärgernis für die Judaisten; an ihm mußten sich die Jerusalemer Autoritäten entscheiden« (Kuss)[3].

Es folgen einige Andeutungen über die Ursache und das Ziel der Reise nach Jerusalem: »*Ich ging hinauf aber aufgrund einer Offenbarung. Und ich legte ihnen vor das Evangelium, das ich verkünde unter den Heiden, für sich aber den Geltenden, daß ich nicht ins Leere laufe oder gelaufen bin*« (V. 2). Um mögliche Fehldeutungen auszuschließen[4], er sei etwa von den Jerusalemer Autoritäten vorgeladen worden oder sein Gang nach Jerusalem beweise seine Unterordnung, betont Paulus, eine Offenbarung – über die Art und Weise dieser ἀποκάλυψις läßt sich nichts Näheres sagen[5] – sei die ihn letztlich zu diesem Schritt bewegende Ursache gewesen. Das schließt eigene Überlegungen über Sinn und Bedeutung einer solchen Reise für die Heidenmission nicht aus, und die Anwesenheit des Barnabas wie Apg 15,2 könnten zusammen mit den weiteren Aussagen des Apostels in unserem Vers und dem Bericht über das sogenannte Apostelkonzil an eine Krise der Heidenmission denken lassen[6]. Das Evangelium, das die Beschneidung und das Gesetz den Heidenchristen gegenüber nicht geltend machte, scheint in eine nicht zu unterschätzende Kritik von Judenchristen, deren Zentrum offensichtlich Jerusalem war, geraten zu sein, und Paulus sah sein Werk bedroht, fürchtete, um-

---

[1] Vgl. Oepke, Schlier; R. Schnackenburg, Kirche 48 Anm. 101.

[2] Haenchen, Apg 406: »Nur von Titus, nicht von Barnabas heißt es, daß Paulus ihn ›mitgenommen‹ habe – den Barnabas hat er nicht ›mitgenommen‹, denn dieser stand nicht, wie Titus, unter Paulus, sondern neben ihm (2,9).« Schwierigkeiten bereitet jedoch dieser wohl richtigen Interpretation das καί. Setzt man nicht voraus, daß noch andere, die nicht genannt sind, zur Reisegesellschaft des Paulus gehören, so könnte – mit Wieseler – ein allgemeiner Begriff des Mitreisens postuliert werden, der das καί erklärt (vgl. Apg 15,37).

[3] Vgl. Lipsius, Oepke; Stuhlmacher, Evangelium I 89.

[4] Vgl. Oepke z. St.; Kuss, Auslegung u. Verkündigung I 54f.: »Es kann kein Zweifel sein, daß Paulus seine Begegnungen mit den Jerusalemern mit gewissen zwischen den Zeilen stehenden Reserven schildert; er will offensichtlich unter allen Umständen vermeiden, daß seine Selbständigkeit, die ihm zuteil gewordene Offenbarung auch nur die mindeste Einschränkung erfährt.« Siehe auch Haenchen, Apg 406.

[5] Siehe die Vermutungen von Schlier z. St.; vgl. ferner Lührmann, Offenbarungsverständnis 41 ff.; Stuhlmacher, Evangelium I 85.

[6] Vgl. Sieffert, Bousset, Oepke; Schlier, Gal 116; Haenchen, Apg 406; Klein, Rekonstruktion 79 Anm. 186; Kasting, Mission 115 Anm. 163.

sonst zu laufen oder gelaufen zu sein[1]. Das umstrittene Evangelium legte er nun in Jerusalem vor, wohl der ganzen Gemeinde und dann – die Lösung des Problems war eben keineswegs leicht – in gesonderter Besprechung (κατ' ἰδίαν)[2] den Geltenden, d. h. den Autoritäten der Urgemeinde[3].

Worum es ging, zeigt der folgende Satz, der das praktische Ergebnis der Verhandlungen vorwegnimmt: »*Doch auch nicht Titus, der mit mir (war) und ein Grieche ist, wurde gezwungen, sich beschneiden zu lassen*« (V. 3). Das Thema »Beschneidung« tritt hier im Galaterbrief zum ersten Mal ohne jede Einführung auf und wird als das den Galatern bekannte Streitobjekt auch für ihre Situation vorausgesetzt. Im Zentrum der die Beschneidung fordernden Judenchristen mußte der unbeschnittene Heidenchrist[4] Titus, der als Begleiter des Paulus noch eine hervorgehobene Stellung innehatte, zu einem Fall werden. Die Meinung, daß Titus zwar nicht *gezwungen*, wohl aber freiwillig die Beschneidung an sich vornehmen ließ[5], ist dem Skopus der paulinischen Aussage völlig zuwider. Ebenfalls läßt sich aus dem οὐδέ nicht folgern, es seien überhaupt keine Versuche unternommen worden, die Beschneidung des Titus zu erwirken[6]. »Das bestimmt genug lautende ἠναγκάσθη« und V. 4 u. 5 lassen eher das Gegenteil vermuten[7]. Über die Gegenargumente, die in den Verhandlungen zur Sprache kamen, schweigt Paulus hier wie auch sonst.

Wohl spricht er diskreditierend über seine Gegner: »*Wegen der dabenebeneingedrungenen Falschbrüder aber, welche danebenhereinkamen, um zu bespitzeln unsere Freiheit, die wir haben in Christus Jesus, damit sie uns versklavten –*« (V. 4). In

---

[1] Die Bedeutung des μὴ πως an unserer Stelle ist umstritten. Zur Debatte stehen: finales Verständnis = damit nicht (so Vulg., de Wette, Bisping, Lipsius, Gutjahr, Haenchen, Apg 406; wohl auch Stuhlmacher, Evangelium I 84; Kümmel, Theologie 120), die Deutung als indirekte Frage = ob ich etwa (so Wörner, Sieffert, Cornely, B. Weiss, Zahn, O. Holtzmann, Lagrange, Oepke, Kuss; Georgi, Kollekte 18) und drittens μὴ πως als Ausdruck der Besorgnis zu interpretieren = (in der Befürchtung) daß ich nicht (so Holsten, Lietzmann, Schlier, Bl-Debr § 370,2; Kasting, Mission 117 Anm. 166). Gegen das finale Verständnis machen Burton, Oepke, Schlier u.a. grammatikalische Bedenken geltend, doch wird man aufgrund der sachlichen Parallele in Phil 2, 16 die Frage offen lassen müssen.

[2] So de Wette; Hilgenfeld, Vorgeschichte 312 f.; Meyer, Wörner, Philippi, Zöckler, Wieseler, Holsten, Lipsius, Sieffert, Zahn, Bousset, Lietzmann, B. Weiss, Oepke, Kuss, G. Bornkamm: ThWNT VI 663, 11 f.; Klein, Rekonstruktion 111; Stuhlmacher, Evangelium I 89; anders Baur, Paulus I 134; Schlier z. St.

[3] Siehe zu 2,6.

[4] Das will die Wendung Ἕλλην ὤν aussagen.

[5] So in diesem Jahrhundert noch E. Seeberg, Paulus 1941, in: Wer war Petrus?/ Paulus/Wer ist Christus? Darmstadt 1961, 41.

[6] Auch weist οὐδέ nicht auf die bevorzugte Stellung des Titus unter den Heidenchristen hin, sondern ist auf Ἕλλην ὤν zu beziehen; mit Schlier, Gal 69 Anm. 3.

[7] So Zöckler, vgl. Lightfoot, Meyer a.a.; ferner B. Weiss, Burton; Georgi, Kollekte 17, 19; Bornkamm, Paulus 55.

diesem neuen, anakoluthisch endenden Satz[1] rechnet der Apostel wie immer scharf mit der judaistischen Opposition ab. So nennt er seine Gegner, die zweifellos Mitglieder der neuen Glaubensgemeinschaft waren[2], »Falschbrüder«, unterstellt ihnen unlautere Motive für ihren Beitritt zur christlichen Gemeinde[3] – da Paulus nirgends seinen Gegnern ehrliche Überzeugung zubilligt (vgl. 2, 11 ff.; 6, 12 f.), wird man dieser Charakteristik nicht die eigentlichen Motive dieser Judenchristen entnehmen können[4] – und beschreibt das Ziel ihrer Tätigkeit als ein »Ausspionieren«[5] der Freiheit, die die Glaubenden in Christus haben, »damit sie uns versklavten«. Damit ist deutlich, daß es den Gegnern des Apostels darum ging, gesetzeswidrige Zustände bewußt zu machen und auf Einhaltung des Gesetzes zu dringen[6]. Da in Jerusalem und den judenchristlichen Gemeinden ein solches κατασκοπεῖν nicht notwendig war, könnte man am besten an Antiochia und andere heidenchristlichen Gemeinden als Ort ihres Auftretens denken (vgl. 2, 12; Apg 15, 1)[7]. Der Zorn des Apostels wäre um so verständlicher. Daß sie

---

[1] »Wegen der danebeneingedrungenen Falschbrüder aber« ist nicht eine den V. 3 fortsetzende Erläuterung: gegen Hilgenfeld, Weizsäcker, Sieffert, mit Lipsius, Lietzmann, Oepke, Schlier.

[2] Vielleicht deutet der bestimmte Artikel an, daß er über sie bei den Galatern schon einmal gesprochen hat; so Sieffert, Zahn, Zerwick. Der Name »Brüder« erweist sie als Mitglieder der neuen Glaubensgemeinschaft, die der Apostel wegen ihres judaistischen Ansinnens »Falsch-Brüder« nennt. In ihnen Juden zu sehen, die vielleicht »in amtlichem Auftrag die Einstellung der Christengemeinde untersuchten«, ist nicht überzeugend, gegen Schmithals, Paulus u. Jakobus 89, mit Hahn, Mission 66; Georgi, Kollekte 16 Anm. 19; Stuhlmacher, Evangelium I 89.

[3] Παρείσακτος eingeschlichen: Bauer Wb 1238; Schlier behält den passivischen Sinn bei: »heimlich und nebenher eingeführt«, vgl. Vulg. »subintroductus«; Zahn, Bousset; dagegen meint Oepke: »Παρείσακτος wird von den antiken Lexikographen durch ἀλλότριος erläutert, hat also keinen passivischen oder medialen Sinn mehr, sondern ist reines Adjektiv: falsch.« In der Tat scheinen Belege für den ursprünglich passivischen Sinn in ntl. Zeit zu fehlen.

[4] Gegen Olshausen; M. Meinertz, Einleitung[3]1921, 88 u.a. H. Conzelmann, Urchristentum 68, meint: »›Falsche Brüder‹ muß nicht heißen, daß sie subjektiv böswillig sind. Es ist ein objektives Urteil: Ihr Verhalten wirkt dem Wesen der Heilstat entgegen.«

[5] Κατασκοπέω ausspionieren, auskundschaften, belauern: Bauer Wb 828; K. Holl frägt, »ob es mit dem Ausdruck κατασκοπῆσαι nicht eine ähnliche Bewandtnis hat wie mit dem der κατατομή in Phil 3, 2, d.h. ob das von Paulus als κατασκοπεῖν Bezeichnete nicht vielmehr von der Urgemeinde als ein ἐπισκοπεῖν gemeint war« (WdF XXIV 163).

[6] Dazu bes. Georgi, Kollekte 15 f.

[7] An ein Auftreten der Gal 2, 4 genannten Judaisten außerhalb Jerusalems denken: de Wette, Holsten, Sieffert, B. Weiss, Lietzmann, K. Holl a.o.a.O.; Loisy, Lagrange, Zahn, Oepke, Kuss, Schlier; Wikenhauser, Apg 178; E. Käsemann, WdF XXIV 491 f.; Georgi, Kollekte 15; Stuhlmacher, Evangelium I 89.

natürlich auch in Jerusalem vertreten waren, ja aller Wahrscheinlichkeit nach hier ihren Ausgangspunkt hatten und daß sie nach ihrer Inspektion hier die Geltenden zum Eingreifen zu bewegen suchten[1], wird man kaum bezweifeln können und dürfte durch den paulinischen Bericht, der einen Ortswechsel nicht vermerkt, gestützt werden.

Der Widerstand des Apostels war kompromißlos: »*Denen*[2] *wichen wir auch nicht für eine Stunde in Unterordnung, damit die Wahrheit des Evangeliums verbliebe bei euch*« (V. 5). Bezieht man diese Aussage primär auf die Ereignisse in Jerusalem[3], so könnte man hier einen Hinweis auf heftige Debatten erblicken. In gewisser Weise war der Kampf des Paulus gegen den Judaismus auf dem Apostelkonzil ein Vorgefecht, um den Kirchen Galatiens – ob diese damals schon bestanden, ist dem Text nicht zu entnehmen[4] – die Wahrheit des Evangeliums[5] zu erhalten.

In einem gewaltigen Satz bespricht Paulus weiter das Ergebnis der Jerusalemer Verhandlungen (V. 6–9). Treffend fragt H. Schlier zu diesem »monströsen Satz«: »Sollte er – im Zusammenhang mit den polemischen bzw. apologetischen Parenthesen in V. 6 und V. 8 – der Zeuge einer gewissen Unsicherheit des Apostels in der Beurteilung der Entscheidung sein?« Das Ergebnis scheint umstritten zu sein (vgl. 2, 11 ff.). Der Apostel formuliert dieses denn auch zunächst negativ: »*Von den Etwas-zu-sein-Geltenden aber – was für welche sie einst* (ποτε) *waren, bedeutet mir nichts*; *das Ansehen der Person nimmt Gott nicht* – *mir also legten die Geltenden nichts auf*« (V. 6). Die entscheidenden Männer der Jerusalemer Gemeinde nennt Paulus »die Geltenden« (οἱ δοκοῦντες), so schon zu Beginn seines Berichts V. 2. Neben dieser einfachen Form erscheint hier dieser Titel erweitert zu der Wendung »die Etwas-zu-sein-Geltenden«[6] – doch beachte die Zwischenbemerkung –, und

---

[1] E. Käsemann, WdF XXIV 491 f.: »Wohl zeigt Gal 2, 4 aber das Bestehen eines Kreises in Jerusalem, dem an einer Verschärfung des Verhältnisses zwischen der Urgemeinde und Paulus insofern lag, als er die Selbständigkeit des Apostels zu beschränken und seine Unterordnung unter Jerusalem zu erreichen suchte. Man könnte sich wohl vorstellen, daß dieser Kreis Emissäre der Urgemeinde dahin beeinflußte einen allgemeineren Inspektionsauftrag in ihrem Sinne auszudeuten und zuzuspitzen. Die παρείσακτοι ψευδαδέλφοι haben ja Zutritt und Gehör bei der Gemeindeleitung, bewegen sich auch in Gal 2 im Schatten der Urapostel und stehen doch, wie das Verhandlungsergebnis beweist, in gewisser Distanz zu diesen.«
[2] Οἷς οὐδέ ist als Lesart umstritten. Es wird gestrichen von Zahn; E. Seeberg, Wer war Petrus? usw. 41.
[3] So die meisten.
[4] Gegen Zahn u. O. Holtzmann.
[5] Dazu Bultmann, ZNW 27 (1928) 129; anders Schlier z. St.
[6] Daß οἱ δοκοῦντες εἶναί τι als »eine feststehende Phrase« anzusehen ist, haben überzeugend dargelegt: Zöckler, Lietzmann, Oepke, Schlier; jüngst E. Klostermann, Die Apologie des Paulus Gal 1, 10–2, 21, in: Gottes ist der Orient, Festschr. f. O. Eißfeldt, Berlin 1959, (84–88) 86.

in V. 9 ist von »den Säulen-zu-sein-Geltenden« die Rede, die der Apostel beim Namen nennt. Es sind Jakobus, Kephas und Johannes. Ob diese von einem größeren Kreis der Geltenden, wie er in V. 2 angesprochen sein könnte, zu unterscheiden sind, ist ungewiß[1]. Kein einziges Mal spricht Paulus in seinem Bericht über das Apostelkonzil von den »Aposteln« oder »den Zwölf«. Daß der Titel »die Geltenden« mit seinen Zusätzen und so häufig und ausschließlich verwandt im Munde des Apostels eine gewisse ironische Färbung hat[2], kann nicht ausgeschlossen werden. Das heißt jedoch nicht, daß Paulus die Zustimmung der Geltenden zu seinem Evangelium, wie er sie interpretiert, nicht für bedeutsam hält. Er argumentiert ja gerade mit ihrer Autorität vor den Galatern gegen seine Rivalen, die vielleicht die Gesetzesobservanz der maßgeblichen Leute der Urgemeinde gegen das paulinische Evangelium ins Feld führten. In diesem Sinn könnte die in der Exegese äußerst umstrittene Parenthese gedeutet werden, in der Paulus dann die Vergangenheit der Geltenden als Gesetzesbeobachter für irrelevant erklärt[3]. Nicht auszuschließen ist freilich auch, daß Paulus mit ὁποῖοί ποτε ἦσαν nicht eine negative Qualität dieser führenden Männer meint, sondern hier, wo er von deren Ansehen und einer möglichen Auflage seiner Verkündigung gegenüber spricht, ihr wohl auf ihr persönliches Verhältnis zum historischen Jesus beruhendes Ansehen in einer Zwischenbemerkung als eine für ihn letztlich belanglose Sache abtut[4]. Der Sinn des folgenden biblischen Sprichwortes wäre dann, daß Gott keine parteiische Bevorzugung

---

[1] »Die Säulen-zu-sein-Geltenden« unterscheiden von dem größeren Kreis der »Geltenden«: Wieseler, v. Hofmann, Zahn, Bonnard; Kasting, Mission 98; Schlier; anders: Bisping, Lipsius, Zöckler, Sieffert, Lietzmann, O. Holtzmann, Oepke, G. Bornkamm: ThWNT VI 633; Hahn, Mission 69 Anm. 1; Georgi, Kollekte 19 Anm. 35.

[2] Vgl. Holsten, Evangelium I 22, 149; K. Holl, in: WdF XXIV 145 f.; Oepke; Schoeps, Paulus 62; U. Wilckens: ThWNT VII 735 Anm. 27.

[3] Für diese Deutung würden das nicht zu übersehende ἦσαν – nicht εἰσίν! – und die mögliche Übersetzung des ποτε mit »einst« sprechen. So übersetzen: Lightfoot, Holsten, Burton, Züricher-Bibel; Klein, Rekonstruktion 100 u.a.; anders Bl-Debr § 303, Lietzmann u.a. (»was für welche sie auch immer waren«). Paulus erklärt jedoch nicht für irrelevant, weil es für ihn keine Rolle spielt: die mangelnde Bildung der Geltenden (so jetzt wieder Foerster, Abfassungszeit 140), die Flucht der Jünger bei der Gefangennahme Jesu, den Unglauben des Jakobus und den Verrat des Petrus (so in neuerer Zeit Munck, Paulus 91), noch die angeblich gegenüber der jetzigen auf dem Apostelkonzil andere Autoritätsstellung der Geltenden zueinander (so Klein, Rekonstruktion 112 f.; dagegen Georgi, Kollekte 20 Anm. 43; Kasting, Mission 119 Anm. 180) , sondern die von den galatischen Gegnern des Paulus hervorgehobene positive Stellung der Führer der Urgemeinde zum Gesetz (so Kasting, Mission 120; vgl. H. Fürst, in: AnBibl 17–18, 1963, 9f.).

[4] Dazu Hilgenfeld, Wörner, Wieseler, Holsten, Lipsius, Sieffert, B. Weiss, O. Holtzmann, Burton, Zahn, Oepke, Schlier; Georgi, Kollekte 20; Stuhlmacher, Evangelium I 92; Bornkamm, Paulus 59, 174 u.a.

eines Menschen aufgrund seines Ansehens kennt[1]. Jedenfalls kann der Apostel gegenüber seinen judaistischen Widersachern triumphierend feststellen, daß ihm – beachte das vorangestellte ἐμοί – die Geltenden nichts auferlegt haben. Ob mit diesem προσανέθεντο[2] das Aposteldekret angesprochen ist, ist nicht auszumachen, jedenfalls kann es nach der Darstellung des Paulus seinen Ursprungsort nicht in der besprochenen Jerusalemer Zusammenkunft haben[3]. Das wird auch aus dem Verhalten des Kephas, des Barnabas und der übrigen Judenchristen in Antiochien deutlich (vgl. Gal 2, 11 ff.).

Im folgenden kommt Paulus zunächst auf die Gründe der positiven Entscheidung der Jerusalemer Autoritäten zu sprechen: »*Sondern im Gegenteil, da sie sahen, daß ich betraut bin mit dem Evangelium der Vorhaut gleichwie Petrus (mit dem) der Beschneidung – denn der, der bei Petrus wirksam war für das Apostolat der Beschneidung, hat auch bei mir gewirkt für die Heiden – und da sie die mir gegebene Gnade erkannten, ...*« (V. 7–9 a). Gleich dreimal sagt es der Apostel, daß die Geltenden zur Überzeugung gekommen seien, er habe sich nicht eigenmächtig zum Apostel gemacht und sein Heidenevangelium sei keine menschliche Erfindung, vielmehr sei er von Gott betraut worden und sei ein Werkzeug der Gnade Gottes[4]. Wie die Geltenden zu dieser Erkenntnis gekommen sind, könnte die Parenthese V. 8 erkennen lassen: die gesegnete missionarische Wirksamkeit des Paulus kann der Erkenntnisschlüssel gewesen sein[5].

---

[1] Siehe E. Lohse: ThWNT VI 780.

[2] Προσανατίθημι noch dazu auferlegen τινί jem. τί etwas: Bauer Wb 1411. Die Bedeutungen »vorlegen« und »sich beraten mit jem« scheiden hier aus, gegen: Meyer, de Wette, v. Hofmann; Baur, Paulus I 141.

[3] So Lietzmann, Bousset; Oepke, Gal 54; Schlier, Gal 116; Haenchen, Apg 410 ff.; Conzelmann, Apg 84f.; ders., Urchristentum 71–74; Bultmann, Theologie 59f.; J. Gewiess, in: LThK² I (1957) 754; E. Neuhäusler, in: LThK² V (1960) 72; R. Schnackenburg, Die sittliche Botschaft des NT, München ²1962, 157; A. Vögtle, in: LThK² VIII (1963) 338; ders., in: Ökumenische Kirchengeschichte I 33; anders J. Kürzinger, Apostelgeschichte, in: Echter-Bibel NT II, Würzburg ²1968, 63f.; F. Mußner, Die Bedeutung des Apostelkonzils für die Kirche, in: Ekklesia, Festschr. f. M. Wehr, Trier 1962, 37; G. Schneider, Apostelkonzil, in: Haag BL ²1968, 92. – Um die lukanische Berichterstattung über das Aposteldekret zu retten, datieren G. Stählin, Apg 206, und L. Cerfaux, in: Robert-Feuillet, Einleitung II 377, den Antiochia-Konflikt vor das Apostelkonzil, ein apologetisches Unternehmen, das nicht überzeugt.

[4] Siehe die Zusammenfassung in der Wendung τὴν χάριν τὴν δοθεῖσάν μοι, worunter mit Bisping, Wieseler, Sieffert, Schlier; Blank, Paulus 196f. u.a. die Gnade zum Apostelamt zu verstehen ist (vgl. 1 Kor 3, 10; Röm 1, 5; 12, 3; 15, 15 u.ö.).

[5] Vgl. Baur, Paulus I 141f.: »Aus der Realität des Erfolges wird teleologisch auf die Realität des wirkenden Prinzips geschlossen.« Wörner: »Diese für wie in Paulus eingetretene göttliche ἐνέργεια war als Bürgschaft seines πεπιστευμένον εἶναι den δοκοῦντες vor die Augen getreten in seiner Darlegung V. 2.« Vgl. ferner B. Weiss, Holtzmann; Georgi, Kollekte 19; anders Gunkel, Die Wirkungen des hl. Geistes

Bedeutsam ist, daß den bestehenden Verhältnissen entsprechend differenziert wird zwischen »dem Evangelium der Vorhaut«, das Paulus verkündet, und »dem Evangelium der Beschneidung«, das Petrus predigt. Zwar können keine inhaltlich völlig verschiedenen Evangelien hier gemeint sein, denn Paulus unterscheidet zwischen dem »anderen Evangelium« in Galatien und der Verkündigung der Jerusalemer – doch hätte er diese verwerfen können? –; aber man wird nicht übersehen, daß nicht ohne Grund eben doch vom »Evangelium der Vorhaut« im Unterschied zum »Evangelium der Beschneidung« gesprochen wird und nicht bloß die jeweilige Ausrichtung der Botschaft allein gemeint ist, sondern dieser Ausrichtung entsprechend wird auch eine inhaltliche Differenz gegeben gewesen sein. Der Stellenwert des Gesetzes wird dabei jeweils verschieden gewesen sein[1]. Das Selbstverständnis des Apostels Paulus tritt stark in den Vordergrund, wenn er sich als *der* Heidenmissionar dem damals wohl führenden Judenmissionar Petrus[2] gegenüberstellt[3], ein weiteres Zeichen für das Bewußtsein der völligen Gleichrangigkeit und Selbständigkeit des Paulus.

Da die Führer der Urgemeinde – so kommentiert es Paulus – die ihm verliehene Gnade erkannten, kann er den erfolgreichen Ausgang dieser Begegnung mit den »Säulen«[4] melden: »*Jakobus und Kephas und Johannes, die Säulen-zu-sein-Geltenden, gaben den Handschlag der Gemeinschaft mir und Barnabas, damit wir für die Heiden, sie aber für die Beschneidung* «(V. 9). Die Reihenfolge der genannten »Säulen« wird nicht zufällig sein; Jakobus scheint vielleicht schon zur Zeit des Apostelkonzils in Jerusalem eine besondere Stellung und

---

42: »Natürlich kann es sich hier weder um eine blosse Schilderung des paulinischen Evangeliums handeln, welches ja eben in Frage stand, noch um eine Schilderung seiner großartigen Missionserfolge, welche ja eventuell nichts als Satanswerke waren, sondern es entschied der pneumatische Eindruck, den die Person des Paulus machte, und dem sich die στύλοι nicht entziehen konnten, wenn sie auch die Verantwortung für seine Missionstätigkeit nicht auf sich nehmen mochten.«

[1] Man wird kaum behaupten können, daß im »Evangelium der Beschneidung« der Gesetzesbeobachtung kein Heilswert mehr beigemessen worden sei.

[2] Der nur hier bei Paulus vorkommende Name »Petrus« wird schwerlich daraus zu erklären sein, daß Paulus hier einem schriftlichen, offiziellen Verhandlungsdokument folge (gegen O. Cullmann, Petrus 17; ders.: ThWNT VI 100 Anm. 6; E. Dinkler, Der Brief an die Galater. Zum Kommentar von H. Schlier, VF 1953/55 182f.; Die Petrus-Rom-Frage. Ein Forschungsbericht ThR 25, 1959, 189; u.ö.; Klein, Rekonstruktion 110ff.). Als bewußte Markierung der Schlüsselposition des Kephas durch den Namen Petrus für die griechischen Leser verstehen diese singuläre Verwendung des Namens Petrus durch Paulus: H. Fürst, in: An Bibl 17-18, 1963. 3-10; Stuhlmacher, Evangelium I 94f. (siehe das dort zusammengetragene Material), Kasting, Mission 78.

[3] Siehe Haenchen, Apg 407f.; Kasting, Mission 77; Bornkamm, Paulus 58f. Blank, Paulus 203; Oepke; Kleins Gegenargumente gegen Haenchen überzeugen nicht (Rekonstruktion 108f.).

[4] Dazu Schlier z.St., ferner U. Wilckens: ThWNT VII 732–736.

ausschlaggebende Stimme (vgl. Apg 15) gehabt zu haben, doch ist es kaum angängig, eine der verschiedenen Erklärungsversuche[1] als die einzig mögliche zu bezeichnen. Da Barnabas plötzlich wieder genannt wird, wird deutlich, daß hier das Ergebnis der Verhandlungen festgehalten wird: »der Handschlag der Gemeinschaft«[2] dokumentiert die Einigung, die jedoch gerade getrennte Wege für die Missionsbemühungen vereinbarte, was seinen Grund in der »sachlichen Eigenart der Missionspredigt beider« (Bornkamm[3]) hatte.

Ganz zum Schluß seines Berichts über die Jerusalemer Verhandlungen erwähnt Paulus die einzige Verpflichtung, die zusätzlich übernommen wurde: »*Allein der Armen, daß wir (ihrer) gedächten, was ich auch bestrebt war, eben dies zu tun*« (V. 10). Da es im Anschluß an V. 9 um die Verpflichtung der Heidenmission gegenüber der περιτομή geht, ist es zwar möglich, an die Armen der Judenchristen überhaupt zu denken[4], aber konkret wird die Jerusalemer Gemeinde intendiert sein[5], wohin ja auch die Kollekte gebracht wurde (vgl. Röm 15, 26 f.; 2 Kor 8 u. 9). Daß οἱ πτωχοί hier ein Ehrenname der Urgemeinde sei[6], kann vermutet, aber nicht unanfechtbar bewiesen werden[7]. Die Aussagen des Apostels erwecken den Eindruck eines karitativen Unternehmens (vgl. das betont vorangestellte μόνον τῶν πτωχῶν und den Ausdruck οἱ πτωχοὶ τῶν ἁγίων in Röm 15, 26[8]). Auf die Frage, weshalb gerade die Armen der Jerusalemer Gemeinde Unterstützung finden sollten,

---

[1] Möglich erscheint, daß Paulus Jakobus als Autorität für die Judaisten bewußt an die Spitze gestellt hat: so Bisping, Lagrange, Oepke, Schlier, Fürst a. a. O. S. 9; Gaechter, Petrus u. seine Zeit 278; Conzelmann, Urchristentum 41; Haenchen, Petrus-Probleme: NTSt VII (1960–1961) 193, der jedoch als Hauptgrund nennt: »Hätte Paulus zuerst den Kephas u. dazu Jakobus u. Johannes oder Johannes u. Jakobus genannt, so hätten die Leser mißverstehend gemeint, es handle sich um die beiden Zebedaiden Johannes u. Jakobus.« Doch wird man bezweifeln müssen, daß für Paulus und vor allem für die Galater die Zwölf eine so bekannte und bedeutsame Größe waren.

[2] Dazu Zahn; Stuhlmacher, Evangelium I 98.

[3] Bornkamm, Paulus 60; siehe ferner Georgi, Kollekte 21; Haenchen, Apg 416 f., Stuhlmacher, Evangelium I 99.

[4] So Wörner, Zöckler, M. Kähler, Sieffert, B. Weiss, Gutjahr u. a.

[5] So Bisping, Lipsius, Zahn, Oepke, Kuss, Kürzinger, Bring.

[6] So K. Holl, Kirchenbegriff, in: WdF XXIV 164 ff.; Lietzmann, Schlier; Bornkamm, Paulus 61; E. Bammel: ThWNT VI 908 f.; K. H. Schelkle, in: Wort u. Schrift 129; Georgi, Kollekte 23.

[7] Dazu G. Strecker, Die sog. Zweite Jerusalemreise des Paulus, in: ZNW 53 (1962) 67–77; ders., in: W. Bauer, Rechtgläubigkeit 274 Anm. 3; L. E. Kreck, The Poor among the Saints in the New Testament, in: ZNW 56 (1965) 100–129; 57 (1966) 54–78.

[8] Allerdings handelt es sich hier nach Schlier nur um »einen verschleiernden Ausdruck«; so auch schon K. Holl, Kirchenbegriff, in: WdF XXIV 166: »eine verhüllende Redeweise«; anders Oepke zu Gal 2, 10.

wird in der Tat der Hinweis auf eine dortige besondere Notlage[1] als Antwort nicht ausreichen, vielmehr scheint der Apostel selbst diese einseitige Leistung der Heidenchristen zugleich tiefer zu begründen, wenn er sie nach Röm 15,26f. als schuldigen Dank gegenüber der Gemeinde, von der die Heilsbotschaft ihren Ausgang nahm, verstanden wissen will[2]. Damit ist eine gewisse Vorrangstellung Jerusalems, um die auch Paulus nicht herumkommt (vgl. seine Jerusalemreisen), anerkannt[3], jedoch keine kirchenrechtlichen Charakters. »Jerusalem ist der geschichtliche und moralische Vorort der Kirche, aber nicht der rechtliche« (H. Schlier). Im Galaterbrief freilich tritt heilsgeschichtliches Denken in der Frontstellung gegen die Verkündigung der extremen Judenchristen soweit wie möglich zurück, und Paulus scheint den karitativen Sinn der Kollekte hervorzukehren[4]. Wie allerdings die Jerusalemer, von denen die Initiative zu dieser »Auflage« ausging[5], die Verpflichtung der Heidenchristen ihnen gegenüber interpretierten, ist eine andere Frage[6]. Das mögliche, aber nicht notwendige einheitliche Selbstverständnis der Jerusalemer Kirche[7] als »geistliche Suprematie« (P. Stuhlmacher), welches sich in dieser Vereinbarung dokumentiert haben mag, ist nicht mit dem Hinweis auf die einmalige Angelegenheit dieser Spende und die Befürchtung der Annahmeverweigerung der Kollekte in Röm 15,30[8] zu widerlegen. Die Motive können jeweils recht verschieden sein. Weshalb der Apostel nach seinen eigenen Angaben so »eifrig bemüht«[9] war um diese

---

[1] Siehe die Erwägungen etwa bei Wörner, Schlatter, Sieffert, Zahn, Steinmann; Gaechter, Petrus 283 ff.

[2] Dazu Hilgenfeld, Gal 157; Sieffert; Lietzmann, Beyer–Althaus; Bultmann, Theologie 64; Bornkamm, Paulus 61. Abwegig ist die Meinung J. Muncks (Paulus 298), Paulus habe die Kollekte als Erfüllung von Jes 2,2f.; 60,5–16 (eschatologische Wallfahrt der Heiden nach Jerusalem) verstanden. Vgl. R. Bring z. St. Siehe dagegen Schlier, Gal 80 Anm. 5; Klein, in: Rekonstruktion 82 Anm. 101.

[3] Nach O. Michel: ThWNT IV 686,36ff.; Georgi, Kollekte 27 u. Stuhlmacher, Evangelium I 103 hat μνημονεύειν die Bedeutung von »anerkennend an jem. denken.«

[4] Vgl. O. Kuss, in: Auslegung I 54 mit Hinweis auf M. Goguel, L'Eglise primitive, Paris 1947, 35; U. Wilckens: ThWNT VII 735,8ff,; siehe auch die zahlreichen Umschreibungen der Kollekte bei Paulus, dazu G. Kittel: ThWNT IV 286,6ff.

[5] Anders C. Holsten, Evangelium I 76.

[6] Dazu K. Holl, Kirchenbegriff, in: WdF XXIV 164; E. Käsemann, Die Legitimität des Apostels, in: WdF XXIV 490; W. Bousset z. St.; Schlier, Gal 80 Anm. 5; Stuhlmacher, Evangelium I 101 Anm. 4; 105; Schmithals, Häretiker I 33 Anm. 17; U. Wilckens: ThWNT VII 735.

[7] Siehe Klein, in: Rekonstruktion 83.

[8] Zu den möglichen Motiven siehe Klein, in: Rekonstruktion 82 (dort weiteres Material); Schmithals, Paulus u. Jakobus 65ff.; Bornkamm, Paulus 114.

[9] Σπουδάζω 1. sich sputen, sich beeilen, 2. sich eifrig zeigen, sich bemühen, bestrebt sein: Bauer Wb 1512. In der singularischen Wendung ἐσπούδασα wird oft ein Hinweis darauf gesehen, daß Paulus die Situation nach der Trennung von Barnabas, die bald erfolgt sei (vgl. Apg 15,39), im Auge habe. So Wörner, Dalmer, Sieffert, Weiss, Zahn, Steinmann, Oepke, Schlier u.a.

Sammlung, dürfte noch weitere Gründe gehabt haben. Sie war ein wesentliches Moment, die für die Verkündigung des Evangeliums bedeutsame Einheit der Glaubenden aus Juden und Heiden aufrechtzuerhalten[1], und last not least fand Paulus hier ein zur Unterstützung seiner Position gegenüber Jerusalem geeignetes Mittel (vgl. Röm 15,30f.)[2].

d) Gal 2,11–14

Der Bericht des Paulus über sein Verhältnis zu Jerusalem und den maßgeblichen Männern der Urgemeinde ist mit dem Hinweis auf das positive Ergebnis der Jerusalemer Verhandlungen, so wie es der Apostel versteht, nicht abgeschlossen – die Übereinstimmung mit den Geltenden ist nicht der krönende Abschluß –, sondern es ist noch auf den Konflikt mit Kephas, Barnabas und den übrigen Judenchristen in Antiochia einzugehen. Damit bietet Paulus zugleich eine letzte Demonstration seiner tiefsten Überzeugung von der Göttlichkeit seines Evangeliums und der Selbständigkeit seines Apostolats.

Die dritte Zusammenkunft mit Kephas führte zur Entzweiung: »*Als aber Kephas kam nach Antiochien, ins Angesicht widerstand ich ihm, weil er verurteilt war*« (V. 11). Ohne besondere Einleitung – δέ führt die Erzählung weiter oder indiziert die Antithese – setzt Paulus seinen von 1,13 an chronologisch aufgebauten Bericht fort. Es liegt kein Grund vor, an der Reihenfolge der Ereignisse zu zweifeln und etwa diesen Vorfall in Antiochien vor das sogenannte Apostelkonzil zu datieren, der dann wesentlich mit zu den Jerusalemer Besprechungen geführt habe[3]. Jedoch ist es kaum möglich, den genauen Zeitpunkt nach dem Apostelkonvent anzugeben[4]. Daß unter Kephas nur der 1,18 und 2,7ff. genannte Apostel gemeint sein kann, steht

---

[1] Vgl. Lipsius, Sieffert; Bultmann, Theologie 97; E.M. Kredel, in: LThK² VI (1961) 377; J. Schmid, in: LThK² VII (1963) 219; R. Schnackenburg, Kirche 75; Schmithals, Paulus u. Jakobus 65; Bornkamm, Paulus 62; Conzelmann, Urchristentum 71.

[2] Vgl. W. Wrede, Paulus, in: WdF XXIV 21: »Sie (die Kollekte) sollte in dieser Gemeinde zu seinen Gunsten sprechen« (s. auch ebd. S. 40). E. Meyer, Ursprung III 420: »ein kräftiges materielles Druckmittel«. A. van den Born, in: Haag BL ²1968, 967: »Paulus sah die Kollekte als einen notwendigen Beitrag zu seinem Apostolat im Kampf gegen die Judaisten an.«

[3] So in neuerer Zeit Zahn, V. Weber in seinen zahlreichen Abhandlungen zum Gal; J. Munck, Paulus 92–94; H.M. Féret, Pierre et Paul à Antioche et à Jérusalem, Paris 1955; H.J. Schoeps, Das Judenchristentum, Dalp-Taschenbücher 376, Bern 1964, 34 Anm. 1; G. Stählin, Apg 209f.; L. Cerfaux, in: A. Robert-A. Feuillet, Einleitung in die Hl. Schrift II 377f.

[4] Der Zwischenraum ist aber nicht zu groß zu bemessen, da Paulus hier offensichtlich noch mit Barnabas und der antiochenischen Gemeinde verbunden ist.

einer kritischen, von apologetischer Zielsetzung freien Exegese außer Frage[1]. Aus welchem Motiv Kephas die antiochenische Gemeinde aufsuchte, läßt sich dem Text nicht entnehmen. Nach Gal 2, 7 f. war er der führende Judenmissionar. Die Gemeinde der Christen in Antiochia bestand aus Juden- und Heidenchristen, und diese Zusammensetzung barg ihre Probleme[2]. Unverhüllt erklärt Paulus, er sei Kephas »ins Angesicht[3]« »entgegengetreten«[4], weil dieser »verurteilt« war[5]. Schärfer als mit diesem participium perfecti passivi kann der Apostel wohl kaum die Schuld des Kephas zum Ausdruck bringen. Von wem Kephas verurteilt war, wird ausdrücklich nicht gesagt. Man wird weniger an das Urteil der öffentlichen Meinung denken[6] – er fand ja auch bei Barnabas und den übrigen Judenchristen Gefolgschaft – als daran, daß er durch seine eigene widerspruchsvolle Handlungsweise[7] oder bzw. und »vor dem Forum des Evangeliums«[8] und somit letztlich vor Gott[9] gerichtet war.

Mit wenigen Worten wird das schuldhafte Vergehen des Kephas umrissen: »*Denn vor dem Kommen einiger von Jakobus aß er zusammen mit den Heiden. Als sie aber kamen, wich er zurück und sonderte sich ab, fürchtend die aus der Beschneidung*« (V. 12). Anfangs pflegte also Kephas Tischgemeinschaft mit den Heiden, d.h. mit den Heidenchristen (vgl. Röm 15, 16; 16, 4 u.a.). Das

---

[1] Die Meinung, es handle sich in Gal 2, 11 um einen anderen Kephas, nämlich um einen der 70 Jünger, findet sich im Altertum bei Clemens v. Alexandrien, Hypotyposen V (Eusebius H. E. I 12, 2), auch in den Apostelkatalogen (s. Th. Schermann, Propheten- und Apostellegenden nebst Jüngerkatalogen 1907, 302 ff.), dagegen schon Hieronymus (s. Overbeck, Über die Auffassung des Streits des Paulus mit Petrus in Antiochien [Gal 2, 11 ff.] bei den Kirchenvätern 1877, Neudruck Darmstadt 1968, 16 ff.); in neuerer Zeit: J. M. Robertson, Die Evangelienmythen 1910, 103; D. W. Riddle, The Cephas-Peter Problem and a possible Solution, in: JBL 1940, 169 ff.

[2] Nach Lietzmann waren die Judenchristen in der Minderheit, weil sie in V. 12a »gar nicht besonders genannt« sind.

[3] Κατὰ πρόσωπον heißt nicht: secundum speciem, = dem Scheine nach, so daß auf einen Scheinstreit, den Paulus und Kephas zur Belehrung der Gemeinde inszeniert hätten, zu schließen sei (gegen Origenes, anfänglich auch Hieronymus, Chrysostomus, Theodoret u. a.; dazu Overbeck, Über die Auffassung des Streites des Paulus 19 ff.).

[4] Ἀνθίστημι entgegenstellen; die in unserer Literatur vorkommenden Formen haben medialen Sinn: sich entgegenstellen, entgegentreten, sich widersetzen: Bauer Wb 133

[5] Dazu Bauer Wb 810 u. R. Bultmann: ThWNT I 715.

[6] Vgl. Luther, Meyer, Reithmayer »von den Heidenchristen Antiochiens«, Zöckler; siehe auch Bauer Wb 810.

[7] So Bengel, de Wette, Hilgenfeld, Wörner, Bisping, Lipsius, Sieffert, B. Weiss, Cornely, Lietzmann, Oepke, Schlier u.a.

[8] So Gutjahr mit Hinweis auf Ambrosiaster.

[9] So U. Wilckens: ThWNT VIII 568 Anm. 51.

Imperfekt συνήσθιεν weist darauf hin, daß das Tun des Kephas nicht eine einmalige Angelegenheit war[1]. Vielleicht schloß er sich einer antiochenischen Gemeindetradition an[2]. Über den Charakter des Mahles herrscht in der Forschung Uneinigkeit; es ist nicht ausgeschlossen, daß das Herrenmahl Bestandteil dieser Mahlzeiten war (vgl. 1 Kor 11, 20 ff.)[3]. Nach dem Urteil der Jakobusleute und der strengen Juden verstieß solches Verhalten des Kephas gegen das Gesetz[4]; allerdings läßt sich für die Diaspora auch eine konziliantere Haltung der Juden bezeugen, und ein radikaler, unmittelbarer Gesetzesbruch ist nicht unanfechtbar zu behaupten[5]. Hat das sogenannte Apostelkonzil diese Frage der Tischgemeinschaft auch deshalb in der Schwebe gelassen, weil sie unter den Juden Diskussionsgegenstand sein konnte? Dann wäre das unsichere Verhalten des Kephas sehr erklärlich[6]. Ob Kephas zugleich gegen das Jerusalemer Abkommen verstieß, das ja die Missionsbemühungen schied in »zu den Heiden« und »zu der Beschneidung« (2,9), ist von der jeweiligen Deutung der Übereinkunft her verschieden zu beantworten[7]. Die Jakobusleute scheinen jedenfalls ein bestimmtes Verständnis geltend gemacht zu haben, das seine Wirkung erzielte. Bei den τινες ἀπὸ Ἰακώβου wird man unvoreingenommen zunächst an solche denken, die von Jakobus gesandt worden sind[8]. Es läßt sich aber nicht ausschließen,

---

[1] So die meisten Kommentare.

[2] Vgl. W. Heitmüller, Paulus und Jesus, in: WdF XXIV 138; Lietzmann, Paulus, in: WdF XXIV 384; Gutjahr.

[3] So Lipsius, Sieffert, Lietzmann; Schweitzer, Mystik 193 f.; Oepke, Kuss, Schlier, Bonnard; G. Bornkamm, Herrenmahl u. Kirche bei Paulus, in: Ges. Aufsätze II 154; ders., Paulus 66; Stuhlmacher, Evangelium I 105; anders G. Kittel, Die Stellung des Jakobus zu Judenchristentum u. Heidenchristentum, in: ZNW 30 (1931) 149.

[4] Vgl. Apg 10,28; 11,3; Luk 15,2; Jub 22,16; Joseph u. Asenath 7,1; Bousset-Greßmann, Die Religion des Judentums 93 (»die allgemeine Tendenz«); K.H. Rengstorf: ThWNT I 329,21 ff.; Goppelt, Christentum u. Judentum 91 Anm. 1; H.F. Weiss, Der Pharisäismus im NT 121.

[5] Vgl. Billerbeck III 321 f.; richtig wohl Schmithals, Paulus u. Jakobus 52. – V. 14 ist deshalb für das hier gestellte Problem nicht aufschlußreich, weil Paulus natürlich das vormalige Verhalten des Kephas in seinem Sinn als Bruch mit dem Judentum interpretiert.

[6] Dazu v. Campenhausen, Bibel 31.

[7] Dazu Sieffert, Gal 139; E. Meyer, Ursprung III 425; J. Blinzler, Petrus u. Paulus, in: Ges. Aufsätze 1, Stuttg. 1969, 149; Schmithals, Paulus u. Jakobus 53; Haenchen, Apg 409; Klein, in: Rekonstruktion 81.

[8] So Bisping, Meyer, de Wette, Hilgenfeld, Holsten, Lipsius, Sieffert, B. Weiss, O. Holtzmann, Bousset; Weizsäcker, Ap. Zeitalter 163 f.; E. Meyer, Ursprung III 424; Lietzmann, in: WdF XXIV 385; E. Käsemann, in: WdF XXIV 490 f.; Goppelt, Christentum u. Judentum 91; Stuhlmacher, Evangelium I 106; Wilckens, Das Neue Testament 665.

daß bloß Leute aus der Umgebung des Jakobus gemeint sind[1]. Ob sie als solche kamen, durch die sich Jakobus näher über die antiochenischen Verhältnisse informieren wollte[2] oder ob sie in amtlichem Auftrag als Visitatoren entsandt waren[3] – ihr Erfolg könnte diese Vermutung nahelegen –, läßt sich mit Bestimmtheit nicht entscheiden. Sind sie aus eigener Initiative gekommen, so könnte man in ihnen Angehörige einer »judaistischen Fraktion« sehen[4]. Gal 2,4 läßt die Existenz eines solchen Kreises in Jerusalem vermuten. Für Paulus jedenfalls sind es »einige von Jakobus«, die Verfechter des Gesetzes sind. Ihr Erscheinen bewirkt, daß Kephas die Mahlgemeinschaft mit den Heidenchristen aufgab, er »zog sich zurück«[5] und »sonderte sich ab«[6], und als Motiv für dieses Verhalten nennt der Apostel: φοβούμενος τοὺς ἐκ περιτομῆς. Die οἱ ἐκ περιτομῆς sind entweder mit den Jakobusleuten zu identifizieren[7] oder auf die überzeugten Judenchristen, wie sie durch die »Visitatoren« aus Jerusalem repräsentiert werden, zu beziehen[8]. Versuche, die Furcht des Kephas zu erklären und oft auch entschuldigend zu begründen, sind immer wieder, meist unter apologetischer Zielsetzung, unternommen worden. Man wird grundsätzlich zu beachten haben, daß es Paulus ist, der hier das Verhalten des Kephas, über den er äußerst erbost ist, deutet. Ähnlich wie über alle seine Gegner weiß Paulus in den VV. 11–14 auch über

---

[1] So Wörner, Zöckler, Zahn, Steinmann; Mußner, Jak 10 Anm. 2, und von den meisten nicht direkt verworfen. Ἀπὸ Ἰακώβου als Ortsbezeichnung zu deuten (= aus Jerusalem, so Sieffert, Gutjahr, vgl. A. Schwegler, Das nachapostol. Zeitalter I 118f.), ist deshalb abzulehnen, weil der Apostel im Kontext mehrmals von »Jerusalem« spricht und die Geltenden, jedenfalls Kephas u. Jakobus, als seine Gesprächspartner ebenfalls deutlich beim Namen nennt.

[2] So Lagrange, Oepke, Bonnard, Schlier; G. Kittel, in: ZNW 30 (1931) 151.

[3] So K. Holl, Kirchenbegriff, in: WdF XXIV 163; E. Haenchen, Apg 413 u. die meisten der S. 195 Anm. 8 angegebenen Forscher.

[4] So Loisy, Zahn; E. Käsemann, in: WdF XXIV 491; Schoeps, Paulus 62. – siehe zu 2,4.

[5] Ὑποστέλλω Aktiv, zurückziehen: Bauer Wb 1675.

[6] Ἀφορίζω 1. absondern, trennen von; 2. auswählen, bestimmen zu: Bauer Wb 252; vgl. Rengstorf: ThWNT VII 598, 21ff.

[7] So Zöckler, Zahn, Schlier; O. Cullmann: ThWNT VI 110, 23ff.; Klein, in: Rekonstruktion 83 Anm. 205: »Sieht man aber, daß Paulus im Gesamtzusammenhang von Gal 1f. immer den Vorwurf einer Abhängigkeit von Jerusalem Instanzen im Auge hat, wird es fast unausweichlich, in den οἱ ἐκ περιτομῆς Jerusalemer, und dann natürlich die Jakobusleute, zu sehen.«

[8] So de Wette, Wörner, Sieffert, Gutjahr, Lagrange, Lietzmann, Kuss; U. Wilckens: ThWNT VIII 569 Anm. 55; Stuhlmacher, Evangelium I 106. – Daß hier nicht Judenchristen, sondern Juden gemeint seien (so Munck, Paulus 98ff.; Schmithals, Paulus u. Jakobus 54f.), ist höchst unwahrscheinlich. Wie Paulus unter den τὰ ἔθνη V. 12a Heidenchristen und unter den οἱ λοιποί Ἰουδαῖοι V. 13 Judenchristen versteht, so können die οἱ ἐκ περιτομῆς nur Judenchristen sein. Gegen Schmithals auch Klein, in: Rekonstruktion 83 Anm. 205, u. Stuhlmacher, Evangelium I 106.

Kephas nichts Entschuldigendes zu berichten, vielmehr: »er war verurteilt« (V. 11), ist der »Heuchelei« verfallen (V. 13), »geht nicht gerade nach der Wahrheit des Evangeliums« und der schwerste Vorwurf: er »zwingt die Heiden, jüdisch zu leben« (V. 14). Im Kontext dieser Aussagen wird φοβούμενος τοὺς ἐκ περιτομῆς kaum als Entschuldigung interpretiert werden können[1]. Daß Kephas Befürchtungen um neue Spannungen in der Kirche[2], um seinen apostolatus circumcisionis[3] oder um die Existenz der judenchristlichen Gemeinden Judäas gehabt habe, da bei Bekanntwerden der antiochenischen Zustände – Judenchristen verkehren mit Heiden – Repressalien seitens der Juden zu erwarten seien[4], all dies sind reine vom Text her nicht zu begründende Vermutungen[5]. Paulus sagt nur – und nicht mehr –, daß Kephas »die aus der Beschneidung« fürchtete und deshalb die Gemeinschaft mit den Heidenchristen aufgegeben habe. Ob diese Furcht, die nicht mit seiner Angst bei der Verleugnung Jesu verglichen werden kann, ihn so ergriff, daß seine wirklichen Überzeugungen gelähmt und sein Denken und sein Verantwortungsbewußtsein ausgeschaltet waren, so daß er ohne Einsicht und Überlegung handelte[6], ist sehr zu bezweifeln.

Den Umschwung im Verhalten des Kephas als Augenblicksstimmung zu erklären, scheitert schon daran, daß selbst Barnabas und die übrigen Judenchristen Antiochiens sich dem Schritt des Kephas anschlossen[7]: »*Und mitheuchelten mit ihm (auch) die übrigen Juden, so daß auch Barnabas mitfortgerissen wurde durch ihre Heuchelei*« (V. 13). Mögen die Worte über Barnabas auch ein wenig entschuldigend klingen, das Verhalten dieses Mannes, der doch auf heidenchristlicher Seite maßgeblich an den Jerusalemer Verhandlungen teilgenommen hatte, verdient für die Wertung des Abkommens größte

---

[1] Vgl. Schlier, Gal 84 Anm. 4: »Ob auch Furcht vor einem neuen Riß in der Kirche mitspielte, wie Steinmann (BZ 6, 1908, 43) meint, erscheint mir zweifelhaft, da die ganze Darstellung des Paulus dem Verhalten des Petrus keinerlei Entschuldigung gönnt.«

[2] So jüngst H. Köster, in: ZThK 65 (1968) 168.

[3] So J. Blinzler, in: Ges. Aufsätze I 149.

[4] Gegen Schmithals, Paulus u. Jakobus 55; J. Daniélou, in: Geschichte der Kirche I 60.

[5] Ebenfalls wird man aus V. 12 nicht zwingend die Weisungsbefugnis des Jakobus gegenüber Kephas eruieren können: gegen O. Cullmann: ThWNT VI 110, 18 ff.; Klein, in: Rekonstruktion 83.

[6] Mit Recht verwarf schon A. Schwegler (Das nachapost. Zeitalter I 128) die Erklärung, die Kephas »momentane Geistesabwesenheit« und »»momentane‹ Unklarheit« zuschreibt. Weil die übrigen Judenchristen und selbst Barnabas Kephas Folge leisteten, sei dies auszuschließen.

[7] Richtig P. Gaechter, Petrus u. seine Zeit 234: »Es ist undenkbar, daß diese ganze Gruppe von Männern insgesamt derselben moralischen Schwäche und derselben mangelnden Intelligenz bezichtigt werden konnte, und damit fällt auch das Urteil über Petrus dahin, denn er handelt nicht anders als sie.«

Beachtung. Aus dem Vorwurf der »Heuchelei«[1] wird man schwerlich die mangelnde innere Überzeugung des Kephas, der übrigen Judenchristen und des Barnabas ableiten können[2] noch auf ein taktisches Manöver schließen, das diese vor den Jerusalemern inszenierten[3], sondern Paulus tadelt die inkonsequente Haltung. Vielleicht aber wird hier einfach das Moment des Frevels betont[4]. Man wird an dieser Stelle auch fragen müssen, ob der Apostel, der ja über einen siegreichen Ausgang dieses Konfliktes nichts berichtet, expressis verbis vom Glaubensabfall des Kephas, des Barnabas und der übrigen Judenchristen hätte reden können, wenn er seine bisherige Darstellung der Übereinstimmung mit den Jerusalemern als Argument gegen seine Gegner nicht völlig preisgeben wollte. Der mildere Ausdruck »Heuchelei« scheint somit im Blick auf die Galater als die einzig mögliche und nicht ungeschickte Darstellung.

Wie scharf Paulus das Verhalten des Kephas verurteilt, zeigt sein folgender Bericht über seinen Protest gegen die Verleugnung der Wahrheit des Evangeliums: »*Doch als ich sah, daß sie nicht recht gingen hin zur Wahrheit des Evangeliums, sagte ich dem Kephas vor allen: Wenn du als Jude heidnisch und nicht jüdisch lebst, wie zwingst du die Heiden, jüdisch zu leben?*« (V. 14). Daß Paulus zeitweilig von Antiochien abwesend gewesen sein müsse, denn sonst wären die Dinge nicht passiert[5], bleibt Vermutung. Der Kommentar des Augustinus zur öffentlichen Zurechtweisung des Petrus ist fast ein geflügeltes Wort: »Non enim utile erat errorem, qui palam noceret, in secreto emendare«[6]. Nach Paulus ist der Tatbestand einer gravierenden Verfehlung gegen die Wahrheit des Evangeliums[7] unleugbar. Freilich wird auch unverkennbar

---

[1] Siehe τῇ ὑποκρίσει und συνυπεκρίθησαν.

[2] Siehe S. 197 Anm. 7. Gegen de Wette, Lipsius, Zöckler, Oepke, O. Cullmann: ThWNT VI 110 u.a.

[3] Vgl. die paulinische Deutung in V. 14; ferner Oepke, Schlier; Schmithals, Paulus u. Jakobus 59; u.a.

[4] U. Wilckens (ThWNT VIII 568,5 ff.) weist auf den spezifisch jüdischen Sprachgebrauch von ὑποκρίνομαι/ὑπόκρισις hin (562,15 ff.), in dem nicht das Moment des Trugs, sondern das des Frevels bestimmend sei. Die ὑπόκρισις des Kephas und der anderen Judenchristen in Antiochien bestünde dann im »Abfall von der Wahrheit des Evangeliums Gottes, die die gleichberechtigte Gemeinschaft von Juden und Heiden wesenhaft impliziert«.

[5] So Weizsäcker, Apostol. Zeitalter I 212, II 165; Burton; Goppelt, Christentum u. Judentum 91.

[6] Augustini ep. ad Galatas expositionis liber unus, MPL 35, 2114.

[7] Ob ὀρθοποδοῦν πρὸς τὴν ἀλήθειαν τοῦ εὐαγγελίου »rechtgehen gemäß der Wahrheit des Evangeliums« (so Lipsius, Zöckler, Sieffert, B. Weiss, Burton, Gutjahr, Holtzmann, Oepke »im Blick auf die Wahrheit«, Kuss, Schlier »was die Wahrheit des Evangeliums betrifft«) oder »rechtgehen zur Wahrheit des Evangeliums hin« (so Vulg., v. Hofmann, Holsten, C.H. Roberts, JThSt 40 (1939) 55 f.; J.G. Winter, HThR 34 (1941) 161 f.; G.D. Kilpatrick, Beih. ZNW 21 (1954) 269–74) heißt, ist

deutlich, daß Paulus die Dinge aus seiner Sicht deutet. Denn daß Kephas in der Regel heidnisch lebte, ist ebensowenig wahrscheinlich wie, daß er auf die Heiden einen Zwang ausübte, jüdisch zu leben[1]. Wie so oft – Paulus verfährt so meist mit seinen Gegnern – hebt er den konkreten Fall ins Grundsätzliche und Allgemeine[2]. Darüber hinaus stellt er hier im Galaterbrief Kephas mit der Anklage: πῶς τὰ ἔθνη ἀναγκάζεις ἰουδαΐζειν; auf die gleiche Stufe mit den Gesetzesverfechtern in Jerusalem und in Galatien, obwohl diese im Gegensatz zu Kephas direkte Forderungen an die Heidenchristen stellten[3]. Die Nötigung, die Kephas angeblich auf die Heidenchristen ausübte, wird darin bestanden haben, daß er durch sein Verhalten bei diesen die Vermutung aufkommen ließ, die Gesetzesbeobachtung sei doch eine höhere Stufe der Religion oder sogar zum Heil notwendig[4]. Kephas selbst, Barnabas und die übrigen Judenchristen scheinen jedoch solche Überlegungen nicht angestellt zu haben und ihr Verhalten nicht so prinzipiell verstanden zu haben, wie es Paulus dann interpretiert und verdammt. Von hier aus wäre dann noch einmal die Frage aufzuwerfen, ob die anfängliche Mahlgemeinschaft mit den Heiden nach paulinischer Deutung und dem Verständnis der extremen Jerusalemer Christen, nicht aber für Kephas, Barnabas und die übrigen Judenchristen Antiochiens ein vollendeter Bruch mit dem Gesetz

---

nicht sicher auszumachen, vgl. auch Lietzmann z. St. Ebenfalls ist umstritten, ob ὀρθοποδέω« mit graden Füßen gehen, übertr. recht wandeln« heißt (so Bauer Wb 1149) oder den Sinn hat: »aufrecht auf den Füßen stehen, nicht wanken, nicht umfallen« (Preisker: ThWNT V 452, doch siehe seine Übersetzung »feststehend wandeln«). Nach Zahn ist eine Entscheidung, ob stehen oder gehen gemeint ist, nicht möglich.

[1] Die Kommentare sind sich einig, daß von einer unmittelbaren Nötigung der Heidenchristen durch Kephas keine Rede sein kann (anders E. Meyer, Ursprung III 425). Nach dem Apostelkonvent und bei der Haltung des Kephas, der anfangs in Antiochien Tischgemeinschaft mit den Heidenchristen hielt, wäre ein direkter Zwang äußerst unwahrscheinlich. Zum Präsens ζῆς siehe bes. Gutjahr, Lietzmann, Oepke.

[2] Dazu Holsten, Evangelium I 80; Meyer, Ursprung III 425; Haenchen, Apg 416; Bornkamm, Paulus 67: »Der Vorgang ist für Paulus überaus kennzeichnend. Wie einst bei der Frage der Beschneidung des Titus auf dem Konvent stellte er auch jetzt das spezielle Gemeindeproblem in Antiochia in das Licht letzter, im Evangelium gefallener Entscheidungen und zwar darum dort wie hier zu kasuistischen Erörterungen, zu Konzessionen und Kompromissen nicht bereit.« – Man könnte auch sagen: Paulus erfaßte vor dem Evangelium das konkrete Verhalten des Kephas prinzipieller, als dieser es selbst beurteilte. Vgl. auch Stuhlmacher, Evangelium I 106.

[3] Ebenso wirft Paulus den Judaisten in Galatien eine inkonsequente Haltung gegenüber der Gesetzesobservanz vor (vgl. 6, 12f.; so richtig Hilgenfeld z. St.). Vielleicht war für Kephas das Gesetz, wie Bousset formuliert, »schon ein durchlöchertes System«, aber eben noch nicht überwunden.

[4] Vgl. Bisping, de Wette, Oepke u.a.

war. Daß man jüdischerseits dies allerdings so sehen konnte, daran werden auch sie nicht gezweifelt haben, und als die Jakobusleute auf das Jerusalemer Abkommen insistiert haben mögen, gaben sie ihrem Verlangen nach.

2. Schwerpunkte der Diskussion zwischen Paulus und seinen Gegnern nach Gal 1 und 2

Die Exegese der ersten beiden Kapitel des Galaterbriefs, besonders die Analyse von 1,11–2,14, rückt drei eng zusammenhängende Diskussionsgegenstände in den Blickpunkt: 1. Paulus verteidigt das von ihm verkündete Evangelium, 2. der Apostel kämpft um die Anerkennung seiner Autorität und 3. sein Verhältnis zu Jerusalem spielt in dieser Debatte eine entscheidende Rolle. An Hand dieser drei Themen sollen die Einzelbeobachtungen zusammengefaßt werden und ist die Frage zu diskutieren, welche Bedeutung ihnen im Streit zwischen Paulus und seinen galatischen Gegnern zukommt. Daß Paulus in Gal 1 und 2 eine Auseinandersetzung führt und mit Recht von einer Apologie des Apostels gesprochen wird, bedarf nach den Beobachtungen der Exegese keines Beweises mehr. Erinnert sei nur an die zahlreichen negativen Formulierungen (1,1.10.11f.16f.19; 2,6), daran, daß der Apostel vor Gottes Angesicht beteuert, nicht zu lügen (1,20), an die auf innere Erregung hinweisenden abgebrochenen Sätze (2,4.6) und an die generell scharfe und pointierte Diktion seiner Ausführungen. Nirgendwo sonst führt Paulus eine für uns so aufschlußreiche Selbstverteidigung. Aus den biographischen Notizen erhalten wir Mitteilungen über die Verhältnisse der Urkirche, die für jede Rekonstruktion der Geschichte des Urchristentums unentbehrlich sind. Jedoch sind es nur Notizen. Der Apostel bietet kein Kapitel seiner Memoiren, das mit biographischem Interesse in ruhiger, um objektive Betrachtung bemühter Darstellungsart niedergeschrieben ist, sondern hier spricht ein Angeklagter, der persönlich verleumdet wird (vgl. 1,10), in seiner Lebensaufgabe diskreditiert, in seinem Amt nicht anerkannt und darüber hinaus vielleicht falscher Berichterstattung über seinen Lebensweg nach seiner Bekehrung verdächtigt ist. Nur so werden der antithetische Charakter vieler Aussagen des Apostels und die gezielte Auswahl aus seiner Geschichte als Bote des Evangeliums voll verständlich. Was Paulus sagt, ist nicht zu trennen von dem, wogegen er seine Aussage richtet. Deshalb wird in dieser Zusammenfassung mit der Frage nach dem paulinischen Selbstverständnis zugleich diejenige nach der möglichen Gegenmeinung verbunden. Da für die Ansichten seiner Gegner der angegriffene Apostel selbst der einzige Zeuge ist, kann auch hier zunächst der Gesprächspartner des Paulus nur so sichtbar gemacht werden, wie die Argumentation des Apostels ihn erkennen läßt.

a) Der Streit über das wahre Evangelium

Sehr verbreitet ist die Meinung – man beachte einmal die Überschrift der Kommentare zu Gal 1, 11–2, 21[1] –, daß es dem Apostel in den ersten beiden Kapiteln seines Briefes an die Galater um seinen Apostolat und erst von 3, 1 bzw. 2, 15 an um das von ihm verkündete Evangelium geht. Eine solche Akzentsetzung ist zwar nicht völlig falsch, übersieht aber, daß auch in Gal 1 und 2 Thema Nummer eins die Verteidigung des paulinischen Evangeliums ist[2]. Nicht Gal 1, 1 gibt das primäre Thema der ersten beiden Kapitel an – die pointierte Aussage über das Apostelamt des Paulus ist an diese zentrale Stelle vornehmlich aufgrund der antiken Briefform gerückt –, sondern 1, 6f. führt in die Problematik und Thematik ein: der Kampf um das wahre Evangelium, und 1, 11f. kann als Überschrift zu den folgenden Ausführungen angesehen werden: das von Paulus verkündete Evangelium ist nicht κατὰ ἄνθρωπον, noch durch menschliche Tradition vermittelt, sondern »durch Offenbarung Jesu Christi«. Diese zentrale Aussage muß Paulus beweisen. Auf Zeugen beruft er sich nirgends. Deshalb versucht er, mit dem Hinweis auf sein Verhalten vor und nach seiner Berufung seine Behauptung soweit wie möglich einsichtig zu machen. In keiner Weise als Verfolger der Kirche Gottes für das von ihm verkündete Evangelium positiv disponiert, hat er über dieses ihm völlig unerwartet zugekommene Evangelium sich nicht etwa bei den »Vor-ihm-Aposteln« in Jerusalem belehren lassen oder ihr Plazet eingeholt. Sein erster Jerusalembesuch – drei Jahre nach seiner Berufung – geschah lediglich zum Zweck des »Kennenlernens« und – so kann man vermuten – zur Unterstützung seiner Mission. Für den Inhalt seiner Verkündigung hatte dieser kurze Kontakt mit Kephas und Jakobus keine wesentliche Bedeutung. Es folgten viele Jahre selbständiger apostolischer Wirksamkeit fern von Jerusalem und den Kirchen Judäas (1, 13–24). Als im Laufe der Jahre seine Heidenmission in zunehmende Kritik durch traditionsbewußte Judenchristen geraten ist, haben sein umstrittenes Heidenevangelium die Jerusalemer Autoritäten – so will Paulus verstanden werden –

---

[1] Hilgenfeld: »Erster, persönlich-apologetischer Teil 1, 11–11, 21. Paulus als selbständiger Apostel Christi«. Bisping: »Erster, apologetischer Abschnitt. Paulus, wahrer Apostel Christi (1, 11–2, 21)«. Bousset: »Erster Teil 1, 11–2, 21. Die auf göttliche Berufung gegründete Selbständigkeit des Apostel-Amts des Paulus«. Beyer-Althaus: »Erster Teil: Paulus verteidigt sein Apostelamt als ihm zuteil gewordene Berufung und Vollmacht Gottes 1, 1–2, 21«. Siehe ferner Oepke; Kümmel, Einleitung 190; L. Cerfaux, in: Robert-Feuillet, Einleitung II 370 u. viele andere. Besser akzentuieren: Wieseler, Lipsius, M. Kähler, Sieffert, Holsten, Lagrange, Schlier u.a.

[2] Vermerkt sei, daß in Gal 1 und 2 die Begriffe εὐαγγέλιον bzw. εὐαγγελίζομαι 13 mal, ἀπόστολος bzw. ἀποστολή 4 mal fallen. Wenn daraus auch kein Beweis abgeleitet werden kann, da von der Sache auch ohne Verwendung des terminus technicus die Rede sein kann, so ist das genannte Zahlenverhältnis doch symptomatisch.

auf dem sogenannten Apostelkonzil anerkannt (2, 1–10). Doch davon hing
die Wahrheit des paulinischen Evangeliums nicht ab; er hat es gegen diese
Autoritäten aufrechterhalten müssen (2, 11–14). 2, 15–21 ist dann die Überleitung zur Diskussion über den Inhalt des umstrittenen Evangeliums.

Schon die Tatsache, daß in den paulinischen Gemeinden Galatiens von
offensichtlich christlichen Missionaren ein anderes Evangelium gepredigt
wird – so beklagt es jedenfalls der Apostel (1, 6f.) –, läßt den umstrittenen
Charakter des paulinischen Evangeliums erkennen. Für seine Gegner und
in gewisser Weise leider seit einiger Zeit auch für seine Gemeinden gilt
offenbar nicht, was des Apostels innerste Überzeugung ist, daß nämlich das
von ihm verkündete Evangelium das einzige und allein wahre Evangelium
ist, eine heilige, unantastbare Größe, so daß jeder, der von diesem Evangelium abweicht, dem Fluch Gottes verfallen wird (1, 8f.). Der umstrittene
Charakter des paulinischen Evangeliums scheint nun darin begründet zu
sein, daß es ein besonderes Evangelium ist, jedenfalls mit einer spezifischen
Ausrichtung: es ist die Heilsverkündigung für die Heiden (1, 16; 2, 2.7.9.14).
Gal 2, 7 heißt es kurz »das Evangelium der Vorhaut«, und 2, 2 bestätigt
Paulus selbst, daß seine Verkündigung sich keineswegs allgemeiner Zustimmung erfreuen konnte, wenn er schreibt: »Ich ging hinauf (nach Jerusalem) aber aufgrund einer Offenbarung. Und ich legte ihnen vor das Evangelium, das ich verkünde unter den Heiden, für sich aber den Geltenden,
daß ich nicht ins Leere laufe oder gelaufen bin.« Wie der Apostel 2, 3 ff.; 2, 14
und völlig klar 2, 15–21, um von den übrigen Kapiteln des Briefs einmal abzusehen, zu erkennen gibt, besteht die Eigenart seines Evangeliums im
Verzicht auf das jüdische Gesetz als Verpflichtung für die Heidenchristen.
Gerade daran scheinen seine judenchristlichen Gegner in Galatien Anstoß
genommen zu haben. So jedenfalls sieht es Paulus, und man muß zu der
These Zuflucht nehmen, der Apostel habe sich grundlegend geirrt, wenn
man das Gegenteil behauptet, das Gesetz sei für seine galatischen Gegner
von geringer Bedeutung. Schon die Erweiterung des Segenswunsches, die
eine Kurzfassung des paulinischen Evangeliums bietet, ist nicht zu Unrecht
vielfach als verborgener Angriff auf das »andere Evangelium« verstanden
worden (siehe zu 1, 4). Was dort – so sieht es Paulus – vernachlässigt oder
gar geleugnet wird, hebt der Apostel um so stärker hervor: die Macht der
Gnade, d. h. die Erlösung durch Christus, welche die Glaubenden aus dem
gegenwärtigen bösen Äon, in dessen Bereich nach der Theologie des Paulus
auch das Gesetz gehört, befreit. Die Situationsangabe 1, 6f. charakterisiert
das »andere Evangelium« als Verleugnung der Gnade Christi, und damit ist
vorausgesetzt, daß nach der Meinung des Paulus hier ein anderer Heilsfaktor
im Vordergrund steht, nämlich, wie er später zu erkennen gibt, das Gesetz.
Als Hintergrund der apologetischen Äußerung in 1, 10 wird nach wie vor
nicht unbegründet der gegnerische Vorwurf vermutet, Paulus beschwätze

mit seinem auf das Gesetz verzichtenden Evangelium die Menschen. Das Motto der Ausführungen von 1, 11 f. an »das von mir verkündete Evangelium ist nicht κατὰ ἄνθρωπον«, welches der Apostel nicht ohne Grund negativ formuliert, bezeichnet die gleiche Front, die, wie P. Stuhlmacher richtig bemerkt, in der paulinischen Verkündigung »ein erweichtes, nach Menschenmaß umgebogenes Evangelium« sah. »Sachlich ist damit die der paulinischen Evangeliumsverkündigung tatsächlich inhärente Gesetzesabrogation gemeint«[1].

Wie sehr dem Apostel daran liegt, gerade diesen von seinen Gegnern aufs heftigste bekämpften Punkt herauszustellen, daß das wahre, göttliche Evangelium das Gesetz als Heilsfaktor nicht kennt, will der Bericht über die Berufung des Paulus mitaussagen. Den Eiferer für die väterlichen Überlieferungen – das Gesetz ist da miteingeschlossen –, der das Evangelium vielleicht in einer gesetzeskritischen Auslegung als Ärgernis empfand und zu zerstören suchte, rief Gott auf den Weg des Glaubens an dieses Evangelium, das Christus als das alleinige Heil nicht bloß für die Juden, sondern auch für die Heiden verkündet (siehe zu 1, 13 ff.). Daß sein die Grenzen des Judentums sprengendes Evangelium umstritten ist, weiß Paulus (vgl. auch 2, 2), aber es ist – und das ist ganz sicher an die Adresse seiner Gegner und aller in den galatischen Gemeinden gesagt, die sich von jenen beeindrucken lassen – von den Geltenden in Jerusalem anerkannt worden. Auf das Beschneidungsgebot den Heidenchristen gegenüber wurde verzichtet, und den Forderungen der Gesinnungsgenossen der jetzigen galatischen Irrlehrer, die in die Sklaverei des Gesetzes die Glaubenden stoßen wollten – so sieht es Paulus – haben er und die Jerusalemer Autoritäten nicht nachgegeben (2, 1–10). Inwieweit der Apostel hier die Jerusalemer Verhandlungen und ihr Ergebnis auch im Sinne seiner dortigen Gesprächspartner zutreffend interpretiert, bedarf weiterer Untersuchung. Es fällt auf, daß nur vom Verzicht auf das Beschneidungsgebot die Rede ist, Paulus selbst kein einziges Mal expressis verbis vom Verzicht auf den Nomos spricht und der Antiochia-Konflikt, von der weiter aufrechtzuerhaltenden Trennung zwischen »dem Evangelium der Vorhaut« und »dem Evangelium der Beschneidung« ganz zu schweigen, stärkste Zweifel aufkommen läßt, ob in Jerusalem unter den führenden Männern der Urkirche eine bis ins Grundsätzliche hinein ausdiskutierte, völlig einheitliche Theologie erarbeitet worden ist. Von Gesprächen über die prinzipiellen Fragen erfahren wir aus dem paulinischen Bericht über das sogenannte Apostelkonzil nichts. Es werden nur Ergebnisse genannt, die zumindest auch als Kompromisse gedeutet werden können. Vielleicht ist es deshalb gar nicht so abwegig, hinter Gal 2, 11 ff. den Vorwurf der galatischen Gegner des

---

[1] Stuhlmacher, Evangelium I 67.

Paulus zu vermuten, daß sein das Gesetz abrogierendes Evangelium, wie der Vorfall in Antiochia und seine Konsequenzen zeigen, gar nicht grundsätzlich mit dem der Jerusalemer übereinstimmte[1]. Was Paulus verkündet, ist dann für seine Gegner ein unvollständiges oder noch schärfer gefaßt: ein willkürlich verändertes Evangelium. Paulus habe sich eigenmächtig von der Verkündigung der Urapostel entfernt. (Diese Anklage mag hinter den Ausführungen in 1, 13 ff. stehen.)

Demgegenüber erklärt Paulus – dieses Moment der Debatte über das paulinische Evangelium verdient, noch einmal herausgestellt zu werden –, daß der Ursprung des von ihm verkündeten Evangeliums in einer Offenbarung Jesu Christi liegt (1, 12). Diese Gegebenheit »von Christus her«, welche seine Gegner in keiner Weise akzeptieren konnten, ist für den Apostel die Basis, von der aus ihm die Göttlichkeit seines Evangeliums gewiß ist, er sich mit den »Vor-ihm-Aposteln« und Kephas auf die gleiche Stufe stellt und er sich letztlich unabhängig weiß von der Anerkennung seines Evangeliums seitens anderer kirchlicher Autoritäten, ja er muß die Wahrheit des Evangeliums in Antiochia gegen Kephas, Barnabas, die übrigen Judenchristen und die Männer aus Jerusalem »von Jakobus« verteidigen. Über die Wahrheit des Evangeliums gibt es für Paulus keinen Zweifel, er scheint genau zu wissen, was Evangelium ist und wie es in die jeweilige Situation hinein zu verkünden ist. Das Evangelium ist für ihn, den an Christus Glaubenden, eine klar erkennbare und unantastbare Größe, deshalb kann er sich und »einen Engel vom Himmel« verfluchen, wenn sie an dem Evangelium des Christus vorbei eine andere Heilsbotschaft verkündeten. So wirft er denn den jüngst in die galatischen Gemeinden ge-

---

[1] Vgl. Kasting, Mission 121: »Paulus geht in seiner Apologie Gal 1 und 2 so ausführlich auf die Vergangenheit ein, weil seine Gegner mit dieser Vergangenheit argumentierten und ein tendenziöses Bild von ihr entworfen hatten, in dem sich Wirklichkeit und Fehlinterpretation mischten. Sie hatten, gewiß noch im Einklang mit der geschichtlichen Wirklichkeit, behauptet, daß die Urgemeinde bis zum Konzil von den Heiden, die sich ihr gelegentlich anschlossen, die Beschneidung verlangt habe. Auch Paulus hätte bei seiner Mission in Galatien eigentlich ebenso vorgehen müssen, aber in opportunistischer Anpassung habe er auf die Beschneidungsforderung verzichtet, um möglichst viele Leute zu ›beschwätzen‹ (Gal 1, 10). Er habe das rechte, dem Gesetz verpflichtete Evangelium verfälscht und rede den Leuten einfach nach dem Munde. Er habe auf dem Apostelkonzil sogar die führenden Männer beschwätzt, aber bei dem Zwischenfall in Antiochien (Gal 2, 11 ff.) habe es sich gezeigt, daß die Urgemeinde in Jerusalem, an ihrer Spitze Jakobus, nur vorübergehend nachgegeben habe und inzwischen wieder die notwendige Strenge walten lasse. Das war die judaistische Version der Vergangenheit.« E. Klostermann meint zu Gal 2, 11 ff., »daß von judaistischer Seite dieser Zwist von Antiochien sehr hoch bewertet worden war, weil damals nicht nur Petrus durch Sendboten von Jakobus veranlaßt worden sei, sich von Paulus einfach abzuwenden, sondern auch sein alter Kampfgenosse Barnabas und die Mehrzahl der Judenchristen von Antiochien« (Die Apologie des Paulus 87).

kommenen christlichen Missionaren, von seinem Urteil völlig überzeugt, die Predigt eines »anderen Evangeliums« vor, das in Wirklichkeit nur ein Scheinevangelium ist. Im Kampf um das von ihm verkündete Evangelium argumentiert Paulus zunächst nicht derart, daß er den Inhalt seiner Verkündigung einsichtig zu machen versucht, sondern er weist auf die Geschichte des von ihm den Heiden verkündeten Evangeliums und seines Boten hin, die in der Berufung durch Gott und in der Offenbarung seines Sohnes den nicht mehr zu hinterfragenden Ursprung hat.

b) Paulus und die Autoritäten der Urkirche

Die Position des Apostels Paulus in der Urkirche ist nicht deshalb so umstritten, weil er nicht von Anfang an zur Schar der Christen und zu den Verkündern des neuen Glaubens gehörte – schließlich kamen auch andere wie z. B. Jakobus, der Bruder des Herrn, und Barnabas später hinzu, ohne einen langen Kampf um Anerkennung führen zu müssen[1] –, vielmehr liegt die primäre Ursache für die Kritik gegenüber dem Apostel Paulus in seiner als legitimes Evangelium oft in Frage gestellten Verkündigung[2]. Diese bewirkt, daß sein Anspruch, ein unmittelbar vom erhöhten Herrn berufener Apostel zu sein, immer wieder bezweifelt wird. Wie Evangelium und Apostolat für Paulus aufs engste zusammengehören, so scheint auch für seine Gegner die Kritik an der Botschaft des Apostels zur Kritik am Boten selbst geführt zu haben[3]. Daß auch sachlich das Evangelium dem Apostolat bzw. dem Amt des Verkünders der Botschaft vorgeordnet ist, dürfte aus Gal 1, 8 f. und 2, 11–14 trotz 2, 2 zu folgern sein[4]. Wie Paulus von seinen Gemeinden und überhaupt in der damaligen Christenheit verstanden werden will, zeigt seine Selbstvorstellung Gal 1, 1:

---

[1] Freilich ist nicht zu übersehen, daß beide gleichsam noch in der ersten Stunde der Kirche hinzukamen und Jakobus durch seine verwandtschaftliche Beziehung zu Jesus und die ihm zuteil gewordene Erscheinung des Auferstandenen (1 Kor 15,7) ein Plus hatte.

[2] Vgl. Kuss, Die Rolle des Apostels Paulus 35 f.

[3] Dazu Blank, Paulus 209 ff.

[4] Vgl. H. v. Campenhausen, Der urchristliche Apostelbegriff, in: Studia theologica, Lund 1948, (98–130) 122 f.: »Mag der hier (Gal 1,8) ins Auge gefaßte Gegensatz zwischen dem Apostel und seiner Verkündigung auch nur fiktiv und hyperbolisch formuliert sein – er zeigt jedenfalls mit unüberbietbarer Klarheit das Grundsätzliche des paulinischen Vollmachtsgedankens: Christus, das Evangelium, dieser ›Grund‹ liegt fest, und zu ihrer Verkündigung ist der Apostolat gestiftet. Alles andere, was Menschen sonst glauben und lehren mögen, wird sich dagegen noch zu erweisen haben (1 Kor 3, 10 ff.). Die Wahrheit kann über ihr eigenes Gewicht hinaus nicht noch einmal durch eine Unfehlbarkeit des Apostels gesichert werden; zuletzt muß das von den Aposteln gelegte Fundament auch die Apostel tragen, gerade auch im Urteil der Gemeinde, und nicht umgekehrt.«

»Paulus, Apostel, nicht von Menschen, auch nicht durch einen Menschen, sondern durch Jesus Christus und Gott-Vater, der ihn erweckt hat aus Toten.« Indirekt ist sein Anspruch, Apostel zu sein, 1,12 und vor allem 1,17 ausgesagt, wenn er aufgrund seiner unmittelbaren Berufung durch Christus seine Unabhängigkeit von den »Vor-ihm-Aposteln« behauptet. Daß er sich in keiner Weise als Apostel zweiten Ranges versteht, zeigt auch 2,7f., wo er sich Kephas gegenüberstellt: wie dieser von Gott »für den Apostolat der Beschneidung« (εἰς ἀποστολὴν[1] τῆς περιτομῆς) legitimiert sei, so er »für die Heiden« (εἰς τὰ ἔθνη). Es kann zwar nicht bestritten werden, daß Paulus seine Stellung mit dem Begriff »Apostel« markiert, obwohl nur 1,1 diese Selbstbezeichnung zu finden ist, auch wird der Titel »Apostel« 1,17 und 1,19 in absolutem Sinn gebraucht, er scheint also den Galatern als terminus technicus bekannt gewesen zu sein, jedoch wird man kaum behaupten können, daß Paulus in Gal 1 und 2 eine Theologie dieses Titels entwickelt und die Debatte mit seinen Gegnern in erster Linie – wenn überhaupt – über die Frage geht, wer »Apostel« sei. Man wird H. v. Campenhausen voll zustimmen müssen, wenn er beklagt, »wie oft die modernen Paraphrasen entsprechender Partien des Galaterbriefs oder der Korintherbriefe den Begriff des Apostolischen, der apostolischen Vollmacht, Zuständigkeit usw. dort ausdrücklich eintragen, wo der Text von ihm schweigt«[2]. Das gilt vor allem für den Galaterbrief. Der Apostelbegriff scheint hier als solcher gar nicht die zentrale Rolle zu spielen, die ihm oft zugeschrieben wird[3]. Kein Zweifel, Paulus bezeichnet sich 1,1 pointiert als »Apostel« und spricht von den »Vor-ihm-Aposteln« (1,17), denen er in nichts nach-

---

[1] Rengstorf: ThWNT I 447: »Im NT erscheint ἀποστολή 4 mal, und zwar Apg 1, 25 neben διακονία, sonst Röm 1,5 neben χάρις, 1 Kor 9,2 und Gal 2,8 ohne näheren Zusatz, in allen Fällen aber in deutlicher Beziehung auf das technisch gefaßte, ausgeübte Amt des ἀπόστολος Jesu. ἀποστολή ist in seiner neutestamentlichen Bedeutung also völlig von ἀπόστολος bestimmt und nimmt darin innerhalb der Wortgeschichte eine deutliche Sonderstellung ein, die zeigt, wie der neue Begriff ἀπόστολος die kräftige Tendenz aufweist, sich verwandte Begriffe dienstbar zu machen.« Einen guten Überblick über das entsprechende neutestamentliche Material bietet G. Richter Wb 39ff.

[2] v. Campenhausen, Apostelbegriff 111.

[3] Vgl. B. Weiss, Lehrbuch der Einleitung in das Neue Testament, Berlin [3]1897, 172 Anm. 2: »So stehend es verkannt wird, so unzweifelhaft ist es doch, daß 1,1 die *einzige* Stelle ist, welche auf eine Verteidigung seines apostolischen Berufes gedeutet werden kann, und auch sie richtet sich nicht gegen solche, welche denselben *an sich* bestritten, sondern gegen die Annahme, daß er ihm von den Uraposteln übertragen sei. Weder ist dem Apostel nach 2,7f. die Anerkennung einer der des Petrus gleichen Apostelstellung verweigert, noch verteidigt er 2,1–10 seine apostolische Würde; er beweist nur die Anerkennung seines unter den Heiden gepredigten Evangeliums seitens der Urapostel, weil man ihn beschuldigt hatte, das von ihnen empfangene Evangelium seinerseits durch die Verkündigung der Freiheit vom Gesetz verkehrt zu haben.«

stehen und nicht hörig sein möchte, aber an dieser Stelle muß zumindest die Frage aufgeworfen werden, ob es bei den »Vor-ihm-Aposteln«, gegenüber denen Paulus seine Selbständigkeit gewahrt wissen will, primär um »Apostel« geht, oder ob hier eine Linie sichtbar wird, die 2,1–10 ganz deutlich erkennbar ist, daß das Verhältnis des Paulus zu den »Autoritäten« der Urkirche, besonders der Jerusalemer Gemeinde in der Diskussion ist, weil seine Gegner mit diesen Autoritäten gegen Paulus argumentierten. Das Problem läßt sich zunächst auf die einfache Frage reduzieren: Gab es zu dem Zeitpunkt, den Gal 1,17 im Blick hat, in Jerusalem schon »Apostel«, d. h. solche Namensträger? Bejaht man dies, so müßte man entweder zu dem Schluß kommen, daß der Apostolat vom historischen Jesus gestiftet sei[1], was heute die Mehrzahl der Forscher in Abrede stellt[2], oder die Entstehung des Apostelbegriffs bzw. die erstmalige Verwendung dieses Titels als Amtsbezeichnung in der Urkirche in die allerfrüheste Zeit der Kirche, wohl der Jerusalemer Urkirche, datieren[3]. Es fällt dann ferner auf, daß Paulus 1,17 neben den »Aposteln« nicht »die Zwölf« erwähnt, wo es doch im gesamten Kontext um sein Verhältnis zur Jerusalemer Gemeinde und den Autoritäten geht[4]. Da sich die Zugehörigkeit zum Zwölfer- und Apostelkreis keineswegs gegenseitig ausschlossen, wie das Beispiel des Kephas 1,18 f. zeigt[5], liegt es m. E. sehr nahe, daß Paulus bei seiner Aussage über die »Vor-ihm-Apostel« die Zwölf miteinbezieht, wenn nicht sogar vornehmlich im Blick hat[6]. Er verwendet dann den immer mehr an Bedeutung

---

[1] Vgl. Goppelt, Die apostolische u. nachapostolische Zeit 123: »Wenn es bereits bei der Bekehrung des Paulus, ein bis drei Jahre nach Jesu Ende, für die ganze Kirche ›die Apostel‹ in Jerusalem in diesem Sinne gab (Gal 1,17), ist an der synoptischen Überlieferung, daß Jesus selbst das Apostolat gestiftet habe, kein Zweifel möglich.« Vgl. Rengstorf: ThWNT I 429,46 ff.

[2] Unter den katholischen Forschern seien genannt: K.H. Schelkle, in: LThK[2] I (1957) 735: »Der Titel Apostel wird sich im Anschluß an Herrenworte früh gebildet haben.« B. Rigaux, Die zwölf Apostel, in: Concilium 4 (1968) 238 u. 241: »Der Name ›Apostel‹ und die Formel ›Zwölf Apostel‹ sind nachösterlichen Ursprungs.« Blank, Paulus 167: »Der Sache nach ist also der Ursprung des Apostelbegriffs anzusetzen in dem ›Zwischenraum‹ zwischen den Erscheinungen des Auferstandenen und der – letztlich von daher begründeten – Bevollmächtigung zur Evangeliumsverkündigung bzw. ihrem Beginn.« S. ferner E.M. Kredel, Apostel, in: HThG I 61-67.

[3] Anders K.H. Schelkle a.a.O. (»etwa in Antiocheia«).

[4] Eine saubere Darstellung der hier angesprochenen Probleme bietet Kasting, Mission 68 f.

[5] Daß Kephas ursprünglich nicht zum Apostelkreis gehört habe (so Schmithals, Apostelamt 70f. – aufgrund von 1 Kor 9,5 –), ist von Gal 1 und 2 her unhaltbar. Gegen Schmithals auch E. Güttgemanns, in: Verkündigung u. Forschung 12 (1967) 67; Kasting, Mission 67 Anm. 29.

[6] So schon v. Harnack, Mission I 336; Burton, Gal 54; Kümmel, Kirchenbegriff 5; ders., Theologie 119; Kasting, Mission 68f. (69 Anm. 32); Roloff, Aposto-

gewinnenden Begriff »Apostel«, der es ihm, dem Dazugekommenen, auch
allein ermöglicht, sich mit den Zwölf und den zu Aposteln gewordenen
Zwölf – dies braucht keine Schöpfung des Paulus zu sein[1] – auf eine Stufe
zu stellen. Daß es in Gal 1 und 2 zunächst nicht um eine Auseinandersetzung über die Legitimität des Apostelbegriffs geht, sondern umfassender
das Verhältnis des Paulus zu den Autoritäten der Urgemeinde erörtert
wird, bestätigen neben 1,13–21 und 2,11–14 vor allem 2,1–10, wo ausschließlich von den »Geltenden« bzw. den »Säulen-zu-sein-Geltenden« die
Rede ist und der Begriff »Apostel« in diesem Bericht über das sogenannte
Apostelkonzil kein einziges Mal fällt[2]. Auch Jakobus, der Bruder des
Herrn, dessen Zugehörigkeit zum Apostelkreis in der Forschung nach wie
vor umstritten ist[3], ist wohl kaum als »apostolische« Autorität, sondern als
Autorität der Jerusalemer Gemeinde – 2,9 an erster Stelle – angeführt, wie
überhaupt die gesamte Diskussion in 1,13–2,14 an dem Leitfaden »Paulus
und Jerusalem« aufgerollt zu sein scheint. Daß Paulus in Gal 1 und 2 ein
polemisches Bekenntnis zu seinem Apostolat ablegt und auch Kephas als
Kollege im Apostelamt begreift (vgl. 2,7f.), soll ebensowenig geleugnet
werden wie die Möglichkeit, daß seine galatischen Gegner ihm den Apostelrang bzw. den Apostelrang von gleicher Qualität wie der der »Vor-ihm-
Apostel« und »Geltenden« streitig gemacht haben können[4], nur scheint die
Frage nach dem legitimen Apostolat eingebettet zu sein in die umfassendere
und für die Debatte relevantere Frage nach den Autoritäten in der Urkirche.
Es wird deshalb bewußt darauf verzichtet, den Apostelbegriff der Gegner
des Paulus aus Gal 1 und 2[5] eruieren zu wollen und von dieser reinen
Hypothese aus, die ersten beiden Kapitel seines Briefes zu deuten. Zudem
gilt auch nach den jüngsten Arbeiten über den Apostelbegriff im Urchristentum[6] noch immer der Satz, den E. Haupt 1896 in seiner Untersuchung

lat 59f.: »Es ist aber undenkbar, daß zu diesen maßgeblichen Persönlichkeiten
nicht damals, wenige Jahre nach der Auferstehung, die Zwölf gehört hätten, wenn
auch andererseits der Apostelkreis niemals auf sie alleine beschränkt gewesen sein
mag.« Vgl. auch A. Vögtle, in: LThK[2] VIII (1963) 335 und X (1965) 1445; anders
Schmithals, Apostelamt 72; Klein, Die zwölf Apostel 46; W. Schneemelcher, in:
Hennecke-Schneemelcher II 6.
    [1] Ferner ist es nicht zu beweisen, daß der Apostelbegriff paulinischen Ursprungs
ist.
    [2] Gal 2,8 geht es um die Verkündigungsaufgabe und nicht um den Titel.
    [3] Siehe S. 180 Anm. 7 und 8.
    [4] Siehe die Ausführungen S. 211 ff.
    [5] Eine Hinzuziehung von Gal 4,12–20 würde den hypothetischen Charakter
eines solchen Unternehmens nur noch vergrößern.
    [6] Vgl. Schmithals, Das kirchliche Apostelamt; Klein, Die zwölf Apostel;
Roloff, Apostolat; Schnackenburg, Apostel vor und neben Paulus; K. Kertelge,
Das Apostelamt des Paulus, sein Ursprung und seine Bedeutung, in: BZ 14 (1970)
161–181.

»Zum Verständnis des Apostolats im Neuen Testament« schrieb: »Die Frage nach Ursprung und Begriff des Apostolats gehört gegenwärtig zu den verwickeltsten und schwierigsten der neutestamentlichen Wissenschaft« (S. 1). Dies hängt weitgehend mit der mangelhaften Quellenlage zusammen, die H. v. Campenhausen in folgenden Sätzen zum Ausdruck bringt: »Über die ungefähren Umrisse des Apostelbegriffs kommen wir hier für die älteste Zeit nicht hinaus. Wir wissen insbesondere nicht, wie ein Petrus, Jakobus oder irgendeiner der Zwölf ihre Vollmacht selber, sozusagen von innen her jeweils gesehen und aufgefaßt haben. Wir kennen in dieser Hinsicht nur einen einzigen Apostel mit aller Bestimmtheit, und dieser ist ohne Zweifel in dieser wie in jeder Hinsicht als ein Sonderfall zu beurteilen; das ist der Apostel Paulus«[1].

Für Paulus selbst gilt, wie Gal 1, 1; 1, 12 und 1, 15, aber auch die Selbstvorstellung zu Beginn der Korintherbriefe und des Römerbriefes deutlich machen, daß er sich als der unmittelbar von Jesus Christus berufene Apostel begreift, und es kann kein Zweifel sein, daß dieses christologische Moment – ἀπόστολος διὰ 'Ιησοῦ Χριστοῦ – zum unaufgebbaren Selbstverständnis des Paulus gehört[2]. Die Aussage, Paulus gehe es um die Gottunmittelbarkeit seines Apostolats[3], ist nicht differenziert genug. Christus steht zwar ganz auf der Seite Gottes den Menschen gegenüber (vgl. 1, 1), aber seine Eigenständigkeit gegenüber Gott-Vater bleibt gewahrt. Gott-Vater wird genannt, weil Jesus Christus durch ihn seine unvergleichliche Würde und Stellung empfing: er ist der Auferweckte von den Toten (1, 1) und der Sohn (1, 16; Röm 1, 3). So tritt derjenige, der als Apostel Christus verkündet, zugleich mit göttlicher Vollmacht auf[4]. Insofern kann Paulus den

---

[1] H. v. Campenhausen, Kirchliches Amt und geistliche Vollmacht in den ersten drei Jahrhunderten, Tübingen ³1963, 31; vgl. Georgi, Gegner 41: »Gewiß, er (Paulus) verteidigt leidenschaftlich seine Zugehörigkeit zum Apostelkreis. Aber nirgends wird ein allgemeines Apostelbild beschworen, selbst 1 Kor 9, 1 f. nicht; nirgends wird auf die Übereinstimmung in der Auffassung des Apostolats mit anderen verwiesen. Bei den erbitterten Diskussionen wäre es doch eine wesentliche Hilfe gewesen, hätte Paulus auf eine solche Übereinstimmung verweisen können.« E. Güttgemanns, in: Verk. u. Forschung 12 (1967) 66: »Wir sollten zugeben, daß wir über das Selbstverständnis eines anderen Apostels als Paulus schlechterdings gar nichts wissen, da die Paulinen die einzigen authentischen Dokumente eines Apostels im ganzen Neuen Testament sind. Inwieweit die theologische Eigenart des paulinischen Selbstverständnisses ohne weiteres von anderen Aposteln übernommen werden konnte, ist eine unbeantwortbare Frage.«

[2] Diese Selbstvorstellung »Apostel Jesu Christi« findet sich nur in den vier großen Briefen des Paulus, siehe zu Gal 1, 1.

[3] Gegen Schmithals, Häretiker I 31 f., II 13 f.

[4] Hier ist die sachliche Nähe des urchristlichen Apostolats zum »Schaliach-Institut« gegeben. Bei aller Verschiedenheit zwischen dem ἀπόστολος und dem שָׁלִיחַ gibt es doch den entscheidenden gemeinsamen Punkt der bevollmächtigten Stell-

Ursprung seines Apostolats abwechselnd auf Christus (Gal 1,1; 1 Kor 1,17; Röm 1,5) und auf Gott (Gal 1,1.15f.; Röm 1,1; 15,15; 1 Kor 1,1; 2 Kor 1,1; 1 Thess 2,4) zurückführen. Gerade aber durch die Begegnung mit dem Auferweckten und dem erhöhten Herrn ist Paulus Apostel geworden (1,1 u. 1,15f.). Die Berufung durch den Auferstandenen scheint für den paulinischen Apostolatsbegriff konstitutiv zu sein[1]. Allerdings spielt dieses Moment in der Debatte von Gal 1 und 2 nur zur Legitimierung der paulinischen Position eine Rolle, und der Apostel scheint von hier aus den Beweisgang für seine Ebenbürtigkeit mit den »Vor-ihm-Aposteln« und den »Geltenden« zu führen. Dabei ist aber unverkennbar, daß deren Ansehen offenbar zumindest nicht allein darauf beruht, daß auch sie eine Begegnung mit dem Auferstandenen hatten und von ihm berufen wurden – darüber spricht sich der Galaterbrief nicht aus –, sondern ihre Autorität scheint durch ihre Beziehung zum historischen Jesus und die eng damit zusammenhängende besondere Stellung in der Jerusalemer Urgemeinde wesentlich mitbegründet zu sein[2].

Neben und mit der Hervorkehrung seines christusunmittelbaren Apostolats gibt Paulus laufend zu erkennen, daß er von keiner menschlichen, und das heißt hier zugleich, von keiner kirchlichen Instanz abhängig gewesen sei oder überhaupt sei (so 1,1.8f. 10.11f. 15ff.; 2,2a.6ff. 11–14). Nach seiner Berufung hat er bei »Fleisch und Blut« nicht Belehrung und Anerkennung gesucht, auch ist er nicht nach Jerusalem zu »den Vor-ihm-Aposteln« hinaufgegangen, und wo er von seinen Jerusalemreisen spricht, ist er sehr darauf bedacht, den Eindruck einer Subordination nicht aufkommen zu lassen: Kephas wollte er nur »kennenlernen« – ihm, dem Judenmissionar, stellt er sich als *der* Heidenmissionar gegenüber (2,7f.)[3] –, und zum Apostelkonzil ging er aufgrund einer Offenbarung, nicht zitiert noch delegiert (2,2) – den Ausgangspunkt seiner Reise nennt er offensichtlich

---

vertretung. Siehe v. Campenhausen, Apostelbegriff 110f.; Schlier zu Gal 1,1; Kasting, Mission 73: »In den späteren Quellen wird der offizielle jüdische Apostolat als eine althergebrachte Einrichtung geschildert, und es ist kaum vorstellbar, daß die Juden in nachneutestamentlicher Zeit ἀπόστολος/שְׁלִיחַ als prägnante Bezeichnung für den bevollmächtigten Stellvertreter dem Sprachschatz der verhaßten Christen entlehnt haben.« Gegen eine Ableitung des ἀπόστολος von der jüdischen Institution der שְׁלוּחִים siehe bes. A. Ehrhardt, The Apostolic Succession in the first two centuries of the Church, London 1953; Klein, Die zwölf Apostel 26f.; Schmithals, Das kirchl. Apostelamt 92ff.

[1] Siehe 1 Kor 15,1–11; 9,1; Gal 1,16f.

[2] Siehe die Exegese zu 1,12; 1,17 und 2,6. – So auch Kümmel, Theologie 118, 120.

[3] Auch wenn diese Gleichstellung Pauli mit Petrus von »der Logik der Lage« her bestimmt ist – so A. Vögtle, Petrus, in: LThK² VIII (1963) 338 –, ist sie doch für das Selbstverständnis des Paulus höchst aufschlußreich.

bewußt nicht –. Und wenn er sagt, er habe das von ihm unter den Heiden verkündete Evangelium der Jerusalemer Gemeinde und den Geltenden vorgelegt in der Sorge, ob er etwa ins Leere laufe oder gelaufen sei (2,2), so wird man hier kaum den Zweifel des Paulus an seinem Evangelium und Apostolat ausgesagt finden – ein solcher Gedanke ist innerhalb seines Beweisganges unmöglich –, es ging nicht um seine Gewißheit, sondern – die Formulierung ist fraglos stark – um die bedrohte Heidenmission[1]. Von seiner Sache überzeugt, wird er in Jerusalem seine theologischen Grundansichten vertreten haben. Das Evangelium ist ihm, wie der Konflikt in Antiochia zeigte, eine eindeutige Größe, dem er sich allein verpflichtet weiß (vgl. 1,8 f.) und dessen einziger Herold und Interpret er, wie er es sieht, in dieser Stunde war.

Überblickt man, wie Paulus in Gal 1 und 2 – vielleicht erstmals hier in seinen Briefen – seinen Apostolat verteidigt, so treten zwei Momente deutlich hervor: erstens die im Kontext negativer Formulierungen betonte Aussage über seinen christusunmittelbaren Apostolat und zweitens das Bestreben, nur ja nicht in Subordination zu den »Vor-ihm-Aposteln« und den Geltenden zu erscheinen. Der apologetische Charakter der Ausführungen ist unverkennbar, und die Vermutung, Paulus reagiere auf Angriffe auf seine apostolische Autorität seitens seiner galatischen Rivalen, recht begründet[2]. Denn Paulus kommt ja, wie H. v. Campenhausen richtig bemerkt, »auf seinen apostolischen Rang nicht oft und des näheren überhaupt nur in der Defensive zu sprechen«[3]. Wie aber sah die Polemik seiner Konkurrenten bei den Galatern aus? Angesichts der unzureichenden Quellen-

---

[1] Vgl. Schnackenburg, Apostel vor und neben Paulus 342 Anm. 7: »Aber (Gal) 2,2 zeigt, daß Paulus doch Wert auf den Kontakt mit Jerusalem legt, wenigstens aus Gründen der Zusammenarbeit (!)«.

[2] So die meisten Exegeten. Vgl. Schlier, Gal 21: »Eindeutiger ist ein viertes Charakteristikum der galatischen Missionare. Sie polemisieren heftig und jetzt auch wieder zum Teil grundsätzlich gegen den Apostel Paulus. Ihre Polemik betrifft, wenn wir so schematisch reden dürfen, seine Person und sein Wirken und den Anspruch bzw. die Herkunft seines Apostolates und Evangeliums. Sie werfen ihm offenbar Liebedienerei gegenüber den Menschen, Gal 1,10, aber auch Inkonsequenz oder Opportunismus, 2,3; 5,11: er predige die Beschneidung!, vor. Massiv, diesmal wohl theologisch gemeint, ist die Anklage, er beseitige die ›Gnade‹, 2,21. Gewichtiger ist die andere Behauptung, er könne sich in keinem Fall eine Autorität wie sie Jerusalemer Apostel haben, anmaßen. Er könne sich für sein Evangelium und für seine Mission nicht auf Offenbarung berufen wie Petrus und die anderen Alt-Apostel. Das ist jedenfalls der Kern ihrer Rede gegen Paulus gewesen, den wir seiner Apologie in Gal 1 und 2 entnehmen können«. Siehe ferner Oepke, Weshalb und in welchem Sinne behauptet Paulus in Gal 1 seine Selbständigkeit?, in: Gal 41 f.; Blank, Paulus 209; Bornkamm, Paulus 41 f.; Schnackenburg, Apostel vor und neben Paulus 356.

[3] v. Campenhausen, Apostelbegriff 111.

lage muß bei der Beantwortung dieser Frage das Feld der Vermutungen beschritten werden. Wenn seine Gegner den gleichen Apostelbegriff hatten wie Paulus – Apostel ist der vom Auferstandenen berufene und mit Vollmacht gesandte Bote des Evangeliums –, dann ist es sicher, daß sie Paulus diese Würde nicht zusprechen konnten. Denn Paulus leitet ja gerade aus seiner Begegnung mit dem Auferweckten sein umstrittenes Evangelium ab. Paulus hat ein Leben lang um die Anerkennung der ihm zuteil gewordenen Erscheinung Christi gekämpft, und nichts liegt näher, als daß seine Gegner auf diesen wunden Punkt hingewiesen haben[1]. Wie die paulinische Erwiderung vermuten lassen könnte, mag es nicht ausgeschlossen sein, daß für die an Jerusalem und den Grundsätzen der strengsten Judenchristenheit orientierten Gegner des Paulus die Beziehung zum historischen Jesus für ihren Apostel- bzw. Autoritätsbegriff eine besondere Rolle gespielt hat. Es wäre dann eine sachliche Nähe zum lukanischen Apostelbegriff gegeben[2]. Wie J. Blank meint, dürfte über die Bedeutung der lukanischen Sicht »noch nicht das letzte Wort gesprochen sein; sie kann kirchengeschichtlich betrachtet eine Tradition bezeugen, die zu den Anfängen zurückreicht, palästinensischer Herkunft ist und eine Strömung darstellt, die neben Paulus einherlief, um erst nach ihm zu entscheidender Wirkung zu kommen«[3]. Für diesen Apostelbegriff wären sowohl die unmittelbare Berufung durch den Auferstandenen als auch die Beziehung zum historischen Jesus entscheidend. Das letzte Moment darf nicht übersehen werden[4]. Daß es Paulus

---

[1] Vgl. Dibelius – Kümmel, Paulus 50; Schlier, Gal 21; anders Kümmel, Kirchenbegriff 9: »Der Kampf des Paulus um die Anerkennung seines Apostelamtes ging ja, wie eben Gal 2,6f. neben 1,16 zeigt, nicht darum, ob man ihm eine Berufungserscheinung des Auferstandenen zugestand, sondern darum, ob man ihm zugestand, daß er bei dieser Schauung des Auferstandenen die Berufung zur Heidenmission empfangen habe.«

[2] Zum lukanischen Apostelbegriff siehe Haenchen, Apg 128ff. (S. 123 Literaturangabe); E. Kredel, Apostel, in: HThG I 66; Blank, Paulus 62f.; W. Schneemelcher, in: Hennecke-Schneemelcher II 7; G. Lohfink, Paulus vor Damaskus, Stuttg. Bibelstudien 4, Stuttg. 1965, 85: »Wir erinnern uns: Paulus beansprucht, Apostel zu sein. Für Lukas hingegen ist das Apostelamt auf die Zwölf beschränkt. Paulus zählt seine Berufung zu den Ostererscheinungen. Lukas hebt sie deutlich davon ab. Paulus betont, daß er seine Berufung unmittelbar von Gott empfangen hat. In der Sicht des Lukas scheint, wenigstens nach dem ersten und zweiten Bericht, eine Vermittlung stattgefunden zu haben.«

[3] Blank, Paulus 189. Insofern wären die Beobachtungen von Schoeps, Paulus 64ff., über den ursprünglichen Apostelbegriff der Urgemeinde, dem dann auch die galatischen Gegner des Paulus verbunden sind und der im Gegensatz zum paulinischen Apostelbegriff steht, recht bedenkenswert.

[4] So sehr man der Meinung R. Schnackenburgs (Apostel vor und neben Paulus 355f.) zustimmen kann, »daß Paulus keinen einheitlichen Apostelbegriff mit klaren Kriterien vorfand«, und die folgende Beobachtung die Akzente richtig setzen dürfte, »daß man in Jerusalemer Kreisen offenbar forderte, ein Apostel sollte eine

nicht direkt zur Sprache bringt, ist von seiner Position aus verständlich, aber es ist eben doch mit G. Bornkamm daran zu erinnern, »mit welchem Nachdruck Paulus im Galaterbrief seine Unabhängigkeit und Selbständigkeit gegenüber den Jerusalemer Uraposteln betont, wie wenig ihm die Voraussetzungen, unter denen jene zu Aposteln wurden, ihre Person und Stellung bedeuten, nämlich ihre Zugehörigkeit zur Jüngerschaft des irdischen Jesus und zum Kreise der Zwölf (Gal 2,6)«[1]. Gibt damit die Polemik des Apostels indirekt zu erkennen, welches Minus bezüglich seiner apostolischen Autorität seine Gegner ihm ankreideten? Wenn sie ihn nicht sogar zu einem »self-made-Apostel«[2] erklärt haben, so werden sie ihn zumindest degradiert und, falls sie ihm den Aposteltitel ließen, zu einem Apostel niederen Ranges gemacht haben. Konkret gesprochen, wie H. Schlier zu bedenken gibt: »In paulinischer Terminologie wäre er in ihren Augen jedenfalls so etwas wie die ἀπόστολοι ἐκκλησιῶν, die Röm 16,17, 2 Kor 8,23, Phil 2,25 erwähnt sind«[3]. Ob man ihn in diesem Fall von der Urgemeinde abhängig gemacht hat, ist angesichts der Tatsache, daß Jerusalem in der Verkündigung der galatischen Konkurrenten des Paulus eine positive Größe war, unwahrscheinlich[4]. Sie hätten ihm dann jedenfalls zugleich vor-

---

Erscheinung des auferstandenen Herrn erfahren haben, während man im hellenistischen Missionsgebiet nicht darauf verzichtete, sondern auch allen Nachdruck auf eine erfolgreiche Missionstätigkeit legte, die womöglich durch ›Zeichen des Apostels‹, kraftvolle Verkündigung und Machterweise, bestätigt wurde«, so wäre doch zu fragen, ob nicht der Apostelbegriff der Jerusalemer auch wesentlich durch das Moment der Zeugenschaft für den irdischen Jesus mitbestimmt ist.

[1] Bornkamm, Paulus 174. Vgl. W. G. Kümmel, Theologie 120: »Auch wenn die Eingrenzung der Apostelnamens auf die Zwölf, wie sie die Apostelgeschichte ausdrücklich vertritt, eine spätere Beschränkung ist, die uns zum erstenmal im Markusevangelium, also mindestens zwanzig Jahre nach dem Apostelkonzil, begegnet (Mk. 6,7.30p.), so konnte die Jerusalemer Urgemeinde schon sehr früh den Anspruch erheben, die Gemeinde der Apostel zu sein, die dem Zusammenhang mit der Überlieferung vom irdischen Jesus vermittelte.« Ob freilich für Paulus, wie Kümmel a.a.O. meint, jede christliche Gemeinde auf die Überlieferung vom irdischen Jesus angewiesen war, ist zu bezweifeln.

[2] Vgl. Ben-Chorin, Paulus 89 und 144.

[3] Schlier, Gal 28. Vgl. Hilgenfeld, Gal 107: »Wenn sich auch die Judenchristen diese weitere Ausdehnung des Prädikats (Apostel) gefallen ließen, so geschah dieses doch nur mit dem Vorbehalt des ausschließlichen Vorrangs der von Christus unmittelbar eingesetzten Zwölf, deren geschlossene Zwölfzahl nicht überschritten werden sollte. Wenn man daher von dieser Seite auch wohl den Paulus und Barnabas als Heidenapostel anerkannte (Gal 2,7f.), so konnte man ihnen diesen Charakter doch nicht im Sinn einer völligen Gleichberechtigung zuerkennen...«. Wie immer man die Differenz zwischen Paulus und den Jerusalemer Aposteln im einzelnen bestimmen mag, daß eine solche nicht bloß für die extremen Judenchristen gegeben war, ist kaum zu bestreiten.

[4] So Schmithals, Häretiker I 35ff., II 16f.; Schlier, Gal 22; Bornkamm, Paulus 41.

werfen müssen, er habe sich eigenmächtig von der Jerusalemer Linie entfernt. Möglich erscheint auch, daß man Paulus zum Gemeindeapostel
Antiochiens gemacht hat[1], doch ist eine sichere Antwort nicht zu erreichen.
Relativ sicher dürfte allein die Feststellung sein, daß die Gegner des Paulus
in Galatien die Autorität der Urapostel und Geltenden gegen ihn ausgespielt haben, ihm sein apostolisches Ansehen geschmälert und seine Jerusalemreisen eventuell als mehr oder weniger mißlungene Legitimationsver-
suche erklärt haben.

c) Die Bedeutung Jerusalems für Paulus und seine Gegner

Hinter den Themen »Paulus und sein umstrittenes Evangelium« und
»Paulus und die Autoritäten der Urkirche« tauchte immer wieder das Zentralthema »Paulus und Jerusalem« auf. Damit ist zugleich das Auswahlprinzip für die einseitige Darstellung der Geschichte des paulinischen
Evangeliums und seines Boten in Gal 1,13–2,14 angegeben. Über seine
Beziehungen zur Gemeinde von Damaskus und zu der nach der Urgemeinde
bedeutendsten urchristlichen Gemeinde, der von Antiochia, verliert Paulus
kein Wort[2]. Einzig das Verhältnis zu Jerusalem scheint wichtig zu sein.
Im Beweisgang 1,11–24 tritt dieser Leitfaden für die biographischen Notizen des Apostels deutlich zutage: Ob Paulus die Jerusalemer Gemeinde
einst verfolgte (1,13f.), bleibt zwar ungewiß, ist aber nicht auszuschließen.
Nach seiner Bekehrung suchte er in Jerusalem bei den Uraposteln nicht
Belehrung noch Bestätigung, sondern ging nach Arabien und dann wieder
nach Damaskus (1,16f.). Erst nach drei Jahren zog er hinauf nach Jerusalem, um Kephas kennenzulernen, und blieb dort nur 14 Tage (1,18)[3]. Die
Mitteilung, daß er den Gemeinden Judäas von Angesicht unbekannt war,
dient letztlich auch dazu, seine Distanz zu Jerusalem in dieser langen Zeit
der Tätigkeit in Syrien und Kilikien zu unterstreichen. Mit W. Marxsen
läßt sich sagen: »Deutlich ist also diese Tendenz: Paulus kann mit den verschiedensten Menschen zusammengewesen sein, aber registriert wird nur
der Kontakt mit Jerusalem. Bei der Betonung der Unabhängigkeit des
Paulus geht es also um die betonte Selbständigkeit gegenüber Jerusalem«[4].

---

[1] So Stuhlmacher, Evangelium I 67: »Die Gegner haben Paulus den Vorwurf
gemacht, er sei nichts als ein Gemeindeapostel der Antiochener, also Sprecher eines
illegitimen (weil die Tora abrogierenden) Evangeliums.«
[2] Auch in Gal 2,11ff. geht es nicht primär um das Verhältnis zur antiochenischen Gemeinde, sondern um die Verteidigung des Evangeliums gegen seine von
Jerusalem aus inszenierte – so das Urteil des Paulus! – Pervertierung.
[3] Der Kontakt des Apostels mit den Autoritäten der Urgemeinde war minimal;
die Gemeinde selbst sah er vielleicht gar nicht (anders nach Apg 9,26ff.).
[4] Marxsen, Einleitung 47.

Die Debatte über sein Verhältnis zu Jerusalem führt der Apostel weiter, wenn er in Gal 2, 1–10 ausführlich auf seinen Gang nach Jerusalem und die dortigen Verhandlungen zu sprechen kommt. Dort wollte er Unterstützung für seine Verkündigung im Kampf gegen den Judaismus finden. Wie sehr ihm – aus welchen Gründen auch immer – an der Einheit mit der Jerusalemer Gemeinde lag, zeigt die Übernahme der Kollekte für die Urgemeinde (2, 10). Der Bericht über den Konflikt des Paulus mit Kephas, Barnabas und den übrigen Judenchristen in Antiochien (2, 11–14) läßt sich ebenfalls unter das bisherige Thema einordnen, insofern dieser Zwischenfall durch das Erscheinen der Jakobusleute aus Jerusalem ausgelöst wurde und Paulus hier gegen die Weisung aus Jerusalem, wie immer man sie im einzelnen verstehen mag, opponierte und aufs heftigste tadelte, daß Kephas, Barnabas und die übrigen Judenchristen ihr Folge leisteten.

Man wird einwenden, daß das hier skizzierte Thema notwendig mit der Frage nach dem Verhältnis des Paulus zu den Uraposteln gegeben sei. Das ist zweifellos richtig. Doch darf nicht übersehen werden, daß Jerusalem eine eigenständige Größe war[1]. Die Apostel waren weitgehend an Jerusalem gebunden (vgl. Gal 1, 17). Hierhin kehrten sie nach ihrer Flucht nach Galiläa, falls diese historisch ist, zurück, »obgleich jeder andere Platz den Angehörigen des gekreuzigten Nazareners mehr Schutz bot. Doch konnte sich die Urgemeinde nirgends sonst konsolidieren, weil schon das Judentum die Epiphanie des Messias in Jerusalem erwartete. Die Wiederkunft Jesu als des himmlischen Menschensohnes ist ja die zentrale Hoffnung, welche die ältesten Jünger direkt aus der Ostererfahrung ableiteten, und als solche ihr eigentlicher Osterglaube«[2]. Jerusalem war der Schauplatz der messianischen Heilsgeschichte[3], und für das Selbstverständnis der Jesusgläubigen als messianisches Gottesvolk war diese Ortsgebundenheit an Jerusalem zunächst unverzichtbar[4]. Vielleicht wurde für die Jerusalemer Gemeinde der Titel »die Ekklesia« in absoluter Form gebraucht (siehe zu

---

[1] Es ist das Verdienst K. Holls mit seinem Aufsatz »Der Kirchenbegriff des Paulus in seinem Verhältnis zu dem der Urgemeinde« (1921) auf die zentrale Bedeutung Jerusalems für die Urkirche besonders hingewiesen zu haben (in: WdF XXIV 144–178, bes. 160ff.); siehe ferner K. H. Schelkle, Jerusalem und Rom im Neuen Testament (1948/49), in: Wort u. Schrift 126-144; H. Strathmann: ThWNT VI 530, 27ff.; E. Lohse, Die Bedeutung Jerusalems für die älteste Christenheit, in: ThWNT VII 332-336; Stuhlmacher, Evangelium I 282ff. H. Zimmermann, Ntl. Methodenlehre 140; Kümmel, Theologie 120.

[2] E. Käsemann, in: Exegetische Versuche II 110.

[3] Vgl. Dahl, Das Volk Gottes 182f.: »Jerusalem war die durch die Geschichte Jesu geheiligte Stadt des neuen Gottesvolkes (Luk 13,33 etc; vgl. die jerusalemische Auferstehungstradition Luk 24; Apg 1; Joh 20).«

[4] Dazu E. Schweizer, Gemeinde und Gemeindeordnung im Neuen Testament, AThANT 35, Basel-Zürich 1959, 30f.

Gal 1,13.). Ob man sich »das Verhältnis der später entstandenen Gemeinden zu der Muttergemeinde« ... »nach Analogie des Verhältnisses der Synagogen zur Tempelgemeinde« vorstellen darf, wie N. A. Dahl meint[1], ist wohl nicht unanfechtbar zu behaupten, aber das Moment einer Primatstellung Jerusalems kann schwerlich geleugnet werden[2]. Mit E. Lohse ließe sich zusammenfassend sagen: »Von der Urgemeinde wurden Boten zu den anderen Gemeinden ausgesandt (Apg 8,14; 11,22; Gal 2,12), von hier gingen Propheten aus (Apg 11,27; 15,32; 21,10). In Jerusalem versammelte man sich, um über die gemeinsamen Aufgaben der ganzen Kirche zu beraten (Gal 2,1–10; Apg 15,1–35). Hierher kehrten die Missionare und Boten nach Erfüllung ihrer Aufgaben zurück (Apg 11,2; 13,13; 19,21; 21,15); denn Jerusalem blieb der Mittelpunkt der ältesten Christenheit«[3].

Paulus selbst, dessen Verhältnis zur Urgemeinde »nie besonders intim« gewesen zu sein scheint[4], zu dem aber andererseits auch die Jerusalemer Gemeinde »niemals ein uneingeschränktes Vertrauen« gehabt hat[5], bezeugt gerade durch seine Jerusalemreisen und nicht zuletzt durch die Übernahme der Kollekte die Vorrangstellung dieser Gemeinde. Nicht zu Unrecht spricht A. v. Harnack von »einer fast unbegreiflichen Pietät«, mit der Paulus »die Judenchristengemeinde Jerusalems« ehrte, »aus der ihm doch soviel Feindschaft entgegengebracht wurde«[6]. Diese geheime Bindung des Paulus an Jerusalem ist aus seinem Judesein sicherlich nicht zu erklären, sondern, wie die Kollekte anzeigt[7], darin begründet, daß auch für Paulus Jerusalem der heilsgeschichtliche Vorort bleibt, von dem aus das Evangelium seinen Lauf nahm (vgl. Röm 15,26f. u. 15,19) und der für die paulinische Eschatologie, jedoch weitgehend spiritualisiert, nicht ohne Bedeutung ist (vgl. Gal 4,25ff., aber auch Röm 9–11). So sehr Paulus um seines Missionswerkes willen um die Einheit mit Jerusalem bemüht ist[8], so wenig wird man aber gerade aufgrund von Gal 1,11–2,14 behaupten können, er habe

---

[1] Dahl, Das Volk Gottes 183.
[2] Kümmel, Kirchenbegriff 7ff., 25; ders., Theologie 120; Stuhlmacher, Evangelium I 282f.: »Jerusalem genießt einen heilsgeschichtlichen und sakralrechtlichen Vorrang vor seinen Tochtergemeinden, es ist aber auch zugleich damit Hüterin der authentischen Auferstehungs- und wohl auch Jesustraditon.«
[3] E. Lohse: ThWNT VII 333.
[4] So J. Schmid, in: LThK² VIII (1963) 219. R. Schnackenburg, Kirche 27, spricht vom »delikaten« Verhältnis des großen Heidenapostels zu den Jerusalemer Autoritäten.
[5] Dibelius-Kümmel, Paulus 5.
[6] v. Harnack, Mission I 63.
[7] Siehe die Exegese zu Gal 2,10.
[8] Vgl. Gal 2,2. Siehe auch G. Eichholz, in: Tradition u. Interpretation 27f.; Kuss, in: Auslegung I 53ff.; J. Cambier, Paulus und die Tradition, in: Concilium 2 (1966) 794f.; Blank, Paulus 328.

der Urgemeinde eine rechtliche Weisungsbefugnis ihm und seinen Gemeinden gegenüber zuerkannt. In dieser Hinsicht ist m. E. H. Schlier zuzustimmen, wenn er zu Gal 2, 10 ausführt: »Jerusalem ist der geschichtliche und
moralische Vorort der Kirche, aber nicht der rechtliche«. Gal 2, 2 vermag
gegen 2, 7 f.; 2, 11 ff.; 1, 17 ff. und 1, 8 nicht das Gegenteil zu lehren. Damit
ist die Frage aufgeworfen: Weshalb arbeitet Paulus in einer Reihe von
Alibibeweisen so stark seine Distanz gegenüber Jerusalem heraus (1, 13–24)?
Weshalb ist sein Verhältnis zu Jerusalem überhaupt Diskussionsgegenstand, das in Gal 1 und 2 etwa mit folgender Akzentverschiebung verhandelt wird: Unabhängigkeit von Jerusalem (1, 13–24), Anerkennung
durch Jerusalem (2, 1–10) und Behauptung des paulinischen Evangeliums
gegen Exponenten des Judenchristentums aus Jerusalem (2, 11-14)?

Um die z. T. schon gegebenen Antworten auf einen Nenner zu bringen[1]:
Die galatischen Gegner des Apostels Paulus werden die Autorität Jerusalems und »der Geltenden« gegen Paulus ausgespielt haben und ihm mangelnde Übereinstimmung mit dem Glauben der Jerusalemer Gemeinde vorgeworfen haben. Daß sie als extreme Judenchristen, die Paulus zumindest in
geistige Verwandtschaft mit den Judaisten von Gal 2, 4 und 2, 12 bringt,
nicht die Autorität der gesetzestreuen Urgemeinde und einiger ihrer Repräsentanten für ihre Verkündigung geltend gemacht haben, ist kaum vorstellbar[2]. Auch läßt sich mit E. Käsemann feststellen: »Einzig die Autorität

---

[1] Siehe die Ausführung auf den Seiten 203 f., 212 ff.

[2] Dazu Schlier, Gal 76 Anm. 2: »Vielmehr weist doch die starke Betonung der
Unabhängigkeit des Paulus von den Uraposteln eher darauf hin, daß seine Gegner
deren Autorität für sich – freilich fälschlicherweise – in Anspruch nahmen.« –
Conzelmann, Urchristentum 41, meint: »In Galatien versuchte man ja auch, Jakobus gegen Paulus auszuspielen.« – Goppelt, Die apostolische u. nachapostolische
Zeit 51: »Die Judaisten berufen sich anscheinend in Antiochien genauso wie später
in Galatien auf die Männer, die vor Paulus Apostel waren (Gal 1, 17), und auf die
Urgemeinde, die ja praktisch nach dem Gesetz lebt.« – Lührmann, Offenbarungsverständnis 72 f.: »Die Berufung der Gegner auf Jerusalem, und zwar Jerusalem
als den Ort des Gesetzes (= Sinai), steht auch (neben 1, 13–24) hinter der Allego-
rese des Paulus 4, 21 ff. Hier bringt Paulus das Gesetz (Sinai) und das jetzige Jerusalem in Beziehung zueinander, damit offenbar eine Verbindung der Gegner auf-
nehmend.« Vgl. schon H. J. Holtzmann, Einleitung ³1892, 219: »Klar ist nur die
Position der ταράσσοντες (1, 7; 5, 10) und ἀναστατοῦντες (5, 12) selbst. Ihre Schlag-
wörter heißen σπέρμα 'Αβραάμ (3, 16) und 'Ιερουσαλήμ ἥτις ἔστιν μήτηρ ἡμῶν (4, 26).« Unwahrscheinlich aber ist, was Georgi, Kollekte 35 f., über die Theologie der galatischen Häretiker unter anderem festzustellen glaubt: »Jerusalem wurde wahrscheinlich als heiliges Zentrum der christlichen Mysterien angesehen, die Jerusalemer Apostel als Hüter der Mysterien.« Gerechter dürfte dem Tatbestand von Gal 1
und 2 H. R. Balz, Methodische Probleme der ntl. Christologie, Neukirchen-Vluyn
1967, 196 werden: »Man wird ihm (Paulus) also vorgeworfen haben, daß er in den
Fragen, in denen er von der Jerusalemer Meinung abweiche, keine selbständige
Autorität habe, weil seine Lehre von der der Jerusalemer abhängig sei.«

der Urgemeinde vermag die des Paulus sogar in den eigenen Gemeinden zu erschüttern und sich widerspruchsloses Gehör zu verschaffen«[1]. Bedenkt man ferner, welche ideelle Bedeutung Jerusalem für das gesamte Judentum[2], für die frühe Kirche[3] – freilich hat sich die Größe »Jerusalem« in der christlichen Gemeinde gewandelt – und für das spätere Judenchristentum[4] hatte, so muß den Beschneidungspredigern in Galatien daran gelegen gewesen sein, ihre Verkündigung mit der der Jerusalemer Gemeinde für identisch zu erklären, bestand doch auch in Jerusalem zumindest ein Kreis, der ebenfalls, wie Paulus berichtet, mit dem Apostel auf dem Kriegsfuß stand (siehe Gal 2,4; 2,12; vgl. Röm 15,30ff.; Apg 21,18ff.)[5]. Wie des näheren die Polemik der Gegner des Apostels aussah, ist schwer zu sagen. Daß sie mit den Jerusalemreisen des Paulus gegen ihn argumentiert haben, dürfte aufgrund der paulinischen Darlegungen[6] recht wahrscheinlich sein. Der Kern ihrer Rede wird wohl der gewesen sein: Paulus habe mehrmals versucht, in Jerusalem Fuß zu fassen, sei aber nicht zum Erfolg gekommen[7]. Ein ähnliches Paulusbild kehrt in der Apostelgeschichte wieder, die ja überhaupt manche antipaulinische Tradition aufbewahrt[8]. An einer ge-

---

[1] Käsemann, Die Legitimität des Apostels, in: WdF XXIV 490.

[2] Dazu etwa H. Hegermann, Jerusalem als Zentrum des Weltjudentums, in: Umwelt des Urchristentums I 301-303; Georgi, Gegner 93.

[3] Siehe S. 215 Anm. 1.

[4] Vgl. Dahl, Das Volk Gottes 183: »Für spätere Judenchristen galt diese Gemeinde als die zentrale Muttergemeinde (vgl. Hegesipp bei Eusebius, Hist. eccl. II 23,4; III 32,6; IV 22,4 u. Ps-clem Hom 11,35; Ep Petri) und diese Betrachtung wird in die Anfangszeit zurückgehen (vgl. Act 1,8; Röm 15,19).«

[5] Dazu E. Käsemann, in: WdF XXIV 491f.

[6] Nicht zu verifizieren ist aber die Meinung von A. Fridrichsen: »Paulus ist von seinen Gegnern in Galatien als Irrlehrer und als unselbständiges Werkzeug oppositioneller palästinischer Kreise, als Kreatur der dortigen Freiheitsleute geschildert worden. Sich selbst werden die Judaisten wiederum als Vertreter der legitimen Kirchenleitung vorgestellt haben« (Die Apologie des Paulus Gal 1, in: Paulus u. die Urgemeinde. Zwei Abhandlungen von L. Brun u. A. Fridrichsen, Giessen 1921, 63).

[7] Nicht »Abhängigkeit« in dem Sinne, daß die Jerusalemer die Lehrmeister des Paulus waren und er sich als der untreue Schüler erwies, werden die Judaisten Galatiens Paulus nachgesagt haben, sondern sie werden darauf hingewiesen haben, daß Paulus niemals Aufnahme in den Kreis der Autoritäten der Urkirche gefunden habe und es nie zu einem wirklichen Consens in den theologischen Grundansichten gekommen sei. In diesem Sinn sind wohl auch die Ausführungen von Kasting, Mission 121, zu verstehen.

[8] Vgl. Apg 9,26ff.; ferner meinen Aufsatz über »Paulus und die Jerusalemer Autoritäten nach dem Galaterbrief und der Apostelgeschichte«, in: J. Ernst, Schriftauslegung, Paderborn 1972. Siehe auch O. Linton, The Third Aspect. Neglected Point of View. A Study in Gal I–II and Acts IX and XV, StTh 3 (1949) 79-95; Haenchen, Apg 79f., 27f., 422; Käsemann, in: Exeget. Versuche I 220; Roloff, Apostolat 66.

wissen Anerkennung des Paulus durch »die Geltenden« werden sie nicht vorbeigesehen haben können, doch die Interpretation des Apostelkonzils in der strengsten Judenchristenheit bedarf noch näherer Erörterung. Jedenfalls konnten die Rivalen des Apostels gerade von Gal 2, 11 ff. her das gestörte Verhältnis des Apostels Paulus zu Jerusalem und die mangelhafte Übereinstimmung des paulinischen Evangeliums mit dem Glauben der Urgemeinde und der »Geltenden« aufzeigen. Dagegen verteidigt sich Paulus mit dem Hinweis auf den unmittelbar göttlichen Ursprung seines Evangeliums (1, 11–24) und die Billigung, die seine Verkündigung in Jerusalem durch »die Geltenden« erfahren habe (2, 1–10).

Wir stehen damit vor der Frage nach der Bedeutung des sogenannten Apostelkonzils für die Gegner des Paulus und für den Apostel selbst und der rechten Interpretation dieser Jerusalemer Verhandlungen. Zugleich ist das Problem des Judaismus nach dem Apostelkonzil angesprochen.

3. Der Judaismus nach dem Apostelkonzil

a) Kritische Erwägungen zum sogenannten Apostelkonzil

Schon öfters wurde in der vorliegenden Untersuchung die gängige Beurteilung des Apostelkonzils in Frage gestellt. Ist auf diesem Konvent wirklich die Gesetzesfreiheit für die Heidenchristen und damit im Prinzip auch für die Judenchristen von den Uraposteln und den Geltenden konzediert worden? Wurde das Gesetz als Heilsgröße negiert, und hat die paulinische Verkündigung mit all ihren Grundüberzeugungen die Zustimmung der Jerusalemer gefunden? Kann man wirklich von einer musterhaften Einigung sprechen? Zur Beantwortung dieser und ähnlicher Fragen muß noch einmal über Gal 2, 1–10 verhandelt werden.

Als Quellen für das sogenannte Apostelkonzil stehen uns Gal 2, 1–10 und Apg 15, 1–33 zur Verfügung, wobei jedoch der Quellenwert der lukanischen Schilderung umstritten ist und z. T. völlig geleugnet wird[1]. Auf jeden Fall verdient der Bericht des Paulus den Vorzug, und die Aussagen der Apostelgeschichte sind nach denen des Apostels zu korrigieren[2]. Frei-

---

[1] So M. Dibelius, Das Apostelkonzil (1947), in: Aufsätze zur Apg, Göttingen ⁴1961, 89 f.; Haenchen, Apg 405; Conzelmann, Apg 81; Bornkamm, Paulus 53; zurückhaltender Hahn, Mission 66; Kasting, Mission 116 Anm. 164.

[2] So auch Schlier, der die Gemeinsamkeiten und Widersprüche zwischen Gal 2, 1–10 und Apg 15 gut herausarbeitet; seine Synopse von Gal 1–2 und den entsprechenden Berichten der Apg führt ihn zu dem Urteil: »Einen Einspruch gegen die paulinische Darstellung kann man von der Apg her nicht erheben, wohl aber umgekehrt, wenigstens, was einzelne Vorkommnisse betrifft« (Gal 112).

lich ist auch der paulinische Bericht alles andere als objektive Geschichts-
schreibung, sondern recht subjektive Charakterisierung und Deutung der
Jerusalemer Verhandlungen[1]. Der Name »Apostelkonzil« stimmt eigentlich
vorne und hinten nicht. Der Begriff »Konzil« trägt, wie jüngst wieder G.
Bornkamm betont hat, »was Einberufung und Leitung der Versammlung
sowie die Verkündigung ihrer Beschlüsse betrifft, unwillkürlich falsche
kirchenrechtlich-hierarchische Vorstellungen einer späteren Zeit ein«[2]. Er
ist, kurz gesagt, ein Anachronismus. Der Name »Apostel« fällt im paulinischen Bericht kein einziges Mal. Paulus und Barnabas (Gal 2,1.9) verhandeln mit »den Säulen-zu-sein-Geltenden«, die weniger als Apostelkolle-
gen – für Jakobus und Barnabas ist der Aposteltitel darüber hinaus umstritten – als als die Autoritäten der Jerusalemer Gemeinde vorgestellt sind.
Von der Teilnahme anderer Apostel ist nicht die Rede, und auch Lukas
spricht nur recht allgemein von »den Aposteln und (!) den Ältesten«
(Apg 15,6.22.23). Wie groß also dieses sogenannte Konzil war, ob es über
den Rahmen einiger Besprechungen in der Gemeinde und Unterredungen
der führenden Männer hinauskam, ist völlig ungewiß. Ebenso erfahren wir
aus der Darstellung des Paulus, die unter aktuell-apologetischer Zielsetzung
niedergeschrieben ist und stark das Ergebnis der Verhandlungen in den
Vordergrund rückt[3], nichts Näheres – vom judaistischen Widerstand einmal abgesehen – über den Gang der Gespräche, vor allem nicht, wie grundsätzlich die Streitfragen diskutiert wurden und welche theologischen Vorstellungen die Autoritäten der Urgemeinde entwickelten. Es ist deshalb
angebracht, ein Faktum späterer »Kirchengeschichte« zur Erhellung des
hier gestellten Problems, der Frage nach dem historischen Kern des sogenannten Apostelkonzils, heranzuziehen.

Schon immer hat der Konflikt des Paulus mit Kephas, Barnabas und den
übrigen Judenchristen in Antiochia für die Deutung der Geschichte des Urchristentums und die Interpretation des »Apostelkonzils« eine nicht geringe

---

[1] Siehe die Exegese; ferner v. Harnack, Mission I 68; E. Meyer, Ursprung III
178f.; Klein, in: Rekonstruktion 81 Anm. 194. Klein hebt besonders im Anschluß
am Haenchen, Apg 406 u. 409, das »Schweigen« des Paulus »über die für seine
zweite Jerusalem-Reise mitbestimmenden Intentionen der antiochenischen Gemeinde« und »sein Bestreben, in die Formulierung des Verhandlungsergebnisses
mehr hineinzulegen, als faktisch von Jerusalem konzediert wurde«, hervor.

[2] Bornkamm, Paulus 56. Recht plastisch beschreibt den Tatbestand Ben-Chorin,
Paulus 91f.: »Die Worte Apostel-Konzil, Apostel-Konvent oder auch Synode sind
mißverständlich. Es handelt sich hier um ein höchst bescheidenes Treffen von ein
paar Menschen, die durch gemeinsame Glaubensüberzeugungen zusammenge-
halten wurden, wohl aber zugleich spürten, daß sehr viel Trennendes zwischen
ihnen stand. Ich bin überzeugt, daß die Zeitgenossen in Jerusalem von diesem
‹Konzil› keine Ahnung hatten.«

[3] Dazu Weizsäcker, Apostol, Zeitalter 151; Schlier, Gal 112; Haenchen, Apg
405.

Rolle gespielt[1]. Freilich kann dieses Ereignis für unsere Thematik nur dann aufschlußreich sein, wenn es zeitlich nach dem Apostelkonvent einzuordnen ist, wofür jedoch der chronologisch aufgebaute Bericht von Gal 1,13 an spricht[2]. Auch diejenigen, welche das Ergebnis der Jerusalemer Verhandlung sehr positiv beurteilen, können nicht verschweigen, daß, wie die Episode in Antiochia lehrt, das »Apostelkonzil« offenbar nicht alle Fragen geregelt hat, daß Unklarheiten geblieben sind und die volle Lösung nicht erreicht worden ist[3]. In diesem Punkt darf man sich nicht von der Apostelgeschichte täuschen lassen[4]. Die Jerusalemer Übereinkunft hatte »die Schicksalsfrage der Diasporagemeinden« nicht gelöst[5], da Trennung, aber nicht Vereinigung von Juden- und Heidenchristen ins Auge gefaßt worden ist (Gal 2,9). Wie sollten sich die Judenchristen, für die eine Gesetzesverleugnung nicht in Frage kam, bei gemeinsamen Mahlzeiten mit Heidenchristen verhalten? Da das sogenannte Aposteldekret nach dem paulinischen Bericht auf dem Apostelkonvent nicht entstanden sein kann[6], ist um so schärfer die Frage gestellt: Hat man auf dem »Konzil«, wo angeblich die Gesetzesfrage umfassend diskutiert worden sein soll – und dies mit einer Delegation aus einer großen Gemeinde aus Heiden- und Judenchristen! – das Problem der Tischgemeinschaft nicht gesehen? Oder hat man darüber keine Einigung erzielen können und das Problem ungelöst stehen gelassen?[7] Oder ging es primär nur um die Beschneidungsfrage und

---

[1] Was der Tübinger Tendenzkritik dieses Ereignis für die Rekonstruktion der Geschichte des Urchristentums bedeutete, bringt A. Schwegler mit folgenden Worten zum Ausdruck: »Der antiochenische Auftritt ist eines der lichtvollsten Ereignisse in dem sonst so dunkeln und von den Parteiüberlieferungen so entstellten apostolischen Zeitalter« (Das nachapostol. Zeitalter I 131).

[2] Siehe die Exegese zu Gal 2,11; ferner Weizsäcker, Apostol. Zeitalter 158: »Der Bericht des Paulus im Galaterbreife ist nicht zu Ende mit dem Vertrag von Jerusalem. Im engsten Zusammenhang fügt er die Erzählung des Vorfalls in Antiochien am, 2,11 ff. Und erst mit diesem kommt die Geschichte seines Verhältnisses zu den Uraposteln zum Abschluß.« Wenn L. Cerfaux (in: Robert-Feuillet, Einleitung II 377 f.) den antiochenischen Zwischenfall vor das Apostelkonzil datiert, so bestimmt ihn dabei als entscheidendes Motiv, (gegen den paulinischen Bericht) die Entstehung des Aposteldekrets auf dem Apostelkonzil aufrecht zu erhalten.

[3] Vgl. Weizsäcker, Apostol. Zeitalter 156 f.; Goppelt, Christentum u. Judentum 91; ders., Apostol. und nachapostol. Zeitalter 47; Bultmann, Theologie 60; Conzelmann, Urchristentum 71; E. Neuhäusler, in: LThK[2] V (1960) 72; u. die meisten Kommentare.

[4] Dazu Schlier, Gal 105 ff., und die S. 218 Anm. 8 angegebene Literatur.

[5] So H. Lietzmann, in: WdF XXIV 385.

[6] Siehe die Ausführungen S. 189 (mit der einschlägigen Literatur).

[7] Zuzustimmen ist O. Cullmann, wenn er ausführt: »Die Tatsache, daß das Jerusalemer Abkommen die unvermeidliche gemischte Zusammensetzung der Gemeinden nicht ins Auge gefaßt hatte, scheint mir im allgemeinen in den neueren

das Gesetzesproblem blieb im Hintergrund? Eine sichere Antwort auf dieses Fragen ist nicht leicht zu geben. Jedenfalls ist zur Kenntnis zu nehmen, daß Kephas, Barnabas und die übrigen Judenchristen von Antiochien beim Erscheinen »einiger von Jakobus« (2, 12) die Tischgemeinschaft mit den Heidenchristen aufgaben und offensichtlich vor dem Ansinnen dieser Jakobusleute einen Rückzieher machten[1]. Hier kann sich ein Verständnis der Jerusalemer Übereinkunft manifestieren, das aufs schärfste dem des Paulus widerspricht[2]. Eines dürfte sicher sein: das Ergebnis des »Apostelkonzils« ist alles andere als eindeutig. Dem entspricht, daß die Nachrichten über die speziellen Ergebnisse der Jerusalemer Verhandlungen, wie sie Paulus und die Apostelgeschichte bieten, einander widersprechen[3]. Ob das Aposteldekret die Antwort auf den antiochenischen Zwischenfall oder einen ähnlichen Vorfall ist, läßt sich nur vermuten. Wenn es auch als ein Zeichen des judenchristlichen Verständigungswillen bewertet werden kann, so ist es zugleich ein Zeugnis für die tonangebende Stellung des Judenchristentums und der keineswegs erledigten Gesetzesfrage.

Welche Rückschlüsse auf das sogenannte Apostelkonzil sind ferner von den bisherigen Beobachtungen her erlaubt? Die verschiedenen theologischen Grundpositionen der Gesprächspartner auf dem Apostelkonvent sind stärker zu betonen, als es durch die irenische Darstellung der Apostelgeschichte und den Bericht des Paulus geschieht, der ja die Übereinstimmung mit den Autoritäten der Urgemeinde gegenüber seinen galatischen Gegnern in Gal 2, 1–10 besonders herausstellen will. Bei der zweifellos erfolgten Billigung der Heidenmission durch die Jerusalemer ist zu sehen,

---

Darstellungen nicht genügend berücksichtigt. Erst dies macht aber die ganze tragische Auseinandersetzung verständlich, deren Echo wir in allen Paulusbriefen feststellen« (Petrus 49).

[1] Siehe die Exegese zu Gal 2, 12 f.

[2] Dazu C. Holsten, Evangelium I 78; H. Lietzmann, in: WdF XXIV 385; Wilckens, Das Neue Testament 664.

[3] Vgl. Schlier, Gal 116: »Daß die von Paulus angedeutete Auseinandersetzung in Jerusalem in der Darstellung der Apg nicht sichtbar wird, mag man der irenischen Tendenz ihrer Gesamtsicht zugute schreiben. Aber anders sieht es mit der Tatsache aus, daß die Entscheidungen, die in Jerusalem fallen, in ihren Einzelheiten verschieden berichtet werden. Weder ist in der Apg der Handschlag der Gemeinschaft erwähnt, noch die verschiedene Ausrichtung der Mission, noch endlich die Abmachung über die heidenchristliche Kollekte für Jerusalem. Andererseits ist das Ergebnis nach Apg 15, das sogenannte Aposteldekret, von Paulus weder im Gal noch sonstwo genannt.« So »ergibt sich durch den Vergleich unserer beiden Texte die bemerkenswerte Tatsache, daß zwischen ihnen Übereinstimmung nicht nur hinsichtlich der Reise des Paulus (und Barnabas) nach Jerusalem, sondern auch hinsichtlich der vorausgesetzten Situation, Streitfrage und allgemeinen Ergebnis besteht, zugleich aber die Nachrichten über die speziellen Ergebnisse einander widersprechen.«

daß nicht nur Paulus, sondern auch Barnabas und die antiochenische Mission anerkannt wurden, und dies wahrscheinlich sogar primär. Inwieweit die radikale paulinische Theologie, wie sie etwa im Galaterbrief zum Ausdruck kommt, akzeptiert wurde, ist eine völlig offene Frage. Vielleicht war die Ansicht F. Chr. Baurs und der Tübinger im Kern doch nicht so verfehlt, daß in Jerusalem eine primär äußerliche Anerkennung des paulinischen Evangeliums durch die Geltenden, die von den Missionserfolgen des Apostels beeindruckt waren (Gal 2,7ff.), erfolgt sei[1]. Jedenfalls kann der Kompromißcharakter der Übereinkunft nicht geleugnet werden[2]. G. Bornkamm muß bei aller positiven Würdigung des Verhandlungsergebnisses feststellen: »Sicher haben die Jerusalemer sich das paulinische Evangelium nicht völlig und in allen seinen Konsequenzen zu eigen gemacht. Es scheint, als ob die unmittelbare Einsicht in das von Gott wunderbar Gewirkte beim Zustandekommen der Einigung den stärkeren Anteil hatte als rein theologische Argumente«[3]. Man wird durchaus behaupten können, daß eine völlig einheitliche Theologie nicht erzielt wurde[4], und die Aussage: »die Gesetzesfreiheit wurde grundsätzlich und allgemein zugestanden« ist ein Wunschtraum, den selbst Paulus in Gal 2,1–10 nicht auszusprechen vermag[5]. Der Begriff »Gesetz« fällt denn auch bezeichnenderweise im paulinischen Bericht über das »Apostelkonzil« kein einziges Mal. Das Ver-

---

[1] Siehe Baur, Paulus I 141 ff.; Schwegler, Nachapostol. Zeitalter I 120f., 130. Wenn C. Weizsäcker dazu im Gegensatz ausführt: »Und diese Gemeinschaft, κοινωνία, vgl. 2 Kor 9,13, ist nicht bloß persönliche Anerkennung oder Ausdruck einer Bundesgenossenschaft für den verwandten Zweck, sondern die Anerkennung der Glaubens- und Heiligtumsgemeinschaft«, so muß er doch zugleich feststellen: »Desungeachtet ist sie (diese Glaubens- und Heiligtumsgemeinschaft) in einer gewissen Beschränkung gegeben; denn unmittelbar bezieht sie sich nur auf das Missionswerk, und für dieses selbst wird die Teilung fortgesetzt« (Apost. Zeitalter 156.).

[2] Siehe die Exegese zu Gal 2,9. Vgl. auch v. Harnack, Mission I 68: »Die Vereinigung von Juden- und Heidenchristen zu *einer* Gemeinschaft des Gottesdienstes und des Lebens wurde zunächst von Paulus nicht erreicht; nur das Prinzip war zum Siege gekommen.«

[3] Bornkamm, Paulus 59; vgl. Bultmann, GuV III 133; Stuhlmacher, Evangelium I 98 u. 284.

[4] Mit Recht spricht sich Stuhlmacher (Evangelium I 100) gegen die Ansicht von Schmithals (Paulus u. Jakobus 42) aus, der an »eine grundsätzliche Klärung der beiderseitigen Standpunkte« auf dem Apostel-Konzil denkt. Siehe ferner R. Meyer: ThWNT VI 83; O. Cullmann, Petrus 51: »Nach Gal 2,6 wird dem Paulus für seine Heidenmission keinerlei rituelle Vorschrift auferlegt, die prinzipielle Frage nach der Notwendigkeit der Beschneidung wird nicht theologisch geregelt, sondern es wird einfach jene schon mehrfach erwähnte Trennung der Missionsgebiete beschlossen, die dem Paulus erlaubt, Heiden zu bekehren, ohne die Beschneidung von ihnen zu verlangen.«

[5] Dazu H. Köster, in: ZThK 65 (1968) 166f.

halten des Kephas in Antiochien mag zeigen, daß für manchen »liberalen«
Geist das Gesetz ein »durchlöchertes System«[1] war, aber bis dieses System
überwunden wurde, mußte die Geschichte noch ein Stück voranschreiten
und ein weiterer Fortschritt bzw. Klärungsprozeß in der Theologie erzielt werden. Wenn Paulus in Gal 2,7 von »dem Evangelium der Unbeschnittenheit« und »dem Evangelium der Beschneidung« spricht, bedeutet
dies zwar nicht, daß zwischen diesen beiden Verkündigungsformen eine
unüberbrückbare Demarkationslinie verlaufen sei und eine gemeinsame
Basis nicht vorhanden gewesen sei[2], aber die theologischen Differenzen
zwischen dem das Gesetz abrogierenden paulinischen Evangelium und der
an der traditionellen heilsgeschichtlichen Konzeption noch gebundenen
Verkündigung der Jerusalemer sind nicht zu verkennen[3].

b) Die Judaisten

Die bisherigen Überlegungen dürften die Bedenken gegenüber der These,
die Kirche habe auf dem sogenannten Apostelkonzil Abschied vom Judaismus genommen, weiter erhärtet haben. Die Kirche war ja damals auch
noch keineswegs eine völlig einheitliche Größe; gerade das »Apostelkonzil«
und die Antiochia-Episode zeigen uns verschiedene Gruppierungen innerhalb der neuen Glaubensgemeinschaft, und es ist durchaus möglich, daß so
manche Richtung im Nebel der Geschichte verschwunden und für uns
nicht mehr erkennbar ist. Beachtung verdient die Vermutung von H. v.
Soden: »Bei der Exegese von Gal 1 f. und Act 15 wird gern übersehen, daß
die Urapostel dem Paulus keineswegs in geschlossener Einheit gegenüberstehen«[4]. Wie sie das Jerusalemer Abkommen verstanden, ist uns ebensowenig bekannt wie die Reaktion der judenchristlichen Gemeinden. Sie

---

[1] So W. Bousset zu Gal 2,14.

[2] Eine solche gemeinsame Glaubensmitte scheint nach der Meinung des Paulus
zwischen seiner Verkündigung und dem »anderen Evangelium« in Galatien nicht
gegeben zu sein. Doch wird man nicht übersehen dürfen, daß eben die galatischen
Gegner nicht die Jerusalemer Autoritäten sind und Paulus ihnen gegenüber viel
schärfer und selbstbewußter auftreten kann.

[3] Vgl. E. Haenchen, Petrus-Probleme, in: NTSt 7 (1960/61) 193: »Das Abkommen, das zustande kam, war keine Anerkennung des paulinischen Apostolats als
dem Petrus gleich, sondern Anerkennung der antiochenischen Heidenmission
ohne Beschneidung.« – 197: »In Wirklichkeit war hier (im antiochenischen Konflikt) ein Entweder/Oder von Jude oder Christ sichtbar geworden, und die Urgemeinde hätte sich selbst in ihrem ganzen Selbstverständnis vor Gott aufgegeben,
wäre sie in diesem Punkt Paulus gefolgt. Man sollte sich darum hüten, allzu rasch
von einem Paulinismus des Petrus zu sprechen: sein (wie des Jakobus und Johannes) Placet zur beschneidungslosen Heidenmission Antiochias war wohl der äußerste Punkt, bis zu dem er dem großen Heidenapostel entgegenkommen konnte.«

[4] H. v. Soden, Sakrament u. Ethik bei Paulus (1931), in: WdF XXIV 374 Anm. 47.

selbst hielten treu am Gesetz fest, und wenn sie den Heidenchristen Gesetzesfreiheit konzediert haben sollten, erhob sich, wie E. Haenchen richtig hervorhebt, die Frage, »welchen Sinn das Gesetz unter diesen Umständen noch besaß, und in dieser Frage lag dann die Versuchung, eben doch die Geltung dieses Gesetzes als das Normale und eigentlich für jeden Christen Gültige durchzusetzen. Von hier aus ließen sich alle jene judaistischen Bestrebungen verstehen, unter denen die paulinische Mission zu leiden hatte«[1]. Es hieße einen Kardinalfehler begehen, wollte man die Theologie des prinzipiellen Denkers Paulus für die der Urapostel ausgeben und die Ergebnisse eines langen Entwicklungsprozesses in die Zeit des »Konzils« zurückdatieren. Wer kann bestreiten, daß nicht doch gewisse Kreise der Jerusalemer Gemeinde und der Judenchristen überhaupt das »Konzils«-ergebnis nur deshalb akzeptieren konnten, weil man in den Heidenchristen »Angehörige der Christengemeinde *im weiteren* Sinne«[2] sah?

Deutlicher tritt der offene Protest gegen die Aufgabe des göttlichen Gesetzes und die Verneinung der vorchristlichen Heilsgeschichte zutage. Wie Gal 2,4 lehrt, besteht ein Kreis extremer Judenchristen, der sich offensichtlich nicht scheut, selbst in primär heidenchristliche Gemeinden zu gehen, um dort nach dem Rechten zu sehen[3]. Daß dieser Kreis sich mit dem Ergebnis des »Konzils«, so wie es Paulus berichtet und deutet, abgefunden haben soll, ist alles andere als wahrscheinlich. Sollte eine Reaktion in einer Zeit, in der die Kirche noch nicht gefestigt war, ausgeblieben sein? Die Jakobusleute von Gal 2,12 dürften das Gegenteil lehren. Ob man für die Zeit nach dem Apostelkonzil, was die Geschichte der Urgemeinde angeht, von einem »judaistischen Gefälle« sprechen darf[4], bleibt eine offene Frage.

---

[1] Haenchen, Apg 409f.

[2] Ein solches Urteil wird jedenfalls vor den Jerusalemer Besprechungen unter den palästinensischen Judenchristen allgemein verbreitet gewesen sein. Vgl. v. Harnack, Mission, I 57; v. Campenhausen, Bibel 31: »Man verzichtete also zum mindesten auf die Beschneidung und ließ andere Fragen, die sich ergeben mußten, mehr oder weniger in der Schwebe (danach ist das unsichere Verhalten von Petrus in Antiochien Gal 2,11ff. zu verstehen).« Es hängt sehr viel davon ab, daß man sich den Blick für den Entwicklungsprozeß im Urchristentum nicht dadurch versperrt, daß man meint, alle Judenchristen hätten die Probleme so prinzipiell wie Paulus gelöst; auch ist das Geschichtsbild des Lukas kritisch zu betrachten, der vorläufige und sich anbahnende Lösungen aus der Perspektive einer späteren Zeit heraus als endgültige erscheinen läßt.

[3] Siehe die Exegese zu Gal 2,4 ferner E. Käsemann, in: WdF XXIV 491f.; Schoeps, Paulus 62; H. Köster, in: ZThK 65 (1968) 167; Bornkamm, Paulus 54; Conzelmann, Urchristentum 68, 71ff., 84, 92.

[4] Vgl. Bo Reicke, Der geschichtliche Hintergrund des Apostelkonzils und der Antiochia-Episode Gal 2,1–14, in: Studia Paulina in honorem J. de Zwaan, Haarlem 1953, 172–187; J. Blinzler, Judenchristentum, in: LThK[2] V (1960) 1172f.; J. Daniélou, in: Geschichte der Kirche I 62. A. Vögtle, in: Ökumenische Kirchen-

Unmöglich erscheint dies nicht, wenn man an Röm 15,30ff, Apg 21,15ff. und das Aposteldekret denkt.

Das Verhältnis dieser Judaisten zu den Uraposteln und »den Geltenden« ist schwer zu bestimmen, zumal es fraglich ist, ob diese in ihren theologischen Ansichten völlig einig waren. Paulus scheint nach Gal 2,11 ff. jedenfalls zwischen Jakobus und Kephas zu differenzieren (vgl. auch die Reihenfolge »der Geltenden« Gal 2,9). Man kann ferner mit F. Chr. Baur fragen: »Warum würde er (Paulus) sich denn selbst nach Jerusalem begeben, warum über diese Sache ganz besonders mit den Aposteln so angelegentlich verhandelt haben, wenn er nicht mit gutem Grunde vorausgesetzt hätte, daß die Apostel in Jerusalem dem Ansinnen, das die παρείσακτοι ψευδαδέλφοι gemacht haben, keineswegs fremd seien?«[1] Wenn auch auf dem Apostelkonvent manches geklärt worden sein mag, so stellt Paulus in Gal 2,11 ff. Kephas doch ein schlechtes Zeugnis aus, das freilich das Verhalten dieses Apostels zu prinzipiell beurteilt und zu radikal verwirft, das aber für die Bedeutung der Judaisten und ihrer Theologie für Kephas, Barnabas und der übrigen Judenchristen von Antiochien recht bezeichnend und aufschlußreich ist[2].

Über den Ausgang des Antiochia-Konflikts ist viel gerätselt worden. Man hat von der Demut des Kephas gesprochen, die neben dem Freimut des Paulus zu loben sei[3]. Die Versuche, den Streit und seine Bedeutung zu minimalisieren, sind sehr zahlreich[4]. Ein diskutables Argument von der

---

geschichte I 33, konstatiert ebenfalls, daß »seit dem Apostelkonzil in den judenchristlichen Gemeinden Palästinas Tendenzen zu einer Rückkehr zu größerer Gesetzesobservanz wirksam wurden. Letzteres wird auch durch das sogenannte Aposteldekret (Apg 15,28f.) bestätigt, das aus der Zeit nach dem Apostelkonzil stammt«. Ein Indiz für den Judaismus nach dem Apostelkonzil wäre ferner gegeben, wenn W.G. Kümmel mit folgender Vermutung recht hätte: »Doch scheint sich die Jerusalemer Gemeinde für Paulus nicht eingesetzt zu haben, als er auf Betreiben von Diasporajuden bei seinem letzten Aufenthalt in Jerusalem verhaftet wurde (Apg 21,27ff.)« (in: RGG³ VI, 1962, 1190).

[1] Bauer, Paulus I 138. Siehe zu Gal 2,12 u. E. Käsemann, Der Ruf der Freiheit, Tübingen 1968, 64f.

[2] Siehe zu Gal 2,14.

[3] So Augustinus u. Thomas v. Aquin; die Väterauslegung berücksichtigt stark der Galaterbriefkommentar von Fr. S. Gutjahr; siehe ferner Fr. Overbeck, Über die Auffassung des Streits des Paulus mit Petrus in Antiochien (Gal 2,11 ff.) bei den Kirchenvätern (1877), Darmstadt 1968.

[4] Siehe dazu die Exkurse bei Zöckler, Gal 94–97; Oepke, Gal 64–66. Nicht ganz freizusprechen von dem Vorwurf, die Bedeutung des antiochenischen Konflikts minimalisiert zu haben, sind die Arbeiten von J. Blinzler, Petrus u. Paulus – Über eine angebliche Folge des Tages von Antiochien (Gal 2), 1943, in: Gesammelte Aufsätze 1, Stuttg. 1969, 147–157; P. Gaechter, Petrus in Antiochia, in: ZKTh 72 (1950) 177–212 (= in: Petrus u. seine Zeit, Innsbruck 1958, 213–257); J. Daniélou, in: Geschichte der Kirche I 60f. Apologetisch ausgerichtete Ver-

Seite derer, die den Vorfall für relativ belanglos erklären und seine Folgen
gering veranschlagen, ist dies: Hätte Paulus mit seiner Intervention nicht
Erfolg gehabt, so hätte er im Galaterbrief bei der Verteidigung seines
Evangeliums über den antiochenischen Konflikt geschwiegen. Doch wird
man die Gegenfrage stellen müssen: Hätte Paulus über den Vorfall, auch
wenn dieser nicht zu seinen Gunsten ausgegangen wäre, schweigen können.
Es ist ja keineswegs ausgeschlossen, daß seine galatischen Gegner aus dem
antiochenischen Konflikt gegen Paulus und seine Verkündigung Kapital
geschlagen haben[1]. Wenn das Ergebnis für Paulus in Antiochien negativ
war, so konnte er nur berichten, daß er das Evangelium, das nach seiner
Sicht der Dinge auf dem »Apostelkonzil« gebilligt worden war, in Antiochien
gegenüber denjenigen, die sich davon entfernten (Gal 2,14), aufrechterhalten habe. Dies scheint m. E. die einzig mögliche Deutung des paulinischen Berichts zu sein. Weil er die Zustimmung des Kephas, des Barnabas
und der übrigen Judenchristen zu seinem Einspruch nicht melden kann,
geht die Rede des Apostels in die Verteidigung des Inhalts seines Evangeliums über. Treffend bemerkt E. Haenchen: »Wie siegreich hätte Paulus
die Kraft seines Evangeliums erwiesen, wenn er hätte schreiben können:
›Petrus und Barnabas und die andern Judenchristen gaben mir recht und
aßen wieder mit den Heidenchristen zusammen!‹ Das Schweigen des Paulus
zeigt (hier ist das argumentum e silentio einmal zulässig, weil alles Paulus
dazu drängte, zu reden), daß ihm der Erfolg versagt blieb«[2]. Bezeichnend
ist denn auch, daß Paulus nun sein bisheriges Wirkungsfeld Syrien und
Kilikien verließ, seine eigenen Wege ging und Antiochia in seinen Briefen
keine Rolle spielt[3]. Man braucht nicht gleich von einem radikalen Bruch

---

suche, den Antiochia-Konflikt zu verharmlosen, sind auch der protestantischen Exegese nicht fremd. Siehe dazu I. Lönning, Paulus und Petrus. Gal 2,11 ff. als kon-
troverstheologisches Fundamentalproblem, in: StTh 24 (1970) 1–69. Für die pro-
testantische Orthodoxie ergaben sich nämlich, wie Lönning a.a.O. 34 bemerkt,
folgende Schwierigkeiten: »Gesetzt die volle und ungeschmälerte göttliche Wahrheit ist den Aposteln geoffenbart worden, gesetzt die Apostel haben die vollstän-
dige Offenbarung für alle Zeiten schriftlich übermittelt, gesetzt alle christliche
Lehre beruht auf dieser schriftlichen Vermittlung, ist es dann vorstellbar, daß zwei
Apostel – die beide außerdem eine zentrale Rolle als ntl. Autoren spielen – in irgendeiner theologisch bedeutenden Frage uneinig sind?«
    [1] Vgl. Kasting, Mission 121; Roloff, Apostolat 74: »Oder ist der Sieg des Paulus
so selbstverständlich, daß er ihn nicht zu erwähnen braucht? Aber gerade bei den
Galatern scheinen ja zumindest anderslautende Versionen des Vorfalls im Umlauf
gewesen zu sein.«
    [2] Haenchen, Apg 417
    [3] So oder in ähnlicher Weise haben sich in jüngster Zeit u.a. ausgesprochen:
Georgi, Kollekte 31; Köster, in: ZThK 65 (1968) 168; Stuhlmacher, Evangelium
I 106f.; Bornkamm, Paulus 67f.; Conzelmann, Urchristentum 53, 73 (!); E. Gräßer, in: ThR 26 (1960) 119; vgl. Bauer, Rechtgläubigkeit 67 u. 221.

zwischen Paulus und Kephas zu reden[1] – auch dies hieße die Dinge ver-
einfachen –, aber das Verhältnis des Paulus zu den Jerusalemer Aposteln
und dem strengen Judenchristentum blieb gespannt[2].

Daß die judaistischen Bestrebungen gegen Paulus und seine Verkündigung durch den antiochenischen Konflikt einen Auftrieb erhalten haben
können, ist schlechthin nicht zu bestreiten[3]. Woher seine galatischen Kontrahenten kamen, wissen wir nicht. Aber es darf nicht übersehen werden,
daß für den Paulus des Galaterbriefs kein Zweifel darüber besteht, daß
seine judaistischen Gegner in Galatien Gesinnungsgenossen derer sind, die
ihm nicht bloß in Jerusalem auf dem Apostelkonvent Widerstand leisteten,
sondern auch weite Wege nicht scheuten, um die paulinische Mission zu
korrigieren und ein »anderes Evangelium« zu verkünden[4].

---

[1] Gegen die Auffassung der Tübinger, siehe etwa Schwegler, Nachapostol.
Zeitalter I 131; Volkmar, Paulus 20; ferner gegen E. Meyer, Ursprung III 426.
Zutreffender urteilen etwa: Dahl, Das Volk Gottes 186; Conzelmann, Urchristen-
tum 73.

[2] Vgl. Röm 15,30ff., Apg 21,15ff. (u. dazu die Kommentare von E. Haenchen
u. H. Conzelmann).

[3] Dazu Hilgenfeld, Gal 65; Lietzmann, Paulus (1934), in: WdF XXIV 385;
Dibelius–Kümmel, Paulus 124; Goppelt, Christentum u. Judentum 92; H. Köster,
in: ZThK 65 (1968) 168 (jedoch mit der deutlichen Differenzierung »andere christliche Missionare«).

[4] Den Zusammenhang der galatischen Gegner mit Jerusalem betonen: H. J.
Holtzmann, Einleitung [3]1892, 218f.; Zahn, Grundriß der Einleitung 1928, 14;
Meyer, Gal 4; Hilgenfeld, Gal 45f.; Holsten, Evangelium I 53; Zöckler, Gal 68,
73 (»wohl Emissäre der pharisäischen Judaistenpartei Judäas«); Sieffert, Gal 18;
Feine, Einleitung [7]1935, 119; Appel, Einleitung 24; A. Jülicher, Einleitung
[5 u. 6] 1906, 62; Wikenhauser, Einleitung 270: »Nur soviel ist sicher, daß jene Agitatoren mit den judaistischen Kreisen verwandt sind, die in Antiochia u. in Jerusalem
gegen Paulus gekämpft haben, aber unterlegen sind (vgl. 2,4).« Ähnlich Kümmel,
Einleitung 195; L. Cerfaux, in: Robert-Feuillet, Einleitung II 376; entschiedener
Oepke, Gal 170: »Die bekämpften Irrlehrer sind pharisäisch gesinnte Judenchristen aus Jerusalem, Vertreter der auf dem Apostelkonvent unterlegenen Richtung«.

VI. Kapitel

ZUSAMMENFASSUNG UND ABSCHLIESSENDE ERWÄGUNGEN

1. Das »andere Evangelium« nach der Sicht des Paulus

Im Mittelpunkt der vorliegenden Untersuchung stand der Streit zwischen Paulus und seinen Missionskonkurrenten bei den Galatern über das, was als christliche Botschaft gelten darf und zu verkünden ist. Angesichts der in der neutestamentlichen Forschung neu aufgebrochenen Debatte über Inhalt und Herkunft des von Paulus im Galaterbrief so leidenschaftlich bekämpften »anderen Evangeliums« erschien eine neue Diskussion dieses Problems sinnvoll und notwendig. Die Forschungsgeschichte ließ zugleich die große Relevanz der jeweiligen Beurteilung der Vorgeschichte des Galaterbriefs für das Gesamtbild von der Geschichte des Urchristentums deutlich werden. Ferner zeigten die verschiedenen Erklärungsversuche, wie sehr die Charakteristik der galatischen »Häresie« von der Erschließung entsprechender, jedoch meist recht fragwürdiger Sekundärquellen abhängig ist. Um diese Unsicherheitsfaktoren soweit wie möglich auszuschalten, wurde der Untersuchung der Primärquelle, d.h. der Exegese des Galaterbriefs, der absolute Vorrang eingeräumt. Bei dem Verhör des einzigen authentischen Zeugen, des Apostels Paulus, galt es allerdings von vornherein zu beachten, daß er nicht eine objektive und unparteiische Beschreibung des gegnerischen Standpunktes bietet, sondern eine leidenschaftliche Auseinandersetzung führt, für die Verkündigung seiner Gegner nur ehrlose Motive kennt und die Meinung seines theologischen Kontrahenten meist überspitzt in ihrer extremsten Gestalt und letzten Konsequenz darstellt, um sie so besser ad absurdum führen zu können. Er macht aus ihr eine Häresie. Der Geschichtsforscher, der auch die andere Seite zu Wort kommen lassen und ihr gerecht werden muß, kann dieses negative Werturteil des Paulus nicht unkritisch übernehmen. Die spezifisch paulinische Denk- und Argumentationsweise sollte also bei der Exegese voll und ganz berücksichtigt werden. Da an Paulus in keiner Weise vorbeizukommen ist, konnte es zunächst nur darum gehen, das »andere Evangelium« so nachzuzeichnen, wie es die Sicht des Paulus zu erkennen gibt.

Die Exegese der Zusammenfassung der Hauptgedanken des Briefes im Postscriptum (6, 11–18) und des markanten Schlußabschnittes des lehrhaften Teils des Schreibens (5, 1–12) ließ das Zentralanliegen der neuen Missionare in den christlichen Gemeinden Galatiens unmißverständlich zutage treten, nämlich ihr Ansinnen, die heidenchristlichen Galater zur Annahme der Beschneidung zu bewegen. Wenn Paulus auf diesen Punkt der Verkündigung seiner Rivalen zu sprechen kommt, erlischt – so könnte man feststellen – die sachliche Diskussion fast ganz, und der Zorn verleitet den Apostel zur Ketzerpolemik (vgl. 5, 12; 6, 12f.; ferner 2, 4). Deshalb kann eine kritische, die spezifische Denk- und Argumentationsweise des Paulus in Rechnung stellende Auslegung aus Gal 6, 12f. und 5, 2f. 12 die näheren Motive der Beschneidungspredigt in Galatien nicht zwingend erheben. Eines ist jedoch nicht zu bestreiten: Paulus ist zutiefst davon überzeugt, daß seine Widersacher mit der Beschneidung letztlich auch das Gesetz des Alten Bundes als Heilsgröße für die heidenchristlichen Galater aufrichten wollen. Ihr Tun ist für ihn ein τὰ ἔθνη ἀναγκάζειν ἰουδαΐζειν (6, 12f.; vgl. 2, 14).

Zum besseren Verständnis der theologischen Bedeutung der Beschneidung wurde in einem Exkurs zuerst die religiöse Sinngebung der Beschneidung im Alten Testament skizziert, wie diese Sitte von einer Randposition aus im Laufe der Zeit in eine zentrale Stellung innerhalb der Jahwe-Religion rückte und zumindest seit dem babylonischen Exil offizielles Bundeszeichen für den Bund Jahwes mit Israel war. Nur den Beschnittenen war ein Eintreten in nähere Beziehungen zu Jahwe möglich. Die prophetische Kritik stellte die Beschneidung nicht grundsätzlich in Frage. Den Bekenntnischarakter behielt die Beschneidung durchweg in der Geschichte des Judentums, das selbst bzw. gerade in der Diaspora an diesem von Griechen und Römern verspotteten Brauch festhielt – nicht Aufgabe, sondern Erklärung war die Devise (vgl. Philo) – und in seiner nicht-systematischen Heidenmission die Beschneidung der »Konvertiten« mit mehr oder weniger starker Akzentuierung als Zielvorstellung hatte. Wer in den Abrahambund eintreten und zum auserwählten Volk gehören wollte, mußte dieses »Grundsakrament« der jüdischen Religion empfangen.

Innerhalb der Urkirche wurde mit der Heidenmission der Verzicht auf die Beschneidung der Heidenchristen, wie ihn dann Paulus am tiefsten theologisch begründete und am schärfsten verfochte, für die gesetzestreuen Judenchristen zum Problem, da für sie die Kontinuität der Heilsgeschichte auf dem Spiele stand und damit ihr Anspruch, das wahre Israel zu sein. Auch scheint Jesus selbst eine Negierung dieses göttlichen Gebotes nicht vertreten zu haben. Die Beantwortung der Frage, ob diese judenchristliche Theologie auf dem sogenannten Apostelkonzil überwunden und zum Verstummen gebracht wurde, mußte bis zur Exegese von Gal 1 und 2 zurückgestellt werden. Jedenfalls scheint Paulus die Beschneidungspredigt in Galatien, wie die ersten beiden Kapitel des Galaterbriefs zeigen, der gleichen Theologie zuzuordnen, wie er sie als Opposition auf dem Apostelkonvent und in Antiochia erfahren hatte.

Das Kardinalproblem der Profilbestimmung der galatischen Agitation lautet aber: Hat Paulus die Beschneidungspredigt in Galatien verkannt? Wurde die Beschneidung von seinen Gegnern gnostisch verstanden, etwa als Symbol der »Befreiung des Pneuma-Selbst von dem Kerker dieses Leibes« (so W. Schmithals)? Ein solches Verständnis ließ sich nicht verifizieren, da es auf einer Verkennung der spezifisch paulinischen Denk- und Argumentationsweise in Gal 6,12f. und 5,3 beruht, mit Jahrzehnte und Jahrhunderte später gegebenen Aussagen der Kirchenväter arbeitet und eine höchst anfechtbare Exegese von Kol 2,11ff. zur Basis hat.

Die Untersuchung des lehrhaften Teils des Galaterbriefs ließ die auf die Gemeindesituation bezogenen Ausführungen des Apostels erkennen und zeigte, wie Paulus damit rechnet, daß durch die Verkündigung seiner Rivalen das Interesse der Galater an der heilsgeschichtlichen Konzeption des Judenchristentums geweckt worden zu sein scheint. Der Glaube an Christus hatte die ehemals heidnischen Galater in gewisser Weise zugleich der jüdischen Religion nähergebracht. Die Offenbarungen des Gottes, zu dem sie sich bekehrt hatten, konnten den Neubekehrten nicht gleichgültig sein. Paulus setzt unbestreitbar voraus, daß das Gesetz und die Heilsgeschichte ein höchst aktuelles Thema für die Galater ist, und mit der Zerstörung der jüdischen und judenchristlichen Konzeption der Heilsgeschichte glaubt er die Verkündigung seiner Gegner im Kern treffen zu können. Diese mögen um des Erbes und der Erfüllung der Verheißungen willen die Abrahamssohnschaft bzw. die Zugehörigkeit zum auserwählten Volk den Galatern als ein erstrebenswertes Ziel vor Augen gestellt haben. Die Antwort des Apostels ist äußerst scharf: einzig der Glaube an Christus gewähre die Abrahamssohnschaft. Die irdisch-natürliche Kontinuität von Abraham zu Christus in Israel scheint nach der vorliegenden Darstellung heilsgeschichtlich irrelevant zu sein (s. bes. 4,21–31). Abraham wird als der ausschließliche Ahnherr der an Christus Glaubenden proklamiert.

Ebenso vernichtend für die heilsgeschichtliche Dignität Israels ist die paulinische Gesetzeslehre von Gal 3 und 4, dem vielleicht ältesten literarischen Dokument der innerchristlichen Debatte über den Heilswert des Gesetzes. Diesen verneint Paulus von Christus und der Erkenntnis des in ihm erschienenen Heils her radikal. So jedenfalls ist die Sprache des Kernstückes des Galaterbriefs, das das Gesetz als eine nicht Segen, sondern Fluch, nicht Heil, sondern Versklavung bringende, im Gegensatz zur göttlichen Verheißung von Engeln angeordnete und nur für eine bestimmte Epoche gültige Größe darstellt. Die skandalöse Gesetzesinterpretation des Paulus erreicht ihren – so muß es der Jude und gesetzestreue Judenchrist sehen – blasphemischen Höhepunkt, wenn er den Gesetzesdienst der Juden mit dem Stoicheia-Kult der Heiden auf eine Stufe stellt (4,3.9f.) und das heilige Gebot der Beschneidung in die Nähe der aus dem Volke Gottes ausschließenden Kastration rückt (5, 12).

Der Vergleich der Gesetzesinterpretation von Gal 3 und 4 mit dem Gesetzesverständnis des Alten Testament und dem des Judentums – jeweils sehr zu differenzierende Größen – ließ den einseitigen Charakter der Gesetzeslehre des Apostels voll hervortreten. Der ärgerniserregendste Punkt innerhalb dieser paulinischen »Umwertung der Werte« ist wohl die Leugnung jeglicher faktischer Segenssanktion des alttestamentlichen Bundesgesetzes. Ob Paulus in Gal 3 und 4 in objektivierender Darstellung nicht das Gesetz als solches, sondern das Gesetz, wie es sich der vorchristliche Mensch begegnen läßt, beschreibt, mußte zunächst als Frage offen bleiben. Unstreitig aber verrät die scharfe Sprache des Apostels, wie sehr er sich mit seiner Gesetzesinterpretation in einer Frontstellung befindet und was er zu vernichten wünscht, nämlich eine christliche Verkündigung, die der Gesetzesobservanz einen zentralen Platz für die individuelle Heilsgeschichte einräumt. Daß die judenchristlichen Gegner des Paulus in Galatien das Gesetz als kosmologische Größe angesehen und einem Stoicheia-Kult gehuldigt bzw. einen solchen bei den Galatern eingeführt hätten, konnte aus Gal 4, 9f, nicht zwingend eruiert werden, da Paulus hier in ironisierender Überbietung den Galatern plastisch vor Augen stellt, wohin sie kommen, wenn sie sich auf das Gesetz einlassen, nämlich in die Nähe des heidnischen Kultes (vgl. 5, 12). Die Verwendung des polemischen Ausdrucks τὰ στοιχεῖα τοῦ κόσμου steht im Dienst dieser blasphemischen Gleichsetzung von Judentum und Heidentum.

Da nicht vorschnell zusammengerückt werden darf, was Paulus ausdrücklich voneinander abhebt, wurde die Paränese gesondert exegesiert mit besonderer Berücksichtigung der Frage, ob und inwieweit sie die durch die Verkündigung des »anderen Evangeliums« entstandene Gemeindesituation erkennen lasse. Gal 5, 13–6, 10 erwies sich in seinem weitgehend unpolemischen Charakter und mit einer Fülle traditioneller Elemente der urchristlichen Predigt als der »usuellen Mahnrede« zugehörig. Die unmittelbare Beziehung auf die Briefsituation war oft zweifelhaft. Ein akutes Bedürfnis für die Einzelermahnungen ließ sich nicht überzeugend behaupten. Eine Polemik gegen eine zweite Front, die der libertinistischen Pneumatiker, konnte nicht entdeckt werden. Freilich ist Gal 5, 13–6, 10 ein unaufgebbares Stück des Galaterbriefs, in dem nach der radikalen Verneinung des Gesetzes im lehrhaften Teil nun die neue Basis und Norm für das Leben der Glaubenden, der Geist, herausgestellt wird. Der paulinische Imperativ, der zu einem Leben nach dem Geist auffordert, darf nicht als Indiz eines angeblichen Antinomismus in Galatien mißverstanden werden. Ebensowenig läßt sich ein Enthusiasmus als reale Front der paulinischen Aussagen erkennen, wenn der Apostel in den sittlichen Unterweisungen jeden Christen als Pneumatiker anspricht. Die Gesetzes-Aussagen der Paränese haben die negative Wertung des Gesetzes durch Paulus nicht korrigieren können; jedoch wurde deutlich, daß dem vom Geist bestimmten Menschen offensichtlich das Gesetz nicht mehr als anklagende und versklavende Macht begegnet. Damit ist aber nicht das Gesetz, dessen Inhalt im Christusglauben eine entscheidende Läuterung erfährt, wieder aufgerichtet, vielmehr ist das Gesetz des Christen ein ganz anderes; es ist »das Gesetz des Christus« (6, 2), das sich in gegenseitiger Liebe, zu welcher der Geist ermächtigt, realisiert.

Die Analyse von Gal 1, 1–2, 14 war für das Verständnis des Streites zwischen Paulus und seinen Gegnern schlechthin unentbehrlich. Paulus selbst markiert in diesem ersten Teil seines Briefes seinen Standort in der Urkirche und scheint auch die Galater über die Position der galatischen Irrlehrer innerhalb des Urchristentums belehren zu wollen. Zugleich eröffnet er hier die Debatte mit seinen theologischen Kontrahenten. Der paulinische Bericht verschweigt nicht, daß für viele innerhalb der Kirche, besonders für die gesetzestreuen Judenchristen, die gesetzesfreie Verkündigung der Stein des Anstoßes ist. Wahrscheinlich haben die Rivalen des Apostels in Galatien das paulinische Evangelium als illegitimes, mit der Verkündigung der Jerusalemer Autoritäten nicht übereinstimmendes Evangelium attackiert. Der Apostel verteidigt jedenfalls die nicht-menschliche Herkunft seines Evangeliums (1, 11–24), in gewisser Weise die Anerkennung dieser Botschaft durch die »Geltenden« der Jerusalemer Kirche (2, 1–10); doch kann er nicht unerwähnt lassen, daß er die Wahrheit des Evangeliums gegen Kephas, Barnabas und die übrigen Judenchristen und letztlich auch gegen Jerusalem aufrechterhalten hat (2, 11–14). Für Paulus ist das Evangelium eine eindeutige Größe, der er sich allein verpflichtet weiß (vgl. 2, 11 ff.; 1, 8 f.; 1, 17 u.a.). Die Geschichte des paulinischen Evangeliums und seines Boten, wie sie in Gal 1, 11–2, 14 in polemisch-apologetischer Darstellungsart gegeben wird, läßt ferner erkennen, daß die Kritik an dem paulinischen Evangelium zur Kritik am Boten selbst geführt hat. Die apostolische Autorität des Paulus muß in Galatien in Frage gestellt worden sein, wobei es sich nicht ausmachen läßt, ob man Paulus den Aposteltitel überhaupt absprach und ihn als »self-made«-Apostel denunzierte oder ihn als Gemeindeapostel gegenüber einer kirchlichen Instanz hörig machen wollte, um ihm dann besser seine mangelnde Linientreue und Anmaßung eigenständiger Verkündigung bescheinigen zu können. Höchst wahrscheinlich dürfte die Autorität der Urapostel bzw. Jerusalems, das für die judenchristlichen Gegner des Apostels eine hohe Bedeutung gehabt zu haben scheint, gegen Paulus und seine Verkündigung ausgespielt worden sein und ihm mangelnde Übereinstimmung mit dem Glauben der Jerusalemer Urgemeinde, zweifelhafte Anerkennung auf dem Apostelkonvent und fehlende Gleichrangigkeit mit den »Geltenden« nachgesagt worden sein.

Die Frage nach dem wahren Verhältnis des Apostels Paulus zur Jerusalemer Kirche und den »Geltenden« rückte damit in den Vordergrund. Zugleich aber wurde das Problem der Standortbestimmung der galatischen Gegner des Paulus akut, für dessen Lösung die Beantwortung der Frage, ob sich der Apostel mit der Charakterisierung seiner Gegner als Judaisten geirrt habe, entscheidend ist.

2. Das paulinische Bild von der galatischen Agitation – ein Trugbild?

In der Tat wäre von einem Trugbild zu reden, das der Apostel von dem »anderen Evangelium« im Galaterbrief entwirft, wenn er sich aufgrund mangelhafter Orientierung in der näheren religionsgeschichtlichen Einordnung seiner Gegner geirrt hätte. Man könnte geneigt sein, etwa mit H. Schlier das Problem mit der Auskunft zu entschärfen: »Wäre in Galatien unter den christlichen Gemeinden eine andere Schattierung eines legalistischen Judenchristentums aufgetreten, hätte der Apostel kaum anders geantwortet. Denn seine Antwort ist wie meist ›prinzipiell‹ gehalten«[1]. Diese Erklärung, die mit einem »legalistischen« Judenchristentum rechnet, mag freilich für viele prinzipielle Aussagen des Apostels zutreffen, kann aber der konkreten Abhandlung bestimmter Fragen in Gal 3 und 4 und der Problematik, ob die Gegner des Paulus ein anderes Gesetzes- und Beschneidungsverständnis gehabt haben, als er es zu widerlegen meint, nicht voll gerecht werden. Die Exegese hat es, wenn Paulus das Opfer einer Täuschung war, wie W. Marxsen betont[2], mit zwei Gegnern zu tun.

Daß die Aussagen des Galaterbriefs eine solche Unterscheidung zwischen dem von Paulus nicht erkannten Gegner an sich und dem Gegner, wie er in der irrigen Vorstellung des Apostels existiert, nahelegen, konnte die vorliegende Untersuchung nicht als gerechtfertigt ansehen. Die beigebrachten Belege bzw. Texte konnten und mußten z. T. auch anders interpretiert werden, und den Kolosserbrief zum Interpretationsschlüssel des Galaterbriefs zu machen, erschien als kein überzeugender und methodisch erlaubter Weg. Die vornehmlich von W. Schmithals in die Exegese des Galaterbriefs eingebrachte These vom Irrtum des Paulus bzw. seiner unzureichenden Information tritt nun bei Schmithals, wie G. Friedrich mit Recht zu bedenken gibt, als Hilfskonstruktion immer dann auf, »wenn seine Sicht mit den Aussagen des Textes nicht übereinstimmt«[3]. Sicher läßt sich

---

[1] Schlier, Gal 24.
[2] Marxsen, Einleitung 56.
[3] G. Friedrich, Die Gegner des Paulus im 2. Korintherbrief, in: Abraham unser Vater, Festschr. f. O. Michel, Arbeiten zur Geschichte des Spätjudentums u. Urchristentums 5, Leiden 1963, 189. Vgl. auch R. McL. Wilson, Gnostics – in

die Möglichkeit eines Irrtums des Paulus sowenig bestreiten wie ein solcher bei seinen Interpreten. Zu diesem Problem kann nur wiederholt werden: Paulus ist der einzige Zeuge, der zweifellos den Ereignissen näherstht als wir. Er war zweimal in Galatien und kennt sich in seiner Welt aus. Er selbst hält offensichtlich seine Nachrichten für völlig zuverlässig – die rhetorischen Fragen 3,1; 5,7.10 dürfen nicht mißverstanden werden –, so daß er einen geharnischten Brief schreibt, der an Deutlichkeit und Frontalangriffen nichts zu wünschen übrig läßt. Eine Fülle von Anspielungen, über die freilich im einzelnen gestritten werden kann (s. etwa 1,10.20; 3,7; 4,16f.; 5,10; 5,11 (?); 6,6 (?) sowie die Apologie in Gal 1 u. 2), läßt darauf schließen, daß Paulus nicht bloß oberflächlich unterrichtet war. Überhaupt sollte der Faktor, daß der Apostel wahrscheinlich durch Mitglieder der galatischen Gemeinden (nicht durch offizielle Boten, auch nicht brieflich) informiert worden war, nicht übersehen werden. Vielleicht sind sie in den οἱ σὺν ἐμοὶ πάντες ἀδελφοί (1,2) miteingeschlossen. Ferner wird man sehen müssen, daß Paulus in seinen Briefen durchaus zwischen verschiedenen Irrlehren, wie er sie beurteilt, differenziert und, wenn man den 1. Korintherbrief gegen eine gnostische Front gerichtet sein läßt, fähig ist, sich mit gnostischen Anschauungen auseinanderzusetzen. Kurz: an Paulus ist nicht vorbeizukommen, und sollte in der Tat die galatische Häresie in wesentlichen Punkten von der von Paulus bekämpften Verkündigung abgewichen und also der Apostel ins Leere gelaufen sein – die Erhaltung des Galaterbriefs könnte dagegen sprechen –, müßte angesichts der Quellenlage als Antwort auf die Frage nach dem »anderen Evangelium« ein »Ignoramus« und wohl auch »Ignorabimus« gesagt werden.

Aufgrund von Gal 1 und 2 darf man sagen: Paulus selbst hält eine judaistische Opposition auch nach dem Apostelkonzil für möglich. Vielleicht hatte er bei seinem letzten Besuch in Galatien schon vor ihr gewarnt (1,9; 5,3). Er wußte, daß dort ein judaistischer Kreis bestand, dessen Agitation er in heidenchristlichen Gemeinden und in Jerusalem erfahren hatte (2,4). Auch hatte er das erfolgreiche Auftreten der τίνες ἀπὸ Ἰακώβου in Antiochien erlebt (2,12). Sollte man diesen judenchristlichen Traditionalisten ein weiteres Vordringen auf den Pfaden des Paulus nicht zutrauen? Die Identität der Judaisten in Galatien mit denen von Gal 2,4 und 2,12 wird sich zwar nicht behaupten lassen, aber daß Paulus zumindest einen geistigen Zusammenhang zwischen ihnen aufzeigt und die hohe Bedeutung Jerusalems für seine galatischen Gegner zu erkennen gibt, kann schwerlich geleugnet werden.

Galatia? 366: »To assume, as Schmithals does in his presuppositions, that Paul was but meagrely informed about the situation, is to beg the whole question and leave the way open for anything we may choose to read into it.«

Auch wenn sich Paulus hinsichtlich der Herkunft der galatischen Agitation geirrt haben sollte, ist doch *sein* Bild von der Urkirche, wie es in Gal 1 und 2 sichtbar wird, höchst aufschlußreich. Es bezeugt, daß die urchristliche Verkündigung keineswegs unumstritten unter den Verkündern war, von einem »Evangelium der Vorhaut« neben einem »Evangelium der Beschneidung« gesprochen wurde; dabei bestand trotz einer gemeinsamen Basis eine inhaltliche Differenziertheit, der die verschiedene Ausrichtung der Botschaft entsprach. Der Antiochia-Konflikt gibt zu erkennen, daß die Gesetzesfrage in der Urkirche noch nicht voll gelöst war. Die Reaktion überzeugter Judenchristen auf die Jerusalemer Übereinkunft wird nicht ausgeblieben sein. Der Zusammenstoß zwischen Paulus einerseits und Kephas, Barnabas und den antiochenischen Judenchristen andererseits mag ihnen in ihren Bestrebungen Auftrieb gegeben haben. Doch werden von der späteren »Kirchengeschichte« (vgl. die Apg) in irenischer Tendenz immer mehr die Spannungen und Kämpfe im Urchristentum zugedeckt bzw. nicht mehr gewußt. Als Ergebnis wird man festhalten müssen, daß das von Paulus bekämpfte »andere Evangelium« in Galatien, historisch gesehen, keineswegs für eine unmögliche Erscheinung der ältesten Kirchengeschichte gehalten werden kann.

3. Noch einmal: Paulus und seine Gegner im Streit über die christliche Verkündigung

Wenn Gal 1 und 2 die Mannigfaltigkeit der Verkündigungsformen im Urchristentum bezeugt und Paulus selbst nicht umhin kann zuzugeben, daß um des Gesetzes willen an der Trennung zwischen dem »Evangelium der Beschneidung« und dem »Evangelium der Vorhaut« festgehalten wurde und das Verhalten des Kephas in Antiochien wegen seines Rückfalls in die Gesetzesobservanz zu tadeln war, stellt sich um so unausweichlicher die Frage, ob Paulus seinen judenchristlichen Gegnern in Galatien gerecht wurde, denen er kompromißlos und in nicht-differenzierendem Urteil das Anathema entgegenschleudert. Auf das Zerrbild, das er von seinen Rivalen im Galaterbrief entwirft, um zwischen ihnen und den galatischen Gemeinden einen Keil zu treiben, soll hier nicht mehr eingegangen werden. Vielmehr sei danach gefragt, ob der Apostel das theologische Grundanliegen seiner Gegner nicht sträflicherweise verkannt hat. Das Problem verschärft sich, wenn man bedenkt, daß Paulus wahrscheinlich primär gar nicht das Gesetz als solches, sondern das Gesetz, wie es sich der nichtchristliche Mensch begegnen läßt, bekämpft hat. Ist aber dann das Eintreten judenchristlicher Missionare für das Gesetz Gottes verwerflich? Auch ist ja gar nicht sicher, daß für sie das Gesetz an erster Stelle stand.

Da es sich Paulus in seiner Polemik versagt, sie als reine Juden bzw. Nicht-christen zu bezeichnen, so wird man ihren Glauben an Christus nicht be-streiten können. Nur wird für sie wie für das gesamte Judenchristentum das Christusgeschehen Kulminationspunkt der bisherigen Heilsgeschichte gewesen sein, und wo Paulus die Diskontinuität herausstellt, werden sie die Kontinuität betont haben. Daß diese andere heilsgeschichtliche Kon-zeption zu anderen Akzentuierungen in der Christologie und Eschatologie, in der Ekklesiologie und Soteriologie geführt hat, dürfte evident sein. Im einzelnen läßt sich jedoch die angesprochene theologische Differenziertheit zwischen der Verkündigung des Paulus und der seiner Gegner nicht näher aufzeigen. Sie ist ganz zugedeckt vom Kampf des Apostels gegen die ju-daistischen Elemente der Predigt seiner Rivalen. Ob man die Theologie des Matthäus-Evangeliums und die des Jakobusbriefes als Verstehenshilfe für die Gesetzespredigt in Galatien heranziehen darf, bedürfte eingehender Untersuchungen. Die Verwandtschaft zum Glauben des späteren Juden-christentums mag ebenfalls zu erwägen sein, ohne daß historische Ver-bindungslinien gezogen werden könnten. Im Ringen um die theologische Einordnung des Gesetzes in der Urchristenheit hat es eine Vielzahl von Positionen gegeben, doch konnte nicht jede – nach dem Urteil des Paulus! – mit dem Evangelium, wie er es sah und verstand, in Einklang gebracht werden.

Eines wird man jedoch nicht ohne weiteres behaupten können, daß die Verkündigung der judenchristlichen Gegner des Apostels Paulus eine Entartungserscheinung des ursprünglichen Glaubens gewesen sei; viel-mehr vertreten sie theologische Grundüberzeugungen, die zur frühesten Repräsentanz des Christentums gehören, Frühformen der urchristlichen Verkündigung sind, und, historisch gesehen, eher das Prädikat »orthodox« als »häretisch« verdienen. Die Problematik der Verwendung dieser Be-griffe in der historischen Forschung wird hier noch einmal deutlich. Gewiß kann man im Hinblick auf die traditionsverhaftete Verkündigung der judenchristlichen Gegner des Paulus das sagen, was O. Kuss über den Glauben der späteren judenchristlichen Sekten feststellt, »daß Treue im ›Materiellen‹ noch nicht wirkliche Treue in bezug auf den wahren Inhalt der Botschaft sein muß«. Aber es ist dann eben hinzuzufügen: »Freilich kann das nur einer gläubigen Betrachtung zugänglich sein«[1].

Dem Judaismus seiner Rivalen entspricht die leidenschaftliche Einseitig-keit des Paulus, mit der er, der Neuerer und Unruhestifter, die Loslösung des Christentums vom Judentum vorantrieb und damit der Autonomie und Universalität des Christentums zum Durchbruch verhalf. Paulus kannte nur eine Aufgabe: den Χριστὸς ἐσταυρωμένος zu verkünden (vgl. Gal 3, 1;

---

[1] O. Kuss, in: Auslegung u. Verkündigung I 30 Anm. 4.

1 Kor 2,2). Im Zentrum seines Denkens steht seine Grunderkenntnis, daß das Heil allein durch Jesus Christus gekommen ist. Von hier aus sucht er die sich ihm stellenden Probleme theologisch zu bewältigen, »kritisiert« er die heilige Tradition und legt – dabei keineswegs immer den Beifall in der Urkirche erhaltend – das Evangelium für die jeweilige Situation aus. Insofern dürfte Paulus dem Gebot der Stunde und, um mit der Apostelgeschichte zu sprechen, dem Geist Jesu Christi sowie dem Ruf Gottes (Apg 16,7.10) gerechter geworden sein als seine Gegner. So sehr das Bemühen des Apostels um die Einheit mit der Jerusalemer Kirche und den »Geltenden« zu würdigen ist – offenbar war hier das Moment der Christuszugehörigkeit so stark, daß es auch divergierende Theologien auf die gemeinsame Mitte hin zu konzentrieren vermochte –, so wenig darf der Kampf des Apostels Paulus gegen das »andere Evangelium« in Galatien, der letztlich das Evangelium von dem allein in Jesus Christus zu findenden Heil verkünden will, seine exemplarische Bedeutung verlieren.

LITERATURVERZEICHNIS

Das Verzeichnis registriert nur die Literatur, die für die vorliegende Untersuchung unmittelbar bedeutsam war. Lexikonartikel sind in der Regel nicht aufgenommen. Ebenso werden hier nicht alle benutzten Aufsätze, die in dem verzeichneten Sammelwerk des jeweiligen Verfassers enthalten sind, eigens genannt. Beiträge zur Exegese einzelner Verse sind an Ort und Stelle angeführt.

1. Kommentare zum Galaterbrief (Auswahl aus dem 19. u. 20. Jahrhundert)

Meyer, H. A. W., Kritisch exegetisches Handbuch über den Brief an die Galater, Kritisch-exegetischer Kommentar über das NT VII, Göttingen 1841, [5]1870

de Wette, W. M. L., Kurze Erklärung des Briefes an die Galater, Kurzgefaßtes exegetisches Handbuch zum NT II 3, Leipzig 1841, [2]1845

Hilgenfeld, A., Der Galaterbrief übersetzt, in seinen geschichtlichen Beziehungen untersucht u. erklärt, Leipzig 1852

Bisping, A., Erklärung des zweiten Briefes an die Korinther und des Briefes an die Galater, Exegetisches Handbuch zu den Briefen des Apostels Paulus, Münster 1857, [3]1883

Hofmann, J. Chr. K. v., Der Brief Pauli an die Galater, Die heilige Schrift des Neuen Testaments II 1, Nördlingen 1863, [2]1872

Wieseler, K., Commentar über den Brief Pauli an die Galater. Mit besonderer Rücksicht auf die Lehre und Geschichte des Apostels, Göttingen 1859

Lightfoot, J. B., The Epistle of St. Paul to the Galatians, London 1865, [10]1890 (latest Reprint Grand Rapids, Michigan 1969)

Holsten, C., Der Brief an die gemeinden Galatiens, in: Das Evangelium des Paulus I 1, Berlin 1880

Sieffert, F., Der Brief an die Galater, Kritisch-exegetischer Kommentar über das NT von H. A. W. Meyer VII, Göttingen [6]1880, [9]1899

Wörner, E., Auslegung des Briefes an die Galater, Vorlesungen aus dem Nachlaß von E. Wörner, hrsg. von W. Arnold, Basel 1882

Zöckler, O., Die Briefe an die Thessalonicher und der Galaterbrief, Kurzgefaßter Kommentar zu den hl. Schriften Alten u. Neuen Testamentes, hrsg. von H. Strack u. O. Zöckler, B III, München 1887, [2]1894

Schlatter, A., Die Briefe an die Galater usw., Stuttgart 1890, letzte Aufl. 1928 (mehrmaliger Nachdruck)

Schaefer, A., Die Briefe Pauli an die Thessalonicher und an die Galater, Die Bücher des NT I, Münster 1890

Lipsius, R.A.,   Der Brief an die Galater, Hand-Commentar zum NT, bearbeitet von H. J. Holtzmann usw. II 2, Freiburg i. B. 1891, ²1892

Cornely, R.,   Epistolae ad Corinthios altera et ad Galatas, Cursus Scripturae Sacrae NT II 3, Paris 1892

Weiss, B.,   Die Paulinischen Briefe und der Hebräerbrief, Das Neue Testament, hrsg. von B. Weiss, II, Leipzig 1896, ²1902

Ramsey, W.M.,   A historical Commentary on St. Paul's Epistle to the Galatians, London 1899

Gutjahr, F.S.,   Die zwei Briefe an die Thessalonicher und der Brief an die Galater, Die Briefe des hl. Apostels Paulus I, Graz 1900

Zahn, Th.,   Der Brief des Paulus an die Galater, Kommentar zum NT, hrsg. von Th. Zahn, Leipzig 1905, ²1907, ³1922 (besorgt von Hauck)

Lietzmann, H.,   An die Galater, Handbuch zum NT, hrsg. von H. Lietzmann, Tübingen 1910, ³1932

Bousset, W.,   Der Brief an die Galater, Die Schriften des NT II, hrsg. von J. Weiß, Göttingen 1907, ³1917

Loisy, A.,   L'Épitre aux Galates, Paris 1916

Steinmann, A.,   Die Briefe an die Thessalonicher und Galater, Die Hl. Schrift des NT, Bonn 1918, ⁴1935

Burton, E. de Witt,   A critical and exegetical Commentary on the epistle to the Galatians, The International Critical Commentary, 1921, latest Reprint Edinburgh 1964

Lagrange, M.-J.,   Saint Paul Épître aux Galates, Études bibliques, Paris ³1926

Holtzmann, O.,   Das Neue Testament II, Gießen 1926

Duncan, G.S.,   The epistle of Paul to the Galatians, The Moffat New Testament Commentary, London 1934, ⁶1948

Dehn, G.,   Gesetz oder Evangelium? Eine Einführung in den Galaterbrief, Berlin 1934, ³1938

Oepke, A.,   Der Brief des Paulus an die Galater, Theologischer Handkommentar zum NT IX, Berlin 1937, ²1957

Kuss, O.,   Die Briefe an die Römer, Korinther und Galater, Regensburger NT VI, Regensburg 1940

Schmidt, K.L.,   Ein Gang durch den Galaterbrief, Theolog. Studien 11/12, hrsg. von K. Barth, Zürich ²1947

Schlier, H.,   Der Brief an die Galater, Meyers Kommentar VII, Göttingen 1949, ³1962, 4., durchgesehene Aufl. 1965

Ridderbos, H.N.,   The epistle of Paul to the Churches of Galatia, Grand Rapids, Michigan 1953, ²1954

Bonnard, P.,   L'Épître de Saint Paul aux Galates, Commentaire du Nouveau Testament IX, Paris 1953

Lyonnet, S.,   Les Épîtres de Saint Paul, La Sainte Bible traduite en français sous la direction de l'École Biblique de Jérusalem, Paris 1953

Kürzinger, J.,   Der Brief an die Galater, Echter-Bibel, Das Neue Testament II, Würzburg 1954, ²1968

Beyer, H.W. – Althaus, P.,   Der Brief an die Galater, NTD VIII, Göttingen ⁸1962, ¹¹1968

Bring, R.,	Der Brief des Paulus an die Galater (1958), Berlin–Hamburg 1968
Schneider, G.,	Der Brief an die Galater. Geistliche Schriftlesung 9, Düsseldorf 1964, ²1968
Zerwick, M.,	Der Brief an die Galater, Die Welt der Bibel / Kleinkommentare zur Hl. Schrift, Düsseldorf 1964

2. Weitere Literatur:

Altaner, B. – Stuiber, A.,	Patrologie. Leben, Schriften und Lehre der Kirchenväter, 7., völlig neubearbeitete Aufl., Freiburg–Basel–Wien 1966
Altendorf, H.-D.,	Zum Stichwort: Rechtgläubigkeit und Ketzerei im ältesten Christentum, in: ZKG 80 (1969) 61–74
Baltzer, K.,	Das Bundesformular, WMANT 4, Neukirchen 1960
Batelaan, L.,	De strijd van Paulus tegen het Syncretisme, in: Arcana revelata, Festschr. F. W. Grosheide, Kampen 1951, 9–21
Bauer, K.-H.,	Das Krebsproblem. Einführung in die allgemeine Geschwulstlehre usw., Berlin ²1963
Bauer, W.,	Rechtgläubigkeit und Ketzerei im ältesten Christentum, BHTh 10, 1934, 2., durchgesehene Aufl. mit einem Nachtrag hrsg. von G. Strecker, Tübingen 1964
Bauer, W.,	Aufsätze u. Kleine Schriften, hrsg. von G. Strecker, Tübingen 1967
Baur, F. Chr.,	Paulus, der Apostel Jesu Christi. Sein Leben und Wirken, seine Briefe und seine Lehre. Ein Beitrag zu einer kritischen Geschichte des Urchristentums, Stuttgart 1845, 2. Aufl. nach dem Tode des Verf. besorgt von E. Zeller, 1. Teil Leipzig 1866, 2. Teil Leipzig 1867
Belser, J.,	Die Selbstverteidigung des hl. Paulus im Galaterbrief (1, 11 – 2, 21), Freiburg 1896
Ben-Chorin, Schalom,	Paulus. Der Völkerapostel in jüdischer Sicht, München 1970
Berger, K.,	Abraham in den paulinischen Hauptbriefen, in: MThZ 17 (1966) 47–89
Bläser, P.,	Das Gesetz bei Paulus, NTA XIX, Münster 1941
Blank, J.,	Paulus und Jesus. Eine theologische Grundlegung, StANT 18, München 1968
Blinzler, J.,	Lexikalisches zu dem Terminus τὰ στοιχεῖα τοῦ κόσμου bei Paulus, in: Studiorum Paulin. Congr. Internat. Cath., Bd II, Rom 1963, 429–443
Blinzler, J.,	Aus der Welt und Umwelt des NT. Gesammelte Aufsätze 1, Stuttg. Bibl. Beiträge, Stuttg. 1969
Bornkamm, G.,	Die Häresie des Kolosserbriefes, in: ThLZ 73 (1948) 11–20, = Ges. Aufsätze I, Beiträge zur ev. Theol. 16, München ³1961, 139–156
Bornkamm, G.,	Paulus, Urban Bücher. Die Wissenschaftl. Taschenbuchreihe 119D, Stuttgart 1969
Borse, U.,	Der Standort des Galaterbriefes, Habil. Schrift, Bonn 1970
Bosch, D.,	Die Heidenmission in der Zukunftschau Jesu, AThANT 36, Zürich 1959

Botterweck, G. J.,   Ein Lied vom glückseligen Menschen (Ps 1), in: ThQ 138 (1958) 129–151

Botterweck, G. J.,   Form- und überlieferungsgeschichtliche Studie zum Dekalog, in: Concilium 1 (1965) 392–401

Bousset, W. –   Die Religion des Judentums im späthellenistischen Zeitalter, HNT 21, Tübingen ³1926 (Nachdruck 1966)
 Gressmann, H.,

Braun, H.,   Qumran und das NT I und II, Tübingen 1966

Bright, J.,   Geschichte Israels von den Anfängen bis zur Schwelle des Neuen Bundes, Düsseldorf 1966

Brox, N.,   Die Pastoralbriefe, RNT VII 2, Regensburg 1969

Brunner, R. (Hrsg.),   Gesetz und Gnade im AT und im jüdischen Denken. Sonderdruck der Zeitschrift Judaica, Zürich 1969

Bultmann, R.,   Der Stil der paulinischen Predigt und die kynisch-stoische Diatribe, FRLANT 13, Göttingen 1910

Bultmann, R.,   Jesus, Tübingen 1926, = Siebenstern-Taschenbuch 17, München u. Hamburg 1964

Bultmann, R.,   Glauben und Verstehen, Gesammelte Aufsätze, 4 Bde, Tübingen 1952–1964 (= GuV)

Bultmann, R.,   Theologie des Neuen Testaments, 4. Aufl., unveränderter Nachdruck der 3., durchgesehenen und ergänzten Aufl., Tübingen 1961

v. Campenhausen, H.,   Der urchristliche Apostelbegriff, in: Studia Theologica 1, Lund 1948, 96–130

v. Campenhausen, H.,   Die Entstehung der christlichen Bibel, BHTh 39, Tübingen 1968

Cerfaux, L.,   Le Christ dans la Théologie Paulienne, Paris ²1954 (deutsche Übers. von A. Schorn u. E. S. Reich: »Christus in der paulinischen Theologie«, Düsseldorf 1964)

Conzelmann, H.,   Die Apostelgeschichte, HNT 7, Tübingen 1963

Conzelmann, H.,   Grundriß der Theologie des NT, München ²1968

Conzelmann, H.,   Geschichte des Urchristentums, Grundrisse zum NT – NTD Ergänzungsreihe 5, Göttingen 1969

Crownfield, F. R.,   The Singular Problem of the Dual Galatians, in: JBL 64 (1945) 491–500

Cullmann, O.,   Petrus, Jünger–Apostel–Märtyrer. Das historische u. das theologische Petrusproblem, Zürich–Stuttgart ²1960, = Siebenstern Taschenbuch 90/91 München–Hamburg 1967

Dahl, N. A.,   Das Volk Gottes. Eine Untersuchung zum Kirchenbewußtsein des Urchristentums (1941), Neudruck Darmstadt 1963

Dalbert, P.,   Die Theologie der hellenistisch-jüdischen Missionsliteratur unter Ausschluß von Philo und Josephus, Theolog. Forschung 4, Hamburg 1954

Deißler, A.,   Psalm 119 (118) und seine Theologie, MthSt(H) 11, München 1955

Dibelius, M.,   Die Formgeschichte des Evangeliums, Tübingen ²1933

Dibelius, M.,   Aufsätze zur Apostelgeschichte, Göttingen 1951

Dibelius, M.,   Der Brief des Jakobus, Meyers Kommentar XV, 11. Aufl., hrsg. u. ergänzt von H. Greeven, Göttingen 1964

Dibelius, M. –   Paulus, Sammlung Göschen 1160, Berlin ³1964
 Kümmel, W. G.,

Dibelius, M., Die Pastoralbriefe, HNT 13, 4., ergänzte Aufl. von H. Conzelmann, Tübingen 1966

Dietzfelbinger, Chr., Paulus und das AT. Die Hermeneutik des Paulus, untersucht an seiner Deutung der Gestalt Abrahams, ThEx NF 95, München 1961

Dietzfelbinger, Chr., Heilsgeschichte bei Paulus? Eine exegetische Studie zum paulinischen Geschichtsdenken, ThEx NF 126, München 1965

Dietzfelbinger, Chr., Was ist Irrlehre? Eine Darstellung der theologischen und kirchlichen Haltung des Paulus, ThEx NF 143, München 1967

Dülmen, A. van, Die Theologie des Gesetzes bei Paulus, Stuttg. Bibl. Monographien 5, Stuttgart 1968

Eckert, J., Paulus und die Jerusalemer Autoritäten nach dem Galaterbrief und der Apostelgeschichte. Divergierende Geschichtsdarstellung im Neuen Testament als hermeneutisches Problem, in: J. Ernst, Schriftauslegung, Beiträge zur Hermeneutik des NT und im NT, Paderborn 1972

Eckert, W. – Levinson, N.P. – Stöhr, M. (Hrsg.), Antijudaismus im NT? Exegetische u. systematische Beiträge, München 1967

Eichholz, G., Glaube und Werk bei Paulus und Jakobus, ThEx NF 88, München 1961

Eichholz, G., Tradition und Interpretation. Studien zum NT und zur Hermeneutik, ThBü 29, München 1965

Eichrodt, W., Bund u. Gesetz. Erwägungen zur neueren Diskussion, in: Gottes Wort und Gottes Land, Festschr. H.-W. Hertzberg, Göttingen 1965, 30–49

Ernst, J., Pleroma und Pleroma Christi. Geschichte und Deutung eines Begriffs der paulinischen Antilegomena, BU 5, Regensburg 1970

Evangelisch-Katholischer Kommentar zum NT. Vorarbeiten Heft 1 (EKK 1), Einsiedeln 1969

Faw, Ch.E., The Anomaly of Galatians, in: Biblical Reseach IV (1960) 25–38

Feine, P., Das gesetzesfreie Evangelium des Paulus / nach seinem Werdegang dargestellt, Leipzig 1899

Foerster, W., Die δοχοῦντες in Gal 2, in: ZNW 36 (1937) 286–292

Foerster, W., Die Irrlehrer des Kolosserbriefes, in: Studia Biblica et Semitica, Festschr. f. Th. Vriezen, Wageningen 1966, 71–80

Foerster, W., Abfassungszeit und Ziel des Galaterbriefes, in: Apophoreta, Festschr. f. E. Haenchen, BZNW 30, 1964, 135–141

Foerster, W., Neutestamentliche Zeitgeschichte, Hamburg 1968

Franke, A.H., Die galatischen Gegner des Apostels Paulus, in: Theol. Studien u. Kritiken 1883, 133–153

Fridrichsen, A., Die Apologie des Paulus in Gal I, in: L. Brun – A. Fridrichsen, Paulus u. die Urgemeinde, Gießen 1921

Fürst, H., Paulus und die »Säulen der Jerusalemer Urgemeinde« (Gal 2,6–9), in: Analecta Biblica 17–18, Rom 1963, 2–10

Gaechter, P., Petrus und seine Zeit. Neutestamentl. Studien, Innsbruck–Wien–München 1958

Galley, K.,   Altes u. neues Heilsgeschehen bei Paulus, Arbeiten zur Theologie I 22, Stuttgart 1965

Georgi, D.,   Die Gegner des Paulus im 2. Korintherbrief, WMANT 11, Neukirchen-Vluyn 1964

Georgi, D.,   Die Geschichte der Kollekte des Paulus für Jerusalem, Theol. Forschung 38, Hamburg-Bergstedt 1965

Gesetz und Evangelium / Beiträge zur gegenwärtigen theologischen Diskussion, hrsg. von E. Kindler u. K. Haendler, WdF CXLII, Darmstadt 1968

Gestalt und Anspruch des NT, hrsg. von J. Schreiner unter Mitwirkung von G. Dautzenberg, Würzburg 1969

Gigon, O.,   Die antike Kultur und das Christentum, Gütersloh 1966

Gnilka, J.,   Der Philipperbrief, Herders Theol. Kommentar zum NT X 3, Freiburg 1968

Goppelt, L.,   Typos. Die typologische Deutung des Alten Testaments im Neuen, BFChTh 2. Reihe 43, Gütersloh 1939, Nachdruck mit Anhang »Apokalyptik u. Typologie bei Paulus«, Darmstadt 1969

Goppelt, L.,   Christentum und Judentum im ersten und zweiten Jahrhundert, Gütersloh 1954

Goppelt, L.,   Die apostolische u. nachapostolische Zeit der Kirche, in: Die Kirche in ihrer Geschichte, hrsg. von K. D. Schmidt u. E. Wolf, I A, Göttingen ²1966

Grässer, E.,   Das eine Evangelium. Hermeneutische Erwägungen zu Gal 1, 6–10, in: ZThK 66 (1969) 309–344

Grafe, E.,   Die paulinische Lehre vom Gesetz nach den vier Hauptbriefen, Freiburg u. Leipzig ²1893

Grant, F. C.,   Antikes Judentum und das Neue Testament, Frankfurt a. M. 1962

Güttgemanns, E.,   Der leidende Apostel und sein Herr. Studien zur paulinischen Christologie, FRLANT 90, Göttingen 1966

Güttgemanns, E.,   Mission, Verkündigung u. Apostolat, in: Verk. u. Forschung, Beihefte zu »EvTh« NT 12 (1967) 61–79

Gunkel, H.,   Die Wirkungen des heiligen Geistes nach der populären Anschauung der apostolischen Zeit und der Lehre des Apostels Paulus, Göttingen ¹1888, unverändert ²1899, ³1909

Haas, O.,   Berufung und Sendung Pauli nach Gal 1, in: ZMR 1962, 81–92

Haenchen, E.,   Die Apostelgeschichte, Meyers Kommentar III, Göttingen ⁶1968

Haenchen, E.,   Petrus-Probleme, in: NTSt 7 (1961) 187–197

Haeuser, Ph.,   Anlaß u. Zweck des Galaterbriefes. Seine logische Gedankenentwicklung, NTA XI 3, Münster 1925

Hahn, F.,   Das Verständnis der Mission im NT, WMANT 13, Neukirchen-Vluyn 1963

Harnack, A. v.,   Die Mission u. Ausbreitung des Christentums in den ersten drei Jahrhunderten, I: Die Mission in Wort u. Tat, Leipzig ⁴1924

Harvey, A. E.,   The Opposition to Paul, in: Studia Evangelica IV = TU 102, Berlin 1968, 319–332

Hermann, I.,   Kyrios u. Pneuma. Studien zur Christologie der paulinischen Hauptbriefe, StANT 2, München 1961

Hilgenfeld, A.,   Zur Vorgeschichte des Galaterbriefes, in: Zeitschr. f. wiss. Theologie, 27. Jahrg. 1884, 303–343

Hilgenfeld, A.,   Die Ketzergeschichte des Urchristentums/urkundlich dargestellt (1884), Nachdruck Darmstadt 1963

Hirsch, E.,   Zwei Fragen zu Gal 6, in: ZNW 29 (1930) 192 ff.

Hoennicke, G.,   Das Judenchristentum im ersten u. zweiten Jahrhundert, Berlin 1908

Holl, K.,   Der Streit zwischen Petrus u. Paulus zu Antiochien in seiner Bedeutung für Luthers innere Entwicklung (1919), in: Ges. Aufs. zur Kirchengeschichte III: Der Westen (1928), Neudruck Darmstadt 1965, 134–146

Holl, K.,   Der Kirchenbegriff des Paulus in seinem Verhältnis zu dem der Urgemeinde (1921), in: Ges. Aufs. zur Kirchengeschichte II: Der Osten, Tübingen 1928, = WdF XXIV 144–178

Holtz, T.,   Zum Selbstverständnis des Apostels Paulus, in: ThLZ 91 (1966) 321–330

Holtzmann, H. J.,   Lehrbuch der historisch-kritischen Einleitung in das NT, Freiburg ¹1885, ³1892

Jeremias, J.,   Jesu Verheißung für die Völker, Stuttgart 1956

Jülicher, A.,   Einleitung in das NT (1894), 7. Aufl. in Verbindung mit E. Fascher hrsg. Tübingen u. Leipzig 1931

Käsemann, E.,   Die Legitimität des Apostels. Eine Untersuchung zu II Korinther 10–13 (1942), in: WdF XXIV 475–521

Käsemann, E.,   Exegetische Versuche u. Besinnungen I u. II, Göttingen 1967

Käsemann, E.,   Paulinische Perspektiven, Tübingen 1969

Kamlah, E.,   Die Form der katalogischen Paränese im NT, Wiss. Unters. NT 7, Tübingen 1964

Kasting, H.,   Die Anfänge der urchristlichen Mission. Eine historische Untersuchung, BEvTh 55, München 1969

Kehl, N.,   Der Christushymnus im Kolosserbrief. Eine motiv-geschichtliche Untersuchung zu Kol 1,12–20, Stuttgarter Bibl. Monographien 1, Stuttgart 1967

Kertelge, K.,   »Rechtfertigung« bei Paulus. Studien zur Struktur u. zum Bedeutungsgehalt des paulinischen Rechtfertigungsbegriffs, NTA NF 3, Münster 1967

Kittel, G.,   Die Religionsgeschichte und das Urchristentum, Gütersloh 1931, Nachdruck Darmstadt 1959

Klausner, J.,   Von Jesus zu Paulus. Übertragung aus dem Hebräischen unter Mitwirkung des Verfassers von F. Thieberger, Jerusalem 1950

Klein, G.,   Die zwölf Apostel. Ursprung und Gehalt einer Idee, FRLANT 77, Göttingen 1961

Klein, G.,   Rekonstruktion und Interpretation. Ges. Aufsätze zum NT, BEvTh 50, München 1969

Klostermann, E.,   Die Apologie des Paulus Gal 1,10–2,21, in: Gottes ist der Orient, Festschr. O. Eißfeldt, Berlin 1959, 84 bis 88

Koepp, W., Die Abraham-Midraschim-Kette des Galaterbriefs als das vorpaulinische heidenchristl. Urtheologumenon, in: Wiss. Zeitschr. d. Univ. Rostock 2, 1953, 181–187

Kosmala, H., Hebräer–Essener–Christen. Studien zur Vorgeschichte der frühchristlichen Verkündigung, Leiden 1959

Köster, H., Häretiker im Urchristentum, in: RGG³ III (1959) 17–21

Köster, H., ΓΝΩΜΑΙ ΔΙΑΦΟΡΟΙ Ursprung und Wesen der Mannigfaltigkeit in der Geschichte des frühesten Christentums (1965), in: ZThK 65 (1968) 160–203

Köster, H. – Robinson, J.M., Entwicklungslinien durch die Welt des frühen Christentums, Tübingen 1971

Kredel, E.M., Der Apostelbegriff in der neueren Exegese, in: ZKTh 78 (1956) 169–193, 257–305

Kümmel, W.G., Kirchenbegriff und Geschichtsbewußtsein in der Urgemeinde und bei Jesus, Göttingen ²1968

Kümmel, W.G., Einleitung in das NT, begründet von P. Feine u. J. Behm, Heidelberg ¹⁵1967

Kümmel, W.G., Die Theologie des NT/nach seinen Hauptzeugen/Jesus, Paulus, Johannes, Grundrisse zum NT – NTD Ergänzungsreihe 3, Göttingen 1969

Kuss, O., Der Römerbrief, 1. Lief. Röm 1,1–6,11 Regensburg 1957 ²1963, 2. Lief. Röm 6,11–8, 19 Regensburg 1959 ²1963

Kuss, O., Auslegung und Verkündigung, I. Aufsätze zur Exegese des NT, Regensburg 1963

Kuss, O., Die Rolle des Apostels Paulus in der theologischen Entwicklung der Urkirche, in: MThZ 14 (1963) 1–59, 109 bis 187

Kuss, O., Nomos bei Paulus, in: MThZ 17 (1966) 173–227

Lähnemann, J., Der Kolosserbrief. Komposition, Situation und Argumentation, Studien zum NT 3, Gütersloh 1971

Lerle, E., Proselytenwerbung und Urchristentum, Berlin 1960

Liechtenhan, R., Die urchristliche Mission. Voraussetzungen, Motive und Methoden, Zürich 1946

Lietzmann, H., Paulus, in: WdF XXIV 380–409

Lietzmann, H., Geschichte der Alten Kirche, I: Die Anfänge, Berlin ⁴1961

Lohfink, G., Paulus vor Damaskus, Stuttg. Bibelstudien 4, Stuttgart 1965

Lohfink, N., Das Siegeslied am Schilfmeer. Christliche Auseinandersetzungen mit dem AT, Frankfurt a.M. ³1965

Lohmann, Th., Der Ausschließlichkeitsanspruch Jesu und des Urchristentums, Berlin 1962

Lohmeyer, E., Die Briefe an die Philipper, an die Kolosser und an Philemon, Meyers Kommentar IX, Göttingen ¹³ 1964; Beiheft von W. Schmauch, Göttingen 1964

Lohmeyer, E., Probleme paulinischer Theologie, Darmstadt 1954

Lohse, E., Die Briefe an die Kolosser und an Philemon, Meyers Kommentar IX 2, Göttingen 1968

Lührmann, D., Das Offenbarungsverständnis bei Paulus und in den paulinischen Gemeinden, WMANT 16, Neukirchen 1965

Lütgert, W., Gesetz und Geist. Eine Untersuchung zur Vorgeschichte des Galaterbriefes, BFChTh XXII 6, Gütersloh 1919

Luz, U.,	Der alte und der neue Bund bei Paulus und im Hebräerbrief, in: EvTh 27 (NF 22), 1967, 318–336
Luz, U.,	Das Geschichtsverständnis des Paulus, BEvTh 49, München 1968
Marxsen, W.,	Einleitung in das NT. Eine Einführung in ihre Probleme, Gütersloh ³1964
McCarthy, D. J.,	Der Gottesbund im AT, Stuttg. Bibelstudien 13, Stuttgart 1966
Merk, O.,	Handeln aus Glauben. Die Motivierungen der paulinischen Ethik, Marburger Theol. Studien 5, Marburg 1968
Merk, O.,	Zum Beginn der Paränese im Galaterbrief, in: ZNW 60 (1969) 83–104
Meyer, E.,	Ursprung und Anfänge des Christentums, 3. Bd., 1.–3. Aufl. Stuttgart u. Berlin 1923, Nachdruck Darmstadt 1962
Meyer, R.,	Tradition und Neuschöpfung im antiken Judentum, dargestellt an der Geschichte des Pharisäismus, Sitzungsb. d. Sächs. Akademie d. Wiss. zu Leipzig, phil.-hist. Kl. 110, 2, Berlin 1962, 1–88
Michaelis, W.,	Judaistische Heidenchristen, in: ZNW 30 (1931) 83 ff.
Munck, J.,	Paulus und die Heilsgeschichte, Acta Jutlandica XXVI 1, Kopenhagen 1954
Mußner, F.,	Der Jakobusbrief, Herders Theol. Kommentar zum NT XIII 1, Freiburg 1964
Nieder, L.,	Die Motive der religiös-sittlichen Paränese in den paulinischen Gemeindebriefen. Ein Beitrag zur paulinischen Ethik, MthSt(H) 12, München 1956
Niederwimmer, K.,	Der Begriff der Freiheit im Neuen Testament, Berlin 1966
Niederwimmer, K.,	Jesus, Göttingen 1968
Nissen, A.,	Tora und Geschichte im Spätjudentum. Zu den Thesen Dietrich Roesslers, in: Nov Test IX (1967) 241–277
Noth, M.,	Die Gesetze im Pentateuch. Ihre Voraussetzungen und ihr Sinn (1940), in: Gesammelte Studien zum AT, ThBü 6, München 1957, 9–141
Noth, M.,	Geschichte Israels, Göttingen ⁶1966
Orchard, B.,	A New Solution of the Galatians Problem, in: Bulletin of the John Ryland Library 28 (1944) 154 ff.
Ortkemper, F. J.,	Das Kreuz in der Verkündigung des Apostels Paulus, Stuttg. Bibelstudien 24, Stuttgart 1967
Overbeck, F.,	Über die Auffassung des Streits des Paulus mit Petrus in Antiochien (Gal 2,11 ff.) bei den Kirchenvätern, Basel 1877, Neudruck Darmstadt 1968
Pesch, W.,	Der Lohngedanke in der Lehre Jesu / verglichen mit der religiösen Lohnlehre des Spätjudentums, MthSt(H) VII, München 1955
Pfister, W.,	Das Leben im Geist nach Paulus. Der Geist als Anfang u. Vollendung des christl. Lebens, Studia Friburgensia NF 34, Freiburg/Schweiz 1963
Pfleiderer, O.,	Der Paulinismus. Ein Beitrag zur Geschichte der urchristl. Theologie, Leipzig ²1890
Rad, G. v.,	Theologie des Alten Testaments, München I ³1961, II ²1961

Reicke, B.,   Diakonie, Festfreude u. Zelos / in Verbindung mit der altchristl. Agapenfeier, Uppsala Universitets Arsskrift 1951, 5, Uppsala–Wiesbaden 1951

Reicke, B.,   Der geschichtliche Hintergrund des Apostelkonzils und der Antiochia-Episode, Gal 2, 1–14, in: Studia Paulina in honorem J. de Zwaan, Haarlem 1953, 172–187

Richter, G.,   Deutsches Wörterbuch zum NT, RNT X, Regensburg 1962 (= Richter Wb)

Ridderbos, H.,   Paulus. Ein Entwurf seiner Theologie (Deutsch von E.-W. Pollmann), Wuppertal 1970

Rigaux, B.,   Paulus und seine Briefe. Der Stand der Forschung, Bibl. Handbibliothek II, München 1964

Rigaux, B.,   Die zwölf Apostel, in: Concilium 4 (1968) 238–242

Robert, A. –   Einleitung in die Hl. Schrift II: NT, Freiburg i. B. Feuillet, A., (Hrsg.), 1964

Roessler, D.,   Gesetz und Geschichte. Untersuchungen zur Theologie der jüdischen Apokalyptik und der pharisäischen Orthodoxie, WMANT 3, Neukirchen 1960

Roloff, J.,   Apostolat – Verkündigung – Kirche / Ursprung, Inhalt u. Funktion des kirchl. Apostelamtes nach Paulus, Lukas u. den Pastoralbriefen, Gütersloh 1965

Ropes, J. H.,   The Singular Problem of the Epistle to the Galatians, Harvard Theological Studies XIV, Cambridge 1929

Sand, A.,   Der Begriff »Fleisch« in den paulinischen Hauptbriefen, BU 2, Regensburg 1967

Scharbert, J.,   Die alttestamentl. Bundesordnung in ihrer altorientalischen Umwelt, in: Die religiöse Bedeutung des AT, Studien u. Berichte der Kath. Akademie in Bayern 33, Würzburg o. J., 13–46

Scharbert, J.,   Heilsgeschichte u. Heilsordnung des AT, in: Mysterium Salutis, Grundriß heilsgeschl. Dogmatik II, Einsiedeln 1967, 1076–1144

Schelkle, K. H.,   Die Petrusbriefe, Der Judasbrief, Herders Kommentar XIII 2, Freiburg 1961

Schelkle, K. H.,   Wort und Schrift. Beiträge zur Auslegung und Auslegungsgeschichte des NT, Düsseldorf 1966

Schelkle, K. H.,   Theologie des Neuen Testaments, Düsseldorf I 1968, III 1970

Schlier, H.,   Die Entscheidung für die Heidenmission in der Urchristenheit (1942), in: Die Zeit der Kirche. Exeget. Aufsätze u. Vorträge, Freiburg i. B. ³1962, 91–107

Schmithals, W.,   Die Häretiker in Galatien, in: ZNW 47 (1956) 25–67 (= Häretiker I), überarbeitete Fassung in: Paulus u. die Gnostiker, Theol. Forschung 35, Hamburg–Bergstedt 1965, 9–46 (= Häretiker II)

Schmithals, W.,   Die Gnosis in Korinth. Eine Untersuchung zu den Korintherbriefen, FRLANT NF 48, Göttingen ²1965

Schmithals, W.,   Das kirchliche Apostelamt. Eine historische Untersuchung, FRLANT 79, Göttingen 1961

Schmithals, W.,   Paulus u. Jakobus, FRLANT 85, Göttingen 1963

Schnackenburg, R.,	Die sittliche Botschaft des NT, Handb. der Moraltheologie, hrsg. v. M. Reding, 6, München ²1962
Schnackenburg, R.,	Die Kirche im NT. Ihre Wirklichkeit und theologische Deutung. Ihr Wesen und Geheimnis, Quaestions Disputatae 14, Freiburg i. B. ³1966
Schnackenburg, R.,	Neutestamentl. Theologie. Der Stand der Forschung, München ²1965
Schnackenburg, R.,	Christliche Existenz nach dem NT. Abhandlungen u. Vorträge, München I 1967, II 1968
Schnackenburg, R., Schierse, F. J.	Wer war Jesus von Nazareth? / Christologie in der Krise, Das theologische Interview, Düsseldorf 1970
Schnackenburg, R.,	Apostel vor und neben Paulus, in: Schriften zum NT. Exegese in Fortschritt und Wandel, München 1971, 338–358
Schneider, G.,	Neuschöpfung oder Wiederkehr?, Düsseldorf 1961
Schneider, N.,	Die rhetorische Eigenart der paulinischen Antithese, Herm. Unters. z. Theologie 11, Tübingen 1970
Schoeps, H. J.,	Theologie und Geschichte des Judenchristentums, Tübingen 1949
Schoeps, H. J.,	Paulus. Die Theologie des Apostels im Lichte der jüdischen Religionsgeschichte, Tübingen 1959
Schoeps, H. J.,	Das Judenchristentum. Untersuchungen über die Gruppenbildungen u. Parteikämpfe in der frühen Christenheit, Dalp-Taschenbücher 376, Bern u. München 1964
Schrage, W.,	Die konkreten Einzelgebote in der paulinischen Paränese. Ein Beitrag zur neutestamentlichen Ethik, Gütersloh 1961
Schrage, W.,	»Ekklesia« und »Synagoge«, in: ZThK 60 (1963) 178–202
Schreiner, J.,	Die Zehn Gebote im Leben des Gottesvolkes. Dekalogforschung u. Verkündigung, München 1966
Schürer, E.,	Die Geschichte des jüdischen Volkes im Zeitalter Jesu Christi, 3 Bde., Leipzig 1901–1909, Nachdruck Hildesheim 1964
Schwarzenberger, R.,	Bedeutung und Geschichte der Beschneidung im AT mit besonderer Berücksichtigung der Forschungsergebnisse aus Ethnologie und alter Geschichte, Diss. Wien 1962
Schwegler, A.,	Das nachapostolische Zeitalter in den Hauptmomenten seiner Entwicklung, 2 Bde., Tübingen 1846
Schweitzer, A.,	Die Mystik des Apostels Paulus, 2., photomechanisch gedruckte Aufl. Tübingen 1954
Schweizer, E.,	Gemeinde und Gemeindeordnung im NT, AThANT 35, Zürich ²1962
Schweizer, E.,	Die »Elemente der Welt«. Gal 4,3.9; Kol 2,8.20, in: Beiträge zur Theologie des NT. Ntl. Aufsätze, Zürich 1970, 147–163
Seidensticker, Ph.,	Paulus, der verfolgte Apostel Jesu Christi, Stuttg. Bibelstudien 8, Stuttgart 1965
Sieffert, F.,	Bemerkungen zum paulinischen Lehrbegriff, namentlich über das Verhältnis des Galaterbriefs zum Römerbrief, in: Jahrb. f. Deutsche Theologie XIV Gotha 1869, 250 bis 275

Sieffert, F.,   Die Entwicklungslinie der paulinischen Gesetzeslehre/ nach den vier Hauptbriefen des Apostels, in: Theolog. Studien f. B. Weiss, Göttingen 1897, 332–357

Simon, M.,   Die jüdischen Sekten zur Zeit Christi, Einsiedeln 1964

Stalder, K.,   Das Werk des Geistes in der Heiligung bei Paulus, Zürich 1962

Steinmann, A.,   Der Leserkreis des Galaterbriefes. Ein Beitrag zur urchristlichen Missionsgeschichte, NTA I, Münster 1908

Strecker, G.,   Das Judenchristentum in den Pseudoklementinen, Berlin 1958

Stuhlmacher, P.,   Gerechtigkeit Gottes bei Paulus, FRLANT 87, Göttingen ²1966

Stuhlmacher, P.,   Erwägungen zum ontologischen Charakter der καινὴ κτίσις bei Paulus, in: EvTh 27 (1967) 1–35

Stuhlmacher, P.,   Das paulinische Evangelium, I.Vorgeschichte, FRLANT 95, Göttingen 1968

Thüsing, W.,   Per Christum in Deum. Studien zum Verhältnis von Christozentrik und Theozentrik in den paulinischen Hauptbriefen, NTA NF 1, Münster 1965

Trilling, W.,   Fragen zur Geschichtlichkeit Jesu, Düsseldorf 1966

Trilling, W.,   Vielfalt und Einheit im NT. Zur Exegese und Verkündigung des NT. Unterweisen u. Verkünden 3, Einsiedeln 1968

Tyson, J.B.,   Paul's opponents in Galatia, in: Nov. Test. X (1968) 241–254

Ulonska, H.,   Paulus und das AT (= Die Funktion der atl. Zitate u. Anspielungen in den paulinischen Briefen), Diss. Münster 1964

Umwelt des Urchristentums, hrsg. von J. Leipoldt u. W. Grundmann, Berlin I ²1967, II 1967

de Vaux, R.,   Das Alte Testament und seine Lebensordnungen I, Freiburg i.B. ²1964

Verweijs, P.G.,   Evangelium und neues Gesetz in der ältesten Christenheit bis auf Marcion, Studia Theologica Rheno-Traiectina 5, Utrecht 1960

Vielhauer, Ph.,   Aufsätze zum NT, ThBü 31, München 1965

Vielhauer, Ph.,   Paulus und das AT, in: Studien zur Geschichte u. Theologie der Reformation, Festschr. E. Bizer, Neukrichen-Vluyn 1969, 33–62

Vögtle, A.,   Die Tugend- und Lasterkataloge im NT / exegetisch, religions- und formgeschichtlich untersucht, NTA XVI, Münster 1936

Vögtle, A.,   Jesus, in: LThK² V (1960) 922–932

Vögtle, A.,   Urgemeinde, Urchristentum, Urkirche, in: LThK² X (1965) 551–555

Vögtle, A. – Lohse, E.,   Geschichte des Urchristentums, in: Ökumenische Kirchengeschichte I, hrsg. von R. Kottje und B. Moeller, Mainz–München 1971, 3–69

Volz, P.,   Die Eschatologie der jüdischen Gemeinde im neutestamentl. Zeitalter, Tübingen ²1934

Watkins, Ch.H.,   Der Kampf des Paulus um Galatien, Leipzig 1913

Weber, V.,	Die Abfassung des Galaterbriefs vor dem Apostelkonzil, Ravensburg 1900
Weber, V.,	Die Adressaten des Galaterbriefes. Beweis der rein südgalatischen Theorie, Ravensburg 1900
Weber, V.,	Gal 2 und Agp 15 in neuer Beleuchtung, Würzburg 1923
Wegenast, K.,	Das Verständnis der Tradition bei Paulus und in den Deuteropaulinen, WMANT 8, Neukirchen 1962
Weiss, H.-F.,	Der Pharisäismus im Lichte der Überlieferung des NT, Sitzungsb. d. Sächs. Akad. d. Wiss., phil.-hist. Kl. 110, Berlin 1965, 91–134
Weizsäcker, A.,	Das apostolische Zeitalter der christlichen Kirche, Tübingen u. Leipzig ³1902
Wendland, H.-D.,	Ethik des Neuen Testaments, NTD Ergänzungsreihe 4, Göttingen 1970
Wibbing, S.,	Die Tugend- und Lasterkataloge im NT / und ihre Traditionsgeschichte unter besonderer Berücksichtigung der Qumran-Texte, BZNW 25, Berlin 1959
Wiederkehr, D.,	Die Theologie der Berufung in den Paulusbriefen, Studia Friburgensia NF 36, Fribourg 1963
Wikenhauser, A.,	Die Apostelgeschichte, RNT 5, Regensburg ⁴1961
Wikenhauser, A.,	Einleitung in das NT, Freiburg ⁵1963
Wilckens, U.,	Das Neue Testament / übersetzt und kommentiert von U. Wilckens, beraten von W. Jetter, E. Lange u. R. Pesch, Hamburg–Köln–Zürich 1970
Wilson, R. McL.,	The Gnostic Problem. A Study between Hellenistic Judaism and the Gnostic Heresy, London 1958
Wilson, R. McL.,	Gnostics – in Galatia?, in: Studia Evangelica IV, = TU 102, Berlin 1968, 358–367
Wilson, R. McL.,	Gnosis und Neues Testament, Urban-Taschenbücher 118, Stuttgart 1971
Wrede, W.,	Paulus (1904), in: WdF XXIV 1–97
Zimmerli, W.,	Das Gesetz und die Propheten. Zum Verständnis des AT, Göttingen 1963
Zimmerli, W.,	Gottes Offenbarung. Gesammelte Aufsätze, Th Bü 19, München ²1969
Zimmermann, H.,	Neutestamentliche Methodenlehre. Darstellung der historisch-kritischen Methode, Stuttgart ³1970

ABKÜRZUNGSVERZEICHNIS

(Abkürzungen nach Möglichkeit nach dem Lexikon
für Theologie und Kirche (LThK), 2. Aufl., 1. Bd., Freiburg i.B. 1957)

Weitere Abkürzungen:

Bauer Wb	Griechisch-Deutsches Wörterbuch zu den Schriften des Neuen Testaments u. der übrigen urchristl. Literatur, von W. Bauer, Nachdruck der 5. Aufl., Berlin 1963
BU	Biblische Untersuchungen, hrsg. von O. Kuss, Regensburg
Hennecke I/II	E. Hennecke, Neutestamentliche Apokryphen in deutscher Übersetzung, hrsg. von W. Schneemelcher, 1. Bd.: Evangelien, Tübingen ⁴1968, 11. Bd.: Apostolisches, Apokalypsen und Verwandtes, Tübingen ³1964
HThG	Handbuch theologischer Grundbegriffe, unter Mitarbeit zahlreicher Fachgelehrter hrsg. von H. Fries, München I 1962, II 1963
Richter Wb	Deutsches Wörterbuch zum Neuen Testament, nach dem griech. Urtext bearbeitet von G. Richter, RNT X, Regensburg 1962
StANT	Studien zum Alten u. Neuen Testament, hrsg. von V. Hamp u. J. Schmid, München
WdF XXIV	Das Paulusbild in der neueren deutschen Forschung, in Verbindung mit U. Luck hrsg. von K.H. Rengstorf, Wege der Forschung XXIV, Darmstadt 1964 = ²1969

REGISTER
(in Auswahl)

Philipper